私の法隆寺物語

高田良信

東方出版

百済観音堂の前で（アマチュア写真家・人見詳子さん撮影）

1953年ごろ、師匠の佐伯良謙管主（中央）らと。白い衣が入寺間もない筆者。

雨天の中、法要のため境内を進む行列。
筆者は法要の進行をつかさどる会奉行を務めた。

1996年6月8日、中国・敦煌莫高窟で仏教伝来・中継の縁に感謝する法要が営まれた後、献茶式をした千宗室・裏千家家元（後の玄室大宗匠）とともに。

1997年9月9日、パリ・ルーブル美術館で百済観音像を観覧する
シラク・フランス大統領を案内する筆者。

1998年10月、百済観音堂の落慶法要に臨む。
筆者の前が多川俊映・興福寺貫首（現・同寺寺務老院）。

まえがき

興福寺 寺務老院　多川俊映

本書は、法隆寺の歴史に通暁されその管主を勤められた髙田良信さんの最後の著述といってよく、奈良新聞に連載された「私の法隆寺物語」をまとめられた一書である。

連載期間は、平成13（2001）年6月から月1回のペースで、平成30（2018）年2月の200回で掲載終了した。実は、良信さんの遷化は平成29年4月で、翌5月は休載したものの6月から再び掲載され（192回）、全200回に至ったものである。つまり、かなり早い段階で200回まで書き進められ、掲載担当記者に手渡されていたのだ。いずれにせよ、連載終了を2月にもってこられたのは、常にお太子さんご命日の2月22日を強く意識しておられた、いかにも良信さんらしい几帳面さだ（当日はご自身の誕生日でもある）。先ずは、それが偲ばれる。

法隆寺は、来る令和3（2021）年4月3日（旧暦2月22日）、聖徳太子1400年御遠忌が厳修されることになっており、その寺史はまさに長大である。その長い歴史のどの時代にも通じることは至難の業であるが、良信さんはその几帳面さと明敏さとで黽勉《びんべん》従事され、多くの著作を残された功績は大きい。

本書の特徴の一つとして、近現代の法隆寺にも目が向けられていて興味深いが、前著『髙田長老の法隆寺いま昔』(朝日選書)で触れられている法隆寺別当次第の訂正などは、私にとっても印象深い。
実は、私も予て興福寺の別当次第には強い疑問をもっており、良信さんのそうした訂正に触発されて、興福寺別当次第を可能なかぎり綿密に訂正し、昭和55年刊行の『日本仏教基礎講座1　奈良仏教』(雄山閣)に発表した。それはともかく、本書のタイトルは「物語」となってはいるが、その多くが目を通された古文書など史資料に典拠されており、法隆寺に関心をもつ人にとって、頼もしい一書にちがいない。

ところで、私は後輩にもかかわらず、いままで「良信さん」と親しく呼ばせてもらってきた。そのわけであるが、本書にも述べられている通り、良信さんの師匠・佐伯良謙師は元来興福寺の学侶で、昭和7年に乞われて法隆寺に転籍された方だ。良謙師は明治13年のお生れで昭和38年の遷化だから、実に人生の大半を興福寺僧として過ごされたから、そのお弟子さんの良信さんとは、所属寺院は違えど、その法類関係は濃密――。そこで、「良信さん」なのである。

しかし、それにしても、良信さんは歴史の人であり、史料というものを大切にした人だった。興福寺は平成時代に「天平の文化空間の再構成」を掲げて、明治時代このかた公園的形状になっている境内の史跡整備事業を展開し、その当面の眼目として享保2(1717)年に焼失したままになっていた中金堂の平成再建に取り組み、昨年10月、多くの方々のご参加を得て、めでたく落慶した。

そうした事業の節目々々に、寺院では法要を執り行って事業の進展を祈念するが、その都度、良信さんにお声がけし、快くご出仕していただいた。平成10年10月の境内整備事業無魔成満祈願法要、同21年11月の中金堂再建地鎮々壇法要並びの手斧始《ちょうなはじめ》、翌年の中金堂再建立柱式と順次出仕していただき、法要にさいして声明《しょうみょう》の「唄《ばい》」をお引き賜わった。今更ながらそうした法類のご厚情を深謝申し上げたい気持ちでいっぱいだ。

そんな折、しばしば史料のコピーを持ってこられて、こんな文書にこんなことが書いてあると、ご教授にあずかった。たとえば、享保9年の「鴟鴞《しきょう》便覧」(上宮皇門葉 唯識沙門　覚英)に、同2年の大火について、「片桐石見守家来　西木又ト云侍　塔・東金堂ノ二ヶ所ケスノコス也」とあり、そのため後年、「今日ヨリハ東木又トナノルベシ東金堂ノアランカギリハ」と歌われたとか。また、駆りつけた火消しが「一番手片桐石見、二番手高取、三番郡山本多氏」とあったとか。そこには、いかにも自慢げで、いたずらっぽい笑顔の良信さんがいた。

令和元年9月17日

法隆寺境内図

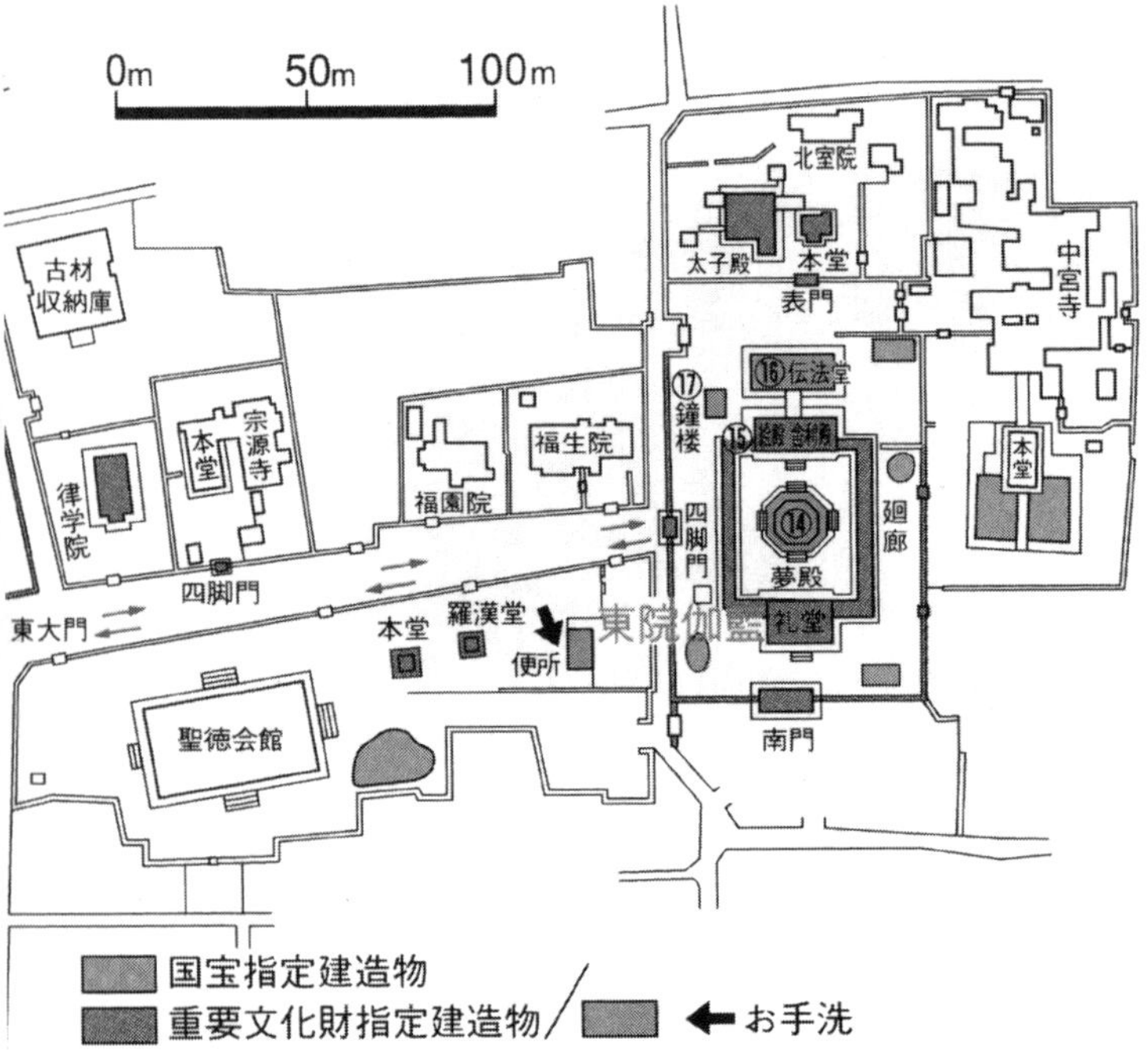

法隆寺略縁起（リーフレット）より転載

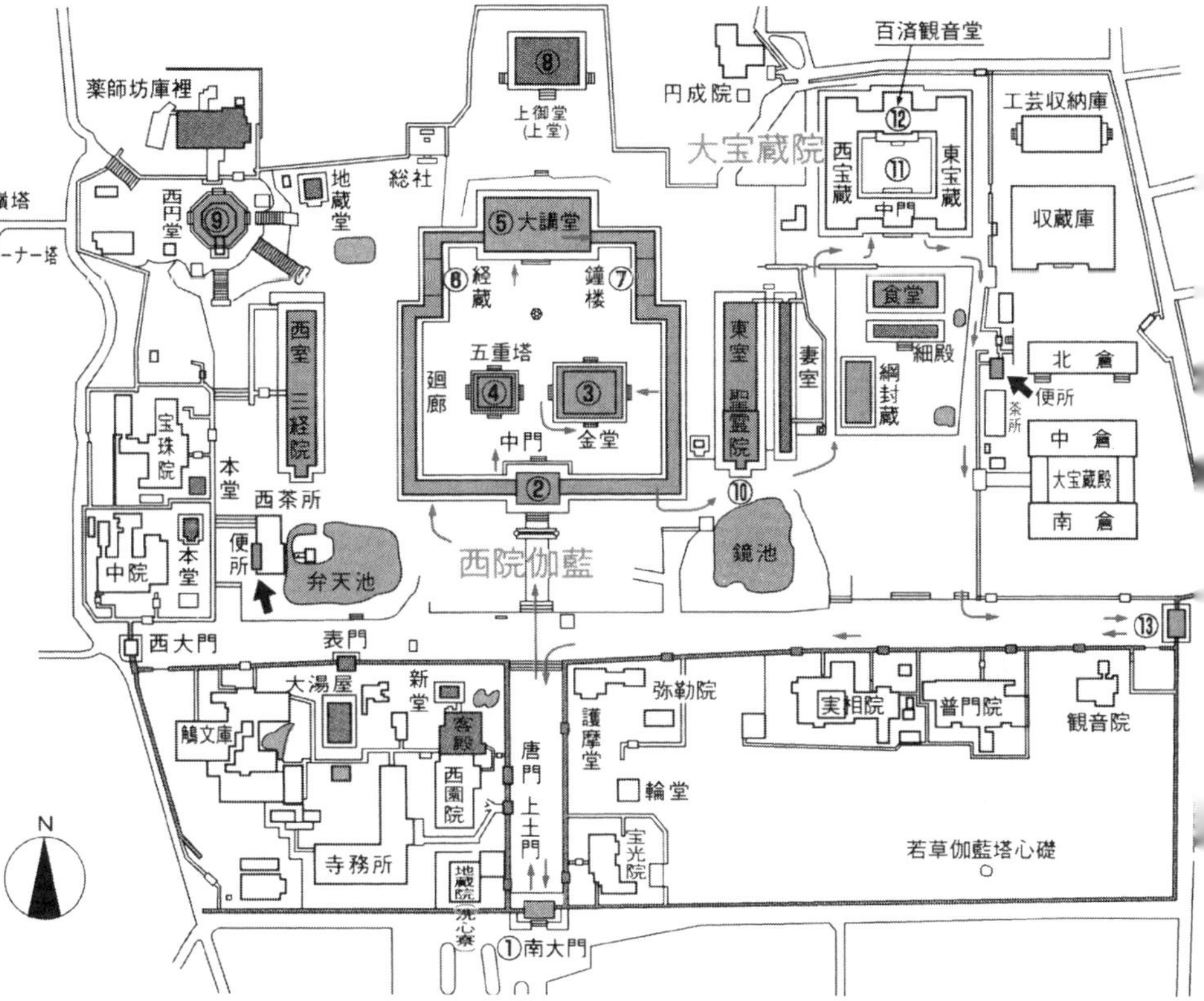

①南大門（室町時代）
②中門及び廻廊（飛鳥時代）
③金堂（飛鳥時代）
④五重塔（飛鳥時代）
⑤大講堂（平安時代）
⑥経蔵（奈良時代）
⑦鐘楼（平安時代）
⑧上御堂（鎌倉時代）
⑨西円堂（鎌倉時代）
⑩聖霊院（鎌倉時代）
⑪大宝蔵院（平成 10 年）
⑫百済観音堂（平成 10 年）
⑬東大門（奈良時代）
⑭夢殿（奈良時代）
⑮舎利殿・絵殿（鎌倉時代）
⑯伝法堂（奈良時代）
⑰東院鐘楼（鎌倉時代）

私の法隆寺物語　目次

私の法隆寺物語

1

斑鳩――大ケヤキに群れ遊ぶ鳥

わが国を代表する古代遺跡の宝庫である「明日香村」に対して、法隆寺の周辺を「斑鳩町」と呼んでいる。

この「斑鳩町」という地名は昭和22（1947）年2月11日に法隆寺周辺の「龍田町」「法隆寺村」「富郷村」の3カ町村が合併したことにはじまる。

そのときに、一つの行政単位として「斑鳩町」が誕生したことによって、現在の斑鳩町の領域が確定することとなる。そのようなことから斑鳩の歴史を考えるときに、現在の斑鳩町の領域を指すように考える人が多いと聞く。

しかし、その領域が古くからの「斑鳩（鵤《いかるが》）」と呼ばれた地域そのものではない。かつて聖徳太子に関係する宮殿や寺院・神社などが存在していた地域のほとんどが「平群《へぐり》の郡《こおり》」であり、これが明治維新を迎え「平群郡《へぐりぐん》」と呼ばれるようになる。現在のように生駒郡になるのは明治30（1897）年からのことである。

そのようなことから、太子と法隆寺に関する歴史を考える場合には、少なくともかつての平群郡を含む広い地域にわたって研究しなければならない。

太子は、初め上宮《かみつみや》（桜井市付近とする）に住んでおられたが、601年に斑鳩に移られたと『日本書紀』は伝えている。そのとき太子が竜田老神の指南によって斑鳩に法隆寺を建立したとする伝説のある「龍田本宮」は、「三郷町」にある。昭和58（1983）年には平群町の西宮から直径40－42センチの掘立柱が並ぶ大型建物の遺構が発見され、上宮王家に関連する遺構の一つと注目されている「西宮遺跡」がある。

また「飽波葦垣宮《あくなみあしがきのみや》」は安堵町にあったとする伝承があり、「飽波神社」がその旧跡であるとする見解もある。また、斑鳩町の上宮公園の近くにある成福寺も飽波葦垣宮の旧跡であるとする説がある。

さらに王寺町の達磨寺や河合町の定林寺、香芝市の尼寺《にんじ》廃寺をはじめ、旗尾池、分川池にはそれぞれ太子ゆかりの伝承があり、大和郡山市には額安寺や物部守屋を射止めたと伝える舎人《とねり》の迹見赤檮《とみのいちい》の伝承地があることも、広義の斑鳩文化圏として注目に価する。

　そのような意味からも太子時代の斑鳩とは、特定の地域を示す地名ではなく、「斑鳩宮」「岡本宮」「飽波葦垣宮」「中宮」などを含む広範囲の地域、つまり現在の安堵町、斑鳩町、三郷町、平群町、大和郡山市の一部を含む地域を意味する「太子の文化圏」を指すもの、と考えたい。

　この地域の名称については、源　順《みなもとのしたごう》によって承平5（935）年に編纂された日本最古の百科事典である『和名類聚抄《わみょうるいじゅしょう》』によると、大和国平群郡にある郷名として「那珂《なか》」「平群」「夜麻《やま》」「坂門《さかと》」「額田《ぬかた》」「飽波」の郷名が見られる。しかしどうしたことか、その中には「斑鳩」という郷名は見られず、村名も字名も存在しないのである。

　さきにも触れたように「斑鳩」という地域と、その範囲を明確に示す史料はない。

「斑鳩」という地名はあくまでも漠然としたもので、古くからの地名（字名）としてはどこにも残っていないという。

　そのようなことからも古代の斑鳩を考えた場合、狭義として太子が宮殿を営まれた周辺の地域の総称ということになり、広義としては斑鳩宮を中心とする太子の文化圏を指すものと考えたい。

　とくに江戸時代の『古今一陽集』（1836）は、「斑鳩」について、つぎのような興味深い古老の伝説を紹介している。

「鵤（斑鳩）と呼ばれるのは、かつてその地域に老樹（大槻樹）に斑鳩という鳥が群遊していたという。その老樹は福井邑（斑鳩宮と若草伽藍の中間・法隆寺東大門の東南地域）と呼ぶ地域の西辺に茂っていたが、惜しいことに、その由緒を知らない農夫が伐採してしまったという。そのようなことからその旧跡に叢祠《そうし》を建てて、それを福石弁財天と呼んだとする」

　これによると「斑鳩」とは「鳥」の名称であり、その鳥が群集していた大槻（ケヤキの古名）が福井邑にあったことになる。

　かつて「大槻」があったと見られる場所には、明治の初年まで「福石弁財天」と見られる祠《ほこら》が古地図に示されている。

　その老樹が茂っていた場所は若草伽藍や斑鳩宮に隣接しており、「斑鳩」の地名の発祥地にふさわしい位置にある。そのようなことから、その故事を後世に伝えるために、その近くに大槻を植樹し、「斑鳩之地名発祥地」の石碑を建てて顕彰している。

この斑鳩に対して「飛鳥」という地名は6世紀のころから「飛鳥坐神社」の付近に字名として遺っていると聞く。しかし、どうしたことか斑鳩が字名として残っていないのが不思議でならない。これも法隆寺にまつわる「なぞ」のひとつといえるのではないだろうか。

2 藤ノ木古墳の謎とロマン①——被葬者を意識した太子

昭和60（1985）年の夏から、法隆寺から西へ400メートルほど行ったところにある一つの古墳の発掘調査が行われた。

それによって未盗掘の朱塗りの石棺、みごとな文様を施した馬具、そして棺内から数多くの副葬品が発見されたことは記憶に新しい。また、石棺内の調査によって、若い2人の人物を葬ったことが確認されている。その古墳の名前が「藤ノ木古墳」である。

かつて、この古墳は「ミササキ」とか「ミササキ山」と呼ばれ、墳丘に生えている樹木を切ったら腹痛が起こるといった伝承が、まことしやかに語り継がれていたものである。

この古墳のことを藤ノ木古墳と呼ぶようになったのは昭和46（1971）年からのことである。それは古墳の所在地の字名をとって名づけられたものであり、字藤ノ木のすぐ近くには字ミササキがある。「ミササキ」とは天皇・皇后の陵墓を意味することはいうまでもない。

この古墳が築造された年代は、発掘調査が行われるまでは、墳丘の形などから5世紀ごろと考えられていたが、石室内から出土した須恵器の年代などから6世紀後半のものと考えられるようになっている。

ところが、石棺内の副葬品の調査が進むにつれて、古墳の築造年代もいささか流動的になった。例えば、副葬品の中で最も注目を集めている玉纏太刀《たまきのたち》を6世紀末の製作とする研究の成果が研究者によって発表されたことなどによって、この古墳の築造年代を6世紀の中ごろから7世紀の初頭に至る時期まで広げて考える見方が出された。

この古墳の被葬者については、はじめ物部氏や膳《かしわで》氏などの豪族であろう、とする説が優勢であったが、わたしはただひとり、崇峻天皇（592年に蘇我馬子によって暗殺された）説を主張していたのである。それは法隆寺に伝わる中世の文書に見られるミサザキの記述などがその大きな根拠となった。

とくに文永2（1265）年の法隆寺支配の田畑に関する文書には「庚陵寺　ミササキ　刀祢作、堂辺二有リ」の記載が認められる。

また、中世の法隆寺研究の主要な史料でもある『嘉元記』の貞和3（1347）年の条には、「西郷陵堂供養」の記事が見られる。その「陵堂」は19世紀の中ごろまで「宝積寺大日堂」と呼ばれて存続していたのである。また、17世紀ごろに役所へ提出した文書や図面には「崇峻天皇陵」の記述も見られる。

そのようなことから、わたくしは藤ノ木古墳の被葬者を崇峻天皇と考えたのでる。

ところが、崇峻天皇陵（宮内庁は延喜式の記載によって倉橋陵を治定している）を桜井市の赤坂天王山古墳とする説が有力であったことや、古墳の築造年代が古いと見られていたことなどから、わたしの考えを支持する学者はほとんどいなかったのが実情であった。

とくに舶載されたと見られる馬具をはじめ、太刀、沓《くつ》、冠などの副葬品の精査がすすむにつれて、一豪族の墳墓のものとみるにはあまりに豪華であり、皇族クラスの墳墓であることは、多くの学者が認めるところとなりつつある。そして古墳の造営年代の幅も序々に引き下げられ、崇峻天皇説もかろうじて古墳の被葬者候補の範疇に入ってきたのであった。

この藤ノ木古墳の被葬者がひょっとしたら聖徳太子と深い関係があるのではないか、とする見解も支持されつつある。最近では、その候補者として崇峻天皇やその兄の穴穂部《あなほべ》皇子などの名前が、考古学者の間からも挙がっている。

この2人の皇族は太子の叔父であり、ともに蘇我馬子の手にかかって非業の最期を遂げたことで知られている。もし、そのような太子の近親者が藤ノ木古墳の被葬者であったとすれば、太子が斑鳩に宮殿を構えて、それらの人びとを供養する陵寺の意味を込めて法隆寺を建立した可能性も出てくる。そのようなことからも、わたしは「聖徳太子は古墳の被葬者をご存じであった」という確信を抱いたのである。

その根拠は、太子が推古9（601）年に斑鳩宮を造営したことが『日本書紀』に記録されていることによる。いうまでもなく宮殿を造営する場合には必ず予定地を充分に精査していたはずである。そのように考えれば、太子が斑鳩に着目されたのは推古9年よりもさかのぼるということになるであろう。その斑鳩の宮殿は現在の夢殿付近にあったといわれており、かならず藤ノ木古墳が太子の目にとまっていたはずである。

しかも、藤ノ木古墳が築造されてから20－30年後(もっと近いかもしれない)のことであり、当然のことながら古墳の造営に携わった人びとも健在な時期であったにちがいない。おそらく、この古墳に誰を葬っているのか、という伝承も明らかな時代であったといえよう。

そのようなことを総合的に考えれば「聖徳太子は藤ノ木古墳の被葬者を知っていた」ということも許されそうな状況にある。

その後、この古墳の築造年代が6世紀後半－末ごろへと移りつつあり、ますます斑鳩宮造営年代に近づきつつあるというのが実情である。そのようなことを踏まえて「聖徳太子は藤ノ木古墳の被葬者を知っていた」ということから、さらに「太子は藤ノ木古墳の被葬者を意識して斑鳩宮や法隆寺を造営したのではないか」といった推論までが許されそうな局面をむかえつつある。

3
藤ノ木古墳の謎とロマン②——2人の被葬者

「藤ノ木古墳の被葬者は誰か」という問題については、多く研究者たちから、さまざまな見解が提起されている。しかし、「藤ノ木古墳の石棺の蓋《ふた》を閉めた人物」、すなわち亡くなった人を丁重に葬った人物は誰か、現代流にいえばこの古墳で行われた葬送儀礼の葬儀委員長を勤めたのは誰か、ということについては、まったく論議されていないのが実情である。

しかし、古墳が存在するかぎり、石棺の蓋を閉めた人物、被葬者を葬ることを命じた人物が、かならず存在したはずである。その人物を見いだすことも「藤ノ木古墳の被葬者」を解明するためには不可欠の課題といえよう。

優れた副葬品や年若い被葬者という現実を踏まえて考えるならば、その死を深く悼み、手厚く葬ろうとした近親者の姿が想像できよう。
しかし、優れた副葬品があるにもかかわらず、何らかの理由から、きわめて急いで埋葬した痕跡が見られるという。それは石棺内に残された「冠」や「大帯」などが折られたように埋納されていることや、あれだけの立派な副葬品を納めながら石棺内に2体もの被葬者を葬っていることである。

この2人の被葬者という事実に対して、大変興味深いのが「石棺の大きさ」である。もし、その規模が2人用であったとすれば、はじめから2人の被葬者を埋葬しようと考えていたことになり、1人用であったならば、何らかの異変によって急遽、予定を変更して2人を葬ったということになる。

かつて、この問題については、橿原考古学研究所へ問い合せたところ、他の石棺の規模から見ても2人用とも、1人用とも断言できないらしく「セミダブル」という解答であった。

これについて、あえて憶測をすすめるならば、はじめは1人用として造られたが、何らかの異変によって、2人を埋葬せざるを得ない事情が生じたのではなかったか。そこで石棺を造るときには大量の副葬品を入れる予定であったために、やや大型に造っていた石棺に2体を葬ったと考えることが可能となる。

もし、突発的な事件などの特殊事情によるものでなかったとすれば、石室内には2つの石棺を納める充分な空間が残っていたことから考えても、1体ずつの石棺を造って葬ったであろうことが考えられる。

いずれにしても、あの優れた副葬品と埋葬状況はきわめてアンバランスであり、わたくしにはどうも理解しがたいものを感じる。

石室や石棺内にある豪華な副葬品から見ても、1つずつの石棺を作るだけの地位と財力をもった人物であったことだけはたしかなようである。

そのような見地に立って藤ノ木古墳の被葬者に思いを巡らせるならば、とくに2体の被葬者の内の北側の人物が、社会的地位がきわめて高かったにもかかわらず、若くして亡くなっていることは確かであり、しかも、石棺を新たに造る時間的余裕がないほどの急激な事件で死亡したのではないか、という、わたしなりの結論に達する。これはあくまでも憶測にすぎないことはいうまでもない。ただ、そのように考えないかぎり、石棺の規模と豪華な副葬品のアンバランスが理解できないことだけは、たしかなようである。

そのような状況を現実的に考えた場合、石棺の蓋を閉じることを命じた人物は、できるだけ丁重に葬ろうとする気持ちと、急がねばならないという焦りの気持ちが交錯する、複雑な立場に立たされていたといえるのではないだろうか。そのために、石室内に充分なスペースがあるにもかかわらず、1つの石棺に2人の被葬者を葬ったということになったのではないか。

しかも、それは尋常な死ではなく、世間をはばかった非業の最後を遂げた人物、たとえば、そのころの権力者から排撃されて滅ぼされたような可能性を強く感じる。

そのような、為政者の手にかかって滅ぼされた人物を丁重に葬ることは、非常に勇気のいることであり、担当する葬儀委員長にとっては生命をもかけた葬儀であったはずである。しかし、あえてそれを実行し得た人物は、絶対的な権力者に対抗することが可能であった、それなりの立場の人物ということになる。

このような考えのもとに、葬った人物を絞ろうとすれば、聖徳太子のほかにはどうしても見出せないのである。(わたしは太子が倉橋陵から崇峻天皇のご遺体を藤ノ木古墳へ改葬したのではないか、と考えている)

そして、太子はこの藤ノ木古墳を末長く大切に護持するように人びとに呼びかけられていたのではないだろうか。藤ノ木古墳が現在まで未盗掘の状態で伝えられたのには太子の強い遺志のようなものが働いていると考えるのは、うがちすぎであろうか。

そのようなことから、わたしはこの藤ノ木古墳の研究は法隆寺にとってけっして無縁の存在ではないと思われてならない。そのようなことから、むしろ、この古墳には法隆寺の創建にかかわる、謎とロマンが秘められているのではないか、との思いを強くする昨今でもある。

4 太子の理想郷——抵抗勢力の及ばぬ地へ

太子が斑鳩の地に宮殿の造営を開始したのは推古9(601)年のことであったと、日本書紀は伝えている。

しかし、宮殿の造営場所を突如として決めるようなことは考えられない。まず交通などの地理的な条件、

5

太子の政治姿勢——道後の旅で思索

崇峻天皇に対する弑逆《しぎゃく》事件のあと、我が国最初の女帝である推古天皇（554–628、在位593–628）が即位された。おそらく天皇の暗殺という異常な政治状況の中で、国家の安泰を願ったときに、推古天皇をおいて適当な人材がなかったのであろう。

そのような背景のもとに、推古元（593）年4月10日に、天皇は太子を皇太子に任命して政治を委ねられている。そのときから太子は摂政として、いよいよその聡明さを発揮する、いわゆる太子の摂政時代がはじまるのである。

そのころ皇太子候補としては多くの皇子たちがいたにもかかわらず、20歳という若さで太子が皇太子に任命されたことは、すでに太子の力量が高く評価されていたことを示すものといえよう。

天皇から国政を委ねられた太子がまず目指したのは、政治を円滑に施行するために国家としての諸制度をととのえることであった。

その前提として、まず取り組んだのは先進の外来文化や仏教の教えなどを積極的に採り入れて、国家としての基盤を築くことであったといえよう。

そのようなことから翌推古2年に天皇は太子と大臣の蘇我馬子に命じて、「三宝興隆の詔《みことのり》」を発している。すでにそのころは、かつて太子も参戦して廃仏勢力であった物部守屋を完全に排除し、仏教を興隆する基盤が築かれつつあった時代でもあった。

この詔によって、はじめて朝廷として正式に仏教興隆を奨励したことになる。すべての臣や連たちに対して、それぞれの天皇と親の恩にむくいるために、仏を敬い競って仏舎を造ることを奨めている。このときから仏舎を寺と呼ぶこととなったと伝わる。

いうまでもなく、これは崇峻天皇の暗殺という前代未聞の大事件に遭遇した多くの人びとの心の動揺を思い計った太子が、人びとに仏の教えという精神的な支柱を与え、人心の安定を図ったのではないだろうか。

しかも、このころの仏教というものが宗教のみならず学問・美術・工芸・建築など東アジアの文化の粋を集めた総合的な文化の複合体であり、その仏教を推進することは、それらの先進文化の成果を日本全土に広めることに直接つながるものであったことが大いに影響していたものと考えてよかろう。

この詔の発布には太子の積極的な進言があったはずである。それは太子が、かねてから国際的な広い視野に立って物を考えることの出来る人物であり、大国の隋や朝鮮半島の高句麗・百済と云った国々の制度や文化を積極的に導入する必要を痛感していたことによるものであろう。

このような時期に仏教の指導者として高麗僧の慧慈と百済僧の慧聡が渡来して太子の仏教の師となっている。

太子は慧慈らが来日した翌年の推古4（596）年に慧慈や葛城臣などのブレーンをともなって伊予の道後あたりへ逍遥《しょうよう》している。

これについては太子が自分の領地を見分する旅であったとする説もあるが、わたしは、これから日本の国をどのように導いて行くべきか、を思考する旅であったと考えたい。

そのようなこともあって仏教の師である慧慈や、政策のブレーンであろう葛城臣らが同行していたのではないだろうか。

それを裏付けるかのように、太子は道後の温泉の効能に託して、自らの政治姿勢を語っている。それが碑文となって石に刻まれ、湯岡の地（道後温泉の湯築《ゆづき》城跡）に建てられたと伝える。しかし残念ながらその碑石は現存していないが、幸い『伊予国風土記』にその碑文の内容が収録されている。

碑文の内容はかなり難解であるが、その意味の要旨は次のようなものとされている。

太陽や月の光が、だれかれという何の区分もなく平等に人びとを照らしているように、この道後の湯も多くの人びとに等しくその効能を与えている。

それと同じように、いつもそのような平等性が守られているならば、それこそが理想の国であり、お浄土というものであろう。

政治の恩恵もまたすべての人びとに対して平等にもたらされるべきものであり、ぜひともそのような国をつくりたいものである、と。

つまり太子は温泉の薬効を讃えるのに託して、「すべての人間の尊厳」「すべての人間の平等性」を強く唱えられ、天皇を中心とした安定した国家を造るために、国を支える人びとの幸せに心をくだき、為政者として姿勢を明確に打出したものであった。

やがて道後から帰られた太子は、その決意のもとに思索を重ねられ、いよいよこれからその成果を実行に移して画期的な政治改革の数々を断行することとなる。

そのようなことから太子による道後への旅は、これから日本の国家としての基盤をどのように整え、人びとをいかに導き、幸せをもたらそうか、とする思考の旅であったといえるのではないだろうか。

6 太子の内政改革断行——「天寿の国」実現へ

道後への旅から帰った太子は、慧慈など多くのブレーンたちの意見を積極的に取り入れながら国家として必要な諸制度を立案し、それを施行することに専念している。それらの政策は、まさに内政の一大改革の断行そのものであった。

まず推古11（603）年12月には「冠位十二階」を制定している。これは朝廷に仕える郡臣たちの位を冠によって表示する制度のことである。

豪族や官吏たちの階級を、大徳・小徳・大仁・小仁・大礼・小礼・大信・小信・大義・小義・大智・小智のあわせて十二階に分けて、位階ごとにそれぞれきまった色の冠を着用させるものである。

これは朝廷に仕える官吏たちの人材登用を具体的に制度化したものであり、封建的な家柄などにはまったく関係なく、その功績によって授けられるものであった。

これは、官吏たちに忠勤を励む意欲を起こさせることにも、大いに役立ったことであろう。おそらく、この制度の施行に対しては反対勢力の激しい抵抗があったことであろう。しかし、太子の強い信念によって断行している。

このような画期的な改革が人びとに浸透したのを見計らった太子は、推古12（604）年4月3日に「憲法十七条」を制定した。

これはまさに太子にとって、内政改革の集大成、とでもいうべき大仕事であったといえよう。この憲法は「国家のあるべき姿」「政治に携わる人びとの心がけ」などを中国古典の文言を引用しつつ、具体的な例を示しながら国家の規範を表明したものであり、豪族や官吏らに対する政治的道徳的訓戒でもあった。

この憲法の内容は思想的には仏教はもちろん儒教や法家の考えなどの影響も受けているといわれている。

その条項の主な要旨を紹介しておこう。

①和を大切にすること ②真心から仏教を敬うこと ③天皇の命には必ず従うこと ④官吏は社会秩序の維持につとめること ⑤公正な裁判を行うこと ⑥悪い行為を正し、良い行いを支持すること ⑦適材適所に人材を登用すること ⑧官吏は人びとのために身を尽くして奉仕すること ⑨何ごとにも真心をもって対処すること ⑩何ごとにも怒りなどの感情をあらわに出さないで冷静に対処すること ⑪善い行いと悪い行いとをはっきりと判断して必ず賞罰を与えること ⑫国民からは決められたもの以外に税を徴収しないこと ⑬官吏は職務についていかなることがあっても責任の回避をしないこと ⑭他人を嫉妬しないこと ⑮個人的なことよりも国家のために専念することが官吏の正しい道であること ⑯国民に労働力を提供させるときは時期を選ばなくてはならないこと ⑰ものごとを決断するときには決して1人で行わないこと

太子はこの憲法十七条を制定して、それを実施することによって、天皇を中心とした中央集権的な国家体制の安定を目指したのであり、実際的な官吏の職務行動の規範を、仏教の教えなどに基づく宗教的な道徳を示しつつ、その確立を図ることに努めたのであった。

こうした国政の改革に取り組みつつ、太子は遣隋使の派遣などを行って、積極的に先進文化の摂取と、将来に向けての若い人材の育成にも大いに期待したことであろう。とくに国家体制の安定を計るとともに、アジアの超大国である隋に対する対等外交を開こうとしたことは広く知られている。『書紀』には推古15（607）年に小野妹子（生没年不詳・近江滋賀郡小野村の出身）を遣隋使として派遣したことを伝えている。

それによると、太子は推古7（599）年7月3日に、大礼小野妹子を大唐（隋）に遣わし、鞍作福利《くらつくりのふくり》を通事（通訳）としたという。

やがて妹子たちは煬帝に拝謁を許され「日出ずる処の天子、書を日没する処の天子に致す。恙無《つつがな》きや」としたため国書を奉ったために煬帝から不興をかったという話はよく知られている。しかし、太子の念願はついに達成され、隋との対等外交が実現することとなった。

このように、太子は国家の安定と仏教の教えなどに

基づく道徳の確立に、その生涯を捧げられたが、ついに皇位に就くことはなかった。

ところが、太子は実質的な天皇のような存在ではなかったかとする学者や、斑鳩地域に残る条理などには都城造りが行われた形跡が見られると唱える研究者もある。おそらく太子はこれらの行政改革が軌道に乗りつつあったことに満足をしながら、斑鳩宮を中心として理想郷の実現を目指されたのかもしれない。

まさに太子が抱いていた「天寿の国」の実現という大きな夢が、これからいよいよ花開こうとしていたのであった。

7 法隆寺建立前後の仏教——教義が政治の基礎に

日本に仏教が渡来したのは欽明天皇の時代であったといわれている。そのころの人びとは金色に輝く異国の神、仏像をどのように見ていたのだろうか。

おそらく、今まで目にしたこともない黄金の仏像に対して畏怖と崇敬の気持ちが交錯する複雑な面持ちで接したことであろう。そのころの為政者たちの多くは「仏の教え」を貴ぶというよりは、むしろそれに付随してもたらされた異国の優れた文化に目を見張ったにちがいない。

遥か西方のペルシャやシルクロードに沿った国々からもたらされた珍しい品々やすぐれた文化に人びとが大いに魅せられたことは言うまでもない。仏教はそのような卓越した文化・技術を生み出す尊い教えであると考え、大いに興味を抱いたのも当然であろう。

そのころの東アジアの文化圏において、「学問」「思想」「美術」「建築」「工芸」などを幅広く統合した文化として、社会的にも卓越したひろがりと裾野をもっていたのが「仏教」であったといわれている。

そのような仏教が日本に伝わってはじめて出家したのは3人の女性であった。それは敏達13(584)年のことであったと伝わる。やがて、その3人の尼僧たちは百済に渡って仏教の奥義を学び、崇峻3(590)年に帰国している。そして、その年には、さらに多くの女性たちが出家している。

このように日本の初期の仏教界に尼僧が多かったことは、古くから「政」にもかかわったといわれる巫女《みこ》としての機能を尼僧に求めたのではないかとする見解もある。それは「卑弥呼」や「伊勢神宮の祭主」などにも見られるように、女性のもつ宗教的役割を尼僧に求めたとするのである。

そのような時期に出生されたのが太子である。その太子は幼少のころから聡明で人びとの注目する俊才であったという。太子は優れた大陸の文化を携えて来日した高句麗の「慧慈」や「慧聡」、百済の「觀勒《かんろく》」らの学匠に師事して真摯に仏教を学び、ついには仏陀の深遠なる教えを体得されるようになる。

やがて太子は仏教の精神にもとづいた国家を理想として政治制度の確立に着手し、「和」の心を中心とする日本で最初の憲法十七条を制定した。

とくに太子は世界の大国である隋との対等の国交を開きたいとの思いから、遣隋使を派遣して「仏教」「政治制度」「芸術」などの新しい文化を学ばせている。

このように太子は仏教を政治の基調に置くことによって、豪族間の対立を緩和し、融和して、人びとの生活の倫理性を高めようとしたのではなかったか。

おそらく太子は仏教を学問的に思想的に正面から取り組んだ日本最初の人物ということになるであろう。とくにそれまでの、仏教の持つ呪術性からの脱却を図ったところに特徴があり、日本の仏教文化を中国や朝鮮半島の先進国のレベルまで高める中心的役割を果たしたのが太子であった。

このように仏の教えは天竺から東流して西域の国々・中国・朝鮮半島を通って日本に到着し、しっかりと受け継がれたのである。やがて飛鳥の都を中心として多くの寺院が建立され、仏教文化の大輪の華が咲くこととなる。

そのような背景のもとに建立されたのが斑鳩寺（法隆寺）であった。ところが推古９（６０１）年に太子が斑鳩宮を造営したことを『日本書紀』が伝えているのに対して、どうしたことか、その近郊に斑鳩寺を建立したことには触れていない。

しかし太子によって斑鳩寺が建立されたことは疑う余地のない事実である。その寺院は用明元（５８６）年に天皇が自らの病気平癒《へいゆ》のために薬師如来像を作ろうと発願したことに由来すると伝わる。

その遺志を継いだ推古天皇と太子が推古15（６０７）年に薬師如来像を造り、斑鳩宮の西に隣接するように建立されたのがはじまりという。しかし、その斑鳩寺は天智9（670）年に焼失した、と『日本書紀』は記している。

近年ではその寺院の旧跡を「若草伽藍跡」と呼んでいる。その伽藍跡は昭和14（1939）年の発掘によって、現在の法隆寺に先行すると見られる伽藍の遺構が見つかり、金堂と塔跡らしき掘込基壇の遺構が確認されているが、廻廊・講堂・僧房などの遺構は発見されていない。

とくに金堂の基壇の築成に遅れて塔の基壇が築かれている新事実も確認しており、金堂の造立よりそうとう遅れて塔が建立されたと考えられている。それは塔の掘込地業の下から、金堂に使用したものと思われる素弁九葉蓮華文の軒丸瓦や手彫り杏葉文の軒平瓦を発見していることによる。

いずれにしても、この伽藍が太子の建立した寺院であろうと見られている。しかし、はたして太子の生存中に伽藍が完成していたかどうか、についての解明が今後の重要な研究課題のひとつであり、その究明に対する期待の声は高い。

8 太子道をゆく——伝承の道さまざま

太子が愛馬黒駒にまたがり、侍者の調子麿を従えて斑鳩宮から飛鳥の小墾田宮《おわりだのみや》へ通われたと伝える街道を「太子道」と呼んでいる。『太子伝暦』によると、その黒駒は推古6（598）年に甲斐の国から太子へ献じられた全身が黒く四脚が白い名馬であったという。

そして、太子は黒駒の飼育を舎人《とねり》の調子麿《ちょうしまろ》に命じている。調子麿は百済の宰相の子息で、18歳のときに渡来して太子の舎人となったと伝わる。太子が全国巡見の旅の途中に富士山へ登られたときも、片岡山で飢えた人にあわれたときも、椎坂で土地の神が太子の吹く笛に合わせて伎楽「蘇莫者《そまくしゃ》」を舞ったときにも、黒駒とともに太子に付き添っていたと伝わっている。

とくに飛鳥と斑鳩宮を結ぶこの道は古くから太子道と呼ばれ、大和盆地に条里制が施される以前の古い道であるためであろうか、盆地の南北に整然と区画された条里を斜めに走っている。そのため、この道は「須《す》知迦部路《じかへみち》」（筋違道）とも呼ぶ。おそらく飛鳥と斑鳩を結ぶ最短距離の道であったのであろう。

この道の中程にある三宅町の「屏風《びょうぶ》」という所には、太子が飛鳥への道すがら昼食をとられたときに村人たちが屏風で囲ってご接待した、という伝承がある。それが屏風という地名の由来であるとする。この屏風にある白山神社の境内には「太子の腰掛石」と呼ばれる石があり、その近くの杵築神社には太子を饗応したときの様子を描いた絵馬も伝わっている。そのとき太子は黒駒の手綱を傍らの柳の木に結ばれたとする伝えがあり、その故事によって平成9（1997）年に柳を植樹している。

しかし、皇太子であった太子が黒駒にまたがり調子麿を従えて自由に旅をされたとは信じがたい。おそらく史実は多くのブレーンや警護の人びとをともなった旅であり、しかも、この太子道は太子の支配力が及んでいた治安的にも安全な地域を選んで選択されたはずである。それほどに、そのころの世情は危険な要素が満ち満ちていた時代であったいえよう。おそらく太子が黒駒に跨り調子麿がそのたずなを引いて往来されたとする伝承は、太子への信仰のひとつとして形成された可能性が高い。

この飛鳥へ通じる太子道に対して、推古天皇30（622）年に斑鳩で薨去《こうきょ》された太子のご遺体を、母の間《はし》人《ひと》皇后が葬られている河内磯長《しなが》の御陵へ運んだ街道のことも太子道と呼んでいる。しかし、その太子道はけっして太子のご遺体を運ぶために新しく造られたものではない。おそらく太子が文化の拠点を結ぶ重要な街道として、すでに生前中から開かれていた街道であったと見るべきであろう。

とくにこの太子道が通っている王寺町には、太子が片岡山で飢えた人に遇われた故事を伝える達磨寺があり、香芝市にはこの道に沿うかのように建てられた古代寺院の遺跡『尼寺《にんじ》廃寺跡』がある。近年の発掘調査によって塔や金堂を中心とする伽藍跡が発見され、この遺跡が太子建立7カ寺のひとつである幻の「葛城尼寺」ではないかとする説も唱えられている。しかも、その近郊には太子が農業用の灌漑《かんがい》用水として掘られたと伝わる「旗尾池」や「分川池」があり、太子信仰が生きづいている地域でもある。

これらの太子道の外にも太子が法隆寺から四天王寺へ通われた街道や兵庫県の鵤　庄《いかるがのしょう》や愛媛県の道後温泉への道など、太子が実際に歩まれた道をはじめ、太子が父用明天皇の菩提を祈って信州の善光寺の阿弥陀如来のもとへ阿部臣や小野妹子などの使者を遣わした街道なども、広い意味で太子道と呼ぶべきであろう。

そして、太子の胸中に秘められた熱い想いは、はるか遠くの朝鮮半島の国々や隋をはじめ、さらにインドそしてペルシャへと及んでいたことであろう。とくに、わが国の威信をかけて小野妹子を遣隋使として隋の煬帝のもとへ派遣した陸路や海路も太子道であるとわたしは考えたい。

いうまでもなく、これらの街道や海路の多くは、はるかシルクロードから中国や朝鮮半島の国々を経て運ばれた優れた文化が往来した国際色豊かな道でもあった。そのような想いから、太子の遺徳と面影を秘めている太子道の啓蒙のために、わたくしは平成8（1996）年に『太子道サミット』を開催して太子道の保存とその顕彰を提唱した。

そして多くの人びとからの、賛同の声に励まされつつ毎年2月22日（法隆寺から科長へ）と11月22日（法隆寺から飛鳥へ）に「太子道をたずねる集い」（注1）を開催し、年々盛大になりつつある。

どうか、これからもそのような多くのロマンを漂わせている、この「太子道」をぜひともお訪ねいただき、はるか太子の時代に思いをはせるひとときをお過ごしいただくようお願いし、おすすめしたい。

なお伝承によると、黒駒は太子の墓前で殉死し調子麿は出家して太子の墓守をしたとも、法隆寺を護持したとも伝える。その調子麿と黒駒の墓であるとする伝承墓（注2）が旧中宮寺跡の南にある。

（注1）法隆寺は2021年の「聖徳太子1400年御遠忌」に合わせて、この「集い」を終了する方針

（注2）残存長49メートルの前方後円墳。前方部が削平され、本来の全長は不明。平成12－14（2000－02）年度に斑鳩町教育委員会が実施した発掘調査で古墳時代前期、4世紀後半の築造と判明した。

9　巨星堕つ――再来願う伝説へ

日本の国造りにその生涯を捧げられた太子を取り巻く不幸は意外に早く訪れた。まず、推古29（621）

年12月21日に太子の母、穴穂部間人皇后《あなほべのはしひと》が多難な生涯を閉じられ、太子もその翌年の正月22日から病の床につかれたという。その看病に努めた太子の最愛の妃である膳大郎女《かしわでのおおいらつめ》も病魔に見舞われて2月21日に亡くなり、そのあとを追うかのように太子も、翌日にこの世を去られた。ときに太子49歳のことであったと伝わる。

太子の薨去《こうきょ》の年時について、『金堂釈迦三尊光背銘』をはじめ『天寿国曼荼羅繍帳銘』『法王帝説』『法起寺塔露盤銘』『太子伝補欠記』などは、推古30（６２２）年2月22日としているのに対し、『書紀』は推古29年2月5日とする。しかし、最も信憑《しんぴょう》性の高いといわれる前者の記録によって、太子に所縁深い寺院の多くは推古30年2月22日を忌日としている。

とくに太子の薨去の場所についても『書紀』は斑鳩宮であるとするのに対して、『太子伝私記』などの法隆寺関係の記録では飽波葦垣宮《あくなみあしがきのみや》であると伝えている。

ところが、天平時代に行信が斑鳩宮の聖跡に太子を供養する殿堂として「上宮王院」（夢殿）を建立していることなどから、斑鳩宮で薨じられたとする説が大勢を占めた時期もあった。

しかし、平成３（１９９１）年9月25日に「葦垣宮跡」伝承地の近くの上宮《かみや》遺跡から「飽波宮」の宮殿跡らしい掘立柱群を発見したことが、斑鳩町教育委員会から発表された。斑鳩町では上宮地区に歴史公園の建設を計画し、同年の春からその事前調査を行っていたもので、約１６００平方メートルの地域を発掘したという。

その発掘現場からは、直径40－50センチの柱を使った大規模な5棟の建物跡が見つかり、その遺構は発掘された柱の太さから平城京の長屋王の邸宅に匹敵するものであることが判明した。しかもその調査地区北端の溝からは聖武天皇や称徳天皇の時代に平城宮で使われたものと同形式の瓦が多数出土している。

そのようなことからこの遺構は奈良時代の建物群であることが明らかとなり、『続日本紀』に記載する神護景雲元（７６７）年4月26日に称徳天皇が行幸された「飽浪宮跡」である可能性が一段と高まったのである。

この宮殿跡のすぐ東には富雄川、西に竜田川、南に大和川が流れている。陸路についても斑鳩と飛鳥を結ぶ「太子道」と斑鳩から河内へ抜ける竜田越えのルートである古い街道もあり、その地域は古代からの交通の要所であったらしい。

しかし、推古天皇の遺言や舒明天皇の即位の状況からすれば山背大兄王が皇位につくものと思われるが、『書紀』の記録によるかぎり、山背王の存在は完全に無視された形となっている。

そのころ蘇我蝦夷と入鹿の父子が祖廟《そびょう》を建てたり、蝦夷の墓（大墓）と入鹿の墓（小陵）を造ったりしている。しかもその作業に上宮の皇子に養育料として授けられた部の民を使役したことに対して、太子の娘である「上宮大郎女姫王《みつみやのいらつめのひめみこ》」が激怒したと伝える。

このように蘇我氏の専横は目に余るものがあったという。さらに、皇極元（642）年の10月6日には蝦夷が病気になったときには私的に紫冠を息子の入鹿に授け、大臣の位を譲ったように見せかけるといった暴挙や、舒明天皇の皇子である古人大兄《ふるひとのおおえ》を皇位につけることなども密かに謀《はか》っていたという。このような蘇我氏の横暴に対して世の人びとの同情は山背王に集まりつつあった。

そのような世情に危惧を抱いた入鹿は、その年の11月に巨勢徳太臣《こせのとくだのおみ》と土師娑婆連《はじのさばのむらじ》らを斑鳩に派遣して山背大兄王をはじめとする上宮王家を襲わせている。この軍勢には皇極天皇の弟である軽王子《かるのみこ》も加わっていたと伝える。

それに対して上宮王家の忠臣であった三成《みなり》が数十人の舎人とともに大いに防戦し、敵将の土師娑婆連を射殺したために、入鹿が派遣した軍勢は恐れて退いたという。その隙を見計らって山背王は、馬の骨を寝室に投げこみ、妃や子弟をつれ、生駒山へ逃れたという。巨勢徳太臣らは斑鳩宮に放火して、その灰の中に骨があるのを見て、山背王たちが亡くなったものと思い、包囲を解いて退却している。こうして山背王たちは、4、5日の間、山の中にひそみ、食べ物をとることもできなかったという。そのとき山背王は東国へ逃れて再起を図ろうとする舎人たちの進言を退けたと伝える。

そのようなときに遠くから上宮の王《みこ》たちの姿を山中に見た者が入鹿に知らせたために、入鹿は急いで軍将らを遣わして生駒山を捜索させている。

やがて山背王たちは死期を悟り、山から下って斑鳩寺（現在の法隆寺の前身・若草伽藍）に帰った。それを見た敵の軍将たちがすぐに寺を取り囲んだという。そのとき山背王は、入鹿の軍将らにつぎのように告げている。

「自分が軍勢を整えて入鹿を討てば、きっと勝つであろう。しかし自分のために多くの人びとを傷つけ、殺すようなことはしたくない。わが一身をば入鹿に賜う」と。そして、斑鳩寺の塔内に入って子弟や妃妾たち23人（15人ともいう）と共に自害されたと伝える。

『太子伝補闕記』には、11月11日午後10時ごろに蘇我蝦夷・入鹿・軽王（のちの孝徳天皇）・巨勢徳太臣などの6人が悪逆の計を発して太子の子孫男女23王を罪なくして害したと伝えている。入鹿によって山背王たちがことごとく滅ぼされたということを聞いた蝦夷は、入鹿の暴挙を大いに嘆き罵《ののし》ったという。

そのような蝦夷の心配が的中して翌々年の大化元（645）年6月12日に中大兄皇子と中臣鎌足らが宮中で入鹿を暗殺し、「大化改新」が断行されたのであった。その翌日には蝦夷も自害している。ここに至って蘇我氏は滅亡したのである。それは太子が亡くなってから23年後のことであった。

11 竜田新宮の遷宮理由――法隆寺による鎮魂か

天皇家を凌ぐまでの権勢を誇っていたという蘇我本家が滅亡したことも影響して皇極天皇が譲位し、その弟の軽皇子が即位された。それが孝徳天皇である。

特に、その年の6月19日には初めて年号をたてて「大化」とし、大化元（645）年8月8日には「仏法興隆の詔」を発布しているが、そのころの法隆寺の様子を伝える資料はない。おそらく、太子一族の滅亡という大事件を目の当たりにして悲嘆にくれながら、太子を慕う人びとや斑鳩周辺を支配していた豪族たちによって護られていたのではなかったか。

特に、太子の侍者として知られる調子麿とその一族も法隆寺を護持していたとする伝承もある。

そのような状況の中で、大化4（648）年に朝廷から「食封三百戸」を法隆寺へ財源として施入されたことが天平19（747）年の「法隆寺資財帳」に記されている。

とくに、その食封の施入には皇極2（643）年に山背大兄王など太子の一族を襲った表面上の張本人である巨勢徳太古《こせのとくたこ》が深く関与しており、法隆寺資財帳には巨勢徳太古が朝廷の命を受けて施入したと記載している。

それについて、巨勢徳太古が贖罪《しょくざい》の気持ちを抱きつつ朝廷の使者として法隆寺へ食封を施入したのではなかろうか、とする見解も示されている。

しかし巨勢徳太古が贖罪の気持を込めて朝廷を代表して法隆寺へ食封を施入する使者を務めたという見解には、どうしても同意しがたいものがある。

それは、もし巨勢徳太古が贖罪のために率先して食封の施入を担当したとするならば、それは巨勢徳太古自身が所有している資財を法隆寺へ施入すべきであり、他人の資財を施入するだけでは贖罪にはならないからである。

この食封の施入はあくまでも朝廷からのものであり、その食封施入の目的が贖罪のためであったとすれば、贖罪をしなければと考えていた人物が朝廷内にいたこととなる。

そのようなことを踏まえつつ皇極2年の事件の記録を見直してみると、太子の一族を滅ぼした軍勢の中に軽皇子、即ち孝徳天皇の姿があったことに注目しなければならなくなる。

そのことからも、あえて食封の施入を贖罪と見るならば孝徳天皇の可能性も浮上する。しかし、それはあくまでも推測の域を出るものではない。

ところが、ちょうど孝徳天皇の時代（645－654）に竜田新宮を法隆寺の近郊に鎮座したとする伝承が、『太子伝私記』などの古い記録に見られる。

もし、そのような伝えが史実とするならば法隆寺の守護神としての竜田本宮があるにもかかわらず、どうしてそのような時期に新宮をわざわざ遷宮する必要があったとのか、といった疑念も起こる。

しかも孝徳朝といえば太子の一族が滅ぼされてから、わずか数年後のことである。その竜田新宮は法隆寺の西南約500メートルのところにあり、しかもその新宮の北には太子一族を葬ったのではないか、と考えられている「御坊山古墳群」（御廟山《ごびょうやま》ともいう）が位置している。その地域の字名を神後《こうのしろ》といい、その南斜面に古墳群がある。この古墳群は昭和39（1964）年と40年の2回にわたってその地域で行われた宅地造成工事のときに、偶然発見されたものであった。

特にこの古墳群のひとつである3号墳の石槨の内部には黒漆塗りの陶棺があり、その密封状態の棺のなかには、仰臥《ぎょうが》した人骨1体が横たわっていたという。

その人物は身長160センチくらいの若い男性で、156センチの狭い棺内に足を曲げた状態で安置しており、ありあわせの棺に急いで葬った形跡が見られる。しかも棺の中には琥珀《こはく》製枕や三彩の有蓋《ゆうがい》円面硯、円筒状の筆の軸部と見られるガラス製品を副葬しており、急ぎながら、しかもできるだけ丁重に葬ろうとする、埋葬に立ち会った人びとの思いが伝わってくる。

このような現実を踏まえつつ竜田新宮の造立理由を考えて見ると、極めて複雑な要素が潜在しているように思われてならない。

太子の一族の人びとを葬ったと考えられる御坊山の南に、どうしてその時期に竜田新宮を遷宮する必要があったのか。どうしてもわたしには両者が無関係とは思われない。そのように考えれば竜田新宮は御坊山古墳群に対する拝殿的な役割を果たしているように見えてくる。しかも孝徳朝に竜田新宮が造営されたころには御坊山に葬っている被葬者が誰であるか、といったことがはっきりと分かっていた時代である。

とくに、御坊山は最近まで新宮の社地であったことを考え合せれば、その地を新宮の神奈備と見ることもあながち根拠のないものと一掃することはできないであろう。おそらく法隆寺としては「太子と神のご誓約」のためという表向きの理由によって竜田新宮を造営し、実際には新宮の北に眠っている不幸な最期を遂げた被葬者たちへの鎮魂としたのではなかったか。そのような処置はそのころの朝廷内の事情を推し量った法隆寺側の気持ちであったのかもしれない。

ところが法隆寺の焼失などの大惨事によって、やがて竜田新宮が造営された真相などが次第に忘れ去られることとなったのではないだろうか。

12 斑鳩寺炎上——再建・非再建の迷路

法隆寺は太子が建立されたままの姿を伝えている寺院、と古くから人びとに信じられ、それが信仰のひとつとなっていた。ところが、上宮王家一族の滅亡という大悲劇に追い打ちをかけるかのように、天智9（670）年に法隆寺が焼失したことが『書紀』の記録にあったのである。

その記事をめぐって、明治20（1887）年ごろから、法隆寺は焼失し再建したとする再建説と、推古15（607）年に建立したままであるとする非再建説が真っ向から対立して、その論争の火ぶたが切られたのであった。それを『法隆寺再建非再建論争』と呼ぶ。

再建論者である黒川真頼、小杉榲邨、管政友らは『書紀』の焼失を伝える記載や『七大寺年表』『伊呂波字類秒』の「和銅年中法隆寺造立」という記録を中心として再建論を提唱した。

それに対して非再建論者は、『法隆寺資財帳』『聖徳太子伝私記』などの法隆寺関係の古い記録はまったく火災のことにはふれておらず、延長3(925)年に大講堂が焼失したのが唯一の火災であるとする点を重視するものであった。

その記録によると、塔と金堂は太子が造立されたものであるから、講堂を再興するときには講堂を旧地から北へ移したと伝えている。それは、もしふたたび講堂が焼失するようなことがあった場合、塔や金堂への類焼をさけようとした結果であるということに、非再建論者たちは注目したのであった。

そのようなことから法隆寺は焼失したことなく、現存の建築様式は疑いなく飛鳥時代のものであって、けっしてそれ以降の様式ではないと強く反発したのが、関野貞、平子鐸嶺などであった。

それから半世紀に及ぶ論争が展開することとなる。その間には長野宇平治の「法隆寺元禄再建説」、平子鐸嶺の「干支一巡説」、堀井卯之助の「三寺説」、関野貞の「二寺説」、足立康の「二寺説」などの諸説が唱えられている。

江戸時代の記録によると、若草というところに大きな石があり、それを若草の塔の心礎であると古老たちは呼んでいたと伝えている。その場所は法隆寺の南大門内の東にあり、そこには巨大な心礎のような礎石が残っていた。

ところが、その礎石が明治10(1877)年ごろに寺外に持ち出されていたため、法隆寺の再建非再建論争の重要な資料でもあることから、多くの人びとの努力によって昭和14(1939)年に旧地に返還されている。それに伴う若草伽藍跡の発掘が石田茂作、末永雅雄によって行なわれている。

その発掘によって、金堂や塔のものらしい掘り込み基壇の遺構が発見され、そこに四天王寺式の伽藍が存在したことが証明されたのである。しかも伽藍の南北の中心軸が西に約20度ふれていることや、出土した瓦が現在の法隆寺のものよりは古く、飛鳥寺創建の瓦に近いことなどが判明している。そのようなことからこの発掘によって再建論が決定的となったのである。

しかし、その焼失年代については、①推古18(61

0）年説（平子鐸嶺の干支一巡説）②皇極2（643）年説（小野玄妙）③大化以後天智以前説（藪田嘉一郎）④天智9（670）年説（『日本書紀』）などの異論もあり、いまだ確定していないというのが実状である。

しかも昭和9（1934）年からはじまった昭和大修理によって、金堂の礎石の中には再使用したものもあり、壁の下地の木舞《こまい》に他の建築の化粧材を割って使用してことが明らかとなっている。それと同じように東室の柱にも削り直した転用材なども確認している。

また昭和43－4（1968－9）年には、国営による若草伽藍跡の再発掘が行なわれた。それは若草伽藍跡の遺構を再確認することと、その伽藍の規模などを精査する目的から行われた。その発掘によって塔の基壇が金堂の基壇の築成に遅れて作られていること、東西の廻廊跡と想定する部分に掘込基壇をもつ建物遺構が存在しないこと、講堂跡についても掘込地業の痕跡や土壇の積土が検出されないこと、などの新事実も明らかとなっている。

とくに昭和56（1981）年からはじまった「法隆寺昭和資財帳」の編纂《へんさん》調査による新発見の資料をはじめ、法隆寺出土瓦の変遷や年輪年代法による新しい知見などによって、焼失年代を含む多くの法隆寺問題はますます迷路へと進む気配を強めつつあるというのが現状である。

もし、若草の地に創建の法隆寺が建っていたとするならば、その焼失以後に、どうしてその地を荒野として放置したのであろうかという疑念を、わたしは抱かずにはおれない。とくにそこに建っていた塔は皇極2年に蘇我入鹿らによって、上宮王家の人びとがその中で悲惨な最期を遂げた重要な意味を含む建物ということとなるからである。

その後、創建法隆寺の焼失によって、再建するときに、その寺地の変更を余儀なくする何らかの理由があったとしても、少なくとも若草の塔跡は永遠に上宮王家の人びとを供養する聖地として、太子一族を渇仰する供養堂が建立していたとしてもけっして不思議ではない。

しかし、どのような記録にも若草の地を特別視するものはなく、発掘調査などでもその遺構を発見していない。そのような現実からも、この伽藍の跡地がほんとうに皇極2年の事件のときに存在していた伽藍跡であったとするには納得できないものを感じる。ところが最近ではすでに法隆寺問題は解決し、太子創建の法隆寺は天智9年に焼失し、現在の法隆寺はそれ以降に

の入れ替えなどを行いながら法隆寺駅に通ずる道をゆっくりと動かしたという。1日目は1町（約109メートル）余りを進んでその日は暮れてしまったので、石を道傍に寄せて夜を迎え、2日目も早朝から9人の人夫によって運びつづけたと伝える。

このように9町余りの道を1週間かけて法隆寺駅まで運び込んでいる。ところがそのころの日本の貨車では、そのような巨石を積載することができなかったので、日露戦争のときにロシアから戦利品として日本へ運んできていた大砲運搬用の無蓋《むがい》車を神戸車輪局からはるばる回送し、その巨石を貨車に載せて、そのまま久原邸に向かったという。

このロシア製の無蓋車はそのころ日本には3両しかなかったもので、礎石と多宝塔の運搬に要した費用は実に1500円ほどに上る大がかりなものであったと伝えている。

このように法隆寺の隠された歴史を秘めた礎石は斑鳩の地を離れたのであった。その日の『法隆寺日記』には「此の因縁深き遺物を遠く他府県に出し去さることは可措之極なれども是非なきことなり」と、その法隆寺の悲しい心情を伝えている。

14　礎石の返還と若草の発掘――遺構発見で再建説確定

北畠治房から譲渡された礎石を庭石としていた久原邸は昭和13（1938）年に野村徳七の所有となり、同年9月には礎石上にあった多宝塔だけが野村本邸へと移されたために礎石のみが同邸内に残されていたという。

ちょうどそのころ法隆寺再建非再建論争が白熱化し、足立康、喜田貞吉の立ち会い論戦に加えて、東京帝室博物館の鑑査官であった石田茂作の「法隆寺再建問題」と題する発表などもあり、法隆寺論争は三ツ巴の様相を呈しつつあったという。このころから『古今一陽集』に記載する若草の礎石のことが注目されはじめることとなる。

やがて、その礎石が野村徳七邸にあることが判明したために、法隆寺修理事務所の岸熊吉技師が野村邸を訪れて礎石を調査し、昭和14（1939）年4月15日に法隆寺住職の佐伯定胤に対して礎石の状況を報告している。そのころから法隆寺では、その礎石を是非とも返還してほしいとの期待の声が高まっていたという。

幸いなことに、そのころ法隆寺壁画保存調査会委員であった江崎政忠（帝室林野局勤務ののち、鴻池家の監事及び理事として家史史料の編集、大阪府の史蹟名勝天然記念物調査会の顧問などの要職につき歴史美術芸術に非常なる造詣が深かったという）は野村合名会社の重役と親交があったことから、若草の心礎をぜひとも法隆寺へ寄付いただけるよう、江崎に尽力を依頼している。法隆寺から要請を受けた江崎はすぐさま野村合名会社の重役と懇談し、その重役と野村家の間で礎石のことについていろいろと話し合いが行われたという。

ところが、どこから取材したのか、5月13−15日の大阪朝日新聞紙上で礎石が法隆寺へ寄進されることが報道されたのである。しかし法隆寺では野村家に対して正式に寄進依頼をしていない事情もあり、その報道に驚いた法隆寺では早急に江崎に対して野村邸訪問の機会をつくってくれるよう要請している。そのようなことから江崎の尽力によって佐伯定胤は5月19日に京都南禅寺にあった野村徳七の別邸を訪れて、礎石の寄進を正式に懇請している。これに対して野村徳七は即座に寄贈を快諾したという。

その後、礎石運搬の方法や費用について検討を重ね、全国海陸沖仕請負業組合連合会長中谷庄之助が350円で運搬を請負うこととなる。また、礎石の返還にともなって9月18日には礎石の旧所在地を確認するために発掘調査を実施する必要があり、東京帝室博物館鑑査官の石田茂作と京都帝国大学考古学教室の末永雅雄が発掘を行うこととなった。

いよいよ10月7日から野村別邸では礎石の荷作りが始まり、やがて礎石は住吉川を下り、12日には住吉停車場の西側から50トン（35トンともいう）貨車に積み込み、一路、法隆寺へと向かった。13日には吹田駅のホームで1泊、翌日の14日午後3時10分に待望の法隆寺駅に到着している。そこから、法隆寺までは深夜に移動作業を行って運搬することとなった。

この礎石の到着に先立って、末永雅雄の指導のもとに普門院裏の外塀から27尺ばかり北寄りの個所を中心として十字型に幅3尺、長さ30尺、深さ4尺余の発掘を行ったところ、十字交差点の北側の深さ3尺余のところから、風化した松香石の石塊に混じって瓦の破片など心礎の下に敷きつめられたらしい砂利層を発見している。

そこがかつて礎石の旧位置であることの傍証としては、明治期に持ち出したときに破ったと見られる大垣に極めて近いことと、歴史に関心が高かった北畠が礎石の旧位置を記録していたものともほぼ一致したという。これによって礎石の旧位置が明確となったために、ひとまず発掘を中止して、心礎を据え置くために、10尺四方に玉石を敷いて地固めを行っている。

20日にはいよいよ礎石が並松町新道の入口まで運ばれ、21日には新道の突き当たりの大垣際まで到着している。ついに22日午前9時過ぎ、若草道から大垣2間を破って若草へ運び入れ、午後4時半に礎石は無事に旧所在地に安着したのであった。

そのころ、調査担当者たちの事情もあって若草伽藍跡の発掘はしばらく中止していたが、12月7日に石田茂作を主査とする発掘が再開している。9日からは末永雅雄も参加し、石田の助手として矢迫隆家、末永の助手として澄田正一がそれぞれ協力している。

発掘が始まったころは遺構に関連するものがまったく見つからなかったが、やがて発掘調査が進むにつれて、17日には塔の基壇跡とおぼしき掘り込みの地層の発見があり、翌18日にも金堂基壇の掘り込み基壇と認められる地層の変化を発見した。とくに、その方位は現法隆寺のものとは著しく異なり、北で西へ20度もふれていることも明らかとなった。これによって若草伽藍は四天王寺式伽藍配置であったことが決定的となったのである。このような世紀的な発見を伴った発掘調査は、半世紀以上に及んだ法隆寺再建非再建論争に終止符をうつこととなる。

やがて現存する五重塔や金堂の解体調査、五重塔心礎の秘宝調査などによって法隆寺の再建論がほぼ確定的となった。

とくに南面大垣の修理工事に関連して昭和43－44（1968－9）年度にわたる創建法隆寺の寺域の確認を行うための若草伽藍跡の再発掘の成果は、法隆寺再建説を決定づけるものとなった。また昭和53（1978）年度からはじまった法隆寺防災改修工事に伴う事前発掘によっても、新たに若草伽藍に付属する北と西の柵列群の一部も発見されており、創建法隆寺の旧姿が明らかになりつつある。

15

法隆寺の再建にまつわる謎——太子慕う思いの行方

法隆寺の再建はいつごろから始められたのであろうか。どうしたことか、天智9（670）年の法隆寺焼失を伝える『書紀』からは、法隆寺の名は消え去っている。

『法隆寺資財帳』によれば、天武8（679）年には大化4（648）年に朝廷から納賜された「食封三百戸」も停止しており、おそらくそのころの法隆寺では経済的にも苦慮していたのであろう。

ところが、しばらくして法隆寺へ、堂塔の荘厳具でもある幡《ばん》などが奉納されていることに注目せねばならない。法隆寺昭和資財帳や献納宝物の調査によって天武11（682）年、持統2（688）年、持統6（692）年などの紀年銘をもつ幡が発見されている。しかも天武14（685）年には法起寺の三重塔の建立も発願されていることもあり、すでに法隆寺が再建の途上にあったことを示している。

とくに持統7（693）年10月26日に朝廷は諸国に対して「仁王経《にんのうきょう》」を説かせており、そのときに持統天皇からは法隆寺でおこなわれた仁王会の料として「銅印七面」をはじめ「黄帳一張」「緑帳一張」「経台一足」などが納賜されたことが『法隆寺資財帳』に記録されている。しかも、その翌年には天皇から「金光明経一部八巻」が納賜されており、同年3月18日には鵤大寺（法隆寺のこと）の徳聡法師が片岡王寺の令辨法師、飛鳥寺の辨聡法師とともに父母の報恩のために観音像を造っている。

それらの史料を総合すると、法隆寺が天智9年に焼失したとしても、持統7年のころにはすでに金堂を中心とする伽藍がほぼ完成に近づき寺観が整えられつつあったことをうかがわせている。とくに和銅3（710）年には都を平城に遷し、興福寺や大官大寺を都に移建したことに関連して、法隆寺も平城の近くにある官寺としての寺観の整備がおこなわれたらしく、翌4年には「五重塔塑像群」や「中門仁王像」を法隆寺が造顕したことが『法隆寺資財帳』に記されている。

建築様式から見ても、まず中心の建物、金堂から着工し、続いて塔・中門・廻廊の順に建てることが一般的であり、各建物の様式に若干の相異があることからも法隆寺の再建には相当の時間がかかっているとする推察を裏付けている。

また、五重塔の内部にある4面の塑像や中門の仁王像が『法隆寺資財帳』に記すように和銅4（711）年に造られたとするならば、それをもって法隆寺の完成とする見解が強い。それから逆算すれば金堂の着工は遅くとも天武年間（673－686）ごろということになるであろう。

ところが不可解なことに『書紀』は火災のことを伝えながら、法隆寺再興の記録は全く見られない。しかしどうしたことか、『七大寺年表』『南都北郷常住家年代記』『伊呂波字類抄』などは「和銅年中に法隆寺を造る」と記しているのである。それはすでに紹介したように五重塔の塑像や中門の仁王像の造顕記録とも一致する。

おそらく法隆寺の再建は、太子を景仰する多くの人びとの浄財と太子が法隆寺へ施入した播磨の鵤庄《いかるがのしょう》などの資財が中心となり、国家の直営工事でなかったために『書紀』に記録しなかったのかもしれない。

そのために資財の不足などによって、しばらく工事が中断し、長引いたのではないだろうか。それを裏付けるかのように五重塔は持統7（693）年ごろに再興されつつあったが、実際の完成は和銅4（711）年まで下るのではないかとする見解が強い。

その理由として、塔の戸口の造作材などの外気にふれないはずの柱の面に風蝕した部分があり、塔の骨子が建てられてから、数十年間工事が中止していたと考えられている。それは、持統朝から塔内4面の塑像を造顕する和銅4年にいたる20年間余りの長期間にわたって再建の工事が放置されていたことを示すものとする説が強い。

とくに和銅4年に造られた塔内4面の塑像群のテーマは釈迦の諸相を表現したものであるが、そのなかに釈迦と太子の姿を彷彿とさせるものがあり、法隆寺の再建事業が太子信仰を母体とするものであったと思われてならない。中門や廻廊も様式的にみて塔と大差はないといわれており、塔内塑像および仁王像が造顕された和銅4年になって、いちおう法隆寺の寺観が整えられたと見てよかろう。

やがて太子の寺「法隆寺」の再興事業が進行中であることを朝廷でも公認するようになり、養老6（722）年に食封が納賜されることとなったのであろう。

中心伽藍の完成に引き続いて二次的な鐘楼・経蔵・僧房・門・宝蔵・食堂なども建立され、天平ごろには現在の姿に近いまでに完成していたと推察されている。

このように太子を慕う人びとの篤い信仰の力と朝廷の支援によって、法隆寺は不死鳥のように再生されたのであった。この再生は太子信仰の高まりの結晶であり、再建法隆寺は太子信仰の高まりの結晶そのものといってよかろう。

しかも法隆寺の再建が完成したころから官の大寺としての性格が強まり、建立当初の目的とは異なった方向へと向かいつつあったのではないだろうか。それは太子を供養する寺院から国家の寺院としての性格が強まったからである。そのような背景のもとに、やがて法隆寺は七大寺や十大寺のひとつとなったために、法隆寺に代わって太子を供養する寺院として、かつての斑鳩宮の旧跡に上宮王院を建立することになったのであろう。

16 聖地・夢殿の意味するもの――太子ゆかりの品々施入

上宮王院とは聖徳太子の寺院という意味で、法隆寺から400メートルほど東方にあることから東院伽藍とも呼ぶ。その中心に建つ八角円堂の周囲に、前方には礼堂、後方には舎利殿と絵殿があり、廻廊がこの円堂を取り囲み、礼堂と舎利殿・絵殿に接続する。礼堂の南には東院の南門があり、その南門の左右には廻廊の南と東・西をさらに囲むように築地が延びている。そして舎利殿と絵殿の後方には、東院の講堂である伝法堂が建っている。

その中心にある八角円堂のことを古くから夢殿と呼んでいる。この夢殿が斑鳩宮にかつてあった仏殿のことをとする伝承がある。太子が経典の字句を理解できなかったとき、その仏殿に入って瞑想されたところ夢の中で教示を受けられたという伝説に由来するという。そのような故事によって太子信仰が高揚しつつあった平安時代ごろから夢殿と呼ばれることとなったらしい。

昭和9－14（1934－9）年にかけて行われた舎利殿の解体修理のときにその周辺を発掘調査したところ、

17

太子への贈り物——漂うシルクロード文化

日本に仏教が初めて渡来したころ、はるか西方のペルシャやシルクロードに沿った国々から長安の都を経由して日本へもたらされた珍貴な品々に、人びとが大いに魅せられたことは言うまでもない。

そのような時期に出生した太子は、外国のすぐれた文化を積極的に取入れた進取の気風をもった偉人であり、日本において仏教をはじめて深く理解された聖者でもあった。

推古15（607）年、太子が小野妹子を隋に派遣されたことが『書紀』や『隋書』の大業3（607）年にも記載されている。太子は遣隋使を派遣することによって、世界屈指の大国である隋と対等の国交を開いて「仏教」「政治制度」「芸術」などの新しい文化を学ぼうとしたと考えられている。アジア最大の国家隋との交流を大切にされた太子の強い意思は太子薨去の後も遣唐使へと受け継がれることとなる。そのようなことから、遣唐使たちは請来した素晴らしい品々を太子の寺である法隆寺へ率先して施入したのではないだろうか。

ちょうどそのころ、道慈という高僧が入唐していることに注目したい。道慈は法隆寺の智蔵について三論宗を学び、大宝元（701）年に遣唐使粟田道麻呂の船で入唐して、17年間の長期にわたって滞在し、養老2（718）年に帰国している。

道慈は額田氏の出身で、その本拠地は法隆寺と地理的に近く、太子とも関係深い氏族の出身者でもあった。そのことからも道慈が、最も尊崇する太子の寺、法隆寺へ請来した宝物の多くを施入した可能性は高い。

それを裏付けるかのように彼が帰国した翌年の養老3（719）年に、唐から請来した檀像《だんぞう》、九面観音像（像高37・1センチ、国宝）が法隆寺の金堂へ安置されていることが『法隆寺資財帳』に記録されている。そこには道慈が施入したとする記載はないが、その前年に帰国した道慈が施入した可能性が高いと思われてならない。道慈の施入についての確証はないものの、太子を観音の化身と見る信仰が高まりつつあったこの時期に、唐請来の九面観音像が法隆寺へ施入されていることに注目をすべきであろう。この施入が、シルクロードの文化に深い関心を抱いていた太子へのすばらしい贈り物となったことは否定できない。

このほかにも、法隆寺にはシルクロードの文化そのものを表現したといえる「四騎獅子狩文錦」がある。これは、シルクロードの香りを最も色濃く漂わせた織物で、大きな連珠円文の中に花樹を中心として左右対称に翼のある天馬を配し、天馬に跨《また》がった武人が振り向きざまに襲いかかろうとする獅子に対して弓を射かける様子を、克明に織り出したものである。これはササン朝ペルシャ特有の意匠であり、銀器などにも見られるデザインとして名高い。おそらく、この織物は西方の影響を色濃く受けて、唐の都長安で製織されたのであろう。この品もまた、遣唐使たちによって請来され、太子へ供えるために法隆寺へ納められたと考えたい。

また法隆寺に多く伝わる「蜀江錦《しょっこうきん》」は、3世紀ころから蜀（現在の四川省成都付近にあった古い国の名）で織られていた赤色の錦の伝統を受継いだものであるといわれている。これとよく似た染織品が西域トルファンのアスターナ遺跡から出土している。とくに法隆寺の金堂壁画第1号壁の中尊内衣の部分に、この錦を写したと見られる衣文が見られ、この文様がそのころ流行していたことがうかがえよう。

これ以外にも、そのころ遊牧民族が生み出した羊毛の敷物「氈《せん》」、胴部にペガサスを大胆に線刻し、注ぎ口に龍を象った「龍首水瓶」、胡人《こじん》と呼ばれるひげを生やしたペルシャ系男性の頭部を注ぎ口にあしらった「胡面水瓶」など、西域の息吹そのものともいえる文物が多い。

また大型の仮面をつけ、寸劇を交えながら、音楽とともに野外を練り歩くという「伎楽」も推古20（612）年に百済の味摩之が日本へ伝え、太子がそれを大いに奨励されたと伝えている。その伎楽は7－8世紀ごろ大いに栄えたが、次第に衰退し、ついに廃絶している。この伎楽面も30面余りが伝わっている（法隆寺献納宝物）。

さらに仏前の供養に用いる香木は、彫刻や工芸品などの材料にも使うために多くの寺院に収蔵されており、法隆寺献納宝物にも白檀香《びゃくだん》、栴檀香《せんだん》、沈水香《じんすい》などがある。最近行なわれた香木の調査によるとササン朝ペルシャのバフラヴィー文字の刻銘やソグド文字の焼印などが確認されており、香木の交易にペルシャ人やソグド人が関与していたことをうかがわせている。また訶梨勒丸《かりろくがん》など、多くの医薬類が請来されていたことにも注目すべきであろう。

これら有形のものに対して、法隆寺の伝統行事を形成する各種の儀礼や仏前供物の製法や供え方などもシルクロード文化の影響を受けている可能性が高く、今後の研究に期待する声は高い。法隆寺に伝わるこれらの宝物は、シルクロードの終着点と形容されている正倉院よりも一時代古い飛鳥・白鳳期の7世紀の遺物が多いことにその特徴がある。

やがて天智9（670）年に消失した法隆寺は太子を慕う人びとの思いが原動力となって不死鳥のように見事に再建され、太子信仰の聖地として上宮王院が建立されたころに、太子の遺志を継承して入唐した人びとから太子への贈り物として素晴らしい宝物を法隆寺へ施入したと見るべきではないだろうか。

そのような背景のもとに、法隆寺にはシルクロードの香り漂う宝物が多いのかもしれない。

18
法隆学問寺の由来――太子の命名か

法隆寺が建立された飛鳥時代、仏教にはまだ特定の宗派は存在していなかったという。しかし推古3（595）年に来日して太子の師僧となった高句麗の慧慈や百済の観勒などの学僧の多くは、三論宗の学匠であったと考えられている。

とくに天武2（673）年に呉国の智蔵が法隆寺に止住して、三論宗を大いに広めたと伝えられていることから、そのころの法隆寺では三論宗が中心であったと推察することができよう。

それとともに法隆寺においては、勝鬘経《しょうまんぎょう》・維摩《ゆいま》経《ぎょう》・法華経の三経を講讃することに重点が置かれていたことに注目すべきであろう。それは、太子が推古14（606）年4月15日に法華・勝鬘の両経を推古天皇の要請に応じて講演されたことや、三経の注釈書として『三経《さんぎょう》義疏《ぎしょ》』を撰述《せんじゅつ》したことに由来するものである。

ところが推古20（612）年の10月に太子が病床に臥《ふ》せられたので、推古天皇は田村皇子（のちの舒明天皇）を遣《つか》わして病気を見舞われたという。そのとき天皇は太子の望みをお尋ねになり、それに対する太子のお答えが『四節願文』であったという。

その『四節願文』には、多くの寺院を建立して「仏法僧の三宝」の仏教の教えの法力によって日本の国土と国家を護りたい、という太子の強い願いが繰り返し述べられており、この『四節願文』こそが「法隆寺における太子信仰の根幹」をなしているといえよう。特にその第2条において、太子は法隆寺のことを「法隆学問寺」と呼び、法隆学問寺に住んでいる僧侶たちに対して「毎年の夏安居《げあんご》（4月16日－7月15日の期間）に法華経・勝鬘経・維摩経の三部の経典を講じてほしい。それを行なうことによって仏法は栄え、人びとに幸せが訪れ、仏法の教えの力によって日本の国が安泰となるであろう」と遺願されている。

そのようなことから、この願文の趣旨にしたがって法隆寺では三経を講じることが太子のご遺命であると考えたのである。これによって三経の講讃が法隆寺の教学や信仰において不動の地位を築くこととなり、法隆学問寺という寺名も、太子が三経を講讃することを法隆寺の寺僧たちの一大使命とされたことにその命名の由来を求めたのではないだろうか。

ところが7世紀の後半になると、入唐僧たちによって伝えられる多くの教学が法隆寺にも大きな影響を及ぼすこととなる。奈良時代における法隆寺教学の普及状況を示す記録に、天平19（747）年の『法隆寺資財帳』がある。それによると、「律衆」「三論衆」「唯識衆」「別三論衆（成実衆？）」とする記載があり、それに加えて三経の講讃料として「功徳分料」のことを記している。

とくに「唯識衆」とは法相宗のことで、7世紀後半から8世紀始めにかけて伝来した新しい教学であり、元興寺や興福寺に伝来している。それが、やがて法隆寺をはじめとする諸大寺の学僧によって大いに栄えることとなり、法隆寺では主として興福寺に伝来した唯識の学流を研鑽していたと伝える。

また『正倉院文書』には、天平勝宝3（751）年ごろに『深密経疏』などの論書を法隆寺が所蔵しているとの記載や、同7年には法隆寺僧たちが光明皇后願経を校正したといった記録もあり、このころの法隆寺教学の高揚ぶりを偲ぶことができよう。

ことに上宮王院の建立発願者として名高く、大般若経などの写経を発願した行信は、そのころ僧綱所でも高い地位を占めており、法相宗の法隆寺初伝者と伝え、著書には『仁王護国経疏』3巻がある。その法資である孝仁も法相宗系の学僧として、『因明入正理論《いんみょうにっしょうりろん》疏記』3巻の著書があり、これら行信・孝仁の師弟を中心として法隆寺教学が大いに隆盛を極めていたらしい。

また資財帳は「律衆」のことを記録しているが、その系統および流布状況については明らかでない。しかし行信が6人の僧に「律」を修学させたとする伝承があることから、鑑真が渡来する以前からすでに法隆寺で流布していたことをうかがわせている。それに続いて古密教についても紹介をしなくてはならない。それは神護景雲2(768)年に始行され、現在まで連綿と受け継がれてきた「吉祥悔過」の行法の中に古密教(雑密)が含まれているとする伝説もある。しかし、現行の行法の中から、それを裏付ける個所を見出すことは困難のようである。ところが法隆寺には、奈良時代の「鐃《にょう》一柄」や、唐代の「五大明王鈴一口」などが伝来しており、何らかの形で古密教が伝えられていた可能性を否定することはできない。

このように法隆寺では、学問寺として南都の諸大寺とともに多くの教学が研鑽されていたことをうかがわせている。そのような背景のもとに天平勝宝8(756)年に聖武太上天皇が崩御されたころから、興福寺・東大寺・元興寺・大安寺・薬師寺・西大寺など平城京の近くにあった寺院とともに七大寺の一つに数えられることとなる。

また宝亀元(770)年4月には大安寺・元興寺・興福寺・薬師寺・東大寺・西大寺・弘福寺・四天王寺・崇福寺とともに十大寺と呼ばれ、称徳天皇の発願による『百万塔』を分置されたことはよく知られている。このように太子の寺として再生した法隆寺は次第に官の大寺としての性格を強めている。

19 法隆寺を支えた資源――太子施入の荘園

世界最古の木造建造物として平成5(1993)年に日本ではじめて世界文化遺産に登録された法隆寺は、けっして7世紀を代表する最高最大の寺院ではなかった。たしかに法隆寺が太子によって創建されたときは、その時期を代表するAクラスの寺院の一つであったかも知れない。ところが天智９（６７０）年の焼失後に再興した法隆寺は、ＢかＣクラスの寺院であったと見るべきであろう。そのころすでに太子の一族は滅亡し、法隆寺のスポンサーとなる有力な人物の影はそこには見られないことによる。

おそらく法隆寺の再建は法隆寺へ施入された太子の遺産や太子を慕う多くの民衆の力によってはじまったと考えられる。そのために資金に苦労しながら再建作業が進められ、資財の不足からその作業が中断することもしばしばあったらしい。そのときの法隆寺には資材や技術を選択するような余裕はなかったようであり、やがて太子の寺である法隆寺が再建の途上にあることを見聞した朝廷からの援助を受けることとなり、８世紀のはじめに再建されたらしい。

ところが、そのように資金に欠乏していた法隆寺が１３００年後の今日に現存し、国家やスポンサーに恵まれて造営された大寺院の建物のほとんどが現存していないという、まことに不思議な現象に注目する人はきわめて少ない。

いくら材質の良い木材を使い、優れた技能をもって寺院を造営したとしても、その寺院を維持することがいかに大切であるか、ということを私たちに語りかけているようである。法隆寺では約３００年ごとの大修理とその間に行われる屋根替えを中心とする小修理をコンスタントに行ってきたということに尽きる。

もし、一度でも修理することができなかったとしたら、その建物は崩壊していたはずである。まさに法隆寺を支えてきたものは寺僧を中心とした多くの人びとの太子信仰にかける献身的な努力そのものであったと言わねばならない。

法隆寺の再建が完成したという8世紀ごろに法隆寺に住んでいた僧は１７６人、見習い僧の沙弥《しゃみ》が87人の計２６３人で、そのほかに仕事に従事をする奴婢が５３３人いたと、『法隆寺資財帳』は伝えている。その奴婢の数に関して、そのころ元興寺９８９人、東大寺３１０人、四天王寺２７２人、薬師寺１７２人であり、他の寺院と比較すると法隆寺には多くの従事者たちがいたこととなる。その法隆寺を維持するために必要な財源は『法隆寺資財帳』に記載されている多くの荘園や荘倉に求めていたという。

その内訳は成町２３２６町２段２８８歩、水田３９６町３段２１１歩３尺、陸地１９２９町９段76歩２尺４寸、とする広大な領地であった。

当職（寺院を統括する長官で、太政官府によって任命された）が置かれ、その指揮の下で三綱職《さんごう》（寺主・上座・都維那＝主に太子の侍者であった調子麿の子孫が代々就任していたと伝わる）が法隆寺を管理することとなったという。

別当職もはじめのうちは法隆寺に所属する寺僧が任命されていたが、10世紀の始めごろから東大寺や興福寺の寺僧が任命される傾向が強まり、11世紀の中ごろから興福寺の寺僧が別当職に任命されることとなった。

これは法隆寺が次第に興福寺の傘下に入りつつあることを意味するものである。やがて法隆寺の寺僧たちは興福寺の政圧にあまんじながら法隆寺の本願である太子信仰の発揚に務めるべく必死の努力を重ね、新しい法隆寺の歩むべき姿を見出そうとしていた。それは太子信仰に生きる寺という建立当初の目的に立ちかえることでもあった。

とくに太子の400年御忌に当たる治安2（1022）年ごろから太子信仰の高揚が活発化し、法隆寺の寺僧たちによって延久4（1072）年に聖徳太子不断念仏の道場として金光院を建立し、治暦5（1069）年には上宮王院の絵殿の本尊として童子形の太子像を造顕したり、太子の生涯を表した障子絵伝を描いたりしている。

また、太子の五百年御忌にあたる保安3（1122）年を中心として聖霊院の造立（保安2年）、勝賢による一切経写経事業の発願（永久2年）、林幸による一切経写経事業の発願（保安3年）、三経院の造立（大治元年）など太子信仰にまつわる事業が相次ぎ、永久4（1116）年には、ついに上宮王院の院主職が停止されて法隆寺の別当職が兼務するところとなった。それは完全に上宮王院が法隆寺の傘下に入ったことを意味するものであり、これ以降、法隆寺はますます太子信仰に生きる寺として、南都諸大寺の中にあって独特の展開を見せることとなる。

奈良時代には太子を供養する法会のことを「聖霊会《しょうりょうえ》」とは呼ばず、「法華経」などを講讃することを中心とした法会であったという。とくに道詮が太子の250回忌に相当する貞観13（871）年ごろに上宮王院の再興を祝う法会は大々的に行われたものと思われるが、残念ながらそれを伝える記録はない。

「聖霊会」という名称が記録に登場するのは11世紀の後半からのことである。それは「聖霊会」の名称が承保─嘉保（1074‐96）年間のころからたびたび文献に記されていることによる。そのようなことから11世紀の後半から太子を敬慕する気運が一層の高まりを見せ、太子の伝記や太子像などもさかんにつくられている。

　とくに太子500回忌に関する聖霊院建立などの記念的事業が完成した保延4（1138）年ごろから、「聖霊会」の内容に大きな変化が見えはじめてくる。それは現在の聖霊会に使用する「行道面」や「舞楽面」などの多くが保延4年を中心としてつくられていることによる。おそらく保延4年からの聖霊会では、舎利御輿《みこし》を八部衆の輿舁《こしかき》面をつけて担ぐようになったことや舞楽が演じられたことなど、その内容に著しい変化が生じたらしい。

　やがて聖霊会は太子渇仰《かつごう》が華々しく開花した鎌倉時代に至って、最も隆盛を極めることとなる。この聖霊会はあくまでも太子の聖跡である上宮王院で行う法会であるが、上宮王院が法隆寺へ吸収されてからもその伝統は継承されている。

　このように上宮王院で始められた聖霊会は法隆寺の最も重要な行事として継承されることとなった。

21 南無仏舎利とは——太子の「遺宝」を集める

　法隆寺には「南無仏舎利」と呼ぶ仏舎利が伝わっている。これは太子が2歳の2月15日の早朝に東に向かって合掌して「南無仏」と唱えたときに、掌中から一粒の舎利が現れたという伝承によるものである。保延4（1138）年には、その舎利を安置する金銅の舎利塔を造っていることから、遅くとも12世紀のころから法隆寺の法会に舎利が登場した可能性が高い。

　古くはこの舎利を夢殿に安置していたとする伝承もあるが、それを証明する資料はない。おそらくはそのころ勃興した末法思想の影響を受けて教主釈尊を追慕する風潮に大いに刺激されて舎利信仰が栄えたことがその背景にあると考えられる。

　とくに「南に笠置の貞慶（解脱）あり、北に高雄の高弁（明恵）あり」と称される高僧たちが輩出して舎利信仰が大いに高揚され、「舎利講式」の制作なども盛んに行われている。そのころから法隆寺に伝わる舎利を釈迦の左眼のものと信じられるようになり、日本仏教の開祖である太子によって出現したという「南無仏舎利」に対する信仰がいっそうの高まりを見せた。

そのような背景のもとに、その舎利を本尊として安置する舎利殿（桁行7間、梁間3間、切妻造り本瓦葺《ぶ》き）が承久2（1220）年に建立されることとなる。また、その建物は御持堂とも呼び、太子が所持されていたという多くの宝物を納める施設ともなっていたのである。

その宝物の中にはつぎのような宝物類が納められていた。

糞掃衣《ふんぞうえ》（不要なぼろ裂を洗い清め縫い綴った袈裟。釈尊御所持天竺健陀羅国衲袈裟《のうげさ》と伝える＝奈良時代）

御足印（布に太子が御足の跡を踏み残されたものと伝える＝奈良時代）

梵網経（紺紙金泥書＝太子御真筆と伝え、首題に太子の手の皮を捺《お》したものという＝平安時代）

細字法華経（小野妹子請来同朋之御経と伝えているが、奥書に長寿3〈694〉年に中国の長安の李元恵が楊州で書写とある）

法華義疏（4巻＝太子御真筆）

牙笏《げしゃく》（太子が推古天皇の摂政のときに使用したものと伝える＝奈良時代）

周尺（紅牙撥鏤《こうげばちる》尺＝太子が仏像や袈裟を作られたときに使用したものと伝える＝奈良時代）

針筒（牙製撥鏤＝太子が仏像の袈裟を作るときに使用したと伝える＝奈良時代）

水滴（金銅製の硯用水入れ＝太子が法華義疏を撰《せん》した際に使用したと伝える＝奈良時代）

瑞雲形銀釵《ぎんさい》（太子が幼少のころ使用した簪《くし》を孝謙天皇が法隆寺へ納めたと伝える＝奈良時代）

火取水取玉・石名取玉（太子の愛玩《あいがん》品＝双六などに使用したと考えられる＝奈良時代）

五錣鉄鉢（太子が前生に使用した鉢と伝える＝奈良時代）

柄香炉（太子が勝鬘経を講讃したときに使用したと伝える＝飛鳥時代）

尺八（洞簫《どうしょう》、太子が法隆寺から四天王寺へ至る途中に椎坂でこの笛を吹いたところ山神が現れてそれにあわせて踊ったという＝奈良時代）

梓弓（太子が物部守屋との合戦に用いたと伝える＝奈良時代）

六目鏑箭（太子が物部守屋との合戦に用いたと伝える＝奈良時代）

麈尾《しゅび》（講経のとき威儀を示す僧具。太子が橘寺で勝鬘経を講讃した際に用いたと伝える＝奈良時代）

五大明王鈴（真鈴＝太子誕生のとき宮殿に出現をしたという神鈴＝唐代）

このような法隆寺を代表する霊宝のほとんどが舎利殿に納められていたのであった。

その後、舎利信仰がさらに高揚するにつれて、貞和4（1348）年には堂内の中央に黒漆塗の宮殿形厨《ず》子《し》が造られた。この大型厨子の正面には「聖徳太子勝鬘経講讃図」が懸けられ、厨子の西戸内には太子の遺宝を納め、東戸内には「南無仏舎利」を安置することとなった。やがて毎日正12時に南無仏舎利を奉出して舎利の功徳を賛嘆する「舎利講」と呼ぶ法会が行われるようになり、多くの人びとの篤《あつ》い信仰を集めるようになってゆく。

このように太子の掌中から出現したという舎利の功徳のことが普及するにともなって、舎利殿へ納骨を行う信仰も生まれてくる。このような習慣は建暦元（1211）年、解脱上人（貞慶）の勧進によって舎利殿で釈迦念仏が施行され、文永8（1271）年には逆修が始められていることにも関連するものと考えられる。逆修とはいうまでもなく、本人が生きている内に自らの菩提を祈る供養のことである。

そのようなことから、昭和18（1943）年に行われた舎利殿の解体修理のときに、長押の内側から竹製の納骨器や巡礼札・如来形小仏像・地蔵菩薩像などが多数発見されている。残念ながら、それらには墨書銘が少ないので確実なことは判明しないが、この納骨の風習は鎌倉末期から室町期にいたる一時期のものと考えられる。

とくに三十三所巡礼札が納められているのは、法隆寺が第9番南円堂、第7番岡寺、第6番南法華寺などの近郊にあって、観音の化身と伝える太子ゆかりの舎利を奉安することから、巡礼者たちがこの舎利殿に参詣して奉納したものと見ることもできよう。この信仰が、近世に至るまで隆盛を極めたことは舎利殿へ納められている多くの宝物や法具類などからも推測することができる。この信仰の展開過程において造形されたのが、東に向かって合掌する太子二歳像であり、これを南無仏太子像とも呼ぶ。

なお、舎利殿に納められていた太子の遺宝は明治11（1878）年に皇室へ献上され、現在ではそのほとんどが東京国立博物館内の法隆寺宝物館に保管されている。また、舎利を奉出する法会のときに東院の梵鐘を撞くこととなっているが、その梵鐘は中宮寺から移されたものと伝え、鐘楼は応保3（1163）年に新造したものである。

このような信仰の中から和泉式部がつぎのように詠

んだと言い伝えている。
「南無仏の舎利を出ける七ツ鐘、むかしもさそな今も双調」。現在では正月元日から3日間、午後1時から舎利を奉出して舎利講が厳修され、南無仏舎利に参拝しようとする人びとでにぎわう。

22 薬師信仰の聖地――多彩な奉納物

三経院の左手を北に登って行くと高い石段の上に八角の円堂が建っている。それを西円堂と呼ぶ。この西円堂は法隆寺の西北の小高い丘にあることから「西北円堂」「峰の薬師」とも呼ばれている。この西円堂は奈良時代の養老年間に光明皇后の母公、橘大夫人の発願によって行基が建立したという伝承がある。

どうしたことか、天平19（747）年の『法隆寺資財帳』には、西円堂の存在を示す記録はない。しかし、西円堂の解体修理のときに地下から凝灰岩の基壇の一部が発見されているので奈良時代には創建されていたことは確実と見られている。

ところがこのお堂が永承元（1046）年に顚倒《てんとう》したために、本尊の薬師如来坐像《ざぞう》は講堂へ移されたが、やっと200年後になってその再建が始まった。宝治2（1248）年10月26日に釿始《ちょうなはじめ》を行い、11月8日に上棟、建長元（1249）年に再建されたのが現在の西円堂である。

本尊の国宝薬師如来坐像（脱活乾漆、漆箔、像高246・3センチ、8世紀後半）は行基が七仏薬師を7カ寺に安置した内の1体とされ、奈良時代を代表する丈六の乾漆像である。

この薬師如来に対する信仰はお堂が再建された鎌倉時代のころから大いに栄え、「峯の薬師」の霊験は殊勝にして信心の篤い人びとの病を悉《ことごと》く除くという信仰となって広まっていく。そのようなことから西円堂には多くの武器・鏡などが奉納されている。武器類（刀・鎗・冑・鉄砲・弓）は男性の魂であり、鏡・櫛は女性の魂として、そのもっとも貴重とするものを薬師の宝前に捧げて祈願の切なることを表わしたのである。古記にも「諸国の道俗財物を捧げ武具・鏡・衣類など堂内に充満す」と記されている。

また、この薬師信仰に関連して、西円堂は御所の信仰も篤《あつ》く、御祈禱所としてたびたび御代参や御納物があった。それは「薬師如来の霊験殊勝」のことが御所にも伝わっていたからであろう。

近年の調査で『西円堂懸物着到』という7冊の古記録が発見されている。これは宝永5（1708）年から明治14（1881）年までの西円堂への奉納記録であるが、これによると奉納者の分布地域は、東は仙台・山形から西は薩摩・大隅・長崎・対馬からのものがあり、ほぼ全国に及んでいる。また奉納物は、「脇指」「銅鏡」「羽織」「綿入」「打敷」「人形」「雛」「扇子」「紙入」「お守り」「印篭」「金燈篭」「薬師経」などの多岐にわたっている。これらの奉納物の多くは現在も伝わっており、そのほとんどに奉納者の名前や年月日が記されているので、ぜひとも『西円堂懸物着到』と奉納品を対比した調査を行ないたいものである。

このように戦前まではこの堂内のいたる所に刀が掲げられ鏡が打ち付けられていたのである。昭和資財帳の調査によると刀剣が約4200口（鞘《さや》のみを含む）、銅鏡は約2400面を数え、そのほかに弓・鉄砲・甲冑・櫛笄・紙入れなども多数に奉納されていたことが判明している。

このように西円堂は法隆寺を代表する庶民信仰の霊場として参拝の人びとでにぎわい、法隆寺にとって経済的にも重要な殿堂であったという。

そのようなことから、西円堂の前と正面石段の下の2カ所に茶店が置かれていたことが、明治5（1872）年に法隆寺を撮影した写真によって知ることができる。また、明治13（1880）年には、薬師如来への信心の深い人びとの発願によって、西円堂の南正面に京都の清水寺のような「舞台」を新設している。その舞台上からは大和盆地が一望されたという。

しかし、26年後の明治39（1906）年に、老朽化が激しく取り畳まれている。最近では「峯の薬師」のご利益にも変化が現れて「峯の薬師は耳を治して下さる」という新しい信仰も加わり、耳の穴がよく通って聞こえるようにと願って「錐《きり》」を奉納する人も多いと聞く。とくに、平成6（1994）年からは西円堂への「銅鏡」奉納を復興しており、西円堂薬師への信仰は庶民によって大切に守られつつある。なおこの西円堂で毎年2月3日に厳修される鬼追式（鬼遣い、追儺）は、「薬師悔過」（修二会）の結願法要のあとに行なわれる「悪魔降伏」の行事で、鎌倉時代の弘長元（1

261）年に始まったと伝えている。その鬼の役はかつて、堂衆と呼ばれる僧侶たちが勤めていたが、寛政9（1797）年から法隆寺内の融和をはかる寺法の大改正によって堂衆がすべて学侶に昇進することとなったために、堂衆の役割であった鬼役を勤める者がいなくなったのである。

そのようなことから法隆寺の直轄領であった岡本村の村民に鬼役を、その後見として法隆寺の事務などを司っていた算主仲間たちが鬼の衣裳付けなどを補佐するといった習慣が生まれて現在に至っている。なお、この行事に使用される鬼の面（重要文化財）は鎌倉時代に運慶が作ったとする伝承もあり、弘長元年から鬼追式がはじまったとする伝承とも一致する。

この西円堂の後方には薬師坊という建物がある。これは本来、西円堂を管理する僧侶の庫裡《くり》であったが、今は無住となっている。明治のころは庶民の信仰でにぎわうこの西円堂が法隆寺の有力な財源であったため、この薬師坊に法隆寺の寺務所を設置して寺僧たちは経費を節約するために明治7－14（1874－81）年の7年間にわたってここで集団生活を送り、寺を財政の危機から救おうと努めたのであった。法隆寺にとってはたいへん思い出深い建物といえる。

なお西円堂の西に見える松林の山の中には、奈良と京都を戦災より護ることをアメリカ政府に進言したというアメリカ人のラングドン・ウォーナーと、明治時代に仏教美術の研究に功績のあった平子鐸嶺《たくれい》という人物の供養塔がある。

23 僧房生活の実状――居住権の売買も

古代寺院では僧侶の止住する建物のことを僧房と呼び、中心伽藍《がらん》の北と東西の三方に造営されていたという。それを三面僧房と呼ぶ。おそらくそのころの寺僧たちは僧房において厳しい規律に沿った生活を送っていたのであろう。しかし、その僧房を中心とする寺僧たちの日常生活に必要な施設などについては不明なことが多い。

ところが、わが国で最も古い僧房として知られる法隆寺の東室が、『資財帳』に記されている僧房4棟のうちの「一口長十七丈五尺・広三丈八尺」にあたることが、昭和32－35（1957－60）年に行われた解体修理によって明らかになった。とくにその修理では、北から第2房（部屋）と第3房の部分を創建時の姿に復元している。

そのころは桁行2間を1房として仕切り、方2間の母屋と東西にある庇《ひさし》の部分から構成されている。これは奈良時代の僧房の基本的な様式であるといわれている。その東室にはそのような構造をもつ房が9房あったらしく、それを基準として他の3棟の規模を想定することが可能となる。

「長十八丈一尺・広三丈八尺」のものは9房、「長十五丈五尺・広三丈二尺」のものは8房から9房、「長十丈六尺・広三丈六尺」のものは5房から6房あったこととなり、東室の9房と合わせてそのころの法隆寺には30－32房が存在したものと想定される。しかも『資財帳』が作成されたころは法隆寺に176人の僧と沙弥87人の計263人が止住していたから、それを単純計算すると1房に平均8、9人が住んでいたことになる。

この1房に対する住僧数は、大安寺などの諸大寺とほぼ等しい居住密度であるという。僧房の高さについても、『資財帳』に記載する東室の高さが11尺であり、西院廻廊の高さとほとんど同じであるから、そのころの僧房には床がなく土間であった可能性が高いという。おそらく寺僧たちは床几などを用いた大陸様式の生活を営んでいたのであろう。なお、資財帳には僧侶の日常生活に必要な施設として客房2棟と太衆院10棟、食堂1棟、温室1棟などの存在を記録している。

そのうち客房は主として他寺の僧が法隆寺を訪れたときに使用するものらしく、僧房に比べてその規模は小さい。また太衆院は寺僧たちの日常生活に関連する建物であり、厨・竈屋は食堂に付属する調理室的なものであろう。政屋は寺院の政務を行う寺務所的な建物であり、碓屋・稲屋・木屋などは法隆寺の財物を収納する倉庫群であろう。食堂と温室は寺僧たちにとって日常生活の必須の施設である。

法隆寺が再建した8世紀の中ごろにはこれらの全ての施設も完成していたものと考えられるが、それらの使用方法などを伝える資料はなく、『資財帳』に記載する建物や什物類と現存建物の復元資料などから推測するのみである。

とくに10世紀になると、僧房は連続する惨事に見舞われている。まず北室が延長3（925）年に雷火によって講堂とともに焼失し、西室も承暦年中（1077－80）に焼失、東室は康和3－天永元年（1101－10）にことごとく顚倒《てんとう》したとする。このように法隆寺の僧房は70年余りの間に全滅したこととなる。そのうち東室が保安2（1121）年に再興されたが、そのときに南端の3房分を聖霊院（聖徳太子像を安置し供養する殿堂）として改造し、残り6房のみが僧房としての復興であった。

そのころ僧房としての役割をはたしていたのは、再興した東室6房と小子房9房（妻室と呼ぶ）であり、北室と西室は再興されていない。なお昭和55（1980）年度の発掘によって北室の遺構の一部を大講堂の東で確認している。また承暦年中に焼失した西室も鎌倉時代に再興されている。それは『棟木銘』と『別当記』によって寛喜3（1231）年に再建したことが明らかとなっている。

しかし、その造立は南7間だけであったらしく、そのうち4間は三経院（勝鬘経《おうまんぎょう》・維摩経《ゆいまぎょう》・法華経を講讃する道場）にあてられている。その後、文永5（1268）年に西室の造営が行われており、その造営は三経院の北へ増築したものらしい。

なお現存する妻室は、その解体修理によって平安時代を下るものではないことが判明している。その妻室は東室の大房に付属するもので、上代寺院の僧房は大房と小子房を一組とするのが通例とされており、この妻室はその遺構として貴重な建物である。おそらく平安時代でもきわめて早い時期に建てられたものであろう。東室と妻室の関係は、東室の大房には上位の僧が住み、妻室にはその従僧たちが住んでいたと考えられている。

ところが僧房は、そのころの寺僧たちにとって安穏に天寿をまっとうする場所ではなかったらしい。それは貞和5（1349）年に疫病が流行して僧房で寺僧が他界したという記録がある。しかしそれまでは三面僧房で寺僧が他界する例はなく、これは未曽有のことであったと記している。

おそらくそれまでは危篤状態の寺僧を僧房からいずれかの場所へ移していたのであろう。そのような慣習などによって寺僧たちが悠々自適に僧房で暮らすことができなかったらしい。そのようなこともあって寺僧たちは自己の資財によって法隆寺の境内に子院を作って移り住む傾向が強まる。

そのような背景のもとに次第に僧房の1房を1人の

寺僧が独占することとなり、その寺僧に居住権が生じるようになったという。やがて寺僧たちがその居住権を売買することとなったらしく、13世紀ごろの権利書ともいうべき房の売券が伝わっており、寺僧たちの秘められた私生活に関する貴重な資料となっている。

24 子院の造立――権力闘争も誘発

12世紀のころから、興福寺などの影響を受けて法隆寺でも寺僧たちのプライベートな住居として子院が造立されはじめたらしい。すでに平安時代の末ごろから円成院・金光院・北御門房・東花園・興薗院・西園院・松立院・北室・地蔵院・政南院・中院・西福院・宝光院・瓦坊・法性院・中道院などの子院が存在したことが、古文書に記されている。しかしそのころの子院は坊舎のみで、後世のような築地や表門などはなく、生け垣などをもって周囲をめぐらした簡素なものであったと見られている。

そのようなことから、弘長元（1261）年に後嵯峨太上天皇が法隆寺へ行幸されたときに急きょ、境内の環境整備が行われ、そのときにはじめて子院の築地を築いたらしく、『別当記』に「諸房諸院の築地を槌《きず》きおおい悉《ことごと》くこれ覆う」と記している。おそらくそのころの子院の状態がきわめて見苦しい状態であったのかもしれない。坊舎なども全体的にきわめて簡素なものであり、屋根も茅葺《かやぶき》や杮葺《こけら》、桧皮葺《ひわだ》などであったらしい。それは法隆寺の代表者である別当が居住する坊舎のことを「瓦坊」とよび、そのころとしては珍しい瓦葺の坊舎であったとする記録からも推察されよう。

やがて寺僧たちが僧坊から子院へ移行するのにともなって、子院はますます増加する傾向を見せ、政蔵院・安養院・金剛院・西南院・阿伽井坊・椿蔵院・西之院・知足院・脇坊・弥勒院・多聞院・湯屋坊・明王院・宝蔵院・西坊・北之院・仏餉院・東倉院・発志院・阿弥陀院・橋坊・福園院・蓮池院・法花院・善住院・西東住院・中東住院・東住院・蓮光院・文殊院・十宝院・賢聖院・橋坊など、数多くの子院が造立されてくる。
なお、これら子院の名称については「仏教の用語や本尊名より命名したもの（阿弥陀院・弥勒《みろく》院など）」「子院の敷地の地名やその地にあった建物から命名したもの（花園院・阿伽《あか》井坊など）」「子院が建てられた方位から命名したもの（西南院・西之院など）」「子院で行われる教学や信仰から命名したもの（明王院・金剛院など）」などが見られる。

　そのころ南都の諸大寺や高野山などの僧侶間において「学侶《がくりょ》」と「堂衆《どうしゅう》」と呼ぶ制度が生まれていたという。この制度の内容については寺院ごとに若干異なるものと考えられるが、共通していえることは、学侶を上位とし、堂衆をその下位としていることであろう。この制度がいつごろから発生したかはわからないが、法隆寺では12世紀ごろには、すでに生まれていたものと考えられる。それは嘉禎4（1238）年ごろに、寺僧の顕真が編した『太子伝私記』に「学衆」と「禅衆」（堂衆）のことを明記していることから、この制度は鎌倉時代ごろには成立していたことが明らかとなる。

　この学侶とは「学衆」とも呼び、顕密二教の学行を専らにして、主に講経論談を修学する学問僧のことをいう。それに対して堂衆とは「堂方」「禅方」「夏衆」とも呼び、修行や律を専門として、夏は堂に籠って安居禅行を修し、仏前に香華を供して法要の承仕を司る僧のことをいう。その内、修行を専として主に西円堂や上之堂の堂司役（法要の準備や管理などを行う）などを勤める系統の僧を「行人《ぎょうにん》」とよび、律を専らとして主に上宮王院・律学院の堂司役などを勤める系統の僧を「律宗方《りっしゅうがた》」と呼んでいる。この制度が発生したころのものらしいが、やがてその意味内容も複雑な変遷をみせ、ついに学侶が法隆寺全体を支配する制度にまで進展する。

　しかもこの僧侶間の制度は僧侶が居住する子院にまで影響を及ぼすことになり、「学侶坊」や「堂衆坊」といった子院の資格区分が生じ、法隆寺の管理機構にとっても重要な制度の一つとなっている。やがて室町時代になると学侶上位、堂衆下位の傾向が一層の強まりを見せ、徐々に両者の対立は激しさを増すことになった。

　それを裏づけるものとして、永享7（1435）年の南大門焼き打ち事件がある。その焼失原因は学侶・堂衆間の争いによって堂衆が焼却したものと伝えているが、真相は謎の一つでもある。歴史というものは史実に反し弱者に不利であることが多いからである。そのような意味では南大門を焼失したのは学侶たちであった可能性も捨てきれない。このような惨事は突如として起きたものではなく、それ以前からすでに両者は険悪な状況下にあったことを意味するものであろう。

また、享禄3（1530）年の『坊別並僧別納帳』という記録に「学侶坊」と「堂衆坊」の区分が明確化しており、それぞれの子院への米の支給高にも格差が生じている。それによると、そのころの法隆寺には47カ院の子院があり、学侶と堂衆の区分が完全に生じていたことを示しており、そのころ学侶が42名、堂衆が82名であったと記載している。これによって人数的には堂衆が圧倒的に多かったことを示しているが、実際には学侶が法隆寺を支配していたのであった。特に学侶の子院は主として西院側にあり、堂衆は東院側に集まっていることから、学侶のことを「西寺」、堂衆を「東寺」と総称していたと伝える。

しかし、そのような寺域の区分も完全ではなかったらしく、金光院が学侶坊でありながら東寺側にあり、阿弥陀院が西寺側にありながら堂衆坊であった時期も見られた。だが、学侶と堂衆の対立闘争が激しくなるにともなって、やがて完全な敷地の区分が行われ、金光院は堂衆坊、阿弥陀院は学侶坊となるに至ったらしい。

そのころ学侶と堂衆の争いも絶えることがなく、西寺と東寺に分かれて互いにその権力を争い、両者ともに織田信長や豊臣秀吉などの為政者たちに使節を送って金品を献上して自己に有利となるように働きかけたと伝えている。ところが徳川政権の確立にともなって封建的な身分制度が寺院にも大きな影響を見せ、学侶の資格は公家か、5代相続以上の武家の出身者であることが明文化することとなり、寺院の封建化が加速することとなった。

25 寺を支えた技能者集団——組織化の時期は

日本に仏教が伝わり、やがて為政者たちが受容したことによって、多くの寺院が建立されることとなった。それにともなって、朝鮮半島の国々から多くの技術者たちが優れた新しい文化を携えて来訪したものと考えられる。
『日本書紀』によると、敏達6（577）年の11月に百済王から経論若干巻、律師、禅師、比丘尼、咒禁師、造仏工、造寺工など6人が献じられたので難波の大別王の寺に安置したと記している。また崇峻元（588）年にも、百済から仏舎利や僧をはじめ、寺工太良未太《だらみだ》、文賈古子《もんけこし》、露盤博士将徳白昧淳、瓦博士麻奈文奴、陽貴文、㥄貴文、昔麻帝弥、畫工白加を献じられている。これらの記録によって、大工のことを「造寺工《てらつくるたくみ》」とか「寺工《てらたくみ》」と呼んでいたことがわかる。おそらくそのような寺工たちの末裔《まつえい》や、彼らから直接に教えを受けた技術者たちが多くの寺院の造営にも携わったことであろう。

　とくに『書紀』によると、推古2（594）年には推古天皇が仏教興隆の詔《みことのり》を発したことによって豪族や臣下の人びとが積極的に寺院の造営を行っており、「君親の恩の為に、競いて仏舎を造る。即ち是を寺と謂《い》う」と記している。これによって寺院のことを寺と呼ぶ慣習がすでに推古2年から始まっていたことがわかる。そのようなことから推古32（624）年のころには「寺院が46カ寺あり、僧侶が816人、尼僧が569人いた」と伝えている。当然のことながら、多くの寺院の造営に従事した技能者たちも相当数いたことが想像されよう。

　ところが法隆寺の創建や再建などに従事した技能者たちのことを伝える記録はまったく遺されていない。法隆寺に関わった技能者たちのことは、13世紀のはじめごろから記録に登場するようになる。建保7（1219）年の『舎利殿棟札』に「大工・土佐権守平末光・引頭大夫藤井国里・引頭大夫守治国治」とあるのが最も古い。しかし、それらは法隆寺専属ではなく興福寺に所属していた技能者たちであったと考えられている。

　それは11世紀のころから興福寺の寺僧が法隆寺の別当に就任することが慣例となり、法隆寺が興福寺の指揮下に入っていったことにも関連している可能性も高い。それ以降も、しばらくの間は法隆寺独自の技能者たちの組織化はなく、それ以降の法隆寺の修理にも興福寺系の技能者たちが従事している。そのことは、弘長元（1261）年の「岡元寺塔修理棟上（京より番匠10人、下鍛冶2人、大工8人）」や、文永5（1268）年の「西室造営（番匠南都より下り被る）」など、興福寺専属の技能者たちが従事している記録が物語っている。

　やがて興福寺専属の技能者たちも13世紀の後半から

はその組織化がはじまり、興福寺は建治３（１２７７）年、春日神社では弘安９（１２８６）年に組織化が行われたという。そのような背景のもとに、やがて法隆寺でも技能者たちの組織化がはじまるようになったらしい。法隆寺では延慶３（１３１０）年に行なわれた物社の棟上の記録に「大工四人・福寿太郎・九郎・四郎・三郎」と記している。この記録によって法隆寺の大工制度が組織化していたと断言することはできないが、これ以降の記録に法隆寺に所属する大工の名前らしいものが見られるので、14世紀ごろには法隆寺の大工集団が成立しつつあったと考えてよかろう。

　しかし、今のところ、その成立に関する記録は見当らないが、14－15世紀ごろには成立していたと考えられている。それを傍証するものの一つとして、文明７（１４７５）年ごろに法隆寺の境内末寺として修南院が建立されたことが挙げられる。この修南院は、東院夢殿の東側にあり、「珠南院」「東林寺」と呼ばれていた。この修南院の建立は、法隆寺所属の人工組織の成立とその強い団結を意味するものといえよう。

　このように法隆寺と大工組織との結びつきを示す資料としては、『文明四歳公文所補任記』（１４７２）の、年中行事を記しているところに、「高座番匠の役也」とあるのをはじめ、大永８（１５２８）年６月24日の「番匠大工職金剛四郎子太郎四郎補任」などの記載がある。これらの記録が法隆寺の公文書に登場する番匠大工の最も古いものである。とくに法隆寺所属の技能者たちは、その由緒を聖徳太子に結びつけることによって、その権威を高めようとしたらしい。

　やがて仏法を守護する四天王に擬《なぞら》えて上位の４人を「四大工」と呼び、工匠たちを﨟次《ろうじ》にしたがって四大工職に補任することとなったという。

　やがて「法隆寺四大工職」のことが多くの資料に登場するようになり、その最も古いものが文禄２（１５９３）年の『新堂の棟札』である。それには、「四人大工・平多聞勘九郎・平政盛金剛善四郎・平宗次郎大夫・藤原家次勘太郎」と記している。そのことを裏付けるかのように『法隆寺公文所補任記』に「補任　四人番匠大工職之事」と記すようになる。

　ところが、慶長11（１６０６）年の『聖霊院』・『南大門』・『伝法堂』などの棟札には、つぎのように記している。

「番匠大工・一朝惣棟梁　橘朝臣中井大和守正清・小工　藤原宗右衛門尉宗次　寺職工・　平金剛大夫政盛・藤原左大夫家次・平宗次郎」

て修理の全体を指揮している。

このころには正清の禄高も千石となり、旗本格の待遇を受けていたと伝わる。

法隆寺でも堂塔の老朽化が著しく、早急に修復を行なわねばならない時期に直面していた。そのような状況下で、秀頼による修復は法隆寺にとっては願ってもない幸運であった。そのようなことから法隆寺でも秀頼を大檀越として且元と正清の指揮のもとに大修理が始められ、中心伽藍をはじめ南大門・聖霊院・伝法堂などのすべての殿堂に修理が施されて一新することとなった。正清も故郷である法隆寺の修理に格別な思いを込めて指揮をしたことであろう。

幸い法隆寺にはこのときの棟札が残っており、それによって藤原宗右衛門尉宗次・平金剛大夫政盛・藤原左大夫家次・平宗次郎などの工匠たちも、この法隆寺の修理に従事をしていたことを伝える貴重な資料となっている。いずれにしてもこの修理は法隆寺創建以来の大規模なもので、建物の構造の安全を図るために思い切った大手術を施したらしい。

これによって崩壊寸前にあった堂塔は破壊を免れることとなったが、その反面、多くの建物の古い様式が失われたことは千秋の恨事であるといわれている。しかも倹約のためであったのであろうか、補強材の多くには杉材や松材が使われており、やがてそのようなことがその後の老朽化を早めることとなったという。それは昭和大修理のときに創建当初の姿に出来る限り復元することを試みたが、その作業が困難を極めたのは慶長の修理による大改造が大きな要因となったといわれている。

このように秀頼による慶長の大修理が完成をしたころから、豊臣家と徳川家の対立はいよいよ激しさを増し、やがて天下を二分する決戦へと向かうこととなった。

なお、正清が携わった建物・工事としては、伏見城、二条城、知恩院、増上寺、法隆寺大修理、仙洞（後陽成院）御所、江戸城、駿府城、方広寺大仏殿、名古屋城、内裏、東大寺大修理、茶臼山陣小屋、久能山東照宮、日光東照宮、江戸紅葉山東照宮などが知られている。

27 大坂冬の陣と法隆寺――家康が阿弥陀院へ

いよいよ豊臣家と徳川家の天下を一分する激突は切迫しつつあった。特に家康は浄土宗の熱心な信者として知られ、日課供養として六字の名号を書写しつつ「厭離穢土《おんりえど》・欣求浄土《ごんぐじょうど》」の実現を願っていたと伝わる。慶長19（1614）年の3月には、南都興福寺の一乗院や喜多院などの法相宗の学匠たちを駿府城に招いて法相宗の教学に関する問答を行わせ、それを聴聞している。

特にそのころ、喜多院の空慶は黒衣の宰相として名高い天海から生き仏のように敬われたと伝わる。日光天海蔵に南都系統の書籍が多く秘蔵されているのはこの空慶と天海の交流を物語るものでもある。そのときの学匠たちの中に、法隆寺の阿弥陀院の住持である実秀の姿があった。なぜ実秀が登城を許されたのかはわからないが、そのころの南都を代表する学匠の1人として天海などの推挙があったのかもしれない。

その実秀が住持をしていた阿弥陀院は法隆寺のほぼ中央にあって、家康の陣屋としてもっとも適しており、来るべき日を予測した正清は、早くから家康の寝所の造営など阿弥陀院の改築に着手していたらしい。そのころ将軍職を秀忠に譲った家康は隠居して「大御所」と呼ばれていたが、なお実権を掌握して、真の天下統一を夢見ていたという。

豊臣家との対立は激しさを増し、やがて方広寺の鐘銘に「国家安康」「君臣豊楽」という文言があることを巡って問題が勃発したことはよく知られている。そのような背景のもとに慶長19年8月17日に正清は駿府城に登城して家康に対して、つぎのように進言している。

「奈良の興福寺南大門や法隆寺の御持堂や聖皇院、東大寺の法華堂などの棟札には大工の名前が記されているが、豊臣家が建立している方広寺の棟札には大工の名前がしるされていない。これは前代未聞のことである」

これに対して、駿府政事録には『大御所ご立腹なり』とあり、家康は激怒したという。このような正清の進言も大坂冬の陣を早めることとなった可能性が高い。

やがて豊臣家の老臣であった片桐且元も大坂城を離れて家康に加担することとなり、11月4日に且元は大坂城近辺の図面を家康に献上している。それを受けて家康は本多上野介正純・成瀬隼人正成などの忠臣たちを召集して大坂攻めの密議を行ったり、正清に命じて詳しい大坂近郊の図面を製作させたりしており、いよいよ大坂に向けて進軍を開始することとなった。

家康は慶長19年11月15日の午前6時ごろに二条城を出発して、その日の宿所であった木津に到着したが、その建物が狭かったこともあり、急遽奈良の中坊秀政の館へ向かったと伝えられている。これは豊臣勢による急襲などを懸念したからかもしれない。その翌16日は早朝から雨が降っていたが、正午ごろに法隆寺へ向けて出発している。

やがて家康は奈良から郡山を通って夢殿前に到着した。そこには家康の信頼を受けていた実秀や大工頭の中井大和守正清などが出迎えていた。とくにこの法隆寺は久しく兵火を免れた霊場であり、家康は伽藍を巡拝して聖徳太子に戦勝を祈願したと伝わる。

このときに家康の愛馬を繋いだという『駒止め松』が幕末のころまであったらしい。しかも家康は戦勝を祈願して法隆寺へ「轡《くつわ》（久治作）」「御剣（信国作）」「御剣（天国作）」「香合（螺鈿《らでん》）」「六字名号（登誉上人筆）」などを寄進している。

ちょうどこのころ、大坂城の豊臣秀頼の側近たちから法隆寺に向けて密使が派遣されている。「法隆寺は豊臣家の恩顧に応えて大坂方に味方せよ」と申し出たのであった。とくに慶長5年から秀吉の菩提を弔うために行われた伽藍の修復の大壇越であった豊臣家には大恩があり、法隆寺としてはその決断に苦慮したことであろう。しかも、法隆寺が大坂方に味方をしたならば、大和半国を寺領として寄進するという条件がついており、その条件には法隆寺としても大いに魅力があった。

太子時代からの重要な所領であった播磨の鵤庄を失っていた法隆寺としては喉から手が出るほどの有り難い申し出であったに違いない。しかし、いかに好条件であっても、大坂勢の申し出に従うことは出来なかった。それは徳川家の優勢が世の流れであったからである。

やがて家康の軍勢は法隆寺を出発し、正清も一族郎党30余騎と大工１６００人余を引き連れて家康に付き従えて出陣したという。家康軍は龍田本宮附近を南下して大和川の「藤井の渡し」を渡り、河内の道明寺へと向かったと伝えられる。このときに家康は進軍するための山道を新たに造らせており、17日には摂津の住吉に泊まっている。その日から家康に従軍していた家臣団は甲冑《かっちゅう》を着けている。ちなみに、映画やテレビなどでは早くから甲冑を着けて出陣をする姿が見られるが、あれはあくまでも演出であり、いざ決戦というときになって、はじめて甲冑を着けたものらしい。

家康は進軍中にもさまざまな戦略を練っていたらしく、12月13日には正清に命じて、城攻めのための「梯《はし》子《ご》」や「熊手」を作らせて武将1人宛に梯子を50ずつ配分したり、15日にも正清に命じて大砲・仏郎機《ふつろうき》（フランキ砲）を造らせたりしている。このようなことから正清は建物の造営だけではなく、軍事的にも重要な存在であった。

やがて豊臣家との和議が整って徳川軍が引き上げた慶長20（1615）年4月28日に大坂勢1万余人（3000人ともいう）が、法隆寺が豊臣家に加担をしなかったことに対する報復として法隆寺の西の村落を襲って放火している。幸い寺僧たちの防御によって火が西大門から境内に入ることを防いだという。これによって法隆寺の近郊にあった正清宅は焼失し、そのときから正清は京都御幸町御池下るに居宅を構えることとなったといわれる。

このようにして京都大工頭として幕府における中井家の地位は盤石なものとなり、その伝統は明治維新まで継承されている。なお、正清は元和5（1619）年に近江国水口で没しており、京都長香寺へ葬られた。また奈良における菩提寺として龍田の浄慶寺があり、墓石は法隆寺北方の極楽寺墓地にもある。

28
法隆寺ご開帳の実情――独力の修理費捻出

徳川家康による天下統一によって寺院にも封建制度が大きな影響を及ぼして、寺僧たちの身分制度が確定することとなった。それに関連して寛文9（1669）年の『法式条々』という記録は、法隆寺の学侶や堂衆が守るべき法則を19カ条にわたって列記している。

その内容は法隆寺の年中行事における学侶と堂衆の役割などを詳しく記したものである。とくに、その末尾には、堂衆は上宮王院観音堂・太子堂・西円堂を学侶から預かり、朝暮の勤行、香華燈明の調達、堂内の掃除などを行なう役人であると記している。これは堂衆が完全に学侶の支配下にあることが決定したことを示している。

そのように身分制度の確立によって法隆寺の学侶になる条件に寺僧の出自の吟味がなされるようになった。まず学侶となるためには身分の高い家筋が求められ、それが明文化されたのである。「学侶は公家又は五代相続の武家の子、種姓吟味の上で児を取立てるものなり」と。これによると学侶に取り立てられるのは公家もしくは五代以上相続している武家の出身者であることが必須の条件となっている。なお公家の出身者は無条件で学侶に交わることができたが、武家の場合は実家から師匠へ家系図の提出が求められ、学侶の集会の席上で吟味されて学侶全員の同意を必要としていた。

そのようなことから法隆寺には明治維新までに学侶の集会へ提出された約120通余りの寺僧の家系図が現存している。その中で寛文5（1666）年12月23日に提出された「良賛」のものが最も古く、続いて寛文11（1671）年12月12日の「覚賢」、延宝元（1673）年11月19日の「覚勝」の系図がある。元禄8（1695）年7月23日より記された「系図入日記」も、寛文5年の「良賛」の系図からはじまっているから、系図を提出するという規則が寛文年間のころから規定されたものと考えられる。

そのころの法隆寺の学侶には「大和国片桐家の家臣」や「山城の賀茂侍」「藤堂家無足人」「大坂御蔵奉行」「松平相模守の家臣」「春日社神主」「賀茂社家」などの子息たちが出家している。

そのような背景のもとに、やがて徳川政権も安定した元禄期にはふたたび伽藍の老化がはじまったのである。それは慶長年間に行なわれた伽藍の修理に松や杉が補強材として使われたこともあって100年も経たないうちに老朽化がはじまったといわれている。

そのころ寺僧たちは、その修理費用をどのようにして調達すべきであるか苦慮しており、法隆寺では早くからたびたび寺僧を江戸へ派遣して幕府の援助を願い出ていたのである。そのころ幕府に対して全国の社寺から財政的援助の要望が寄せられていたが、いずれも受入れられていない。当然のことながら法隆寺からの願いは聞き入れられなかったのである。

このように幕府の援助はまったく不可能であり、法隆寺独力で伽藍を修復しなければいかんともし難い状態となっていた。なお、そのころの法隆寺には19名の学侶のほか堂方衆が28名いたと記録されており、これらの寺僧たちによって法隆寺の運営がされていたのであった。そのような背景のもとに法隆寺では一つの試みとしてご開帳を決断したのであった。元禄３（１６９０）年の2月15日から5月に至る３カ月間にわたって、はじめて法隆寺の伽藍を開扉して広く人びとに公開したのである。そのときの事情について『法隆寺諸堂開帳霊佛霊宝絵像等目録』はつぎのように記している。

「来る元禄四年は聖徳太子１０７０年の御忌に当たるのでその浄財を得るためにはじめて堂塔を一般の人びとに公開することによって、その賽銭によって聖霊会を勤修したり、堂塔を修理したりしたいと考えている。そのようなことから前年の元禄3年に諸堂を開扉して霊仏霊宝を拝観させることとした。そのときに寺僧たちが個人で所有している宝物も展観をすることとしたい」

このご開帳のときに、はじめて金堂の南正面が開かれたり、夢殿や聖霊院なども公開されたりし、未曽有の大開帳が行なわれたのである。また寺僧たちが私有していた仏像や仏画などの宝物も特別に公開している。

さいわい、この開帳によって２３００両余の浄財を得たので、これによって翌元禄4年に行われた太子１０７０年御忌聖霊会を盛大につとめることができたという。しかも、このときから聖霊会の会場を東院から西院大講堂へ移して行なっている。これは広い会場で行なうことによって多くの人びとが参拝することを期待するとともに、多くの賽銭《さいせん》が納められることを願うものでもあった。

そのようなことから、聖霊会を厳修《ごんしゅ》する前後から、ご開帳で得た浄財によって五所社、綱封蔵、西室、金堂、夢殿、食堂などを応急的に修理している。しかし法隆寺の伽藍の建物の総数は30数棟にものぼることから、法隆寺の自力だけではどうすることもできない状態にあり、抜本的な対策を講じる必要に迫られていたのである。

ちょうどそのころ、東大寺では大勧進の公慶上人が大仏殿の再興に奔走し、唐招提寺では英範が堂塔の修理を行なうために東奔西走していたのである。そして元禄５（１６９２）年3月17日には東大寺大仏殿の開眼法要が厳修され、法隆寺の寺僧たちも出仕している。これらのことも法隆寺の寺僧たちを大いに刺激したことであろう。

またこのころ信濃の善光寺が金堂、宝塔、楼門などの再興のため出開帳を計画し、元禄5年の6月5日から8月まで、江戸の本所回向院において秘仏善光寺如来の出開帳を行い、大成功を収めたという。しかも翌7年5月には京都で、8年には大坂で出開帳を行ない、善光寺は多額の浄財を集めることに成功したという。

そのような背景のもとに、やがて、そのことを風聞した法隆寺の寺僧たちが江戸での出開帳を決断することとなる。しかし、それを実行に移すことは険しい苦難の道のりでもあった。

29

元禄出開帳秘話①——江戸開催を決意

法隆寺の伽藍が再び老朽化したことによって窮地に直面しつつあった法隆寺では元禄3（1690）年に、寺内の諸堂を悉くご開帳したことによって集まった浄財で応急的な修理を施していた。しかし全伽藍の修覆には程遠い状態であったという。そのような実情に苦慮していた寺僧たちは元禄7（1694）年1月12日に開いた一山会議の席上において伽藍修覆の浄財を集めるために江戸で出開帳を行なうことを決定している。

幸いなことに、2月1日に南都奉行に着任したばかりの神尾飛騨守元知が法隆寺へ参詣することとなっていた。南都奉行は前年まで大岡美濃守忠高であったが、元禄7年からは神尾飛騨守が着任していたのである。このとき寺僧たちは、奉行に対して伽藍の老朽化の実情を強く訴え江戸での出開帳を実現することができるように嘆願したのであった。その訴えを受けて近日中に江戸へ参勤するので、法隆寺が伽藍《がらん》修復の浄財を得るため江戸で出開帳を行ないたい旨の願書を提出するならば、幕府の要人に取り継いでもよい、との奉行からの好意的な返答を得た。そのような奉行の意向を受けて寺僧たちは、すぐさま伽藍修復の資金を得るために江戸出開帳の許可を願う口上書の草案を作成して南都奉行所へ提出することとなったこの「口上書」を受け取った南都奉行所の与力の石川庄八は使僧に対して、「江戸へ下向したならば直ちに寺社奉行所へ願い出るのか、あるいはそのとき江戸に在住している南都奉行へ願い出てから寺社奉行所へ願い出るのか、いずれであるか」と問いただしている。これに対して使僧は「まず南都奉行へ願い出てから寺社奉行へ罷出るつもりである」と答えている。まさに役人に対する優等生の答えであった。それに対して与力は「その方法がよろしい。お奉行にもよく申し上げておきましょう」と答えている。これもまた、お役人の典型的な応対そのものである。

　これから登場する寺社奉行は寛永12（1635）年に設けられた役職で、その職務は全国の寺院・神社・僧侶・神官や寺社領を取り締まり、見世物興行などを監督、監視し、寺社に関する訴訟裁判の事務一切を統轄している。このように幕府を支える諸奉行の中でも勘定奉行や町奉行と並んで最も重要な職務であった。とくに、三奉行の中でも寺社奉行は格式が最も高く、勘定奉行や町奉行が旗本から選ばれるのに対して、寺社奉行は譜代大名から選出されることになっていた。

　そのころの寺社奉行は戸田能登守、本田紀伊守、松浦壱岐守の3人であった。法隆寺にとってこの江戸出開帳を成功させるためには、取り急ぎ寺僧を江戸へ派遣して寺社奉行の許可を受け、速やかに出開帳の開催場所などを決めることが差し迫った重要課題であった。

　その準備がほぼ整った3月朔日に開いた学侶の集会の席上において、一臈職《いちろうしょく》（法隆寺の代表者）の良尊から、江戸へは覚賢と懐賢の2人が下向して、公儀との交渉に当ることが提案された。それに対して尊殊、懐賛、良賛、覚勝などの寺僧たちも異口同音に、その両人が望ましいとして良尊の発案に賛同の意を表したという。

　ところが覚賢は病気と称して固辞、懐賢は病弱で、その上自分が支配していた興福寺の興善院が昨年の冬に焼失したので江戸下向はぜひともご容赦をいただきたい、と申し出ている。

　その後、江戸へ派遣する人選について紆余曲折はあったが、ついに覚勝（藤堂藩無足人の子息、42歳）、覚賢（山城賀茂侍の子息、39歳）、懐賢（高槻藩大坂御蔵奉行の子息、32歳）が法隆寺を代表して江戸へ下向することに決定したのであった。法隆寺の苦難を救うために覚勝たちは捨身の気持ちで一山の要請を受けている。

　こうした経緯のもとに寺僧たちは中宮寺を訪れ、門跡の慈雲院宮（御西院天皇の皇女）から5代将軍綱吉の生母である「三御丸御所（桂昌院）」に対して、法隆寺の出開帳が許可されるようにお口添えをちょうだいしたい旨を願い出ている。そのとき中宮寺宮からの即答はなかったが、後日になって願いが聞き届けられ、桂昌院と日光御門主（慈雲院宮とはご兄弟）宛の書翰《しょかん》をちょうだいしている。このように諸準備を終えた覚勝たちはいよいよ江戸へ下向をすることとなる。

ちょうどそのころ江戸では、高田馬場で中山安兵衛が伊予西条藩士菅野六郎左衛門の果たし合いに助大刀して、江戸の町衆の人気者になり、歌舞伎なども栄えた時代であった。まさに花の元禄とうたわれた時代である。武家も町人も物心ともに豊かになり、ご信心や珍しい文物、上方の文化の香りを求めるゆとりが出ていたのであろう。それを裏付けるように善光寺の秘仏ご開帳が記録的な大入りとなっている。

覚勝たちはこの出開帳の出願にあたって、幕府の要人に法隆寺の由来を紹介するために「釋迦御袈裟」「太子御手題梵網経」「神代真鈴」「太子御足印」「八臣瓢壷」「御弓」「御矢」の7種の宝物と金銅仏や仏画などの宝物を携えることとなった。また4幅の「聖徳太子絵伝」を新たに長谷川等真に模写させたものを持参している。これは出開帳の期間中に太子のご遺徳を布教するための絵解きを行なうときに使用するためのものであったらしい。このような準備を整えた覚勝たちは法隆寺一山の熱い期待を受け、大いなるプレッシャーを感じながら江戸へと下向することとなる。

それには先導役を勤める大和下牧の光専寺（現・上牧町）の住持と覺勝たち寺僧の世話をする侍者たちや寺宝を奉持する人びと約30名ばかりが追従していたという。

元禄7年4月27日早朝、覚勝、覚賢、懐賢たちは南大門の脇にあった地蔵院から駕篭に乗って江戸へ向けて出発した。覺勝たちは出開帳の許可が下るまでは絶対に法隆寺の地を踏まないという悲痛な覚悟であったという。おそらく、大いなる不安と期待が交錯する複雑な心境であったにちがいない。南大門の前では首尾能く出開帳の許可が下ることを祈りつつ良尊をはじめとする学侶や堂衆、専当、堂童子などの諸役人も悲壮な面持ちで一行を見送っていた。

やがて覺勝たちが江戸へ到着したのは、法隆寺を出発してから11日目の5月8日のことであったという。すぐさま江戸の宿所である浅草の西徳寺に入り、旅の疲れを癒している。この西徳寺は浄土真宗仏光寺派の江戸別院のような寺院であり、同行していた光専寺は同宗の寺院であったことから法隆寺の寺僧たちを西徳寺まで先導したのであろう。

30 元禄出開帳秘話②――寺僧ら奔走す

浅草の西徳寺で旅の疲れをとった覚勝たちは、宇田川町の商家を借用して逗留《とうりゅう》することとなり、法隆寺より持参した資財や雑具などを運び入れている。

その後、覚勝たちは、江戸に戻っていた南都奉行の神尾飛騨守の役宅を訪れ、江戸出開帳出願のために下向したことを申し出ている。

そして中宮寺慈雲院宮の書翰《しょかん》を携《たずさ》えて寺社奉行所や桂昌院の家老上野半左衛門を訪れ、江戸出開帳出願の趣旨を訴えつつ、特別の許可が下されるように懇願している。とくに将軍綱吉のご生母、桂昌院の家老上野半左衛門が覚勝の縁戚であったことは法隆寺にとって大いに幸いしている。そのような背景のもと5月3日には覚賢と懐賢が寺社奉行へ願いの「口上書」を提出している。

やがて寺社奉行より召喚があり、寺社奉行たちに対して、老朽化した法隆寺の伽藍を修復するために江戸で出開帳を行い、集まった浄財をもって修復したいと願い出たのであった。これに対して奉行は法隆寺が江戸で出開帳を行うのは今回が初めてか、以前にも行ったことがあるか、と尋ねている。覚賢が「今回が初めてである」と申し上げると、奉行たちはこれからよく検討をするので退出をするようにと申し渡したので、覚勝たちはしばらく奉行所からの知らせを待つこととなった。

「御當地に於いて開帳仕り、その助力を以て修復仕り度きの旨、願い奉ると申し上げの処、已前、御當地に於いて開帳致し候か、此の度初めて願い候か、と御尋ねこれ有り。此の度初めて願い申すの由、申し上げの処、御三人暫く談合有り。先ず重ねて委しく吟味を遂げ、申し付けるの間、罷り帰り候へとのこと故、退出候。（江戸開帳之記）」

また覚勝たちは、将軍や桂昌院の庇護を受けていた知足院隆光や護国寺、霊雲寺、増上寺などの高僧たちとも親交を深めている。これらの僧侶たちは幕府の要人ともつながりが深く、その紹介のもとに大名をはじめ旗本や寺院などへ宝物を持参して浄財の寄進を受けることとなる。そのようなときに大和の片田舎から下向した覚勝たちには花のお江戸の僧侶たちはずいぶんと華やかに見えたらしい。

それは閏《うるう》5月27日に覺勝たちが宝物を持参して知足院を訪れ、住持の隆光僧正をはじめ真言宗の高僧たちが宝物を拝観したときのことであった。このときには摂津多田院の智空や唐招提寺の英範なども同席して食事の供応などを受けている。宝物の拝観を終えた高僧たちは、やがて法衣を脱いで囲碁、蹴鞠、風呂、築山の見物などに興じている。そして庭の池に船を浮かべて酒を酌み、茶会などを催すなど、長日の供応を受けている。

「各、法衣を脱いで遊興す。金地院、弥勒寺は囲碁、亭坊僧正（隆光）は蹴鞠、釋迦院大　僧正、観利院僧正は見物。その外、囲碁また風呂など思々の興これを催す。その後、山見物などして山の茶店に於いて各遊興の後、庭の池の船に乗らしめて酒飲み、茶会長日の饗応は殆ど極樂浄土の如し」（江戸開帳之記）

このように覚勝たちは、江戸の高僧たちの豪華な生活に感激と驚きを隠せず「殆ど極楽浄土の如し」と日記に書き残したのであろう。

なかでも増上寺の貞誉大僧正からは格別の力添えを得ることとなる。それは増上寺の傘下にあった本所回向院が出開帳の場所として最適であり、石山寺や信州善光寺も出開帳を行って大成功を納めた実績があった。

貞誉大僧正は「太子は諸宗共に帰依奉るべき事は勿論のことであり、謹んで尊敬申し上げる。出開帳に関する御用があれば承ろう。御開帳の場所は回向院（無縁寺）が最も宜しいと思われる。関係者にも協力するように伝えておこう」と申されたという。このような有難い言葉に覚勝たちは大いに力づけられたことであろう。

やがて、このような多くの人びとの協力とともに、慶長19（1614）年に東照大権現家康公が法隆寺にお泊まりになったという由緒なども大いに功を奏し、願いが幕府に聞き届けられることとなる。ついに閏5月9日、覚勝たちは寺社奉行所を訪れ、戸田能登守から待望の「法隆寺の江戸出開帳」の許可を受けたのであった。

この出開帳の許しを受けた覚勝たちが感激に涙したことは言うまでもない。すぐさま、その朗報を待ちわびている法隆寺へ飛脚を走らせている。幸いなことに南都の酒屋の飛脚が11日に江戸を出発し、18日には法隆寺へ書面を届けてくれることとなった。

やがて開帳の会場が貞誉大僧正のお力添えもあって本所回向院に決定している。そのころ法隆寺では江戸からの通知を今や遅しと待ちわびていたが、待望の許可の知らせを受けた寺僧たちは太子のご宝前に報告をすると共に、すぐさま出発の準備に取りかかったこと言うまでもない。

いよいよ正式の江戸出開帳へ向けての行列が法隆寺を出発する日が訪れた。6月9日の早朝、門外不出の秘宝である南無仏舎利などの宝物が法隆寺を出発。それに供奉する「良尊（66歳）」「良賛（41歳）」などの寺僧たちは朱の網代篭に乗り、それに法隆寺の役人たち付きが従う70余名に及ぶ行列であったという。各々旅装束に身を固め、緊張した面持ちで法隆寺を後にしている。それはまさに法隆寺の存亡がこの出開帳の成功にかかっていたからであった。

やがて法隆寺からの宝物は6月20日に無事に江戸へ到着した。これを出迎えた覚賢と懐賢たちは品川で合流している。そこで「南無仏舎利」と「太子の御影」を鳳凰の櫃に入替え、良尊たちも旅姿から正式の法衣に改めて江戸の城下に入っている。また 覚勝は江戸の縁者たちと高輪まで出迎え、予定通りに宝物を増上寺の太子堂に安置することとなった。

「同六月二十日仏舎利お迎えのため覚賢、懐賢并《なら》びに江戸の町人など品川まで伺候せしめ此の地に於て良尊、良賛、貞應と対面。さて仏舎利并びに十六歳の太子御影を鳳凰の櫃に入れ奉り、供奉の僧徒など旅衣を脱ぎ法衣を着して行啓の前後これを守護し奉る。

覚勝は高名和辺りに出向え、同じく相従って尊像佛舎利を供奉せしめ増上寺本堂の後の太子堂に入御」

（江戸開帳之記）

そのとき増上寺では貞誉大僧正らが礼賛を唱えて「南無仏舎利」を奉迎されたと伝えられている。

31

元禄出開帳秘話③――桂昌院の庇護

元禄7（1694）年7月5日から、待望の法隆寺出開帳が両国の回向院で開かれることとなった。その開白法要には増上寺の貞誉大僧正の出仕があり、丁重なるご回向と共に黄金1枚を寄進されている。

なお、この出開帳に先立ち寺僧たちの奔走が功を奏して、法隆寺から持参していた宝物を将軍のご生母である桂昌院が上覧されることとなった。桂昌院はご信心が深く、各地の寺社に対して多くの寄進をされていたという。

このような有力者の支援を得られれば、法隆寺にとって願ってもない追い風になることは言うまでもない。それは中宮寺宮からの紹介状や知足院の隆光、桂昌院の家老上野半左衛門などの口添えの効果が大きかったのであろう。とくに隆光は唐招提寺で得度して若いころに法隆寺で修学をしたという伝承もあり、南都の寺院とは深い関わりがあった。

ついに6月16日早朝から覚勝、覚賢、懐賢の3人の寺僧たちは桂昌院の家老である上野半左衛門宅を訪れ、そこから宝物を携えて登城している。緊張しながら平川口の下馬前まで駕篭《かご》に乗り、玄関まで供士2人と草履取りを召しつれて歩き、玄関から老中部屋へ案内されている。そこでまずお茶をちょうだいしている。しばらくして桂昌院直属の家老や家臣たちに挨拶を行い、まず護国寺の賢広僧正や桂昌院の側近たちが宝物を拝見している。

これは桂昌院が上覧されるまでに宝物を吟味する必要があったのであろう。いよいよ桂昌院への上覧の時刻となり、宝物を一つひとつ新調した台に乗せて、桂昌院の御前に持参し、賢広が宝物の説明を行っている。それをお聞きになり、宝物をご覧になっていた桂昌院は格別の関心を示され、法隆寺伽藍の修復の料として金300両を寄進されている。とくに宝物を上覧された桂昌院は殊《こと》の外ご機嫌麗《うるわ》しくご満悦の様子であったという。

宝物の上覧が終わってから、寺僧たちは食事の饗応をちょうだいすることとなったが、あいにく覚勝が病気を押して伺候していることを申し上げてご遠慮をしたところ、桂昌院の格別のご配慮によってお粥《かゆ》を頂いている。その後、御成御殿を拝見し、布施として白銀1枚宛てをちょうだいしている。

寺僧たちは老中などに宝物上覧が無事に終わったことに対する謝辞を述べて下城し、すぐさま将軍綱吉の側用人である柳沢吉保屋敷や護国寺、増上寺、霊雲寺をはじめ寺社奉行の松浦壱岐守、南都奉行の神尾飛騨守の屋敷などを訪れて謝意と報告をしている。しばらくして法隆寺から「南無仏舎利」などの宝物が江戸に到着してからも、再び桂昌院の宝物上覧が実現している。

　このとき桂昌院は多くの宝物の中でも、とりわけ金銅の阿弥陀如来像がお気に召したらしく、しばらく預かりとなっている。ところが、その阿弥陀如来像が返されたという記録がないから、桂昌院がお召し上げになった可能性が高い。このときにも桂昌院から米２０俵、薬、白布などを拝領している。

　それ以降も桂昌院はたびたび宝物の登城を許しており、とくに覚勝が桂昌院から格別の処遇を受けている。それは桂昌院の家老である上野半左衛門が覚勝の縁戚であったことによるのであろう。

　その覚勝にとって最たる出来事は9月18日に覚勝が1人で南無仏舎利などの宝物を携えて登城したときのことであった。桂昌院は綱吉の息女である鶴姫とご一緒に宝物を上覧され、鶴姫やお局たちからも多くの寄進があったときのことであった。今日は神田明神の御神事があり、その練者が城の外を通るので平川橋の矢倉付近に設けてある御床で、それを見ようという桂昌院からの有り難いお誘いを受けたのである。覚勝は身に余るこのような厚遇に感激と緊張をしながら、桂昌院のお側の近くでその行列を拝見したという。

「御殿に於いて御料理御菓子御茶まで下され、重々以て有り難き御事なり。この度、六僧参府の内、覚勝一人の取り分、此の如きの御懇冥加の至り、忝く存じ奉る御事なり」

　その後も覚勝はたびたび桂昌院へのご機嫌伺いが許され、やがて覚勝の進言によって、桂昌院が綱吉の武運長久を祈って桂昌院が法隆寺の大講堂の前に常夜灯を建立されることが決定している。それは覚勝と懐賢が「南無仏舎利」「十六歳太子像」などの宝物を三御丸御所に持参したときのことであった。そのとき覚勝は法隆寺に常夜燈の御建立についての愚意を言上したところ、それをお聞きになっていた桂昌院は即座にその建立することにご同意され、その建立料として50両を下げ渡されたという。

「そもそも此の御灯篭の事、覚勝の愚意の料簡にこれを申し洩らす処、御聞に達し賢慮に応じ奉り、造立奉るべきの旨其の座に於いて御意これ有り」

　また桂昌院は江戸へ下向している6人の寺僧と在国の4人の老僧に対して「紫裏の綾」の御衣1領宛てを下賜、更に法隆寺の全ての寺僧に対して「御帯一条」を与えている。そのときの感激を覚勝と懐賢は「両僧は有難き希代の御事と感涙し乍ら退出した」と書き残している。また桂昌院が護国寺へお成りになったときに覚勝は法隆寺の総代として伺候し、御菓子一折を献上している。

しかし、その菓子は桂昌院専属の台所でこしたえて「覚勝献上」と書いた短冊風の札をつけただけのもので、覚勝自身はその菓子の形や名前も知らない、と記している。おそらく城中では食べ物に対するチェックが特に厳重であったのであろう。そのとき覚勝は桂昌院から真綿10把と鶏卵煮を賜わっている。その鶏卵煮は御近従の福井という女中が料理したものであった。

とくに覚勝が出開帳を終えて法隆寺へ帰山するときには、桂昌院から特別に「茶地緞子《どんす》一巻」をちょうだいしている。その緞子は「将軍家の葵」と「桂昌院の九つ目」の紋の入った反物で、これを袈裟に仕立てて将軍家の武運長久を祈禱するように、とのお言葉とともに「目録」を賜わっている。

なお、覚勝が桂昌院から下賜された織物で作った五条袈裟は、昭和資財帳の調査のときにその断片が法隆寺の土蔵内から発見されている。これを発見したときの感激は今も記憶に新しい。このように覚勝は桂昌院のおそば近くに伺候することが許され、袈裟に仕立てる茶地緞子が下賜されるなど格別の厚遇を受けたのであった。

この覚書を下賜された覚勝は桂昌院の家老上野半左衛門に対して「重々有難く、冥加の至り」と深謝して退出している。やがてこのような桂昌院の庇護なども大いに影響して綱吉の宝物上覧が実現をすることとなる。

32　元禄出開帳秘話④——黄門様も宝物拝観

幕政に関わっていた多くの人びとの協力と寺僧たちの奔走によって悲願であった将軍綱吉の宝物上覧の実現が決定し、元禄7（1694）年9月3日に「南無仏舎利」などの宝物が登城している。おそらくこれは桂昌院の助言などが大いに功を奏したのであろう。

そのとき宝物を携えて寺僧の良尊たち6人がそろって登城することが許されている。そして綱吉への宝物のご説明は、桂昌院のときのように霊雲寺の覚彦が行っている。おそらくそのころの慣習から法隆寺の寺僧が将軍に対して直接にご説明をすることは許されなかったのかもしれない。

やがて綱吉による宝物の上覧を無事に終えてから、良尊たち6人は学問好きで知られる綱吉による儒教の講義を聴聞することとなった。それに引き続いて寺僧たちは老中の次席で綱吉が演じるお能「高砂」「融」「江口」の三番を拝見する名誉に浴している。このとき寺僧たちは大名衆よりも上席に着座することが許されてお能を拝見しており「誠に以て前代未聞の冥加の至りなり」と寺僧たちの様子を記している。

それから2日後の9月5日には、覚勝と覚賢がそのころ将軍のお側用人として権勢を誇っていた柳沢吉保の屋敷を訪れて、綱吉からのご寄進の白銀1000枚の目録を拝受している。このとき覚勝は上段の間に上がることが許され、吉保から直々に目録をちょうだいしたと伝わる。その後、吉保の指示によって寺僧たちは老中大久保加賀守、戸田山城守、安倍豊後守、土屋相模守、牧野備後守の屋敷を訪れ、綱吉からご寄進を拝領したことに対する謝意などを申し上げている。

綱吉による宝物上覧が実現したことと、綱吉から伽藍修復料を寄進されたことが、法隆寺の出開帳を大成功へと導いたというべきであろう。また出開帳のために江戸へ持参した宝物は連日、回向院で江戸の人びとにご開帳をするとともに毎日のように「南無佛舎利」などの主な宝物を大名や旗本などの屋敷へ運んで開帳している。その宝物を大名や旗本の妻子などに参拝をしていただくことによって多くの金品の寄進を受けており、そのとき宝物を持参した寺僧たちも食事などの饗応を受けたという。

この出開帳で特記すべきことは、6月30日に黄門さまで名高い水戸中納言光圀《みつくに》の所望によって、小石川にあった水戸藩の下屋敷へ「南無仏舎利」などの宝物を持参したことである。そのとき覚さんで知られる安積覚兵衛たちが寺僧たちを饗応していたという。とくに黄門さまが「南無仏舎利」を拝観されるときには、烏帽子装束に改められて威儀を正して奉拝されている。

その後、寺僧たちは後楽園に案内されて、丁重など接待を受け、翌日には白銀7枚、銭2貫文などの寄進を受けている。

このように出開帳によって多くの人びとから寄進を得るために寺僧たちは連日、奔走することによって多大の浄財を得ることができたのであった。7月5日から9月5日に至る2カ月間に1677両余りの浄財が集まり、出開帳は予想以上の成功をおさめて幕を閉じている。そして9月4日に増上寺の貞誉大僧正の出仕によって「結願法要」が執り行われ、翌日の9月5日には寺僧たちが「法隆寺開帳」の結願法要を行っている。

江戸の人びとからは出開帳の閉幕を惜しむ声が高まり、出開帳の延長を願い出ることとなった。9月5日に寺僧たちは寺社奉行所を訪れて、まず出開帳の無事に結願したことを報告し、改めて出開帳の延長を願い出たのであった。それに対して奉行所はこれを即座に許可している。おそらく綱吉や桂昌院などによる宝物上覧が実現していたことが功を奏したのであろう。このように寺社奉行の許可を得て、9月15日から10月15日までの1カ月間の延期が決定したのであった。その期間中にも326両余りの浄財が集っている。

このように江戸における出開帳は大成功をおさめて、めでたく幕を下ろしたのである。宝物と寺僧たちは冬が到来するまでに急いで法隆寺へ帰らねばならなかった。そのようなことから、10月22日の早朝に「南無仏舎利」などの宝物を携えた行列が回向院を出立している。このような出発の日時を決めるのにも太子のご命日の22日を選んでいたのであった。

その行列に供奉する僧は良尊・良賛・覚賢・貞応・懐賢の5僧であり、覚勝は所用のためにしばらく江戸に逗留している。江戸を出発した行列は将軍が上覧された宝物ということもあり、各地で大いに歓待をされたという。そのために江戸へ向かうときよりも少し時間をかけて道中をしており、ようやく11月4日に奈良に到着している。すぐさま南都奉行所や代官所などへ江戸における出開帳が大成功をおさめたことを報告し、郡山の城下や小泉を通って夢殿の不明門の前に到着したのはその日の午後2時ごろであったという。そこには寺僧たちをはじめとする多くの人びとが出迎えている。

「同日（11月4日）未の刻、仏舎利宝物など還御。法隆寺学侶、堂方その外、仕丁、算主、承仕、堂童子、山守、諸職人ら、また門前近郷知行所の者ども已下、東院芝口に出向き、これを拝し奉る」

「南無仏舎利」などの宝物は、すぐさま宝蔵に納められ、聖霊院では太子に出開帳が大成功をおさめたことを報告する法要を行ったことであろう。

それより5日後の11月9日、覚勝は桂昌院からのご寄進をいただいた目録の奉書などを携えて帰山している。この奉書を受け取るために覚勝は1人で江戸に留っていたのであった。しばらく自坊の中院で旅の疲れを癒していた覚勝は11月23日に京都諸司代の小笠原佐渡守を訪れて、江戸において綱吉から御寄進を賜わった「白銀一千枚」の手形の裏判証文を受けている。そしてようやく11月28日に南都奉行所でその証文と引換えに銀子を受け取ったのであった。

なお、この出開帳で得た寄進の金額を紹介しておくこととしよう。

綱吉からの寄進は７１６両余、桂昌院からは５００両と寄進常燈篭代50両、諸大名からの寄進は９７５両余、江戸の寺院や人びとからの寄進は２０００両余、の合計４２４６両余りであった。江戸への道中費用や滞在費、準備費などに使った９００両余の諸経費を差し引くと３３００両余の大金を得たこととなり、その寄金によってすぐさま伽藍の大修理に着手するとともに、江戸に続いて京都や大坂でも出開帳を行うことを計画したのであった。

33 聖霊院のご本尊の出御——京・大坂でも出開帳

江戸での出開帳で大成功をおさめたことに大いに元気づけられた寺僧たちは、その余勢をかって京都や大坂でも出開帳を開くことを計画し、まず翌年の元禄８（１６９５）年に京都の真如堂で出開帳することとした。このときは地理的に近いということから聖霊院の太子像を出開帳のご本尊とするために輿に乗せて出御している。

２月27日に法隆寺を出発した宝物は知恩院の配慮によってその末寺であった伏見の西岸寺に泊り、翌日の28日の正午ごろに真如堂に到着している。そして３月３日に出開帳の開白法要が厳修されて、30日間に及ぶ出開帳がはじまったのである。しかしその期間中に長雨の日々が続いたために更に30日間の延期を願い出ている。この出開帳の期間に、寺僧たちの奔走によって５月８日には東山天皇、５月14日には仙洞御所（霊元天皇）による宝物の叡覧が実現したのをはじめ、関白近衛家など五摂家をはじめ公家衆や京都所司小笠原佐渡守などへも宝物を持参している。

「去春（元禄8年）は京都に於て開帳。仙洞御所は霊宝などを叡覧。五摂家、宮々まで拝見を致され、種々のご寄進。その外、所司、町奉行、寺社方まで各寄進これあり」

とくに5月12日には聖徳太子を最も尊崇される宗派の一つである一向宗（浄土真宗）西本願寺門主寂如による宝物の上覧もあり、5月22日には京都における出開帳も無事に結願している。やがて出開帳にご協力をいただいた多くの人びとにごあいさつを済ませた寺僧たちは5月24日の午前10時ごろに太子像をはじめとする宝物は真如堂を出発して法隆寺への帰途についている。帰りも行きと同じように伏見の西岸寺で宿泊して、翌25日に法隆寺へ帰着している。

「（5月25日）尊像已下御帰寺。太子尊像は直ちに聖霊院御殿へ移す。学侶残らず并びに堂方の老若は東院入口まで出迎え。太子仏舎利霊宝の御供して寺中へ入御。御舎利は直ちに舎利堂、霊宝は直ちに綱封蔵へ納めるなり」

このときの出開帳で寄進された賽銭は８００両余であったが、道中費などの諸経費に４５０両余を必要としたために実収入は３５０両余であった。

京都に続いて翌元禄９（１６９６）年には大坂の四天王寺で出開帳を行っている。このときも聖霊院の太子像が輿《こし》に乗って出御されることとなった。3月5日午前4時ごろに３００人に及ぶ行列が南大門を出発し太子像や南無仏舎利、善光寺如来御書などとともに南無阿弥陀仏・南無妙法蓮華経と書かれた旗2流を掲げての大行列であった。このような名号や題目を墨書した旗を掲げることによって宗門を問わず多くの人びとに出開帳へ参詣をしていただこうとする配慮がうかがえる。

宝物に随伴した尊殊、良尊、覚賢、懐賢、尊長、行秀たちの6人の寺僧は駕籠《かご》に乗って宝物のお伴をしている。南大門では留守を預かる寺僧たちや近在の人びとが出開帳の成功を祈りつつこの大行列を見送っている。この人びとの中には途中まで行列のお伴をする姿もあったという。

「（3月5日）太子天王寺へ行啓。寅の下刻。一番七種の宝物。二番楽人衆。三番御旗二流・南無仏舎利。四番御書・善光寺如来之文。五番上宮太子・学侶。六番堂方」

南大門を南下した行列は五百井や竜田の村落を通って大和川の難所として知られる亀瀬に到着して、そこから船に乗っている。亀瀬の難所を少し過ぎた所から船に乗って大坂へ至るコースは人びとが古くから利用をしていたものらしい。やがて宝物などを乗せた船は午後3時ごろに大坂の京橋に到着している。そこで下船をした行列は大坂の人びとに大和法隆寺の宝物を四天王寺で開帳することを知らせつつ行列をしたことであろう。その門前では四天王寺の寺僧たちから丁重なる出迎えを受けたという。

　いよいよ3月8日午前8時から大坂の四天王寺での出開帳が幕を開いたのであった。このとき江戸での出開帳の中心的役割を果たした覚勝は再び江戸へ下向していたので、その姿は大坂にはなかった。覚勝は桂昌院へのご機嫌伺いを兼ねて常灯篭を建立したことなどの報告を行なうとともに五重塔の修理料や中宮寺の修理料、大坂での出開帳へのお供えなどの寄進を受けていたのである。

「（元禄9年5月16日）中院（覚勝）江戸より帰寺。金子七百両（三百両は五重塔修理料、百両は天王寺に於て此寺開帳の御散銭、三百両は中宮寺殿修理料）拝領。白銀十枚、布五疋、以上は三御丸（桂昌院）より下される。公方（将軍）よりは時服代白銀五枚を拝領せしむ。かくの次第にて帰院」

　この大坂での出開帳の期間中にはオランダ人が江戸へ参勤する途中に参詣し、道頓堀では岩井半四郎による法隆寺開帳をテーマとした歌舞伎が演じられていたという。このように大坂の町では法隆寺の出開帳のことが大いに話題となっていたらしい。なお出開帳は4月27日に結願の予定であったが、5月9日まで延長し、更に25日まで再延長している。

　やがて25日に大坂での出開帳が結願したので、翌26日の午前8時ごろに四天王寺の講堂を出御して法隆寺への帰途につくこととなった。そのとき平野の人びとは街道を清掃して砂や水を撒いて行列を迎えている。昼食のために柏原の本陣である平野屋与次兵衛などで休息し、そこへ法隆寺から出迎えにきた１００人余りの人びとと合流して帰途についている。法隆寺に帰着したのはその日の薄暮のころであったという。

　なお、この出開帳で得た賽銭は１３００両余であったが、出開帳の必要経費が７７０両余に及んだために実収入は５３０両余であったという。このように江戸・京都・大坂の3カ所で開いた出開帳によって集まった実収入は、３３００両（江戸）、３５０両（京都）、５３０両（大坂）の合計４２００両余であった。法隆寺ではこの資金によって元禄の大修理に着手したのである。

なお、その後も伽藍の修復料の寄進を得るための出開帳は、享保9（1724）年に京極和泉式部誠心院、宝暦6（1756）年に大坂四天王寺などで開いているが、いずれも元禄出開帳のような寄付金が集まることはなかったという。

34

元禄大修理の裏事情──37件余の大事業

江戸出開帳で集まった寄付金や賽銭などを資金として、切迫していた伽藍の大修理に着手することとなった。すでに小規模ながら元禄3（1690）年ごろからは諸堂の応急的な修理がはじまっており、元禄3年には五所宮、元禄4年には聖霊院・綱封蔵・西室・金堂廊下・上宮王院廊下・馬屋・大経蔵・食堂・三宝院などには着手していたが本格的には江戸での出開帳が成功を修めた翌年の元禄8年からのことである。

そのころ建造物の新造や修理は、南都奉行所や京都大工頭中井主水に届け出て許可を得ることを必要としていた。とくに中井主水は家康の寵愛を受けて五畿内の大和・山城・河内・和泉・摂津と近江を加えた6カ国の大工頭に推挙されていた正清の末裔《まつえい》で、畿内の建造物の造営や修理などを監督する江戸幕府直属の役人であり、畿内における建築行政の総元締的な地位にあった。その身分は500石40人扶持で、畿内の大工・杣・木挽など1万数千人を支配し、幕末まで京都に『中井役所』を構えている。

その中井家が元禄5（1692）年の10月27日に作成した『棟梁住所幷大工杣大鋸木挽人数作高之覚』によると、そのころの中井家は6カ国の杣《そま》・大鋸《おが》・木挽《こびき》など、6971人と大工6677人をその傘下に置いていた、と記している。杣とは用材を切り出す山から木材を伐採することを業としている人のこと。大鋸とは14世紀ごろに大陸から導入された木工具の鋸で木材を切ることを業としている人のこと。木挽とは木材を大鋸でひき割って角材や板に製材することを業としている人のことをいう。

そのような状況のもとに法隆寺が元禄9（1696）年11月に南都奉行所へ差し出した覚書によると、すでに元禄9年に修理が完了していたものは、五重塔・御祈禱所・金堂・大講堂・上之堂・食堂同細殿・鐘楼・経蔵・仁王門・廻廊・護摩堂・御霊屋・勧学院・八ツ足門・四ツ足門・東院廻築地・東院惣門・惣社宮である。その年の12月にも入札して元禄10年から工事に着手するものは、太子堂（聖霊院）・上宮王院（夢殿）・西円堂・三経院・役行者堂・綱封蔵・権現社・一切経蔵・東室・西室・大湯屋及び四ツ足門・南大門・西之大門・中之門（東大門）・寄門・北之門・山口之門であったとする。それに続いて修理すべき建物としては舎利殿・絵殿・伝法堂・礼堂・東院廻廊・東之鐘楼・新堂・金光院・西惣築地・五所社・天満宮・立田社となっている。

このように元禄の大修理は37件余に及ぶ大事業であった。この記録からも解るように、諸堂を極めて短期間で修理をしているということである。それはそのころの修理のほとんどが屋根の吹き替えに中心を置いていたことによる。とくに五重塔の修理は桂昌院を大檀越として元禄9年5月に着手して同年の11月に完成している。この修理のときに五重塔の5層目を解体して屋根を急勾配に改めている。それは雨水の流れを考慮したものであった。

また、軒先の重みを支えるために力士型の支柱などを新造し、垂木先の金具や露盤などを新調して、それに徳川家の『葵』や桂昌院の『九ツ目』の紋を付けたことも特記すべきであろう。しかし五重塔の4重目以下は建立してからわずかに部材の入れ替えなどはあっても解体をされたことがなく、その勾配は緩やかで創建当初のままの姿を残しており、その形態は昭和の大修理のときも踏襲している。このように5層目だけが元禄時代の改造を受けた急勾配のままで、4層目から下層は可能なかぎり創建時の姿に復元していることから、「飛鳥乙女に高島田」との批評されたこともあった。

金堂の修理も五重塔と同じようにほとんど補強が中心で軒先を支えるために竜や獅子などの支柱を新造し、飾金具などの修補も行っている。とくにこの修理には徳川家と桂昌院のご寄進によるところが多いこともあり、幕府の許可を受けて堂塔の甍には『徳川家』と『桂昌院』の紋様の瓦を葺いている。

この修理のもう一つの特徴は、修理業者たちによる入札制度を導入していることである。最も多くの建物の修理を落札した業者は井筒屋七郎兵衛であった。その井筒屋は元禄9年に五重塔や金堂、廻廊、鐘楼、経

書の多数を焼失したことであった。堂方たちはすぐさまその再興に着手しようとして勧進をしている。ところが再興資金にこと欠き、その完成までに半世紀以上も要していたことが昭和51－53（1976－8）年の間に行われた律学院の解体修理によって明らかとなっている。

　これ以外にも貞享元（1684）年11月5日に西大門が焼失する惨事があり、法隆寺にとって決して安穏な時代ではなかった。すでに紹介したように元禄7年からの出開帳による浄財によって未曽有の大修理が施され、その修理は建物のみにとどまらず、仏像、仏画、法具をはじめとする多くの寺宝に及んだことは、その墨書銘などによって知ることができる。

　浄財を得るために行なわれた宝物のご開帳にも関連して、その宝物の由来や霊験を記す必要もあり、元禄11（1698）年に『法隆寺堂社霊験并佛菩薩像数量等記』を作成している。そのころ覚勝の後継者で学僧でもあった良訓という寺僧が古記録の保護に努め、法隆寺をはじめ子院の反古の中から発見した古文書を整理してその修復をし、他家所蔵のものなども盛んに書写を行っている。現在、法隆寺に所蔵する古記録のほとんどは良訓の修復によって伝わったものであり、法隆寺の古文献の保護に努めた良訓の功績は高く評価されている。そのような基礎資料をもとに良訓が法隆寺の歴史とそのころの現状をまとめたのが『古今一陽集』であり、法隆寺の研究の上で不可欠の史料となっている。

　その後、天保7（1836）年ごろには寺僧の覚賢が法隆寺に伝わる金石文や諸記録を集めた『斑鳩古事便覧』を著している。これもそのころ行なわれた法隆寺のご開帳の史料として作成をしたものであり、『古今一陽集』とともにこの期の法隆寺の姿を伝える貴重な史料である。

　なお、このころに法隆寺で展開していた学問の様子を紹介しておこう。まずそのころの宗派については寛永10（1633）年の「和州法隆寺末寺帳」に「法隆寺宗旨之事。當寺は聖徳太子の御時より以来、三経院に於て毎年一夏九旬の間、三経同太子御製之義疏を講談せしめ候。仍りて三経宗（法華、勝鬘《しょうまん》、維摩《ゆいま》の三経）と号す。兼ねて習学する所は三論、法相、律宗、真言なり」とある。このように法華・勝鬘・維摩の三経の講讃や三論・法相・律・真言を伝統教学としていたのであり、そのころの学僧たちは学頭職による講義を勧学院で聴聞していたという。

その一例として、かつて学頭に就任をしていた椿蔵院の実円が延宝3（1675）年2月18日から閏4月14日の間に「唯識論」を講じており、それを自他宗の学徒たちが聴聞していたとする記録もある。それ以降も観音院の高順、普門院の懐賛、弥勒院の懐賢、西南院の行秀が相次いで学頭職に就任して「唯織論」などを講じていたという。

参考までに、そのころ法隆寺の安居の講師を勤めていた實雅という学僧が語っていた講演の口調が講本に記されていたので紹介しておこう。

「明日（5月16日）は朝の間は唯識の同音でござる故、夕談義でござる程に、そう心得さっしゃれ、八つどき（午後2時）になってからはじまりまする」

ところが法隆寺の学問も序々に衰えを見せて、ついに学頭職は寺務職が兼ねることとなった。そのようなときに賢聖院の住持であった隆範は法相宗の碩学として名高く、文政9（1826）年9月には人びとの勧めに応じて自坊で『成唯識論述記』を講談している。隆範はふたたび天保9（1838）年4月16日からも『成唯識論述記』を開講して、法隆寺の寺僧たちがそれを聴講したことが『年会日次記』に記録している。

そのような隆範の学徳に対して、生前中に法隆寺から「法印権大僧都」を贈っている。これはきわめて異例なことであった。

そのころ法隆寺の律院である北室院の住持に就任していた叡辨《えいべん》は、真言律と法相を兼学する学徳の高い法匠として知られ、要請に応じて京都清水寺や興福寺、伊勢にある浄土真宗髙田派の本山である専修寺などで法相の講義を行なっていたことを特記しておきたい。

しかし、江戸時代も末期に近づくと寺運の衰えに伴って学問も大いに衰退を見せることになる。それでも、従前からの慈恩会や三蔵会などの伝統行事は、形骸化はしていたものの幕末までは連綿と厳修されている。

しかし明治維新を迎えてそのほとんどの伝統行事が中断されることとなった。

36　寺僧千範の悲願――天満宮の祭礼復活

法隆寺の東大門を出て北に進むと小高い場所に天満池と呼ぶ池がある。その池の東に隣接するように小さな森があり、それを天満宮と呼んでいる。

言うまでもなく「天満宮」とは菅原道真を祭っている社のことで、人びとは斑鳩神社と呼ぶ。その神社は平安時代の天慶年間（938－47）に興福寺の学僧で菅原氏の末裔《まつえい》であった堪照《たんしょう》が法隆寺別当職の在任中に勧請したと伝えている。それからは神仏習合の例によって幾度もの遷宮造営が法隆寺の寺僧たちの勧進によって行なわれている。

その祭礼の儀式も法隆寺の寺僧が執り行っており、古くから神輿が南大門に渡御《とぎょ》して祭事が行なわれていたと伝えているが、真相は定かでない。そして天満宮の神官も明治維新までは法隆寺から任命していたのである。

しかし、その渡御の儀式などは室町時代のころから久しく中断していたという。それを憂いていた弥勒院の千懐という寺僧がそれを再興することを悲願としていたが、その実現を見ないままに遷化している。その遺志を受け継いだ弟子の千範が明和3（1766）年に再興したのであった。そのようなことから千範は明和3年8月22日に「鎮守天満宮祭礼神輿渡御之儀式」を復興して、神輿を天満宮から法隆寺中門内の金堂と五重塔の間へ渡御され、神仏混合による祭礼が行なわれるようになったのである。千範が記した再興の由来には、つぎのように記されている。

「鎮守天満宮祭礼御旅所を伽藍の内にこれを設けて神輿渡御の儀式を古くから行って来たがいつのころからか中絶している。そのようなことから祭礼神輿渡御を再興することを先師松京院僧正千懐が以前から願われていたがそれを実現するには至らなかった。そのような事情からこのたび弟子の千範が発議して、氏子たちとも相談して、神輿を新調して古式のように西院伽藍の金堂と五重塔の間に御旅所を設けて、22日の午後4時ごろに神輿渡御の儀式を行い、23日には神拝翁、競馬などの神事を行って還御の儀式を古式のように再興した」

　この千範による再興によって渡御の儀式が定着することとなったのである。やがて文化年間（１８０４－18）ごろから村人たちの懇望によって次第に「御輿太鼓」が祭礼に加わるようになり、しばらくしてその御輿太鼓が村人たちの要望によって法隆寺境内に入ることも許されるようになる。

『法隆寺年会所日次記』には、

「（文化４年）９月22日・西里・北小路・並松からも御輿を迎える太鼓が出た」

「（文化５年）９月22日・本町からも御輿太鼓を出して、法隆寺の境内へ入りたいとの願いを村年寄から法隆寺の役者中へ依頼してきたので、この届を差し許した。（中略）但し、この年には並松からも太鼓が境内へ入ることを願い出てきたので、これも許可した」とある。

　このように神仏融合のもとに法隆寺の境内で神事が行なわれていたが、明治元（１８６８）年に新政府が神仏分離令を布告して神道の国教化政策を推し進めたことに関連して、寺僧たちは大いに混乱をきたすこととなる。法隆寺が所轄して来た神社や境内にある弁天社・五所社・惣社・冥府社・恵比須社などに対してどのように対応すべきか、といった不安が寺僧たちの間にも漂っていたという。とくに法隆寺の守護神である龍田本宮や龍田新宮が法隆寺から分離し、そこにあった別当坊や多宝塔など仏教的要素はすべて一掃されたのであった。

　その一例として龍田本宮にあった多宝塔は吉田寺へ移されたらしく、竜田新宮の近くにあった傳燈寺の薬師堂も、京都の日野の法界寺へ移されて現在は重要文化財に指定されている。

　そのようなときに法隆寺の一部の寺僧たちが神仏分離令の意味を誤解したのであろうか、法隆寺の境内から神色を一掃するために天満宮の社殿を破壊するという暴挙に出たのである。まさに、これは前代未聞の大事件であった。それを法隆寺では「菅廟破却事件」と呼んでいる。

　天満宮を破壊した事件は、法隆寺の秀延という寺僧が主犯であった。秀延は大和柳本の出身で、この事件が起ったときにすでに寺務職の頼賢に継ぐ責任ある地位に昇進していた。秀延の次席が勤王僧で知られる妙海である。

　そのころの法隆寺は、頼賢・秀延・妙海の上位の３僧を中心として運営されていたのであった。その秀延が主犯であることは法隆寺にとっても大問題であった。

その事件はすぐさま奈良政府の知るところとなった。さっそく秀延は役所へ呼出されて強く詰問され、隠居せよ、との判決が下されている。そのころ法隆寺の寺僧たちが秀延を糾弾した明治2年9月5日付の文書が法隆寺にも残っている。

「興善院秀延は、この王政維新にあたって、自分の過った説を吹聴し、政府のご方針に背き、人びとの意見を無視して、神の威信を犯し、社を破壊するという大罪を犯しました。これは法隆寺の恥であり、聖徳太子に対する罪人であります。（中略）

よって法隆寺の規則にしたがって隠居させることと致します。

若し、これを放置するようなことがあれば法隆寺の大きな弊害となりますので、今回秀延を隠居させることに衆議一決し署名いたした次第です。

明治2年9月5日　善住院頼賢　宝珠院實乗　中院定朝　安養院頼宣　妙音院隆晃　仏餉院信海　宝蔵院長尊　政南院隆乗」

この学侶たちの決定に、堂方や承仕たちもすぐさま同意している。

「そのような決定のお知らせを拝見致しました。まことに御尤ものことと存じます。わたしたちも、その決定に賛同をいたします」

世の中では多くの寺院が壊されているのに、法隆寺では神社を破壊するといった世情とはまったく正反対の行為が行われたのであった。どうしてそのような事件が起こったのか、未だにその真相はわからない。まことに世にも不可解な事件であった。その事件のあと天満宮は法隆寺村の村人たちから天満宮を管理したい、という強い申し出があり、法隆寺では境内にあった白山宮や東照宮などの五社を天満宮の境内に移して、その管理を村人に委ねている。そして明治維新によって中断していた祭礼は明治10（1877）年に復活している。そのときの事情が明治10年9月28日の「法隆寺日記」に、つぎのように記されている。

「御一新後しばらく氏神の渡御が中断されておりましたが、このたび村人たちから県庁へ旧例によって法隆寺境内へ渡御いたしたいと出願したところ、このたび県庁が御聞届けをいただいたので今年から以前のように渡御するようになりました」

このように維新から中断していた天満宮の渡御は、世の中が平静を取り戻しつつあった明治10年から村民たちの懇望によって法隆寺の境内への渡御の祭事が復興され、中門や妻室などへ渡御の場所を変えつつ現在に至っている。そして昨今では食堂前の広場に渡御されて神事が行なわれている。

37 寺法の大改正——寺門再興を目指す

徳川時代も後半になると学侶による法隆寺運営も徐々に困難をきたす傾向を見せはじめた。それは人数のうえでも学侶は減少の一路をたどっており、その出身についても学侶となり得る条件の家と養子縁組を行なってから、法隆寺に入寺して、学侶となる寺僧もあったという。

寛政9（1797）年ごろの法隆寺の現住僧は、学侶が十口・堂方が十八口・承仕が二口であった。そのような状況下において、伽藍の荒廃も激しさを加え、学侶・堂方の諸制度も崩壊しつつあったために、法隆寺の護持安穏を願うには、まずこの制度を改正する必要に迫られていたという。

ついに寛政9年9月に全堂衆が一括、学侶に昇進したい旨を学侶衆に願い出たのであった。そのときの文書によると、学侶への昇進によって学侶・堂衆の争いをなくし、伽藍の修復とその護持に専念するために無益の雑費を削減することをなど述べている。その結果、学侶衆の許可を得て堂衆の願望は条件付きで聞き届けられている。

その主な条件とは、寛政9年から3カ年間は堂衆を准学侶と称して学侶に昇進する準備期間とすること、3年後の寛政11年12月22日に正式に学侶衆への加入を許すこと、堂衆の大法師位の者は勝鬘会《しょうまんえ》・慈恩会の竪義《りゅうぎ》の執行は一度に3人遂行すること、堂衆はしかるべき家の養子となること、堂衆はすべて学侶の弟子となること、新たに堂衆坊3カ院を設置すること——などであり、寛政9年9月1日に衆儀一決連印状を聖徳皇太子の御宝前に献じ、ここに至って従前の学侶・堂衆の区分は消滅することとなった。

この統合によって生じた変革としては、新規に堂衆坊として、奥金剛院・宝光院・北之院の3カ院が定められたこと、この新堂衆は旧堂衆に比べてさらにその地位は低下して学侶に完全に類属するものとなったこと、学侶と旧堂衆の配分知行高が統合されて諸経費の節約につとめたこと、年中行事の役割区分が改正されたこと、西円堂鬼追式の鬼役は堂衆行人役であったが、この昇進によって寛政10年からは法隆寺の直轄領であった領民である岡本村百姓に鬼役を申し付けたこと、新堂衆が聖霊院・上宮王院・西円堂・律学院の堂司となったこと、西円堂・聖霊院に輪番役を設置したこと、西円堂は修理方、聖護院は蔵沙汰人が輪番となった（この2カ所がそのころの法隆寺の庶民信仰の殿堂となり、財政源としても重要であった）こと——などである。

なお、そのころの寺僧たちの中には公家の猶子《ゆうし》となった者も少なくなかったという。猶子とは名義だけを公家などの名家の家族の一員とすることをいう。そのために公家に金品を贈って猶子になることを希望する僧も続出している。

寺僧たちが猶子となることに執着したのには大きな理由があったという。それは室町時代から朝廷が法隆寺に対して「権大僧都」までの僧位を寺僧たちへ与えられていたことに関連する。その内訳は「権大僧都」1人、「権少僧都」2人、「権律師」3人となっている。

しかし、「大僧都」から上の位に昇るには興福寺で行われる維摩会の竪義を遂げることなどが必須条件となっており、享保16（1731）年に他界した覺勝までは、すべて権大僧都が最高位であった。

ところが覺勝の次に寺務職に就任した尭懐《ぎょうかい》は五条宰相為範の猶子となっている。それによって尭懐は享保17年12月27日に禁裏へ参内して天皇の尊顔を拝することが許されている。そのときに紫衣が下賜されて権僧正の位を賜ることができたのであった。

この尭懐が法隆寺で公家の猶子になり権大僧都より上位に昇進した最初の寺僧であった。それ以後も花園家や柳原家などの公家の猶子になる寺僧が続出している。そのころの文書によると寺僧たちが猶子となった公家から資金の提供を求めているものもあり、そのころの世情の一端をうかがえる資料でもある。

このように寺僧たちは自分の地位の昇進に懸命となり、ある意味では寺僧たちの堕落がはじまったといってよい。かつて隆盛をきわめた子院も次第に衰退のきざしを見せはじめてくる。安政3（1856）年の『自公儀梵鐘取調記』などによると、そのころの子院は全体的に老朽化が進んでいたようであり、この期に大和葺などを瓦葺に葺き改めた子院は崩壊を免れたが、それができなかった建物は相次いで荒廃したという。

このような法隆寺の衰退に拍車をかけたのが明治維新であった。この変革によって多くの学侶が隠退したり、退寺したりするとともに、子院の建物も老化による崩壊が続出している。それに伴って再び学侶・堂衆・承仕の制度も崩れる傾向が迫っていた。

特にそのころの寺僧たちは個人の財産を増やして、一つでも多くの子院の権利を確保することに懸命となっていたという。その子院の管理権は法隆寺自体にはなく、子院を保護する権利を有する家が持つようになった。

そのような家のことを「寺元《てらもと》」と呼ぶ。寺元とは本来は子院の支援者のようなものであり、この寺元制度は、江戸時代のはじめごろから存在していたらしい。ところが、その寺元は支援者という立場から次第に管理者へと変化し、やがて寺元から子院へ弟子を送り込んで、その子院を支配する権利を行使するまでになった。

やがて、そのような子院の権利が売買されることとなり、寺僧たちは財力に任せて、その権利を買いあさる事態までが生じている。それらの子院には、法隆寺に与えられた１００石の知行から10石宛が配分され、その子院の管理権をもっている寺僧がその配分を受ける権利を有していた。寺僧が管理権を持つ子院の数が多ければ多いほど、配分米が増加して寺僧の収入が増えたことはいうまでもない。

このような現状から見ても、この寺僧間の制度はすでに寛政11（１７９９）年の改正によって緩和していたとはいっても、未だ封建制の風潮は根強く残されていたのであり、そのためにもこの新時代に即応した完全な寺法の改正が必要となったのは当然といわなければならない。

38 法隆寺の職掌——役人を村落から選ぶ

法隆寺へ勤務して法要や寺務などを補助していた人びとの職掌のことを、「算主《さず》」「仕丁《しちょう》」「刀禰《とね》」などと呼ぶ。その人びとは主として法隆寺村の村人たちの中から選ばれ、法隆寺から一定の扶持（給料）の支給を受けている。そのような慣習がいつごろから生まれたのかはまったくわかっていない。

このような職掌が中世のころから存在したことは否定できないが、それが法隆寺周辺の村人の中から選ばれる慣習がいつごろから生まれたのか、といった記録は見つかっていない。

法隆寺周辺の村落は、江戸時代のころには興福寺領、幕府領、郡山藩領、楽人領であり、法隆寺の領地ではなかった。そのころの法隆寺は、千石の領主として安部村など（奈良県広陵町と大和高田市の一部地域）を支配していたので法隆寺村などの周辺の村落とは行政的には一線を画したのである。

それを示すものとして安部村周辺の行政文書が法隆寺に多数所蔵されているのに対して法隆寺周辺の村落の行政文書はまったく法隆寺にはない。ただし法起寺のある岡本村と極楽寺村は、法隆寺の直轄領として明治維新まで法隆寺の行政下に置かれていたので、宗門改帳などが伝わっている。

そのような状況の中で、法隆寺周辺にある村民の一部が法隆寺から扶持《ふち》（給料）を得て勤務しているが、その由来などについて不明なことが多い。

その職掌について元禄15（1702）年の『年会日次記』に詳しく記されているので、その要点を紹介しておきたい。

算主とは「中綱」ともいい、古くは下級僧侶（妻帯法師）が勤めていたが、近世になって法隆寺の行事に奉仕する優婆塞《うばそく》のことを意味するようになり、村人の中から10名が任命されていたという。その扶持は3石余りであったと伝える。

仕丁とは法隆寺で行なわれる法要の雑務を担当する役職のことで、村人の中から15名が任命されていたという。扶持は2石余りであったと伝える。

刀禰とは聖霊会《しょうりょうえ》のときに聖皇御輿（太子像の輿）の脇に従って供奉する役のことで、村人の中から24人が任命されていたという。

番匠大工は村人の中から10人が任命され、法要に奉仕していたとする。そのときには扶持も支給されたと伝える。瓦師は法隆寺の伽藍を修覆するときに勤務し、扶持も支給されている。陰陽師は村人が勤めて扶持の支給を受けている。

これらの職掌は法隆寺村の村人の内から任命され、法隆寺の知行1000石の中からそれぞれに扶持を与えることが明記されている。このような規定を記録した翌年の元禄16（1703）年からは、『年会日次記』の冒頭の名簿にも学侶、堂方、承仕の僧名に続いて算主と仕丁の名が記載されるようになった。これは、その職掌が公式に認められたことを意味するものかもしれない。

とくに享保12（1727）年の『年会日次記』からは算主や仕丁とともに寺中代官、神主、小使、東院常番所、山守、掃除人、夜番などの勤務者の名前も記すこととなる。これは法隆寺の勤務者の名簿のようなものである。さらに宝暦12（1762）年の『年会日次記』からは中綱と仕丁の名前に苗字が付けられてくる。それによると算主には秦、栗原、植栗、桂、佐伯の苗字が見られる。なお、植栗は寛政9（1797）年ころから、桂は幕末から名前が記載されていない。この2家は何らかの理由によって法隆寺の職掌から退いたのかも知れない。

仕丁では太田、大吉、葛城、城、波多の苗字が登場する。そのように変化する理由についてはまったくわからないが、それらの職掌が対外的にも正式に認められたことを示すものかもしれない。また法隆寺の代官として領地などとの連絡や年貢の徴収などを行なうことを職務とする定使の役には吉岡の苗字が見られる。

ところが明治維新の大変革にともなって明治5（1872）年5月に法隆寺の知行が廃止されたため、法隆寺へ永年にわたって勤仕してきた算主・仕丁・刀禰などの功績に対して金一封を与えてそれらの職掌をすべて廃止することとなった。

それに対して算主や仕丁などを勤めた人びとから、つぎのような法隆寺に宛てた書状が提出されている。

「このたび、古くからの職掌などが一新され、廃止されましたので、今まで法隆寺に参勤をして参りましたが、そのお役を返上申し上げます。それにともないまして法隆寺から勤勉の賞として金一封を頂戴いたし恐縮をいたしております。なお、これからも法要などのときに雇用されるようなことがありますならば前例のように出勤を致したいと思っておりますので、よろしくお願いを致します。まずは褒賞《ほうしょう》に対するお請けと致します」

これには算主や仕丁、刀禰などが署名して法隆寺の寺務所へ提出し、法隆寺の職掌の廃止が決定することとなった。

それが明治32（1899）年から法隆寺周辺近くの村落の出身である秦行純や佐伯定胤といった僧侶が法隆寺の住職に就任したこともあって、明治38年からはかつて算主であった佐伯・栗原・秦の三家が金堂修正会の御供作りなどに協力をする習慣が生まれることとなった。その事情については明治38年2月6日の『法隆寺日記』に、つぎのように記されている。

「6日曇降雪あり。午前に前貫主（秦行純）は佐伯・栗原・秦三家を招いて金堂修正会を旧式のように復興したいので出勤して手伝うようにと依頼した。それに対して何れも喜んで同意した」

　しかし、それはかつての算主という職掌が完全に復活したのではなく、修正会の仏供作りへの協力方を依頼したものであったが、それが鬼追式の後見役やお会式の御供作りなどにも奉仕をすることとなっている。特に最近までどのような理由があったのかは知らないが算主のことを佐都《さず》と呼んでいたのである。しかしそのような名称はどのような史料にも見当たらない。おそらく近年になって誰かが当て字として書いたのであろう。そのようなことから私が史料に基づいて昭和50年代から算主と呼ぶように復している。しかし仕丁や刀禰といった職掌は復活していない。

39 伝親鸞作太子像——出開帳で門徒参拝も

浄土真宗の開祖親鸞《しんらん》聖人が法隆寺を訪れて、円明院の覚運僧都に従ってインドの論理学である因明を学んだとする伝承がある。それを裏付けるかのように、法隆寺には親鸞が覚運に贈ったとする袈裟や親鸞自らが彫刻したという太子孝養像が伝わっている。

　親鸞が法隆寺を訪れたことを伝える記録は、延享3（1746）年の『古今一陽集』に、はじめて登場する。しかしその記事の部分は幕末に近いころの追筆であり、その記事の信憑性は極めて乏しい。しかもそこには親鸞と記さず浄土真宗の高僧の旧跡という表現がなされているだけである。

　ところが文久3（1863）年に書写した『古今一陽集』には、「本願寺宗之祖、親鸞聖人之旧跡」と記されている。これによると、『古今一陽集』が編集された延享3年から、それを書写した文久3年ごろの間に親鸞が法隆寺を訪れたとする伝承とその信仰が生まれたこととなる。とくに親鸞が建久2（1191）年の秋ごろに法隆寺を訪れたとする記録は、浄土真宗高田派の本山専修寺の旧記にも見えるという。

　親鸞は太子を和国の教主と仰ぎ、厚い信仰を抱いていたことは明らかであり、当然のことながら太子の寺である法隆寺を訪れたとしても決して不思議ではない。ところが、親鸞が寄宿したと伝える円明院という子院は鎌倉時代には存在せず、江戸時代に創建された新しい子院の一つである。しかも私の調べたところでは、鎌倉時代に覚運という寺僧も実在しない。私はそれらの疑問から、このような伝承がいつごろ、どのようにして作られたのか、その真相を探りたいと思うようになった。そのようなときに明治8（1875）年に法隆寺の住職に就任した千早定朝が著した『円明院本尊太子木像縁起』という記録が目に止まったのである。その記録には、そのころの伝承の様子を詳しく記しているので、参考までに、その内容を要約して紹介しておきたい。

定朝が幼年のころに、東京下谷唯念寺（高田派）山内の願寿寺という寺の衆徒である巌定（号は台草）という書家が法隆寺を訪れて北室院や実相院に滞在したことがあったという。定朝は若輩の寺僧たちと一緒に天保11（1840）年の秋から冬にかけて実相院を訪れて書道を学ぶこととなったという。

ある日のことであった。東蔵院の行賛という先輩の寺僧が実相院を訪れて巌定と雑談していたのを、若輩の寺僧たちが2人の側近くで聞いたことがあった。そのとき巌定が行賛に対して吾宗の宗祖親鸞聖人が若年のころに法隆寺で修学されたことが浄土真宗高田派専修寺の伝記に見えるが、その場所はどこであろうか、と尋ねている。その質問に対して行賛はつぎのように答えている。それは西円堂南正面石壇の寺跡が聖人留学の旧跡であり、そこの院主であった覚運に従って因明の口決を受けた因縁によって寺名を円明院と号したと。

しばらくして行賛が西円堂の年番役となり、翌天保12年2月27日に交代して西円堂の堂行事を勤めることとなった。そうしたある日のこと、定朝は巌定を案内して西円堂を訪れたときに行賛が堂内から一体の太子孝養像を取り出して、これは元円明院の本尊で同院が退転したときに西円堂へ遷座したものと伝え聞いていると語っている。しかもその像の袖の下に「奉範宴少納言」の銘文があり、親鸞が彫刻したものであると語っている。それを聞いた巌定は大いに感激をしたという。定朝自身も、そのような由来ははじめて聞くものであった。

日ごろこの太子像は西円堂内の一隅に安置されており、毎年2月の会式のときには東正面に出しているという。そのことは寛政10（1798）年の『西円堂年中行事雑記』にも、2月の会式には東正面に太子像を奉出するといった記録として見られる。

ちょうどそのころ、法隆寺村に智周房という浄土真宗の僧が居住して16歳の木像を彫刻していたという。行賛はそれを請い求めて西円堂に安置し、それまで西円堂に伝来していたという親鸞作の太子像を法隆寺一山の集会に披露したというのである。

ところがそのころ世情では親鸞作の太子像も智周房が造ったものとする噂が広まっていたという。やがて行賛がこの像を出開帳に出陳してご信心の厚い真宗門徒から浄財を集めようと提案したという。

そこで翌天保13年に行う予定の江戸出開帳の計画に合わせて、この太子像のお厨子を新調することを決めている。その行賛の伯父に当たる藤井治部という人が幸い西本願寺の家令をしていた縁故をもって、西本願寺に対して厨子新調の勧進を行うこととなった。その結果、天保13年の正月に西本願寺の広如上人が立派な厨子を寄付されることとなり、太子像は新調の厨子とともに江戸の出開帳に出陳されている。この出開帳に当たって巌定が太子像や袈裟の縁起を記して、その由来を門徒の人びとに広く知っていただくために版木を作ったという。

これまでが定朝が語ったものの要旨である。なおどうしたことか法隆寺には「奉範宴少納言」の刻銘のある太子16歳像が2体あり、まったく同じように見えるが、一体はきわめて新しく、もう一体は少し古いように見える。定朝の口述に従えば、前者は智周房が彫刻した像である可能性が高くなる。もう一体の像は南北朝ごろの作とする説もあり、足の部分には補修のあとも見られる。それは智周房による補修かもしれない。

しかし、その伝来過程などが明らかでない現在、今後の調査によって制作年代などが明らかとなることを期待したい。また袈裟《けさ》の伝説についても、法隆寺における親鸞の伝承とともに生じたものと考えられるが、調査したところ親鸞の時代の袈裟であることが判明しているが、それ以上のことはわからない。この袈裟も天保13年の出開帳に出陳されたらしく、その時に新調した黒漆塗りの立派な箱に納められており、蓋の上には金泥で「親鸞聖人御袈裟」と記されている。

天保13年に行われた江戸での出開帳のときには浄土真宗の門徒の参拝を期待して東西本願寺をはじめ仏光寺、興正寺にも協力方を依頼するために訪れている。

そのようなことから、この太子16歳像と袈裟を出開帳の会場である回向院に到着するまでに、築地にあった西本願寺の江戸別院ともいうべき掛所に立ち寄らせて門徒の人びとにご開帳している。これは江戸の門徒たちが出開帳の世話をする見返りとして築地門跡から要求されたものであったという。いずれにしてもこれらは、法隆寺と親鸞を結びつけようとする信仰から生まれた遺品であり、法隆寺における信仰史上注目すべきものの一つに挙げることができよう。

40

排仏の嵐の中で——幕末の混乱

　幕藩体制の崩壊が近づくにつれて尊皇攘夷が堂々と唱えられ、廃仏の声も日ごとに高まっていた。そのような状況の中、法隆寺の寺僧たちの間でも平田篤胤などの国学の思想が浸透している。とくに若い僧たちは、その思想を信じ「仏教は浅ましい教えであり、自分たちは父母や師匠に誘われるままに出家したが、それは大いなる誤りであった」と反省するようになった。やがて、「われわれが出家したのは、国家の罪人にも匹敵する大罪を犯したことになり、早く還俗して、父母や師匠の罪を謝罪しなければならない」と唱えて法隆寺を去っている。事実、幕末のころに法隆寺を去った寺僧がきわめて多い。そのすべてが国学の影響によるものかどうかはわからないが、そのころに退寺した寺僧が多くいたことだけはたしかであった。

　そのような時に全土を揺るがすような大事件が起った。黒船の来襲である。嘉永6（1853）年6月3日にペリー提督が率いるアメリカ合衆国海軍東インド艦隊が浦賀に来航して幕府に開港を迫ったのであった。そのような国難に対して法隆寺ではさっそく「黒船討伐祈願」を行っている。同年9月21日には法隆寺の近くにある小泉藩と郡山藩が異国船の襲来に対して軍勢を出陣させており、法隆寺でも25日から27日までの3日間、聖霊院ご本尊の扉を開いて異国船退散の祈禱を行っている。

　それには法隆寺の寺僧たち全員が出仕している。その法要では大般若経の転読を行って黒船の退散を祈っている。それに使用する大般若経は奈良時代の神護景雲元（767）年に夢殿を建立した「行信」の発願によって書写されたものであった。法隆寺では昔から「疫病退散」や「寺領の保全」などに関する大きな苦難に遭遇したときに、しばしば読誦している由緒ある経巻である。この黒船討伐祈願にはことのほか妙海という寺僧が熱心であった。

妙海は尼崎藩の出身で、文政13（1830）年に出家して普門院に住んでいた。妙海は、よく和歌を詠み、勤皇僧として名高い京都清水寺の月照とも親しく、強い尊皇の志を抱いていた。ちょうどそのころ夢殿に隣接する中宮寺には侍講をしていた伴林光平、上島掃部という2人の勤皇の志士がいた。侍講とは天皇に学問を進講する職のことをいう。

そのころ中宮寺の門跡には有栖川宮職仁親王の息女が出家していた。それを「慈心院宮」と呼んでいる。彼らは慈心院宮に講義をしていたので侍講と呼ばれていたのである。光平は大阪の志貴郡にあった浄土真宗の尊光寺の次男として生まれたが、国学を学び、尊皇攘夷の志を抱いて天皇陵が荒れているのを嘆いてその実情などを調査していた。

光平は文久元（1861）年に上島掃部の推挙によって中宮寺の侍講となり、太子の愛馬の墓という駒塚の近くにあった東福寺に住んでいた。

やがて、文久3（1863）年8月13日に孝明天皇が攘夷祈願のために大和へ行幸されることが決定した。それに呼応して勤皇の志士たちが大和五条代官所を襲撃する事件が起った。

それが「天誅組の乱」である。その知らせを受けた光平は法隆寺村の平岡鳩平を伴って天誅組に加わっている。この鳩平は法隆寺の近くで煙管屋を営む傍ら勤皇の志を抱いて光平を師と仰いでいたという。ところが光平は不幸にも幕府に捕らえられて元治元（1864）年2月16日に京都で斬首されている。光平48歳のことであった。鳩平は幕府の追撃を逃れて維新後に名を北畠治房と改めている。

掃部も天誅組の旗挙げによってその軍資金集めに奔走し、その生涯を皇威の回復に捧げたが明治2（1869）年1月6日に他界している。妙海はこの掃部や光平・鳩平とも深く関わっており、尊皇攘夷を大いに唱えた勤皇僧として知られている。

法隆寺の若い寺僧たちが国学に走ったのも、そうした人びとの影響があったのかもしれない。安政2（1855）年にも堂衆の学栄の弟子であった寛栄という寺僧が、異国降伏を祈って国王や国家を護ることを説いた「金光明最勝王経」を納める箱を作っている。

その箱の裏にはつぎのような墨書が記してあった。

「金光明最勝王経を納める箱を作ることによって異国降伏のための武勇が高まり寺僧たちの学問が増進することを祈る」

このような廃仏の思想が蔓延し仏法が軽んじられるのを憂いつつ、じっと嵐が吹き去るまで耐えていた1人の寺僧があった。それが近代法隆寺の中興となる定朝である。そのころの定朝は古書を読みつつ、法隆寺の1200年に及ぶ苦難の歴史を振り返っていたのであった。

やがて慶応3（1867）年12月9日、王政復古の宣言によって官軍が奈良に入ってきた。新政府はそれまでの奈良奉行を罷免して「奈良巡撫総督」を置いている。

天皇親政を旗印としている維新政権はその正当性を天皇神話に求めたのである。それによって神道を国教化する必要があった。そのために「神仏分離に関わる法令」が布告されたのである。それは1000年に及んで寺院と神社が一体となっていた「神仏習合」を完全に壊滅させ、神官の地位を高めようとするものであった。

神社を管理している僧侶を還俗させて神官となることを奨励し、神社から仏教色を一掃することに重点が置かれていた。政府ではあくまでも王政復古によって神道を国教とすることが大きな目的であり、仏教を破却するものではないことを強調していた。しかし結果的には仏教弾圧となっている。

いずれにしても、そのような布告のもとに神社を寺院から分離することに成功したのであった。とくに、法隆寺の近くでは南都随一の勢力を誇っていた興福寺が大打撃を蒙っている。まず、慶応3年12月には興福寺の学侶31名がいち早く玄米1000石を朝廷に献上して恭順の意を表明した。その翌慶応4年には政府から興福寺の寺僧たちに大阪行幸の守衛、大和国の行政権の委任などが命じられている。このよう大変革を法隆寺の寺僧たちは固唾《かたず》をのんで見守っていたのである。

41

混迷する寺僧たち――維新の変革に苦悩する

興福寺は藤原鎌足の遺志によって建てられた「山階寺」を起源としている。それを和銅3(710)年に藤原不比等が奈良に移して藤原氏の氏寺としたもので、南都を代表する大寺院に発展していた。しかし、その大寺院が破仏の嵐の中で解体されようとしていたのである。権勢を誇っていた一乗院や大乗院をはじめとするすべての寺僧たちが復飾することを役所に申し出ている。

これによって寺僧たちは神祇官《じんぎ》から正式に春日大社の神官になることを許されたのである。神祇官とは明治元(1868)年に神祇や祭祀などを統括するために置かれた官庁のことで、明治4(1871)年の8月に神祇省と改めている。

ここに1100年におよぶ輝かしい法統を誇っていた興福寺は事実上の廃寺となり、明治元年を境として完全に廃寺となったのである。ほとんどの子院や諸堂は破壊され、わずかに堂塔を残すだけの哀れな姿になっていた。そこにはかつての雄姿はない。一乗院は奈良県庁に、他の堂舎には官庁が置かれている。内山永久寺や三輪神社の神宮寺なども、またたく間に廃寺となった。京都でも、比叡山麓の日吉山王権現社に押し寄せた群衆によって、仏像や経典などの仏教色のあるものがことごとく焼き払われるという事件が起っていた。

そのころ興福寺の五重塔が25円で売却されようとしたことはよく知られた話である。

やがて春日大社の神官となった旧興福寺の寺僧たちの中から華族に列する人も現われてくる。それは藤原氏一門の中でも地位が高かったからである。それを奈良華族と呼ぶ。そのころ奈良の町ではつぎのような流行歌が歌われていた。

「坊主あたまに冠のせて、のるかのらぬかのせてみよ」

それは興福寺を捨てた奈良華族たちを風刺するものであったという。

かつて南都随一の勢力を誇っていた興福寺の解体を

目の当りにした法隆寺の寺僧たちの動揺ぶりは、想像を絶する状況であった。そのような背景のもとに法隆寺では寺僧たちが対応策を相談して、とりあえず朝廷に5百両を献上することを決定している。それは興福寺が解体した1カ月後の慶応4（1868）年の5月のことであった。そのときの領収書にはつぎのように記している。

「金　500両

右はかねてよりの天朝のご恩に報いるために献上したものであるからここに受領することとした」

そのとき中院の住持であった学侶の定朝は法隆寺の寺僧たちに対して、規則の大改革を行うべきであると訴える意見書を提出している。明治元年11月の「対法隆寺大衆建白書」がそれである。それには法隆寺の退廃を憂い、ご一新を契機として寺門の興隆を計るために従前の封建的な制度を全廃し、新しい時代にふさわしい制度をつくる必要性を記していた。

しかし、残念なことに、そのような定朝の進言に耳を傾けようとする寺僧はほとんどいない状況であった。やはり法隆寺の寺僧たちは新しい時代の流れを充分に理解していなかったのであろう。定朝はやむなく、自分の思いをしばらく棚上げするしかなかった。

このような混沌とした時代に法隆寺を根底から揺るがすような大事件が起こった。それが、すでに紹介した菅廟破却事件と呼ぶ大事件であった。新政府から神仏分離に関する法令が出された翌年に法隆寺の境内にあった天満宮を破壊したのである。

法隆寺から神道色を一掃することを急ぎすぎたのであろうか。天満宮を破壊した事件は法隆寺の秀延という寺僧が主犯であった。この事件が起ったときに秀延はすでに寺務職の頼賢に継ぐ責任ある地位に昇進していた。その事件はすぐさま奈良政府の知るところとなった。さっそく秀延は役所へ呼出されて詰問され、「隠居せよ」との判決が下されている。しかし、この事件をきっかけに定朝の意見書が寺僧たちにやっと理解されるようになり、法隆寺の一大改革が断行される方向へと大きく前進する。

なお、このとき寺務職であった頼賢は高市郡の出身で文政8（1825）年に出家し、善住院に住んでいた。その西隣には事件の首謀者であった秀延が住んでいる興善院がある。そのころ廃仏毀釈によって寺院の権威が失墜していた。それをよいことに村人たちが法隆寺の廻廊の中へ牛や馬をつないだり、農具を放置したりしていたという。

あきらかに封建的な寺院であった法隆寺に対する嫌がらせでもあった。古くから聖域としてきた伽藍内で牛馬が放尿するために悪臭が漂い、建物の柱などが腐敗するという現象が起っている。法隆寺ではそれに苦慮し、役所へその行為を禁止する制札の掲示を願い出ている。法隆寺の寺僧たちにとっては、まさに悪夢を見ているようであったに違いない。

　ちょうどそのころ世情では米が急騰していたので、法隆寺では南大門前で人びとに粥を焚き出して施している。このようにすべてが混乱した時代であった。

　やがてその事件が一応落着した9月18日に、定朝はふたたびその年の法隆寺の寺務を担当する役所である「年会五師所」に対して口上書を提出している。

　その「口上書」には、つぎのように記されている。

「この王政復古という新しい時代になりましても、わたくしのような浅学な者が古い規則に従って、法席を汚し、高禄を戴いてまいりました。しかし、よくよく考えれば、それはご維新の趣旨に違反するものであり、世間に対しても恥じるべきことであります。

　よって、わたくしは、このたび法隆寺から支給されていました棒禄と僧位を聖徳太子のご宝前にご返却をすることと致します。どうか、みなさんもわたくしの意見にご賛同いただき、旧例を一掃して、法臈《ほうろう》（僧侶としての年数）や階級を問わず、学徳を兼備えた人物を抜擢して法隆寺の復興に対応していただきたいと思います。

　どうか、わたくしの発意にご賛同くださいますよう、お願い申しあげます」

　この定朝の進言に対して、法隆寺の学侶たちは賛同の意を表明して、それぞれの俸禄や僧位・子院の敷地や建物・山林などをすべて法隆寺へ返納している。これによって、やっと定朝の念願の一つは達成されたこととなる。しかしこれから法隆寺はいよいよ正念場を迎えるのであった。

42　寺の復興をめざして――旧弊一新を試みる

法隆寺の復興を提唱した定朝は法隆寺の大改革をこれからどのように実行すればよいのか、優れた人材を登用するためにはどこに焦点を当てて選ぶべきか、などといった難問題に直面していた。

明治2（1869）年の10月21日から26日までの6日間にわたって法隆寺の今後を決定する大会議が開催されることとなり、学侶・堂方・承仕・法起寺などの末寺をはじめとする専当や仕丁などの寺務担当者たち31名が地蔵院に集まっていた。

地蔵院は南大門を入ってすぐ左側にある子院で、そのころ子院の中ではもっとも大きな建物の一つであった。しかも、地蔵院には寺僧が住んでいなかったために会議をする場所としては最も適していたのであろう。その会議には、奈良政府の下の行政単位である斑鳩王府から北畠四郎と岡本震斎の2人が立ち会っている。奈良政府は明治2年5月に奈良県となったが、2カ月後の7月に奈良府、翌年7月にふたたび奈良県となっていた。斑鳩王府から役人の出席を求めたのは会議の内容を公正に判断し、後日の証人とする必要があったからであろう。

いよいよ大会議が開かれた。代表者の頼賢から会議を開く宣誓のあいさつがあり、つづいて定朝が寺法の改正の必要性を強く訴えた。まず古くからの習慣である「僧位」や「俸禄」を返還すること、新しい法隆寺の規則が決まってから改めて新規に給料を支給すること、などといったものである。

しかし、人材登用となると大変難しいものがあった。かつての法臈《ほうろう》（年次）を優先するのか、それとも年功によるのか、或いはその人の才能によるのか、といったことである。結果的には、その折衷案が実行されている。この会議に先立って二臈の席（次席）にあった勤皇僧の妙海が隠居を申し出ている。なぜ、この時期に隠居したのか、その理由ははっきりしていない。ひょっとすれば官廟破却事件に関与していたのかもしれない。妙海が隠居すれば、人材の少ない法隆寺にとって大きな痛手であったにちがいない。

そこで、とりあえず人材を確保するために、まず堂方と承仕を学侶に昇格させることを決議している。そのときに昇格したのが堂方の学栄とその弟子の寛応、承仕の行意・行純・智純・秀解たちであった。その外にも、すでに隠居していた堂方の懐厳という寺僧が含まれている。懐厳は奈良丹波市の出身で文政10（1827）年に出家して実相院に住んでいたが、安政4（1857）年に隠居して松尾寺へ移り住んでいた。

定朝はその懐厳をわざわざ呼び戻して再勤させたのである。懐厳は人望が厚く、定朝はかねてから懐厳を抜てきしたいと考えていたらしい。定朝は全員の同意のもとに松尾寺にいる懐厳を法隆寺へ帰山させることにした。松尾寺は法隆寺後方の矢田山の山中にあり、「厄よけ」の寺として知られている。この堂方や承仕の昇進と懐厳の帰山によって一応の体制が整ったことになった。その大会議において決められた新しい役職は、つぎのようなものであった。

一臈寺務職に代る法隆寺の代表者である「法務代」。法隆寺の実務を担当し、学問の振興を図る「権寺司」。法隆寺を復興するために諸方面を勧進する「勧進主」。法隆寺の寺務を指揮する「庁判」。会計の支出を担当する「出納方長」。会計の収入を担当する「収納方長」。修理を担当する「修理方長」。諸役の任命などを担当する「沙汰衆長」。仏前の供養を担当する「奠供《てんぐ》師長」。奠供師を補佐する「奠供師副」などであった。この役職に対して寺僧たちをそれぞれ任命している。法務代には頼賢が、権寺司には定朝、勧進主には懐厳、庁判には頼宣、出納方長には学栄、収納方長には実乗、修理方長には行意、沙汰衆長には行純、奠供師長には智純、奠供師副には秀解がそれぞれ就任している。

このような体制によって法隆寺はやっと新しい時代の一歩を踏み出したのである。その改正に伴って学侶坊に住んでいた寺僧は従来の通りであったが、新たに学侶に推挙された旧堂方や旧承仕たちは学侶坊へ移ることとなった。懐厳は西園院、学栄は弥勒院、行意は法華院、行純は中道院、智純は喜多院の住持となっている。しかし西園院以外の子院はほとんどが崩壊寸前で、その任命はあくまでも形式上に過ぎず、現実には今までの自坊である子院に住んでいる例が多い。

かつて法隆寺には、幕末まで47カ院の子院が存在していたが、明治2年の時点で寺僧が住むことができる子院は宝光院・西園院・中院・宝珠院・弥勒院・実相院・福園院・中道院・法華院・興善院・善住院・福生院のわずか12カ院を数えるだけとなっていた。それらもしだいに老化が進んで取り畳まれるものが続出していたのである。やがてこの新しい規則をすぐさま「奈良政府」へ申し出ている。

「今回、旧弊を取り除いてご一新のご趣旨に添った寺法の改正を行いました。今後は寺僧一同、寺門の興隆を計るために、この新しい規則にしたがって法隆寺を維持して行く覚悟であります。どうか私たちの決意を許容いただきますようお願いを申上げます」

この法隆寺からの規則改正書を受け取った奈良政府では、まことに寺院の模範とすべきものであると、法隆寺の決断を褒めたたえ、法隆寺の改正規則を役所内に張り出したという。他の寺院でもこれを参考に新しい規則を作ることを望んだからである。

法隆寺ではそのころから翌明治3年に厳修される聖徳太子1250年御忌の準備に取り掛かっている。そのようなことから定朝は慶応2（1866）年に法隆寺を去っていた法兄の千純を帰山させることとした。それは千純が漢学や声明に精通していたからである。法要の準備に没頭していた定朝にとって若い寺僧たちを指導する人材がどうしても必要であった。

その効果もあってご遠忌の法要は明治3年2月21日から1週間、古式によって盛大に執り行われたという。ところが、このご遠忌が終わったころからふたたび法隆寺に不穏な空気が漂ってくる。まず、実乗と頼宣が法隆寺を去り、2年前から官廟破却事件によって隠居していた秀延が再度台頭する気配を見せたからである。その背後で、定朝に反対する寺僧勢力が画策していたのであった。

彼らは定朝を中心とする執行部を一掃しようとしていたのである。定朝は信頼していた寺僧たちと相談して懸命に秀延の復帰を阻止している。そのような定朝の強硬な態度もあったのであろうか、明治5（1872）年に千純は再び法隆寺を去っている。

しかし、不幸なことに定朝が最も信頼していた頼賢が遷化し、懐厳も眼病を患って、再び松尾寺へ隠居している。いよいよこれからは定朝が1人で法隆寺の難局に対処しなければならなくなったのである。

43 定朝に内外の大敵——窮地を脱する

明治5年に法隆寺の一臈《いちろう》職にあった頼賢が遷化したあと、定朝は実質的にも法隆寺の代表者となった。これからの法隆寺の行方は、定朝の肩に重くのしかかってきたのである。

明治4年に政府は、上知令を布告していた。上知とは、堂塔の雨落ちから外の敷地をすべて官有地として召し上げるというものである。法隆寺でも建物以外の敷地はその対象となった。そのとき官有地となった敷地は、すぐさま一般の競売にかけられている。
もしも、その土地が一般の所有となれば法隆寺にとって一大事である。民有地になれば境内の一角が田畑に変貌するに決まっていた。定朝は、法隆寺に蓄えていた金額をすべて放出して、それを落札することに懸命となっている。そのような敏速な対応によって境内の中心地はかろうじて旧態を留めることができたのであった。しかし、法隆寺の内にも外にも定朝の大敵が刃を研ぎすましていたのである。

「或いは廃仏に同意し獅子身中の虫といふべき輩多く出来、魔界の境界と、実に内外に敵を受けおり、油断成り難く、心易きに措きのこす種々の辛苦を嘗め云々」

そのころ法隆寺の内部は、定朝のすることに対して何かにつけて反抗する勢力があった。とくに「伝親鸞聖人作という聖徳太子孝養像は法隆寺の共有物ではなく興善院という子院の私有物である」として所有権を主張したり、知行の配分が行なわれないとして役所へ訴えたりするなど、ことごとく定朝に抵抗している。ついには定朝の実印を偽造するという事件まで起きたのであった。外部では神仏分離令にこと寄せて、法隆寺を取り壊すことを考える者もあった。

幕末のころから定朝のもとに一人の男が足しげく出入りをしていた。定朝もその男に見どころがあったのか、何かにつけて金品を与えている。賭けごとにでも負けたのであろうか、借金に困った時期があり、定朝は金を与えてその窮地を救ったこともあったという。そのようなことから定朝に恩義を感じて定朝の身に危険が及んだときには、すぐさまはせ参じて命をかけて擁護する覚悟をしていたという。村役場などで法隆寺に対する話題が出たら、その全ての情報を定朝のもとへ知らせている。

ちょうどそのころ、奈良県では法隆寺の南大門の左右に延びる大垣を取り壊そうという計画が持ち上がっていた。その大垣を壊せば、その内側にある広い境内地を田畑にできると考えたからである。その情報を得た定朝は、その真偽のほどを確認するために奈良県庁へ出向いている。定朝は役人に面会して、その件を問い合せたところ、たしかにそのような意見はあるが、それについては役所内でも賛否両論があって、未だ結論を得ていないということであった。定朝は大垣を取り壊すようなことがないように懇願をするとともに、法隆寺では絶対反対であると訴えている。もし、そのようなことが実際に起れば法隆寺の存亡にもかかわる大事であったからである。

ところが法隆寺村でも、そのことを真剣に検討していた。そのときの戸長は何とかして大垣を取り払うことを定朝に同意させようと画策していたのである。そのような村役場の動きを詳しく定朝に知らせたのが、さきほど登場した男であった。村役場では卑怯にも定朝を食事に誘い、酒をすすめて泥酔させ、そのどさくさに紛れて定朝に大垣を壊す書類に署名させよう、ともくろんでいたという。

いよいよ、役場からの誘いの日が訪れた。定朝は1人の侍者を伴って役場を訪れている。雑談のあと食事が出されはじめた。その計画を知っていた定朝は、にわかの腹痛を訴え侍者に背負われて早々に法隆寺へと引き揚げている。これは、かねてから定朝が考えていた作戦であった。ここに村役場の計画も失敗に終わり、大垣も取り壊されることなく無事であった、と定朝はその晩年に回顧している。

「明治維新の前後から、その男に与えた金額は100円以上になります。その影響でわたしは大変お金に困窮しています。しかし、わたしはその真相を口外したことはありませんので、誰一人としてそのことを知る人はありません。ここに将来のためにお話をして置きたいと思います」

このとき壊されようとした大垣は現在、重要文化財に指定されている南大門の左右に延びる築地のことである。

このように定朝は法隆寺の存亡にかかわる正念場に立たされていたのであった。

ちょうど、そのころ戸籍がつくられ、寺僧たちも苗字を名乗ることとなった。公家や武家の出身者であっても、出家した僧侶には苗字は付いていなかった。例えば定朝の場合は「中納言公定朝」というのが正式名称である。ところが政府は明治5（1872）年の9月に僧侶も苗字を付けることを命じている。これによって、法隆寺の寺僧たちもそれぞれ苗字を付けることとなり、ほとんどの寺僧は実家の苗字を付けることとなった。

例えば、妙海は実家の久保松、学栄は佐伯、行意は藪内、行純は秦の苗字を付けている。ところが、定朝の場合は実家の苗字は川村であったが、その祖先が楠正成に由来することから正成に縁り深い千早赤坂城の地名に因んで千早という新しい苗字を付けている。

この定朝のように新しい苗字を付ける寺僧もあった。実然は公家の裏辻氏の三男であったが春堂という新しい苗字を付けている。宗源寺の実賢も実家は巽であったが楓を苗字とし、法起寺の戒学は起、かつて聖徳太子の葦垣宮があったという成福寺の大教は葦垣を名乗っている。そのころの寺僧たちは、自分の好みによって自由に苗字をつけることができたのである。まことにうらやましい時代でもあった。

この機会に定朝が千早と名乗ったことは歴史に明るく、しかも自分の家系を誇示しようとした、いかにも定朝らしい命名といえよう。他の寺院でも、その機会に由緒のある苗字をつけた僧侶が多かったという。とくに真言宗では弘法大師が佐伯氏の出身であったことから、それにあやかって佐伯を名乗る僧侶が続出したことはよく知られている。

44

真言宗へ所轄依頼――整理統合求める布告

法隆寺では古くから「勝鬘経《しょうまんぎょう》」「維摩経《ゆいまぎょう》」「法華経」の三経を絶やすことなく毎年講義することが一つの信仰として守られていた。それは太子の遺命でもあった。

やがて中国や朝鮮半島の国々から新しい仏教の学問が伝わり、法隆寺にもいち早く入ってきている。とくに奈良時代になると「三論宗」や「法相宗」「律宗」「雑密」「成実宗」などを専攻する学僧が法隆寺に居住していたことが、天平19（747）年の『法隆寺資財帳』に記されている。そのころは寺院そのものには特定の宗派はなく、寺僧たちは仏教であれば、その選択は自由であったらしい。それが古代寺院の特徴でもある。

ところが中世のころになると、南都随一の勢力を誇った興福寺の傘下に入ったためにその強い影響を受けている。やがて法隆寺は「三論宗」「法相宗」「律宗」「真言宗」の四宗を兼ねる、いわゆる「四宗兼学の寺院」と呼ばれるようになる。しかし、その実態は興福寺の強い影響を受けた「法相宗」が中心であったが、伝統的には「三経」を研鑽することが法隆寺の使命であったという。そのことから「法隆寺は三経宗なり」と唱えた時代もあった。

しかし、明治維新の変革によって、そのような古くからの伝統を護ることが難しくなってきたのである。明治5（1872）年10月に太政官の布告によって「法相宗」「華厳宗」「律宗」などの小さな宗派は「真言宗」「天台宗」「浄土宗」「浄土眞宗」などの大きな宗派に併合せよ、との指令が出されたからである。政府は、細かく分立していた仏教の宗派を整理して統轄することを大きな目的としていた。

その知らせを受けた定朝は、すぐさま寺僧たちとその対応を話し合っている。明治5年10月28日、法隆寺の総代として定朝は中道院の秦行純との連名で、つぎのような口上書を奈良県へ提出した。

「法隆寺は用明、推古天皇の勅願寺として聖徳太子が建立された名刹であります。古くから「三論宗」「三経宗」「禅学宗」を修学しておりました。

とくに「三経宗」は、聖徳太子が国家の安泰と仏教が栄えることを願われたものであり　それを推古天皇が勅宗とされました。そのような由来がありますので、どうか特別のご処置をいただき「三経宗」を公称することをお許しいただきたくお願い申し上げます」

このような口上書に対して、奈良県からつぎのような指令が来ている。

「法隆寺から提出した書面の趣旨は聞き届けることはできない。先に公布した通り、速やかに大宗派に所属せよ」

このような指令を受けた定朝は再びその対応策を協議したが、なかなか結論を見出すことができなかった。そのころ法隆寺が、どの宗派の所轄を受けようか、と迷っていることを聞きつけた大きな宗派からはたびたび勧誘の話が寄せられている。

法隆寺では、その決断ができないままに時間だけが空しく過ぎ去っていた。とくに明治5年には「太陰暦」が「太陽暦」に改められ、その年の12月3日が明治6年の正月元旦となった。明治5年は1カ月も早く終わったのである。法隆寺内には、決定が遅れることによって政府からどのようなおとがめを受けるかもわからないという不安な空気も漂っていた。

法隆寺の伝統的な教学の流れからすれば「真言宗」が最も親しみのある宗派の一つであり、中世からはとくに真言密教の色彩が強くなっていたからである。そのころの真言宗の管長には高野山の密道応という学僧が就任していた。その道応は高野山の無量寿院の住職であり、定朝は道応とは交流もあり、再三にわたって、定朝のもとへ真言宗に入るようにとの誘いの手紙が寄せられている。

ついに法隆寺では最終的に真言宗へ所轄を依頼することを決定し、さっそく真言宗へ使者を立てて所轄を受ける条件について打ち合わせている。やっと真言宗と法隆寺との間で合意が成立し、明治6年8月2日に真言宗管長に対して正式に所轄依頼の口上書を提出した。そのとき真言宗と法隆寺が取り交わした覚書には、法隆寺が法相宗と名乗ることを許可すること、法隆寺の法則は従前の通りとすること、など法隆寺にとってきわめて有利な条件が記されている。それに対して真言宗管長はすぐさま了承する旨を回答し、ここに法隆寺は真言宗の所轄を受けることが決定したのであった。

そのころ奈良の寺では、東大寺が浄土宗、唐招提寺、西大寺、薬師寺が真言宗の所轄を受けている。その年の9月22日に法隆寺の僧たちは、真言宗管長から教導職「試補」を拝命することとなる。教導職とは明治5年に教部省が国民を教化するために置いた役職名のことで「教正」「講義」「訓導」などの14階級に分れていた。

法隆寺の寺僧たちは教導職の試験を受けたといわれているが、試験の内容は分っていない。あくまで一般教養的な内容であったのであろう。法隆寺が真言宗に所轄を依頼してから、わずか半年が経った明治7年3月25日に真言宗管長の道応から定朝のもとに1通の手紙が届けられた。

「私は明治5年から真言宗の管長を勤めてきましたが、近年、老齢となってきましたので、今般、管長職を智積院の加藤体応に譲ることといたしました。今後は、4本山が6カ月交代で真言宗を運営することとなりますので、どうか連絡などに不都合なことが起らないよう充分にご留意いただくことを切望いたします。在職中に寄せられたご厚情に深く感謝いたしております」

定朝は、この道応の隠退を機会に真言宗からの独立を決断することとなる。そのころの定朝には、天台・真言・浄土などの宗派への所轄を受けることなく独立を果たした融通念仏宗のことが頭に浮んでいた。

ところが多くの信徒や檀家を持っていない法隆寺のような古代寺院の形態を法統としている寺院では無理な話であった。

そのような定朝の考えに反して、真言宗では法隆寺を一般末寺と同じように扱うように変りつつあったという。道応の時代のように客寺的な特別待遇は許されなかったのである。定朝からすれば当初の約束に違背していたのである。そのようなことから、真言宗と法隆寺は次第に疎遠となり、両者の溝も深まることとなる。

45 法隆寺住職という役職――知行減り集団生活

寺院を統轄する長官のことを「別当」という。法隆寺では承和年中（834－847）の延鳳を初代の別当とし、天文22（1553）年に就任した兼深という興福寺僧を最後に廃止されたらしい。それ以降は法隆寺の最上位の寺僧を「一臈《いちろう》法印」と称して、別当に代って寺務を統轄することとなった。

その慣習は明治2（1869）年ごろまで続いている。一臈法印は法隆寺の代表者ではあったが、寺務の決定は学侶の全体会議によって決議したという。いわゆる合議制である。やがて明治9（1876）年からは法隆寺でも一山を統括する主僧の総称として「法隆寺住職」という新しい役職を設けることとなった。

住職は一臈よりもさらに統轄力があり責任も重いものであった。法隆寺では定朝を住職に推挙するために寺僧たちが役所へ「住職許可願」を提出している。ところが、どうしたことか役所では定朝を法隆寺住職に推挙する書類を受理しなかったという。

他の寺院の住職はすでに認可されているのに対して、なぜ法隆寺は許可されないのか、まことに不可解なことであった。そのような役所の態度に疑念を抱いた定朝は役所に対してその真相をただしている。役所でも法隆寺から定朝を法隆寺住職に推挙する申請が出ているので許可をしようとしていたが、法隆寺の内部には定朝に反対する勢力が運動を展開していたのでしばらく静観していたという。それらの扇動者たちは他の寺院から住職を招請するか、あるいは菅廟破却事件で隠居した秀延を推挙するという動きなどもあり、法隆寺内部が大混乱しているとの情報があったので、しばらく保留していたというのである。

それに対して定朝は、法隆寺にはそのような内部抗争はなく、自らが住職に就任して法隆寺を統率するという決意を述べ、ついに役所の同意を得ることとなったという。

やがて役所から、明治9年6月9日付で定朝が法隆寺住職に就任する同意書が届けられている。これによって、定朝は正式に法隆寺住職に就任し、法隆寺の復興に向けて大きく前進することとなる。この住職に関する一件を見ても、法隆寺の内部が混沌としていたのであった。

そのような状況下にあって定朝は、法隆寺を復興するためにこれからどのように寺を導くべきか、と苦悩する日々を送ることとなる。とくに明治4（1871）年から明治政府の政策によって寺領が半減し、明治7（1874）年から次第に減らして、やがて全廃する制度に着手している。これを逓減禄制という。法隆寺では、まず1年目はかつての知行高1000石の4分の1に当る250石、その翌年から9年間は、更にその半分の125石の下賜を受けたという。

このような大変動によって法隆寺の財政はますます苦しいものとなっていた。そうした時期に、定朝は諸経費を節約して、法隆寺を永続させるための基本金をつくりたいと考えるようになる。そのためにはまず、寺僧たちの団結を図る必要があった。そのころの寺僧たちは、中世からの慣習によって、それぞれ自坊の子院に住んでおり、法隆寺から支給される院禄と個人の財産で暮らしていたのである。

そのころ私財をもとにして金貸しをする寺僧までが現われていたといううわさもあった。その反面では金銭に困窮していた寺僧もおり、裕福な寺僧のもとに古物を持ち込んで借金を申し出る僧もあったという。そのような現状を目の当りにした定朝は、何とかしなければと心を痛めていたのである。とくに、そのころ子院のほとんどの建物が老朽化しており、ひどいものは雨露をしのぐことすら困難なものまであったという。そのようなときに定朝は、古い時代には寺僧たちが僧房で集団生活をしていたことを思い出していた。

寺僧たちは子院が登場する中世ごろまでは東室や西室などの僧房で集団生活をしており、それはインド以来の慣習であった。

そのようなことから定朝は寺僧たちを1カ所に集めて、集団生活を送りたいと考えたのである。すでにそのころには明治2（1869）年に規定した寺門改正の規則も、すでに効能を失いつつあった。それは多くの寺僧が他界したり、法隆寺を去ったりしていたからである。

そのような事情から、定朝は寺僧たちを西円堂の後ろにある薬師坊の奥座敷に集め、ふたたび規則の改正を断行することとなる。定朝は法隆寺の収入が極度に減少したこと、法隆寺を復興するためには更に諸制度を改正し、経費を倹約して経済的基盤を確立する必要があること、一刻も早く真言宗の所轄から独立したいこと、などを説明したという。

そして寺僧たちに対して、子院から離れて薬師坊で集団生活を行い、一層の団結と経費の節約を計ることを提案したのであった。この提案に対して、ほとんどの寺僧たちは賛同している。

この決定によって、今まで通り子院で生活することを希望する寺僧たちは、その経費の全額を自己負担することとなった。集団生活の場に薬師坊が選ばれたのは徳川時代から西円堂のご本尊である薬師如来の霊験に対して、人びとの信仰を集め、法隆寺でもっとも賑わっていたからであろう。とくに薬師如来の霊験は御所にまで聞こえ、天皇や親王のご病気平癒を祈るためにご代参が派遣される霊場となっていた時代もあった。

明治の混乱期にあっても参詣者の申し出によって毎日のように病気の平癒を祈る法要が厳修されている。その布施料が法隆寺の大きな財源であったことはいうまでもない。そのような理由から薬師坊が選ばれたらしい。

そのとき薬師坊へ合居したのは定朝をはじめとする12名の寺僧たちであった。ちょうどその前年に宗源寺の楓実賢と北室院の松田弘学が法隆寺の寺僧に推挙されていた。かつて宗源寺と北室院は、ともに法隆寺の境内末寺で浄土宗と律院の寺院であった。そのような由緒から定朝は人材の補充を行うために2人を法隆寺の寺僧として登用したのであった。

46 法隆寺宝物の重要性——壬申の文化財調査

法隆寺には聖徳太子の時代からの多くの宝物が伝わっている。それらの宝物のほとんどは綱封蔵《こうふうぞう》に安置しており、古くからその開閉は寺僧たちによって厳重に行われてきた。また「金堂」や「舎利殿」などの諸堂にも多くの宝物が収められていたという。とくに「舎利殿」には太子に関連する宝物がたくさん収められている。

古くから寺僧たちは、それらの宝物はすべて太子信仰の貴い遺産であるとの考えから大切に守ってきたのであった。しかし堂塔に安置しているご本尊などの代表的な宝物の目録はあっても、すべての宝物の完全な台帳はなかったのである。法隆寺は宝物の目録もないままに明治維新という混乱期を迎えたのであった。

しかし、それは法隆寺だけではなく、多くの寺院でも同じ状況であったといわれている。やがて廃仏毀釈の嵐が静まろうとしていた明治4（1871）年には太政官布告によって「古器旧物保存法」が施行されている。これは、日本の文化財保護行政の先駆的なものであり、我が国固有の文化財を保存しようというものであった。

それは廃仏毀釈によって寺院や仏像などの多くの寺宝が破壊されたことを憂えた有識者たちの意向も大いに影響したのではなかったか。それに関連して、翌5年に全国の有名古社寺が所蔵していた古文化財が政府によって調査されることとなる。これを「壬申の調査」と呼ぶ。法隆寺の調査は、その年の8月26日から行われている。

その調査には日本の古文化財の保護行政に大きな足跡を遺すこととなる町田久成、内田正雄、蜷川式胤などが出張し、横山松三郎という写真師も同行する大規模なものであった。調査団の一行は法隆寺の夢殿の近くにあった旅館に泊まり、3日間にわたって法隆寺の総合調査を行っている。この調査に先立って役所からの知らせを受けた定朝は寺僧たちを普門院に集めている。それは政府の調査に支障が生じないように対処することを打ち合せるためであった。定朝の頭の中には3年前のあの悩ましい「菅廟破却事件」のことがあり、役人との対応にはとくに神経をとがらせていたのであろう。

この調査には法隆寺の寺僧たちも立ち会い、町田らは金堂などの主要な建物に入って仏像などを綿密に調査している。調査を終了したものには「検査済」の紙を張っている。とくに運搬の可能な宝物は普門院へ運ばせて入念に調べており、その調査は極めて強引なものだったという。たとえば古くから開いてはならないという掟がある「善光寺如来御書箱」を開いていたことである。その箱の中には信濃の善光寺如来から聖徳太子へ宛てた手紙が3通入っているという伝説があった。しかし、それは古くからの信仰によって開かれることはなかったという。それを強引に開いて調査したのである。

そこには言い伝え通りに3通の書状が入っていた。

その1通を「柏木」という調査員が写し取ったものが東京国立博物館に所蔵されている。そのとき写真師横山松三郎が金堂の内部や普門院の縁側に並べた宝物類を撮影した貴重な写真も残っている。

この調査によって法隆寺の宝物の基本台帳が作成され、その目録は調査団と法隆寺側に保管されることとなった。

定朝は寺僧たちに対して、今後はこの目録通りに宝物をしっかりと保存することを命じている。それは調査された宝物が、法隆寺の不始末から万一紛失するようなことがあれば役所からおとがめを受けることを恐れたからであろう。

定朝の指示によって明治8（1875）年に作成した宝物目録にも、明治5年の調査のときに調査団から、今後は寺僧たちが勝手に宝物を移動することを禁止するよう、強く言い渡されていたことが記されている。とにかく、この調査によって宝物の管理は厳重になったのである。ちょうど、そのころ一つの画期的な計画が奈良で実行されようとしていた。

それは東大寺の大仏殿とその廻廊で、奈良の社寺や個人が所有していた古物や奈良の特産品などを集めた大展覧会を開催しようというものであった。

そのころ副知事にあたる権令の藤井千尋の勧めで植村久道らの奈良の有力者たちが「奈良博覧会会社」を組織して、明治8年に開いた奈良大博覧会である。

その大展覧会は4月1日から6月19日まで開かれていた。この企画には壬申の調査を行った町田久成や蜷川式胤らが協力し、出陳物についても助言をしていたものと考えられる。その内容は正倉院と法隆寺の宝物が中心で、古代のすばらしい文化財が一堂に会する有史以来はじめての画期的な催しであり、多くの人々の関心を集めたという。

その『奈良博覧会の出陳目録』（明治8年4月）には、つぎのように記されている。

「奈良博覧物品目録　第壱号

会場陳列の物品は大半正倉院宝庫天武天皇より孝謙天皇に至る七朝の御物にして、何れも千有余年の物たり、加之法隆寺所蔵の聖徳太子の御物を以てすれば実に我朝古昔物品製造の宏大なるを徴するに余りあるものなれば云々」

この展覧会によって正倉院と法隆寺の宝物のすばらしさが広く世に知られることとなる。この展覧会は大好評で、その後も毎年続けられ奈良の年中行事の一つとなっていたという。

法隆寺の宝物の重要性は明治5年の調査とこの展覧会によって認識されることとなる。ちょうど、そのころ欧米にならって東京に博物館を建設しようとする計画が持ち上っていたという。それは明治4年に欧米諸国を訪れた岩倉具視使節団による「文明開化の旅」の副産物であったらしい。彼らが欧米で視察した博物館を日本にも建設しようとするものであったという。それを計画したのが明治5年の調査の中心人物であった町田久成である。町田は文部省博物館局長から帝室博物館長をつとめ、我が国の博物館の基礎を築き上げた人物として知られている。その帝室博物館とは現在の東京国立博物館の前身のことである。

47
宝物献納を決意——寺再生の出発点

そのころ政府では古くから天皇の勅封となっていた宝物などが寺院で保管されていることに対して憂えていたという。それは寺院の制度が変化したために宝物類の永世保護が難しくなっていることを心配したことによる。そのようなこともあって明治8（1875）年から正倉院を内務省の所轄としている。その状況を風聞した法隆寺住職の定朝は、この機会に法隆寺から積極的に皇室へ宝物を献納しよう、と考えることとなる。

言うまでもなく定朝がそれを独自の判断で決意したのではなかった。それには平岡鳩平という人物が深く関わっていた可能性が高い。平岡鳩平は法隆寺村で煙管屋を営んでいたが、勤皇の志が強く大和で挙兵した天誅組に加わっている。そのような功績によって横浜開港裁判官をしていたのである。その平岡は維新後に北畠治房と名乗っている。やがて北畠は明治24（1891）年に大阪控訴院長となり、同29年には王政復古のために偉大な勲功があったとして華族に列することが許されて、男爵を授かり、正二位を賜っている。片田舎の法隆寺村としては最高の出世頭であり、北畠が、そのような地位にあったことから定朝は何かにつけて北畠に相談している。

その北畠は自分の郷里に立派な邸宅を構えていた。北畠邸は夢殿の南にある町並の中に建てられている。

その姿は農村には珍しい武家屋敷風の豪華な大邸宅である。

とくに、その庭園へ若草伽藍跡から大きな礎石を運び込んだことは有名な話として語り継がれている。北畠はその権勢にことよせて無謀なこともしたが、法隆寺の良き理解者として擁護する一面もあったという。その北畠が定朝の意向を受けて町田久成などと宝物を献納することについて協議したのではなかったか。それを裏付けるように明治9（1876）年に北畠は法隆寺から五重塔内の塑像を手元へ取り寄せており、そのことを伝聞した町田は是非ともその塑像を展覧会へ出陳してほしいとする要請を行っている記録が残っている。そのようなときに献納宝物のことなども2人で話し合われた可能性は否定できない。なお定朝が宝物の献納を最終的に決意した理由は明らかでないが、おそらくつぎのようなものであったと考えられる。

○最近、各寺院では管理に困って宝物を売り払う傾向にあるが、法隆寺では絶対そのようなことがないようにしたいこと。

○宝物を献納することによって、政府において法隆寺の存在を知ってもらえるならば、真言宗からの独立も実現可能となるのではないか。

○宝物を献納することによって、政府から恩賞金が下賜《かし》されるならば、それを基本金として法隆寺を復興したいこと。

やがて定朝は寺僧たちを一堂に集め、宝物の献納についてその理由を詳しく説明してその賛同を求めた。定朝はこの計画には北畠が賛成していることを付け加えたはずである。定朝の意見に反対するものはなかった。これで法隆寺側の態度は決定したのである。定朝はすぐさま法隆寺が宝物の献納に同意したことを北畠に知らせ、その指示を待った。

おそらく定朝の要請を受けたであろう北畠は、町田や堺県令の税所篤とも充分に協議したはずである。やがて法隆寺から堺県令あてに「法隆寺御蔵物品目録」を添えた「古器物献備御願」を明治9年11月に提出したのである。それにはつぎのように記されていた。

「法隆寺の宝物は、聖徳太子以来のもので法隆寺では大切に守護を致してまいりました。ところが近年、法隆寺は衰微いたしまして、大切な宝物を収めています宝蔵も雨漏りがする有様であります。宝物の中には中国の隋時代の宝物も含まれております。この度、別紙の目録に記しました宝物をすべて献納することによって、勤王の万分の一にもかなえることが出来れば幸せに存じます」

この書類には、宝物献納に同意する11名の寺僧の署名が添えられていた。ところが、この書類とは少し内容の異なるものが、もう1通つくられていたのである。それには「若しこの献納によって下賜金をいただけるならば、それを法隆寺の復興金と致します」と記されている。しかし、それは下賜金を要求するものである、という理由から採用されなかったらしい。「法隆寺御蔵物品目録」には、「衲袈裟《のうげさ》」をはじめとする宝物156件と塵介小切れ13櫃《ひつ》、長持2棹《さお》のことが記されていた。その内容は、飛鳥時代から江戸時代までの仏像、仏画、書蹟、仏具、調度品、文房具、武器などの優品が多く、その中には太子の遺愛の品と伝えるものも含まれていた。

おそらくこの目録の基本となったものは、明治5年の調査目録と同8年の奈良博覧大会の出陳目録であったと考えられる。すでに献納宝物の品々は明治9年度の奈良博覧大会が閉幕したあと、しばらく東大寺の東南院に預けられていたのである。この献納願を受け取った堺県令の税所篤は、明治10年2月に法隆寺から皇室へ宝物を献納したいとの願書を提出していることが奏上したという。

しかし、そのころ九州では西南戦争が勃発しており、宝物献納のことは、しばらく保留された形となったが、やがて西南戦争の収束にともない明治11年2月27日付で、宮内大臣徳大寺実則から法隆寺からの宝物献納を受理するという通達が堺県令宛に伝達された。それには、つぎのようなことが付記されていた。

「このたび大和国平群郡法隆寺村にある法隆寺の宝物が献納されることを決定した。それについて特別の思し召しをもって1万円が下賜されることとなった。今後はその恩賜金をもって法隆寺の建物の修理と法隆寺を末長く保存することを期待する」

それにともなって東大寺の東南院へ預けていた宝物が正倉院へ移されることとなる。それに伴って定朝はそのご下賜金の使用方法などについても北畠の指示を仰いだことであろう。やがて北畠の指示のもとに、このご下賜金によって公債を購入している。定朝はこの公債を寺僧たちが勝手に引き落とすことを憂いて、公債の債券を堺県に預け、その利息金だけを毎年の法隆寺の維持基金として受け取っている。このように宝物献納が法隆寺を再生するための出発点であったといえよう。

48

資財帳作りをめざして――流出する什物

多くの宝物を献納した法隆寺に残っていた宝物は、そのほとんどが移動不可能な大きな仏像ばかりであったという。定朝は若いころから古い記録に興味を抱いていたこともあり、法隆寺の歴史にはきわめて明るかった。しかも境内の建物の中には未整理の宝物がたくさん眠っていることを知っていたのである。ところが定朝は綱封蔵《こうふうぞう》に入るたびに献納によって空白となった宝物の状況に淋しさを感じていたらしい。

定朝はそれを埋めるためにも、ぜひとも多くの宝物を補充し、それをしっかりと将来に伝えていくことの必要性を強く世に訴え、自らが率先して自分が所有している軸物や古器物などを法隆寺へ納めることを思いついたのである。そのころ寺僧たちが住んでいる子院には、多くの什物《じゅうもつ》が所有されていたからである。その子院所蔵の什物は、子院の住職の個人的な所有品でもあった。

それらには法隆寺の管理権は及んでいなかったのである。定朝はこの機会にできるかぎり、子院に伝わる什物を法隆寺へ集めておきたかったのであろう。その什物の中には法隆寺に関係するものも多く含まれていたという。しかも、そのころ各寺では、財政的に困窮した寺僧たちが什物を美術商に売り渡す光景が日常茶飯事に見られていた。

定朝はそのような事態になることを恐れていたのである。幕末のころから法隆寺でも子院の什物が流失しつつあることを定朝はよく見聞きして知っていた。事実、太子の伝記として最も古い『上宮聖徳法王帝説』が寺僧の手によって寺外へ流出していたという。法隆寺にとって上宮聖徳法王帝説という書物は信仰の上からも大切な書物であった。定朝はそのことを知っていたから、再びそのようなことが起らないことを願ったのであろう。

やがて定朝は住坊の中院に伝わる軸物や什器を率先して綱封蔵へ収めることとし、寺僧たちにもそれぞれの什物を法隆寺へ寄付することを求めたのである。そのような定朝の呼びかけに応えて、寺僧たちが住坊に伝わる什物や個人所有の古器物などを法隆寺へ寄付している。定朝は近くに住んでいる人々にも呼びかけ、法隆寺に関係する古器の寄付を求めている。骨董商たちも法隆寺関係の古器を所有しており、それらをできるかぎり安値で買い戻すことに懸命になったこともあった。

そのような努力によって1年ほどの間に200種類余りの古器や古画が集まっている。そのことについて明治12（1879）年に作成した『法隆寺宝物古器物古文書目録端書』につぎのように記されている。

「聖徳太子は、我が国に仏教を広められ、インド、中国、朝鮮半島の国々から請来した宝物などを、すべて法隆寺へ納められました。

そのようなことから法隆寺は我が国第一の宝庫でもあります。したがって歴代の天皇は法隆寺の宝庫を勅封とされ、みだりに開閉することを禁じられました。宝庫を修理するときは、宝庫を開くためにかならず勅使を派遣されています。後世になって、その宝庫は綱封蔵と呼ばれることとなりました。（中略）

中世から勅封が廃止されましたので、綱封蔵の管理を寺僧たちが行うようになりました。その綱封蔵を開閉するときには鍵預衆という4人の寺僧と公文所という封印を行う寺僧1人がかならず立ち合うこととなっていたのです。

とくに綱封蔵の南蔵を開閉するときは寺僧が全員立ち会っておりました。南蔵には大切な宝物を収めていたからです。寺僧が独断で勝手に開閉することを堅く禁じております。そのように宝物を厳重に管理してまいりましたので、貴重な宝物を失うことなく伝えることができました。ところが最近、法隆寺は大変衰退し、綱封蔵の保存も行き届かなくなりつつありますので、貴重な宝物が散失するのではないか、と心配をしておりました。そのような事情から明治11年に古器や古文書など、多くの宝物を皇室へ献納することと致しました。ありがたいことに、その恩賜として1万円が法隆寺へ下賜されました。

法隆寺では、その下賜金で公債を購入し、その利息で伽藍の諸堂や綱封蔵を修理したり、法隆寺に関わる古器や名画などを購入することと致しました。その古器や名画は綱封蔵に収め、天平19（747）年に作成した法隆寺伽藍縁起並流記資財帳の例に倣って、新しい資財帳を編集したいと願っております。

そのようなことから、ここ3年間、古器や名画などを買ったり、寄付を求めてまいりましたので次第に宝物も増えております」

このような定朝の卓見によって法隆寺の再興を計ったのであった。いずれにしても、この宝物の献納を一つの大きな自信として、法隆寺を復興する足掛かりとしたことであろう。

その反面、定朝が心配していたように子院の什物が売却されているとのうわさが立つこともあった。明治21（1888）年8月23日に法隆寺に対して添上郡の役所から一つの通達が届いている。それには次のような厳しい内容が記されていた。

「伝聞するところによると最近、法隆寺の所蔵という仏像や仏画が市中に出回っており、その中には法隆寺の寺僧が証明書を発行したものもあるという。もし、それが事実であれば役所としても寺僧を厳重に処分しなければならない。速やかに法隆寺内で調査して26日までに役所へ通知せよ」

定朝は直ちに寺僧たちを詰問した。

それに対して寺僧たちは25日付で、つぎのような誓書を定朝宛てに提出している。

「近年我が国の美術品の価値が高まり仏像や仏画を売却して巨額の利益を得る者がいるといわれています。とくにその中には法隆寺の所蔵であるという寺僧の証明書が添えているとの噂もありますが、それは心外なことであります。役所からもそれに関して法隆寺へお問い合せがあったとのことでありますが、わたしたちにはまったく身に覚えのないことであります。今後もそのようなことがないよう充分に注意をいたしたいと思います。もしそのようなことが事実であった場合にはいかなるご処分も受ける覚悟であります。ここにわたしたちは改めてお誓いを申上げます」

しかし、そのようなことがあってからも現実には極秘のうちに子院の什物が売却されていたらしい。とくに西院廻廊の内には骨董屋が店を開いていたこともあり、役所からとがめられたようなことも行われていたことは否定することはできない。

49

真言宗からの離脱――法相宗への独立もくろむ

皇室へ宝物を献納したことによって、法隆寺という寺院の存在が中央政府でも知られるようになった。法隆寺ではこの機会をとらえて念願の真言宗からの独立を果たしたい、と考えて積極的な行動を開始することとなる。あるときは「三経宗」（法華・勝鬘《しょうまん》・維摩《ゆいま》の三経を所依として、太子御製の三経義疏を研鑽する宗派）として独立しようとし、東本願寺の協力を得て太子信仰を広めようと考えたこともあったという。

法隆寺と同じような立場にある奈良の西大寺、薬師寺、唐招提寺とも何度となく会合をもっている。住職の千早定朝は、そのころ西大寺の住職である佐伯弘澄、唐招提寺の住職北川本常、薬師寺の住職鹿園増忍たちと相談して、どうすれば真言宗から独立できるか、ということを真剣に検討していた。やがて明治11（1878）年4月に西大寺の佐伯弘澄を総代として法隆寺、西大寺、唐招提寺、薬師寺の4カ寺が真言宗から分離独立することを申し出ている。そのとき作成した『依頼所轄陳断書』には、つぎのような要旨が記されていた。

「わたしたちの四大寺は、天皇が開かれた仏教のはじまりの寺院であります。しかし、ご一新のときに各宗の学匠たちから、自分の宗派に入るよう勧誘してまいりました。

その中で、とくに金剛峯寺の密道応殿から懇々と勧誘され、わたしたちは、明治6年8月に真言宗との定約書を交わして所轄をされることとなりました。

この所轄はあくまでも一時的な処置であり、最近では序々に独立が許される寺院も出てきております。是非ともわたしたちにも独立を許可していただき、自分たちの宗派を栄えさせたいと考えております。

どうか、わたしたちの願いをご理解いただき、貴宗の所轄をお断りいたしたいと存じます。このたびそれに関する権限を西大寺の佐伯弘澄に委任いたしましたので、是非ともご審議を下さいますよう、よろしくお願いを申上げます」

ちょうど、そのころ京都の仁和寺・大覚寺・広隆寺・神護寺の4カ寺も独立を図ろうと模索していたという。そのことから奈良の4カ寺と協力して独立することを検討することとなる。ところが京都と奈良の8カ寺は法相・律・真言などの宗旨がそれぞれに異なっていることから教義の上からも相容れないものがあり、融和することはなかなか難しいものがあったという。定朝にすれば、そのような形での独立は本意ではなかった。しかし何としてもまず真言宗本体からの独立が先決問題であり、止むを得ずその独立に同調したのである。

明治11年5月に内務省から許可があり「別立真言宗西部」と称することとなった。そして新たに大教院を設置して管長職も置かれている。

とくに奈良の4カ寺は、つぎのような宗派名を名乗ることを条件とする独立であった。

「法隆寺は法相宗北寺伝」（北寺伝とは興福寺系の法相宗のこと）、「西大寺は律宗」、「唐招提寺は律宗」、「薬師寺は法相宗南寺伝」（南寺伝とは元興寺系の法相宗のこと）

これは近い将来に、この4カ寺がそれぞれの宗派に独立することを意味していた。しかも、同じ法相宗であっても法隆寺と薬師寺はその法統に一線を画していたことを示している。法隆寺は興福寺系であり、薬師寺は元興寺系であることを互いに強調していたのであった。

このように真言宗から独立したとはいえ、本来的に京都の4カ寺と奈良の4カ寺とが融和することが難しかったという。それは基本的に寺院の法灯を異にしていたからであった。やがて定朝は「真言宗西部」から独立しようとして活動をすることとなる。ところが、その矢先の明治12（1879）年4月に政府は真言宗の各派の管長職を廃止し、一宗一管長とすることを決定した。そのために「別立真言宗西部」も、ふたたび真言宗に統合されることとなる。しかし、定朝はすでに法隆寺が独立することを決定していたので、真言宗への再併合を強行に拒否する『宗派合併陳断書』を真言宗西部旧大教院と各本山宛てに提出している。それには、つぎのような要旨が記されていた。

「法隆寺は明治11年5月に真言宗の所轄を離れて独立し、しばらく真言宗西部に合併してまいりましたが、このたび法隆寺は都合によって独立することと致します。今後は法隆寺において大教院を設置し、管長を勤めることを決定いたしましたので、貴宗内での協議などからは除外されますように、お願いをいたします」

ところが、すでにそのころ真言宗西部大教院は廃止されていたために書類の受理を断られている。その後は何の回答や通知もなく、真言宗とも自然分離の状態となり、こじれにこじれていたという。そのような背景のもとに法隆寺では明治12年10月に意を決して、内務卿伊藤博文宛に『独立本山之儀御願』を提出している。それには、つぎのような要旨が記されていた。

「去る明治11年の5月に真言宗の所轄から離れて、新たに西部大教院を設置し、真言宗西部と称して管長職を設けることを仁和寺などの諸寺とともにご許可をいただいて、今日に至りました。ところが本年の4月に新しい伝達があり、真言宗が各派に分れていたのを再び一つの宗派に統一されることとなりました。

しかし、法隆寺は古くから法相宗であり、真言宗とは教義なども異なり、布教などについても非常に困惑をいたしておりました。とくに近年は真言宗から何の連絡もない状態であります。そのような状況でありますので、何卒この機会に従前の法相宗に復旧をいたしたいと存じます。どうか特別のご配慮をいただき、法相宗として独立することをご許可いただきたくお願い申上げる次第であります」

しかし、その願いは空しく却下されている。その理由は法隆寺が真言宗の所轄下にあるから、まず真言宗の管長と充分に協議せよ、というものであった。ところが、その後も真言宗との接触を行わなかったし、何の連絡もなかったという。

そのような状況のもとで法隆寺から明治13（1880）年2月13日付で『法相宗独立願書并相承伝暦』を内務省に提出している。それに対して内務省の社寺局から法隆寺の塔頭や末寺の数量などの書類を提出するように、との通知を受けている。法隆寺ではすぐさま必要書類を作成して提出したが、内務省からは何の連絡を受けることはなかった。このような法隆寺の独立運動に対して、真言宗内には法隆寺を非難する声も挙がっていたという。

50　東本願寺との交流——三経院に説教場

明治6（1876）年に法隆寺が真言宗への所轄を依頼したころには、他の大きな宗派からも併合をしようとする勧誘も行われていたという。そのとき住職の千早定朝は親鸞《しんらん》をご開祖とする宗派からの誘いに大きく心が動かせたこともあったらしい。それは法隆寺に親鸞が遊学されたという伝説もあり、親鸞作と伝える聖徳太子孝養像やインドの論理学である因明を法隆寺僧の覚運から学んだお礼として親鸞が贈ったとする袈裟なども伝わっていることによる。

特に明治6年の8月から、大和国十市郡以北7郡の地域にある多くの宗派の僧侶たちが法隆寺の三経院を説教所として布教していたという。その三経院では各宗の僧侶たちによる説法が行われ、多くの僧侶や檀信徒たちが聴講に訪れて大いに賑わっていたと伝えている。そのような状況を見ていた定朝は、法隆寺は日本仏教の開祖である聖徳太子が建立された寺院であり、特定の宗派にこだわることなく法隆寺の信仰を最も理解してくれる大宗派との交流を深めることを考えたこともあったらしい。

そのようなことを背景として定朝が最も関心を寄せたのが東本願寺（真宗大谷派）であったという。しかし、どうして東本願寺を選んだのか、その真相を伝える資料を確認していない。そのころ法隆寺が他の宗派と接触することには極めて慎重を要していたという。それは法隆寺が真言宗西部に所轄されていたので、そのような交渉は極秘に運ばねばならなかったのであろう。定朝は寺僧たちとも相談をしないにまま、密かに東本願寺の大谷光勝門主（第21世厳如）宛に1通の書面を提出したのである。それにはつぎのような要旨が記されていた。

「法隆寺は和国の教主聖徳太子が住まわれていた場所に建てられた寺院であり、我が国の寺院の根本でもあります。そのようなことから法隆寺は一つの宗派に片寄ることなく多くの人びとから崇拝をされてまいりました。

最近になって不幸にも寺内は衰退し寺僧の数もめっきり減少を致しました。そのようなことから布教も行き届かなくなり大いに苦慮をいたしております。

かねてから多くの宗派から法隆寺に協力しようという勧誘も寄せられております。ところがその勧誘目的の真偽のほどが推し量れないままに今日に至っているというのが実情であります。しかし、貴宗とはご開祖である親鸞が法隆寺で修学されたという深いご縁があります。そのようなことから私は貴宗の大学林を法隆寺の境内に設置され、それを『斑鳩教校』と呼んでいただければありがたいと思っております。その教校を大和、河内、紀州などの学徒たちに対しての教育機関としていただければ法隆寺の寺僧たちも入学して勉学に勤みたいと考えております。

そうすれば、かならずや奈良の四大寺をはじめとする他宗の学徒たちも入学をすることとなるでありましょう。それは太子のお考えにも適うものであると存じます。もし、このことにご同意をいただけますならば、ただ今は老化を致しておりますが、法隆寺の西室という6間と25間の建物が空室となっておりますので、それをご使用いただければ幸甚に存じます。もしその教校が盛大になり西室では収容をすることができない状況になった場合には法隆寺の境内にその施設を新築していただいても結構でございます。

ご法主猊下《げいか》には未だ拝顔をお許しいただいたこともなく、まことにご無礼なことではございますが、速やかにこのことが実現されるようご検討をいただきますことを願って、直接このような書翰《しょかん》をお送りさせていただいた次第でございます。どうかこのような愚考をお採り上げいただき是非ともご検討をいただきますようにお願いを申しあげる次第であります。

追伸　なお、法隆寺はただ今、真言宗西部に併合されておりますので、このことは極秘に進めております。寺僧たちにもまったく話しておりませんので、その点を是非ともお含みをいただき早急にご検討をお願い申し上げます」

この書簡を見る限り、東本願寺と法隆寺の交渉は極秘に行われたことがうかがわれる。そのような経緯のもとに東本願寺当局との交渉が進められたらしく、明治12（1879）年の10月に同宗の説教場が西室の南に接続している三経院内に開設されることとなった。そこには輪番も派遣されたという。その説教場は年々盛況を呈して、聴聞者も増えたために明治13年3月から三経院の建物を東西に拡張する工事に着手している。とくに同宗から派遣された筧大行という僧の説法が聴聞者たちから大いに人気を博して参詣者で賑わっていたという。

ところが明治36（1903）年に新進の学僧佐伯定胤が法隆寺の住職に就任したときから、三経院で法隆寺の伝統行事である夏安居を復興することとなった。三経院は法華・勝鬘・維摩の三経を講義する殿堂であり、その三経を夏安居の期間中に講義する伝灯を再興したのである。そのようなことから三経院は同宗から法隆寺へ返還されることとなったが、三経院の西側にある子院の宝珠院をその説教場としている。その後も同宗との親密な交流は大正2（1913）年まで続いたのであった。

また法隆寺の近くには良忍をご開祖とする融通念仏宗の寺院が多く存在する。その宗派は明治7（1874）年に天台・真言・浄土などの宗派の所轄を受けることなく独力で政府から公許を得た宗派として知られている。法隆寺でもそれに刺激されて一刻も早く真言宗から独立をしたいと考えていたという。

その融通念仏宗の檀家総代から明治14年3月20日付で、法隆寺の律学院をしばらく説教場として借りたいとする依頼が法隆寺へ申し込まれている。その律学院は東大門から夢殿に至る参道の北側にある5間と7間の入母屋造の大きな建物であったが、そのころすでに老朽化が進んでいた。

その依頼に対して明治14年4月4日から18カ月の期間という約定のもとに同宗の説教場とすることに同意をしている。このように法隆寺では他の宗派とも親交を深めつつ、いよいよこれから真言宗の所轄からの独立を果たすために苦難の道へと大きく一歩を踏み出すこととなる。

51

待望の法相宗独立――上野での和解協議

真言宗からの独立問題が一向に前進しない状況にいらだちを憶えた住職の千早定朝は、ついに内務省へ直訴することを決意した。そして明治14（1881）年12月1日に、寺僧をともなって請願のために上京している。東京に到着した定朝はすぐさま、同行していた寺僧を上京あいさつのための使者として各所へ派遣している。その使者が訪れたのは北畠治房をはじめ社寺局長の桜井能監、東本願寺東京執事の鈴木恵淳、長崎裁判所検事長の春木義彰、先の堺県令であった議官の税所篤などであった。それらは、とくに定朝と交誼を深めていた人びとであり、これから一層の協力をお願いしなければならない人たちであった。

春木義彰は法隆寺村の人で、幼くして勤皇僧であった妙海の弟子となり、勤皇の志を強く抱いていたという。とくに天誅組の伴林光平が幕府の手にかかって斬首されたことを知った春木は憤慨して、その遺志を継ることを誓ったと伝えている。やがて明治新政府から皇威の回復に尽力した功績を認められて「検事総長」や「東京控訴院長」などを歴任している。東本願寺の鈴木恵淳は明治12年から法隆寺に東本願寺の説教場を設置していたことによるものであった。

それらの人びとにはお土産として、森川杜園作の「奈良木偶」や「紅花墨」などを持参している。森川杜園は一刀彫の技法を完成した木彫家で、とくに鹿などの動物や「能」「狂言」からヒントを得た彫刻が人気を集めていた。また古梅園の「紅花墨」は古くから奈良を代表する名墨として知られている。

そのようなとき、社寺局長の桜井能監から定朝に対して「法相宗への独立が可能である」とする内意が伝えられた。その桜井局長は明治14年に再興した興福寺を巡視したときに法隆寺にも立ち寄っていたのである。そのときに高野山成就院の釋玄猷なども同行をしていた。いずれも興福寺の復興に心を寄せる人びとばかりであった。そのことが幸いして定朝は桜井能監や釋玄猷などとも面識があったという。そのような背景のもとに興福寺と法隆寺が協力して法相宗への独立を計るならば許可することが可能であるという内意が伝えられたのであった。

興福寺は寺僧たちが復飾したことによって慶応4年に廃寺同然となり、しばらく西大寺と唐招提寺が五重塔・北円堂・南円堂などの建物を管理している。ところが明治12年ごろから興福寺をぜひとも復興したい、とする声が藤原一門の人びとから高まりつつあったという。

やがて興福寺を復興するために九条道孝、近衛篤麿、太政大臣三条実美らの藤原一門の人びとが中心となって「興福会」を組織して、興福寺を護持することとなった。そして明治14年8月29日に興福寺は復興され、京都清水寺の住職である園部忍慶が住職に迎えられていた。その園部忍慶は西郷隆盛とともに入水自殺をしたことで知られる勤皇僧の月照（忍向）の高弟であった。

そのことから園部忍慶は公家や寺院にも知人が多かったという。その顔の広さは定朝の比ではなかった。再興された興福寺も真言宗の所轄となっていたので、法相宗として独立をしたいと考えていたという。ちょうど同じ時期に法隆寺も真言宗から独立したいという強い願いがあることを承知していた桜井局長は、法相宗への独立にはきわめて好意的な態度であったという。興福寺の再興に尽くした桜井局長としてはその行く末を見守

をしっかりと見届ける責務を感じていたに違いない。おそらく久邇宮家をはじめ九条道孝や三条実美、近衛篤麿などの興福寺ゆかりのある人びとに配慮をしていたのであろう。

その久邇宮家は伏見宮第19世邦家親王の王子朝彦親王に始まる宮家として知られている。その朝彦親王は天保9（1838）年に出家して「尊応入道親王」と称して興福寺一乗院の門跡であったという。そのような関係から久邇宮家の意向もうかがっていたのではないだろうか。やがて内務省社寺局へ至急に出頭するように、との召喚状が園部忍慶と定朝のもとに届けられている。この社寺局からの召喚に応じて出頭した園部忍慶と定朝に対して社寺局御用掛の磯村定之から、つぎのような内意が伝えられたという。

まず、すでに法隆寺から内務省に提出していた『法相宗独立願書』の願い下げを行い、改めて、再興した興福寺と連名で法相宗への独立願書を提出せよ、というものであった。

しかも、その願書を提出するならば社寺局で詮議して、独立が実現するように尽力したい、というありがたい内意が伝えられたのである。しかも真言宗の同意についても、桜井局長自らが交渉に当ろう、という好意あふれるものであったという。

やがて桜井社寺局長の尽力によって真言宗と話し合う機会が設けられ、真言宗の釋玄猷と天台宗の村田寂順の2人がその仲介をすることとなった。釋玄猷は真言宗の学匠で、真言宗泉涌寺派の管長に就任した高僧である。もう1人の村田寂順は天台宗の学匠で、三千院や妙法院の門跡、善光寺の大勧進を経て天台宗の座主に就任した高僧として知られている。

真言宗は法隆寺の独立に同意をすることとなり、その独立を確認する協定書の原案が作られている。そして3月30日に上野公園にある不忍池の中央に建っている弁天社で、真言宗と興福寺・法隆寺が和解の協議を行うこととなった。その会合には真言宗から管長の代理として釋雲照と法相宗から興福寺住職の園部忍慶、法隆寺住職の千早定朝、そして仲介者の村田寂順と釋玄猷らが集っている。真言宗を代表して出席した釋雲照は、勧修寺や仁和寺の門跡を歴任した高僧として知られている。

その会談ではお互いに両者の意向を尊重しつつ、ついに法相宗への独立に対する真言宗の同意を正式に取り付けるに至った。やがてその合意のもとに、すでに作成されていた『法相宗独立に付き願』と『独立の義に付き定約』の奥書と署名を行っている。これによって真言宗との問題はすべて解決したのであった。そして6月26日に内務卿山田顕義名の通達によって待望の法相宗への独立が正式に認可されたのである。
「真言宗所轄法相宗の儀、自今独立を差し許し候条、此の段相達し候事」
この通達を受け取った法隆寺の寺僧たちの喜びは想像を絶するものがあり、それはまさに独立への苦難の歩みが実を結んだ瞬間でもあった。

52

薬師寺の加入——宗派発展のため受け入れ

法隆寺では待望の法相宗への独立が認可されたことに寺僧たちは歓喜の声を挙げたことであろう。そしてすぐさま法相宗の規則や興福寺との定約を結ぶ作業が行われた。そのとき千早定朝は60歳、園部忍慶は39歳であった。興福寺と法隆寺が協議して、まず園部忍慶より年上であった定朝が法相宗管長に就任することとなった。管長は5年交代で法隆寺と興福寺の住職が交互に勤める約束が結ばれている。そして7月25日付で法隆寺内に法相宗の大教院が設置され、定朝が法相宗の初代管長に就任している。

なお、この時期に奈良の寺院で大宗派から独立を果たしたのは興福寺と法隆寺だけであった。東大寺が浄土宗から華厳宗に独立したのはその4年後の明治19（1886）年、西大寺が真言宗から真言律宗に独立したのは明治27（1894）年、唐招提寺が真言宗から律宗に独立したのは明治33年のことである。そして明治19年には薬師寺が法相宗への加入を願い出ることとなる。

定朝には法相宗管長として多くの問題が待っていた。まず法相宗の規則を作ることが差し迫った大きな課題であった。真言宗や融通念仏宗などの宗則を参照しつつ法相宗の宗則を作成したという。その宗則は定朝と園部忍慶によって検討が行われ、園部忍慶は興福会に、定朝は北畠治房などにそれぞれ報告してその同意を得てから確定することとなった。やがて両者の合意のもとに大阪府を通じて宗則を内務省へ提出している。その法相宗宗則は明治19年2月10日付で内務大臣の認可があり、いよいよその効力を発揮することとなった。

ちょうどそのころ、奈良の薬師寺から法相宗管長のもとへ一つの相談が寄せられていた。それは薬師寺が法相宗へ加盟したいというものであったという。

かつて薬師寺も興福寺や法隆寺と同じように法相宗を名乗っていたが、明治6年から真言宗の所轄を受けており、早くから独立したいと考えていたという。しかし、その機会が訪れないままに13年余りが経過していたのである。そのころの薬師寺住職は西谷勝遍で、前住職の鹿園増忍は明治17年1月22日に遷化していた。鹿園増忍はかつて真言宗から独立をするために西大寺、唐招提寺、薬師寺、法隆寺と共に独立運動を展開していた1人であった。

そのころ鹿園増忍がしばしば法隆寺を訪れて独立願書の作成などに従事をしていた。ところが法隆寺が興福寺系（北寺伝）の法相宗を名乗ったのに対して、薬師寺は元興寺系（南寺伝）の法相宗としての独立を願っていたという。そのようなことから薬師寺は独り取り残された形となっていたのである。ところが鹿園増忍が遷化したころから薬師寺の態度が変化しつつあったという。とくに、清水寺が明治18年3月7日に醍醐寺の所轄から興福寺の所轄となり、法相宗が独立宗派として大きく動きはじめたことに刺激をされたのかもしれない。そのような背景のもとに明治19年5月に薬師寺から法相宗に1通の『奉伺口上書』が届けられている。それにはつぎのような要旨が記されていた。

「薬師寺は明治6年から真言宗に所轄されて参りました。ところが明治15年に内務省が法相宗の独立を許可されたことをうかがいました。

私たちもぜひとも法相宗へ所轄換を出願したいと考えております。もしその許可を受けることができました場合には左記のようなご同意をいただけますでしょうか。

①寺の資格については興福寺や法隆寺と同様としていただき、薬師寺に優れた人材が出た場合は法相宗の管長に就任させていただきたいこと。

②薬師寺住職が欠員となった場合には、薬師寺の慣例によって寺僧が就任すること。」

この願書に書かれていた法相宗への加入条件は、かつて法隆寺などが明治6年に真言宗への所轄を依頼したときのものとほぼ同じ内容であった。その条件は真言宗からの勧誘によってやむなく所轄されたときのものであり、今回のように苦労して新しい宗派をつくり上げたところへ加入を依頼するのとでは、まったく意味が違っていた。

しかし、定朝と園部忍慶は大局的な立場から薬師寺を法相宗へ迎えることを選んでいる。おそらく1寺でも多くの寺院が法相宗に加入することが宗派の発展につながると考えたからであろう。

そのようなことから法相宗管長名で、薬師寺からの願書に同意をすることとなった。薬師寺では法相宗からの回答を待って、すぐさま真言宗の同意を受けている。これによって法相宗への所轄換えが実現したのであった。その作業は法隆寺が独立のために苦労したことからすれば極めて形式的なもののように見える。

このように薬師寺は明治19年6月23日付で法相宗への加入が内務省から正式に認可されたのであった。ちょうどそのころ法相宗の宗僧たちの位階である僧階が決められることとなった。僧階は従来の慣習にそって「僧正」「僧都」「律師」などが決められ、管長に就任すると最高位の「大僧正」に就くこととなっている。

このとき法隆寺で僧階を受けたのは7名、興福寺と清水寺は3名、薬師寺は3名であったと記録している。やがて明治20年7月からは興福寺の園部忍慶が法相宗の管長に就任することとなった。それは明治15年7月に就任した定朝の任期が終わったからである。これで定朝は管長の職務を終えてほっと一息をつくこととなったという。

しかし、これから法隆寺を復興するために夢に抱いていたことを実行に移す時期が到来していたのである。定朝は法隆寺を学問寺とすることが永年の大きな念願の一つであり、そのためには多くの学徒を育成する必要があった。ところが、それを実現するためには学問に勤しむ学徒本人の強い意思を必要としていた。定朝がいくら望んでも自分1人の思いで実現するものではなかった。

そのような状況の中で明治10年に得度していた佐伯定胤は、新進の学徒として明治13年から奈良や京都の教師教校で仏教の基礎を学んでいた。そして明治17年から真言宗の釋玄猷や園部忍慶の紹介で泉涌寺の佐伯旭雅のもとで法相宗学を学ぶこととなる。

そのころ佐伯旭雅は『成唯識論』や『成唯識論述記』『大乗法苑義林章』などの法相宗学を多くの学徒のために講義をしていた。そこには全国から旭雅の学徳を慕って向学心に燃える学徒たちが集っていたという。そこで懸命に学問に励んでいる定胤の姿を見た定朝は心の中で密かに熱い期待を寄せていたという。

53

佐伯定胤の台頭——学僧を育成する

法隆寺住職の千早定朝は明治12（1879）年に法相宗への独立許可を政府へ請願したとき、徒弟たち9名を奈良教師教校などへ入学をさせている。それは、ご一新という時代に適った寺僧たちが育成することを願ったからであった。すでに紹介したようにそのほとんどが途中で廃学したが、佐伯定胤という徒弟だけがただ一人懸命に修学に励んでいる。その定胤は法隆寺村の出身で、明治9（1876）年に佐伯学栄という寺僧の徒弟となっている。

しかし師匠の学栄が遷化したので、法隆寺村出身で普門院の住職であった秦行純の徒弟となった。翌10年に小学校を卒業し、7月23日に同輩の徒弟と一緒に定朝を戒師として得度している。

そのころ法隆寺の北西の小高い所にある峯薬師と呼ばれる薬師の霊場として名高い西円堂は参拝者が多く、法隆寺の境内の中で最もにぎわったところでもあった。明治5年に政府による宝物調査に同行していた写真師横山松三郎が撮影した写真には南正面に大小2つの階段があり、その階段の下には簡素な茶店が写っている。

寺僧たちは西円堂の北側にある薬師坊で合居生活をしていたころでもあり、幼かった定胤も同輩の徒弟たちと西円堂の付近を往来したことであろう。

ちょうど明治13年には西円堂の前に清水寺の舞台の小規模なものが造営され、参詣した人びとが大和盆地を遠望する憩いの場所となっていたという。

定胤は、しばらく寺僧としての教育を師僧の秦行純や法兄の佐伯寛応（学栄の弟子）にしたがって修学していたが、明治13年1月から奈良教師教校に入学している。それは天理市田井庄にある光蓮寺住職の越智等耀の紹介と定朝の勧めによるものであった。

定胤たちは教校で学ぶこととなったが、明治15年にその教校が京都に移ったので京都へ移住して修学している。ところが明治17年4月に京都教校を退学して、しばらく法隆寺に帰山することとなった。

そのような時期に真言宗の釈玄猷や興福寺の園部忍慶の紹介によって、当代屈指の法相学の学匠として名高い泉涌寺の佐伯旭雅の講席に侍ることを許されている。それは定胤18歳の夏のことであった。そのころ旭雅の学徳を慕って全国から集まっていた70名余りの向学心に燃える学徒とともに、法相教学を懸命に研鑽している。

明治20年に旭雅が高野山で倶舎《くしゃ》論を開講するときには学友たちとともに随伴することもあった。また、京都の東寺や禅林寺などでも学匠たちの講義を聴聞しており、そのようなときに他宗の学徒たちとの交流が深まったらしい。そのころ定胤は法隆寺から学資として3円が支給されていたが、物価の高騰もあり、明治23（1890）年の1月から4円を支給するとの知らせを受けている。そのころの4円は、経済的に苦難の時代であった法隆寺にとって思いきった支給額であり、その金額は住職の定朝に次ぐものであった。それは定胤の将来に期待をしていたことを示すものである。

それを伝達する書状には3カ年後に法隆寺へ帰って勧学院の設立に尽力をするように、との諭達とともに『百法三性及び五重唯識観』の講義録を起草して至急に寺務所へ提出するようにとの指令が添えられていた。

おそらく定胤への学資を増額するためには他の寺僧たちも納得するような条件を示す必要があったのかもしれない。

それに対して定胤は、すぐさま執筆をして提出している。その講案には、つぎのような要旨の書状が添えられていた。

「先般、ご下命をいただきました講案につきまして浅学を顧みず執筆をいたしました。しかしその奥義はなかなか深いものがございます。しかもご芳情をちょうだいいたしておりました興福寺の園部忍慶管長の遷化などもあり、大きな衝撃を受けております。そのような事情もあり不完全ではありますが、ご下命に対しまして執筆をいたしました。ただこの講案には誤謬がないことだけは自信を持っております。

とくに旭雅老師にも特別にご校閲をいただきましたので、どうぞご一覧を賜りますようお願いを申し上げます。

明治二十三年三月六日

京都清水寓居　佐伯定胤

御管主尊前　侍史御中」

この講案の提出によって定胤の学力と学問に対する姿勢を法隆寺として確認したこととなり、定朝は大いに満足をしていた。

やがて恩師の旭雅が老来病をしめされつつあったの

で、その膝下を辞した定胤は清水寺で友人たちの勧めに応じて『八宗綱要』を開講することとなる。このとき定胤とともに旭雅の講席に侍っていた学徒たちも聴講している。それは定胤24歳の春のことであった。

『八宗綱要』とは鎌倉時代に東大寺の学僧として名高い凝然が著したもので、三国仏法伝来の略述や、倶舎、成実、律、法相、三論、天台、華厳、真言の八宗の教学について記した仏教の入門書のことである。その後、定胤は醍醐寺理性院、泉涌寺雲龍院、東福寺龍眠院、清水寺延命院、泉涌寺同聚院などに講席を移して『阿毘達磨倶舎論』『観心覚夢鈔』『百法問答抄』『因明三十三過』などを講義している。

　そのようなときに定胤のもとに一つの訃報が届けられた。恩師旭雅老師が明治24年1月30日に遷化されたのである。定胤にとって大きな打撃であったことはいうまでもない。その広大なる法恩に感謝をしつつ、厳粛に追悼供養をしたことであろう。

　ちょうどそのころ法相宗宗務所から定胤に対して法相宗の教義の綱領を撰述するようにとの依嘱状が届けられた。その要請に応じて、定胤が学問の集大成として執筆したのが『法相宗綱要』である。それは日本で布教されている十二宗の史伝や宗義を編纂して出版するために『仏教各宗協会』が組織され、法相宗に対してその教学について原稿の提出を求めたものであった。やがてその執筆によって、定胤の学才は広く法相宗の内外において認められることとなる。

54

興福寺勧学院の開設――佐伯定胤が講師に

興福寺では明治維新のときに北円堂などへ移していたご本尊などの仏像を中金堂へ遷座する還仏の法要を、明治21（1888）年4月に厳修している。それから3年目を迎える明治23年に「還仏会第三回紀念法要」を執り行うこととなっていた。

　それに先立って大西良慶と樋口貞俊の2人が出家している。2人はともに興福寺兼清水寺住職の園部忍慶の弟子であったが、すでに師匠が遷化していたために興福寺の兼務住職である定朝が出家の戒師を勧め、明治23年3月23日に得度している。とくに大西良慶は定朝が遷化したあと25歳の若さで興福寺の住職に就任し、興福寺や清水寺の復興と法相宗の興隆に尽くしたことで知られている高僧である。

そのころの興福寺の寺僧は、出家した貞俊、良慶やその前年に出家していた桜井教映、明治初年に復飾していたが明治21年に再び興福寺で得度した朝倉景隆の4人であった。とくに景隆は声明や儀式の法則に精通していたので寺僧たちに伝授している。それが法相宗の声明の基本となったという。

興福寺では、教映・良慶・貞俊の3人の徒弟たちの養育が急務であった。それはまもなく行われる興福寺の還仏会に間に合わせようという配慮があったからである。6月13日には興福寺還仏会紀念第3回法要が盛大に行われた。それには興福会の会長九条道孝、水谷川忠起（元一乗院門跡）、久邇宮家の家令などの人びとが参列していた。

その法要では住職の定朝が導師を勤め、『興福寺還佛会紀念第三回法要願文』を奉読し、薬師寺からは住職の西谷勝遍、法隆寺からは秦行純、薮内行意、楓實賢たちも出仕していた。興福寺からは朝倉景隆を筆頭に桜井教映、大西良慶、樋口貞俊が出仕して還仏会法要の中心的な役割を果たしている。それは興福寺の復興しつつあることを内外に示すものであり、九条道孝をはじめとする興福会の人びとも大いに満足したという。

そのころ興福会では、すでに興福寺の後任住職の人選を行っていた。興福会としては、東京にある真言宗豊山派の長徳寺住職、雲井良海という学僧に白羽の矢を立てていたという。良海は大和郡山藩士の出身で興福寺の学侶となり、陽舜房秀証と称して蓮成院に住していた。

ところが興福寺の解体によって慶応4（1868）年に復飾して神官となっていたのである。しかし明治11（1878）年6月19日に東大寺東南院で鼓坂荐海《つざかせんかい》に従って出家して雲井良海と名乗っている。その後、しばらく東京の護国寺に寄留していたという。やがて豊山派中学林や曹洞宗大学林、築地西本願寺積徳教校などで『唯識論述記』『八宗綱要』『因明』などの講義を行っている。良海は幕末のころから学匠としても知られており、豊山派の学僧である権田雷斧が興福寺へ遊学したときに陽舜房秀証と名乗っていた良海から法相宗に関する南都の言い伝えなどを聞いたという。

そのことは権田雷斧の『唯識論帳中独断』という著作の中にも記されている。「雷斧、曽て南都遊学の際、興福寺中蓮成院陽舜師に聞く云々」と。

興福会はそのような学僧を興福寺の住職に求めていたのであった。興福会では久邇宮家や九条会長の意向を受けて良海のもとへ使者を派遣している。やがて良海の同意のもとに豊山派の許可を得て、まず法相宗へ転入することとなった。明治23年6月30日に興福寺中金堂で良海の「法相宗転宗式」が執り行われた。それには定朝をはじめ宗内の僧たちも立合っていた。これによって良海はまず清水寺の住職に就任することとなる。このとき良海は55歳であった。

翌24年の2月16日に良海は興福寺の住職と法相宗管長に就任している。この興福寺の発展に協力した定朝に対して興福会の九条会長から興福寺住職兼務の慰労として10円が贈られている。

これによって定朝は再び法隆寺の復興に専念することとなる。なお明治23年に法相宗の宗則を改正したことによって明治25年7月からは薬師寺の西谷勝遍が法相宗管長に就任している。とくに良海が興福寺の住職に就任したころから、にわかに興福寺は活気を見せることになる。まず良海の弟子として東京から随伴していた板橋良玄や法隆寺村出身の佐伯良謙の出家もあり、明治26年1月28日からは興福寺に勧学院が開設された。それは学僧であった良海の念願の一つでもあり、法相宗の将来を担う新進の学徒たちの研鑽道場としたいという大きな夢を実現する一歩でもあった。

すでに紹介したように、定胤は法相宗宗務所から本宗の綱要を撰述するようにとの要請に応じて執筆した『法相宗綱要』を提出していた。

それに対して明治24年2月に興福寺の雲井良海と薬師寺の西谷勝遍が連名で『法相宗綱要』の執筆の労を讃えて、定胤を「律師」から「権大僧都」へ推挙する旨の同意書を法隆寺へ届けている。

やがて三本山の同意を得て3月4日に法相宗宗務所から定胤に対して「権大僧都」への昇進が伝達され、5月10日には定朝から「布地松葉色長裳・布地紫色五条袈裟・布地衣帯」の法服が贈られている。そのころ「権大僧都」は三本山の住職につぐ地位であり、24歳という年齢から見ても異例の抜てきであった。これによって定胤は師匠である秦行純と並ぶ地位に昇進し、法兄の佐伯寛応よりも上席につくこととなる。これは旧体制の年功序列が崩壊したことを意味する。まさに新時代の到来であった。

そのときの定朝は法服の贈呈状に、つぎのように記している。

「この度は権大僧都へ推挙されたことは法隆寺にとっても誠に名誉であります。拙僧にとっても非常に有難いことであります」

そのような背景のもとに明治26年1月28日に興福寺で勧学院が開設されることとなり、良海からの要請を受けて、定胤はその講師に就任し『成唯識論述記』を開講している。それに呼応して法隆寺や薬師寺の寺僧をはじめ他宗の僧たちも入学することとなり、興福寺の勧学院は前途有望な学校となった。なお、定胤が執筆した『法相宗綱要』を掲載した『仏教各宗綱要』は明治29年に公刊されている。

55 法隆寺勧学院開く――他宗の学徒も受け入れ

千早定朝は、法隆寺の徒弟たちを興福寺の勧学院へ入学させて勉学にいそしませている。定朝は興福寺の勧学院が開設されて半年余りが過ぎたころ、良海に対して1通の書面を提出している。それには法隆寺でも勧学院を開設するのが悲願であり、ぜひとも良海の協力と同意を得て定胤を法隆寺へ帰山させて勧学院を開きたい、という要望が記されていた。それには法隆寺周辺にある他宗派の有志の寺院住職たちの要望書も添えられていた。

しかし興福寺としては勧学院を開設して早々でもあり、定朝の要請に同意をすることには不本意であったはずである。しかし定朝に興福寺の兼務住職を要請したこともあり、法相宗の功労者の要望をむげに断ることもできない状況にあったのではないだろうか。

このような背景のもとに良海は定朝の要請に対してしぶしぶ同意することとなる。

定朝は速やかに勧学院を開く準備にとりかかり、まず自らが勧学院院長に就任している。そして法隆寺の寺僧たちの同意を得て定胤を「法隆寺学頭」に任命し、「権僧正」に昇進させている。法隆寺学頭とは法隆寺の学問の最高責任者のことで、中世のころからその役職が置かれていた。この決定は定胤が三本山住職の次席者であることが確定し、定朝は定胤が自分の後継者であることを内外に宣言したことを意味する。

そして法相宗学を講じる内典講師には定胤、漢籍科の教授には定胤の学友麻生道戒（大分県出身）、歴史科の教授も学友の菅瀬芳英（広島県出身）、声明科の論議教授には興福寺の大西良慶をそれぞれ任命している。麻生道戒と菅瀬芳英は旭雅のもとで法相宗学を学び、定胤と一緒に興福寺に寄留していた学徒たちである。

学頭の月給は5円として、それに交際費2円を加えた7円が定胤へ支給されることとなった。これは定朝に次ぐ高給であったという。その勧学院の監督には定胤の法兄佐伯寛応、会計課長に師匠の秦行純を任命しており、定朝は法隆寺内の人事にも気を配っていたことがうかがえた。

そして勧学院の校舎を普門院とすることなどを決議し、学徒たちは宗源寺や福生院・賢聖院・三経院茶所などを寄宿舎とした。

いよいよ法隆寺の勧学院は明治26（1893）年8月1日に開設された。それは定朝の悲願が実現した記念すべき日でもあった。なお、この開設に先立って定朝は興福寺や薬師寺に対して三本山共同の法相宗専門学林を設立することを提案している。

ところが興福寺はすでに1月に勧学院を開設していることもあり、本山ごとに勧学院を設置したい、と回答している。興福寺としてはもっともなことであった。そのような事情から「法隆寺勧学院」と名づけたのである。

勧学院開設の日には雲井良海、西谷勝遍をはじめとする宗内の僧たちや多数の来賓も参列していた。法隆寺勧学院開院式は午後1時から聖霊院で行われた。まず開院を告げる法要を行い、つづいて法隆寺勧学院院長の定朝は勧学院を復興するに至った経緯を語っている。

『法隆寺勧学院開院旨趣』には、つぎのような要旨が記されている。

「明治12年法相宗への独立が実現するように政府へ陳情を致しました。そのとき法隆寺から9名の徒弟たちをそれぞれの希望に応じて各地に遊学させました。今回、法隆寺勧学院の講師となった定胤もその1人であります。ついに明治15年6月24日に真言宗からの独立が許可され、法相宗と公称することができました。

ところが残念ながら各地に遊学した徒弟のほとんどは忍耐力に乏しく途中で廃学をしてしまいました。

その中にあって、ただ1人この講師定胤は泉涌寺の旭雅和尚の膝下で法相宗の学問の研鑽に励み、法隆寺を離れて各地へ留学をすること16年という長期にわたって辛苦を重ねて、ついにその奥義を極めることができたのです。これはまさに法相宗の徒弟たちの模範でもあります」

つづいて講師の定胤は高座に登って『唯識論述記』を講演した。それが終わると各界から寄せられた祝辞が朗読されている。当然のことながら北畠治房からも祝辞が寄せられていた。式典のすべてが終ったころにはすでに午後5時を回っていた。4時間に及ぶ開院式であった。やがて法隆寺勧学院は定朝が期待していたように自他宗の学徒たちが入学を希望して大いに栄えることとなる。形式上は本山ごとに勧学院を設立するとしているが、現実的には「法隆寺勧学院」が法相宗唯一の勧学院となっている。

このとき入学した学徒は法相宗の徒弟11名（法隆寺3名、興福寺5名、薬師寺3名）と禅宗（3名）、浄土真宗（6名）、融通念仏宗（12名）、真言宗（1名）の33名であり、勧学院の費用は法隆寺から支出し、学生たちからは授業料を徴集しなかったが、寄宿舎での食事はそれぞれが自炊をすることとなっていたという。

勧学院の開院からしばらくして漢学の専門学校が法隆寺の境内へ移転することとなった。それが正気書院である。

かつて定朝が法相宗再興を政府へ請願するために上京したときに、越智等耀という、天理市田井庄にある光蓮寺の住職が同行していた。等耀は定朝の親戚であったという。東京に滞在していたとき、定朝と等耀は、法隆寺が悲願である真言宗からの独立が許可されたときにはぜひとも仏教と漢籍の教育の場を境内に設置することを誓い合っていた。

やがて等耀の子息である越智宣哲が大阪の泊園書院で研鑽を積み、明治26年には光蓮寺に正気書院が開設されていた。そのようなことから定朝は等耀との約束によって正気書院を法隆寺の福生院へ移転することとなったのである。それは明治27年5月9日のことであった。塾舎となった福生院は夢殿前にある子院である。

これによって法隆寺の境内には仏教の専門学院である法隆寺勧学院と漢籍の専門学院の正気書院の2つの教育機関が置かれたことになる。そのころの法隆寺の境内は、この2つの専門学校で学ぶ学徒たちの声がこだましていたことであろう。しかし都合によって正気書院は翌年の5月に光蓮寺へ復帰することとなったが、しばらくして塾舎を奈良市へ移している。その正気書院が後の奈良女子高等学校である。

56 宗立の勧学院開設――慈恩会竪義も再興

法隆寺勧学院が軌道に乗りつつあったころ、興福寺住職の雲井良海は兼務していた清水寺の成就院に寄留することが多くなったという。それは清水寺内で問題が山積していたからであった。そのころ清水寺の1つの子院を清水寺に合併して、その建物を売却することを公式に一山会議で決定していたという。ところがその子院の住職がそのことに同意していなかったとして異議の中立てを裁判所に起こしている。良海にとって青天の霹靂《へきれき》であった。その根底には清水寺の内部が2派に分かれて対立していたことによるという。

良海はそのような清水寺の危機を　身に受けていたところ、明治27（1894）年5月19日に成就院の一室で切腹するという大事件が起きた。武門の出身者としての悲惨な最期を遂げたと言うべきであろう。良海は清水寺の内紛が裁判沙汰になったことに耐えられなかったのではなかったか。しかし同年11月24日に大阪控訴院から良海らに無罪を言い渡されている。まさに良海は内紛の犠牲となったのであった。そのような不幸な事件によって定朝はふたたび興福寺と清水寺の住職を兼務することを興福会から要請されている。

定朝はこの清水寺の不幸な事件を目の当りにして、かつて法隆寺でもそのような内紛や事件が起っていたことを後世に伝えるために寺僧たちに語ったことがあった。

それを口述速記させたのが『参考之演説』である。その冒頭にはつぎのような要旨が記されている。

「かねてから清水寺では内部紛争が絶えることがありませんでした。とくに雲井良海が自害したのは清水寺の旧関係者と新関係者の対立によって裁判沙汰になったことによるものと言われています。かつて法隆寺でも同じような事件もあり、私が実際に経験したことも数多くあります。今ここにその概略を語りますので、それを速記して後日の参考としてください」

定朝も良海が遭遇したような事件を幾度もかいくぐっていた。それは法隆寺内で定朝に反抗する勢力が、定朝の法隆寺住職就任に反対し、定朝の実印を偽造して公文書に捺印するといった事件も起っていたからである。おそらくこの良海の自害という事件は定朝にとって我が身につまされるものを感じていたのであろう。

　そのころ法隆寺の学頭として勧学院の発展に若い情熱を燃やしていた定胤は明治28年9月4日、法相宗議会に対して「法相宗教育上意見書」なるものを提出した。それには法相宗立の勧学院とすべきであるという熱意が切々と語られている。

　この意見書はその日に薬師寺で開かれた法相宗議会に上程され、定胤の意見を基本的に採用することとなった。意見書の提出には法相宗勧学院を設置したいという定朝の意向が大いに反映していた。その結果、三本山の協議によって宗立学校として法隆寺の北室院内に法相宗勧学院を設置している。

　この宗立の勧学院を開設に先立つ難問題は、費用の捻出をどうすべきか、ということであった。勧学院創立費予算としてまず60円が計上された。そのようなことから、まず法相宗内の各寺院の年間収入高に応じた金額を拠出することとなる。そのころの法相宗寺院の収入高（興福寺885円、法隆寺800円、薬師寺440円、法起寺60円、福貴普門院8円、成福寺20円、勝福寺31円、清水寺625円、真福寺80円）の2％を勧学院の創立費、8％をその経常費として納めることとなった。なお学生の授業料は必要としなかったが、食費は1カ月2円30銭であった（食費は1カ月分を前納し、1週間以上不在のときは日割で返却した）。

　これにともなって勧学院の細則などを定めて9月10日に法相宗勧学院が正式に開校したのである。そのころから法相宗の伝統的な法儀を復興しようとする気運が高まりつつあった。それが慈恩会《じおんね》である。慈恩会とは法相宗の高祖慈恩大師の追悼法会のことで、天暦5（951）年11月13日に興福寺別当の空晴大徳が発願したものと伝え、法相宗の学匠が僧位昇進の一段階としてこの竪義《りゅうぎ》を遂業することを義務づけられることとなった。

　法隆寺でも建保4（1216）年に始行されてから連綿と行われていたが、幕末の混乱期に廃絶していた。しかし法相宗勧学院の開院などによって、いよいよそれを復興する時期が到来したのである。明治29（1896）年10月5日に開かれた法相宗の宗会において三本山を順次会場とすることとなり、慈恩会の費用は宗費から支弁し、竪義者加行の費用は行者が私弁することを決定している。

　まずその年は法隆寺大講堂で行うこととなり、勧学院講師の定胤が竪義を遂業することとなった。この竪義者の資格は勧学院卒業者に限るとの制規であったが、しばらくは勧学院在籍者の内から遂業をすることとなった。しかも竪義を遂業することは本山の次期住職の資格を得たことを意味するものでもあり、容易に許されることはなかったという。

そのようなことから、明治29年から昭和10（1935）年までの約40年間に遂業した学僧はわずか6名である。明治29年佐伯定胤（法隆寺）、30年井坊忍教（清水寺）、31年寺田亮遍（薬師寺）、35年大西良慶（興福寺）、44年佐伯良謙（興福寺）、千早正朝（法隆寺）。

このように法相宗とその勧学院は大いに発展をすることとなる。やがて講師定胤は勧学院院長に就任し、久保如川、竹中照道、堀岡治三郎などを教師に迎え、ますます充実した教育機関となった。そして明治31年5月からは勧学院の校舎を宗源寺へ移転することとなり、私立学校として内務大臣の認可を得るまでに至ったのである。とくに学年昇級のために厳密な試験が行われ、その成績表なども残っている。明治34年10月には、学識卓越の学僧に与えられる学位則も定められていた。

やがて明治39年2月には研究科が増設され、法相宗勧学院はますます充実した教育機関へと発展を遂げることとなった。

57 欧米人たちとの交流――フェノロサやビゲロー来訪

明治5（1872）年の宝物調査や明治11年の宝物献納によって、法隆寺の存在が重要視されるようになった。寺僧たちは堂塔や宝物の価値が認められることが法隆寺の復興にもつながるものと確信していたという。やがて法隆寺の仏教美術のすばらしさを伝聞した外国人が法隆寺を訪れるようになる。そのころ政府のお雇い外国人は500名余り、府県や私雇の外国人は100名余りであったという。

そのような外国人の中で、大森貝塚を発見したことで有名な生物学者エドワード・モースのことがよく知られている。モースは日本で蒐集した多くのコレクションを収納するためにアメリカのマサチューセッツ州のセーラムにピーボディー博物館を創設している。その影響を受けたのがチャールズ・ウェルドとウイリアム・ビゲローであった。

明治14（1881）年にビゲローは友人のウェルドとともに来日してフェノロサや岡倉天心とともに日本美術の研究とその蒐集を行っている。

ビゲローはボストンの医師で富豪のコレクターとしても知られており、フェノロサのコレクションの多くを購入してボストン美術館などへ寄贈した人としても名高い。アーネスト・フェノロサは明治11年に東京帝国大学の哲学や美学・経済学・社会学などの講師として招かれて来日していた。講義のかたわら急激な西洋美術の流入によって衰退の一途を辿りつつあった日本の伝統美術を高く評価し、古画などの鑑定法を研究し、歴史を調べて、独自の日本美術観を抱くようになったという。なお、その滞在中に蒐集した美術品の中には日本の国宝級のものも含まれている。

とくにこのフェノロサとビゲローの2人が法隆寺に残した足跡はきわめて大きい。明治13年の9月にフェノロサは岡倉天心に伴われてはじめて法隆寺を訪れたとする記録もあるが、そのときの詳しいことはわからない。『法隆寺日記』には明治17年の8月16日にフェノロサがビゲローや岡倉天心とともに法隆寺を訪れ、寺僧たちの案内で伽藍を拝観していたことを記している。

翌17日から綱封蔵で仏像や古器などの調査を行い、その素晴らしさに感動したという。やがて調査を終えた3人は20日に寺務所を訪れて、調査の謝礼として3円を寄付している。そのときに岡倉天心、フェノロサ、ビゲローは夢殿のご本尊である救世観音像を寺僧たちの反対を押切って開いたという話がまことしやかに語り継がれている。

しかし不可解なことに『法隆寺日記』などには、夢殿ご本尊の開扉に関する記載はない。どうしたことか、率先して記録することに懸命となっていた住職の千早定朝が何も書き残していないのである。いずれ、この開扉問題については項を改めて紹介することとしたい。

このときにビゲローは、法隆寺が所蔵していた蓮池図（重要文化財、鎌倉前半期）が著しく破損しているのを見て、その修理費用を寄付することを申し出ている。法隆寺では欧米人からそのような寄付金を受け取ることに一抹の不安を感じていたらしい。それは役所の許可なくして寄附金を受け取れば、どのようなおとがめがあるかもしれない、という心配があったからである。

そのようなことから、つぎのようなおうかがい（要旨）を大阪府へ提出して、その指示を待った。

「7月8日付でご通知がありました文部省御用掛の岡倉覚三とアメリカ人のフェノロサ及びビゲローの3名は8月16日より20日までの期間に法隆寺の建物や宝物を調査されました。そのときフェノロサに同行していたビゲローが、蓮池図が破損しているのをご覧になってその修理費用を寄付いたしたいと申されています。ぜひとも、その受託の可否をご指示いただきますようにお願いを申上げます」

やがて大阪府の許可を得て「蓮池図」の修復に着手している。それに続いてビゲローは四騎獅子狩文錦（国宝、7世紀前半）の修理を行っている。

それらの修理に関するビゲローの自筆文の直訳（要旨）を紹介しておこう。

「1884年10月15日、私は巨勢金岡が描いたと伝える蓮と鳥の古画を保存するために　修復して屏風に仕立てました。アメリカ合衆国ボストン府・ダブルユウ・エス・ビゲロ、住職の求めに応じて記します。私はさらに聖徳太子の持ち物であったと伝える四天王紋錦の旗を修復しました。そして20円を法隆寺へ寄付致しました。ダブルユウ・エス・ビゲロ」

定朝はこのようなビゲローの申し出に感激していた。そのころ人びとから寄せられた浄財を記録するために『法隆寺懇志簿』を作成している。その序文には、ビゲローからの寄付について、つぎのような要旨を記している。

「法隆寺では多くの宝物を皇室へ献納いたしましたが、それでもなお多くの宝物が伝わっています。その中でも四天王紋錦の旗と巨勢金岡の花鳥の画は有名なものです。最近、アメリカ・ボストンのビゲローという奇特な人物がその修理費を寄付し、さらに20円を寄付されました。それを記念してこの『懇志簿』を作ることとしました。これからも日本や外国の拝観者たちがビゲローのように法隆寺の維持保存のために浄財を寄付されることを願っております」

このフェノロサやビゲローに続いて、明治18年9月27日にボストン美術館の日本コレクションの蒐集に貢献したというウェルドが法隆寺を訪れ、刀剣類の修理費用として10円を寄付している。法隆寺では、その寄付金で短刀32本の修理を行っている。このような外国人からの寄付の申し出に定朝は非常に感激し、それが法隆寺の復興につながるものと大いに期待をしていたという。それは明治28年の『法隆寺伽藍縁起并宝物目録緒言』に記している文言からも、その喜びが伝わってくる。

「欧米から法隆寺を訪問した人びとも次のように言っています。法隆寺は1300年前の極めて古い木造建築であり、合せてその美しさも世界第一であると。そして、それを修理し保存するための費用として資金を寄付していただきました」

58 救世観音像とは――畳の上に安置の時代も

夢殿のご本尊は、飛鳥時代を代表する木彫として名高い救世観音像である。その呼び名については「ぐぜかんのん」とか「くぜかんのん」などとも呼ばれているが、法隆寺では「くせかんのん」と濁らない。とくに法隆寺ではこの救世観音像が太子と等身であり、斑鳩宮の仏殿に安置していたと伝えている。

「救世」とは『法華経普門品』の「観音の妙智力は、よく世間の苦を救う」に由来して、中国唐時代に流行していた「救苦観音」が変化したものとの見解もあると聞く。平安前期に編纂した太子の伝記の一つである『太子傳補欠記』には、太子を救世観音の化身であるかのように記している。このご本尊は八角円堂で知られる夢殿の二重基壇の中央にある厨子に安置されている。

夢殿は斑鳩宮の聖跡に建てられたものである。斑鳩宮が太子の長子である山背大兄王などを滅ぼそうとする蘇我入鹿などの暴挙によって焼かれたのは、皇極2(643)年11月1日のことであったという。それから1世紀余りが過ぎ去ったころ、荒廃していた斑鳩の宮殿跡に仏殿が建立され、そのご本尊として一体の仏像が安置された。それがこの救世観音像である。この像は楠《くすのき》材で作られた像高179・9センチの長身の像で、飛鳥時代の仏像に共通する杏仁形の目、微笑をたたえた唇などにその特色がうかがえる。

しかし、本来的に、この仏像がどこに安置するために造られたのか、といったことはまったくわかっていない。仮に寺伝に従って、斑鳩宮に安置されていたとした場合、皇極2年に斑鳩宮が炎上したときには、この像はどのような状況にあったのか、また、もし炎上寸前に搬出したのならば、その搬出先はどこか、斑鳩寺の金堂に移したとしても、天智9（670）年の斑鳩寺火災のときはどうしたのか、など、この像の由来をたずねればたずねるほどに、その謎は深まるばかりである。

なお、この像の由来が記録に登場するのは、天平宝字5（761）年の『東院資財帳』が最も古い。

「上宮王等身観世音菩薩木造壱軀　金薄押」

これによって天平年間に夢殿が創建されてから、その本尊として安置されていたことが確認される。しかし、この像が造られてから夢殿に安置するまでの約1世紀余りの所在を伝える記録はない。すでにふれたように、この像は「上宮王等身」即ち太子と等身の像として作られたものと伝えている。推古31（623）年に止利仏師によって造顕された金堂の釈迦三尊像の光背銘にも「当に釈像尺寸の王身なるを造るべし」とあり、そのころ、太子と等身の仏像を造ろうとする風潮があったのかもしれない。

この像が夢殿のご本尊となってからは移動することはなかった。とくに夢殿は太子を供養する寺院として創建したものであり、その本尊は太子と等身の観音、すなわち太子の姿そのものと考えていたのであろう。昭和63（1988）年に行われた修理のときに確認した救世観音像のお顔に描かれているひげの形式はきわめて異形であり、かつて1万円札などでなじみ深い聖徳太子像をほうふつとさせるものがあるとの見解が示されたこともあった。そのようなことから、この像には太子の姿を意識して造顕したのではないか、と思わせるものがあり「上宮王等身」とする所伝もあながち無視することはできない。

まさに、その救世観音像をご本尊とする夢殿は太子の御霊屋《みたまや》であり、斑鳩宮の旧跡でもあることから、太子を渇仰する聖地ともなったのである。そのようなこともあって人びとが頻繁に出入りをする殿堂ではなかったのではないだろうか。

この救世観音像に関する記録としては、すでに紹介した『東院資財帳』とそれに続いて貞観元（859）年に道詮が夢殿修理のことを奏上した文中に「堂宇は旧存し、遺像は是に在り」と記しているのが最も古い。

どうしたことか、それからしばらくして、寺僧たちですら、そのお姿を拝することができなくなりつつあったらしい。ところが保延6（1140）年に大江親通が記した『七大寺巡礼私記』には「宝帳が垂れて拝見し難し」としながら、つぎのように記されている。

「帳《とばり》を塞《へだて》て、件《くだん》の像を拝み奉る處《ところ》、更に佛像に非《あ》らず、只、等身の俗形なり。冠帯を着す。（中略）即ち太子の御影と知るなり其の御坐は半帖の畳十枚許《ばかり》を重ね其の上の所に立ち給うなり。其の外に他の坐は無し云々」

これによって救世観音像は完全な秘仏化ではなく、非公式的にはお姿を拝することができた時代が続いていたのではなかったか。おそらくそのころ本尊を安置している厨子（夢殿が創建されたころに造られていたらしい）の四方には宝帳（戸帳＝ご本尊の四方に垂れている布状のもの）が垂れており、そのすき間からはのぞくことも可能な状況であったらしい。

とくに半帖の畳を10枚ばかり重ねた上に救世観音像が立っているという特異な安置方法には非常に興味深いものがある。昭和63年の修理のときに確認したところ、台座裏が異常なまでに腐損していたのであった。そのことから『七大寺巡礼私記』が伝えるように、永年にわたって畳状のようなものの上に安置されていたことから腐食した可能性もある。なお、その腐損は霊木のような楠材を選んで彫ったことを示すのではないか、とする見解もあることを付記しておく。

この記録に続いて、平安時代の『七大寺日記』は、つぎのように記している。

「宝帳の内に安置さる。入らずして之を拝見す」

建久6年から建保4年（1195－1216）に記したといわれる『諸寺建立次第』にも「救世観音像帳が垂れて見えず」とあり、13世紀のはじめごろにも救世観音像の四方には戸張が垂れてお姿を拝することが難しい状況であったと記している。しかし、すでに紹介をしたように、その戸張の隙間からは救世観音像のお姿を拝することが可能であったらしく、現在の私たちが思い巡らしているような完全な秘仏ではなかったことだけは確かなようである。

このように夢殿のご本尊救世観音像は古くから人びとが公式に拝することができない、としながらも非公式的にはお姿を拝する機会もあったことがうかがわれる。

救世観音の秘仏化——白布に巻かれて

秘仏として名高い夢殿のご本尊救世観音像については、嘉禎4（1238）年ごろに、法隆寺の寺僧顕真が編纂した『聖徳太子伝私記』（以下『太子伝私記』という）には、つぎのような記載がある。

「今、此の夢殿の内に御等身の救世観音像（金薄これを押す）今の世幷《ならび》に昔日にも其の體《すがた》を知らず。此の則《すなわ》ち當寺の寺僧、佛師を採《さぐ》り奉《たてまつ》りて之を造り、即ち講堂に之を安持す。是は転輪聖王経の説く二臂《にび》の像に叶《かな》へり。其の佛師は造り畢《おわ》りて、久しからずして死に畢んぬ。其の所以を知らざる者なり」

このように顕真は古くから救世観音像のお姿を拝したことがないとしつつ、ご本尊のお身代わり像を造ったことを伝えていることに注目しなければならない。

それは嘉禄3（1227）年に勝鬘会《しょうまんえ》という法要の会場《えじょう》を夢殿から西院の大講堂へ移すこととなったために、その本尊として救世観音像のお身代わり像を作る必要にせまられたという。ところがどうしたことか、その造顕を担当した仏師は造り終わるとすぐさま死去した、と記している。その死去した理由に関する記録はないが、顕真がそのことをわざわざ書き残していることは、そのころの寺僧たちが、よほど不可解な出来事として受け止めていたのであろう。そのようなことを契機として、救世観音の秘仏化が急速に進んだのではないだろうか。

なお、どうしたことか、このときに造顕したとするお身代わり像は現存していない。やがて寛喜2（1230）年に行われた夢殿の大修理のときに、ご本尊を安置する厨子の大改装も行われたらしく、そのようなことも秘仏化に拍車をかけたのかもしれない。

貞治元（1362）年に寺僧の重懐が記した『法隆寺縁起白拍子』にも、「錦帳《きんちょう》を垂れ給ヘは上宮在世の昔より内陣を拝する人そなき」と、古くから秘仏であったと伝えている。

なお、元禄3（1690）年の2月15日から5月15日まで、法隆寺では画期的な諸堂のご開帳が行われたことはすでに述べた。そのときに作成した『諸堂開帳霊佛霊宝繪像等目録』によると、この開帳のときに、人びとが夢殿の内陣に入ることが許され、ご本尊の前に垂れている戸帳を介して秘仏のご本尊に参拝したらしい。いうまでもなくそのお姿を拝することはできなかった。しかし、それによって人びとはご本尊への渇仰の念を強くしたのであろう。元禄3年に行われたこのご開帳や元禄7年から江戸、京、大坂で行った出開帳で寄せられた浄財によって法隆寺の全伽藍の修理が行われたことも、すでに紹介した。その一環として夢殿の修理も行われ、そのときにご本尊を安置する厨子も新調のような大改造を受けている。

現在の漆塗りの八角の厨子は昭和15年に新造したもので、それまでは元禄9年に古い厨子を大改修した四角宝形造のものであった（この厨子は解体して保管している）。なお、創建当初の厨子は開放的かつ簡素なものであり、平安・鎌倉・江戸の大改修を受けていることが判明している。おそらく厨子の四方にある柱間に戸帳を垂れた姿が元禄9年以前の形であったらしい。しかし、元禄9年に厨子を再興するときに厨子の古材を再使用して四角宝形造りの極彩色を施した厨子に改修している。このときに四方の扉や壁板も新調されたのであろう。

このような新造のような大改造のときには、当然のことながら、ご本尊を他の場所に移遷する必要が生じたはずである。しかし、その移遷のことを伝える記事はない。ところが元禄9年の『年会日次記』には「壇上の仏具等を取り置く」との記載があり、そのときに仏師と大工3人が参画したと記している。私はかねてから、この厨子の修理のときに救世観音像にも何らかの修理が加えられたのではないか、とひそかに推測していた。

昭和63（1988）年の修理のときに、その推測が的中して江戸時代に修理があったことを示す釘がご本尊の体内9カ所に打たれていたことを発見した。厨子を再興したときに救世観音像も修理を受けていたのである。因みに飛鳥時代から鎌倉時代にかけての釘52本、明治39年に修理したときの釘12本なども確認している。このことは、古くから秘仏としながら修理などのときには開扉をして修理を施していたことを示す重要な発見であった。

その後も元禄11（1698）年の『和州法隆寺堂社霊験并佛菩薩像数量等』や享保4（1719）年の『法隆寺佛閣霊佛宝等目録』、元文3（1738）年の『古今一陽集』などにも救世観音像は秘仏であることだけが記されている。

ところが『年会日次記』によると、宝永7（1710）年7月27日に、ご本尊のお身代わりとして救世観音像の前に「前立観音」を安置したことが記されている。その後に行われた、ご開帳のときには厨子の扉を開いて参詣者たちが前立観音を参拝するようになったらしい。寛政11（1799）年の『諸堂本尊霊寶等割附』には、はじめて救世観音像の前に前立観音を安置していたことが記載されている。「（上宮王院）南正面本尊常の如し。前立正観音」と。おそらく、そのようなときに背後に立っている白布に覆われた救世観音像のお姿がかすかに見えたのかもしれない。そのようなことから、天保7（1836）年に寺僧の覚賢が記した『斑鳩古事便覧』には、はじめてご本尊が白布で覆われていた状況を記載する必要に迫られたのではないだろうか。

「（夢殿）本尊十一面観音　往古より秘佛、白布を以て尊容を巻く・前立正観立像」

はたしてその白布がいつ巻かれたのか、ということはわからない。私は元禄9年に厨子を大改造したときに、救世観音像を白布で覆って移遷したが、修理を終えてからは白布を巻いたまま厨子の中に納めたのではないか、と推測したい。やがてご本尊の前面に前立観音が安置されるようになり、ご開帳のときには厨子の扉が開かれ、前立観音を拝するたびに、その背後に白布で巻かれた秘仏の尊容が参詣者たちの目に止まるようになっていたのかもしれない。どうしたことか、秘仏に巻かれていた白布が現存していないのである。その白布がはたして古いものか、新しいものか、が判らなくなったことはまことに千秋の恨事であり、そのなぞは深まるばかりである。

60　救世観音像の開扉——明治17年説の疑問

夢殿のご本尊救世観音像は、古くから秘仏であったと伝わる。ところが最近では明治17（1884）年に法隆寺を訪れたアメリカのフェノロサや文部省御用掛の岡倉天心が、寺僧たちの反対を押し切って扉を開いたことが定説化しつつある。そのときに本尊に巻かれていた白布を取り除いて救世観音像を世に紹介することになっている。

しかし、それに対して、私は明治17年にはじめて開扉したのであろうか、それまでは本当に誰も拝したことがない秘仏であったのか、といった疑念を抱いている。

『法隆寺日記』によると、明治17年8月16日から20日まで法隆寺を訪れた文部省御用掛の岡倉天心や米国人のフェノロサとビゲローの3人が、法隆寺の諸堂や古器物などを調査している。しかし、その記録には最大の関心事である夢殿の厨子を開いたという記事はまったく記していない。

その2年後の明治19年に法隆寺に対して一つの指令が伝達された。それは「このたび社寺宝器及び仏像仏画などを取調べるために宮内省・文部省、内務省から役人たちが法隆寺へ出張して宝物を検閲するので不都合のないように厳重に対応せよ」というものであった。そして8月21日に宮内省山県篤蔵、内務省社寺局八木雕、文部省御用掛岡倉天心などが出張して、諸堂に安置している仏像や宝物を詳しく調査している。そのときの調査の記録である『法隆寺宝物古器物古文書目録』には、夢殿のご本尊について、つぎのような記載がある。

「東院伽藍夢殿・宮内省検査済
本尊観音木像・壱体・高サ六尺五寸・後背共八尺
明治十九年八月廿一日宮内文部内務の各省より御出張御検印附の分」

ここに、はじめて救世観音像の像高を記載しているのである。この記録が夢殿のご本尊の法量に関する初見記録としてきわめて重要な意味をもつ。

とくに、このときに検査を受けた宝物の保存には充分な配慮をするように、との厳重なる指示を受けたという。2年後の明治21年に九鬼隆一図書頭が社寺所蔵の書画古器物などの宝物を取調べのために法隆寺を訪れることとなった。6月8日に九鬼図書頭、九岡社寺局長、浜尾専門学務局長、岡倉美術学校幹事、同教授フェノロサのほか、宮内省、内務省の官吏たちが法隆寺へ出張している。その日から寺僧たちの案内のもとに詳しい調査が13日まで行われている。この調査のときに、東京から小川一真という写真師が同道して、宝物や伽藍の状況を撮影している。

この調査から半年後の11月23日に宮内大臣の法隆寺巡視が行われた。その日は、土方宮内大臣、九鬼図書頭、宮内大臣秘書官などの来山があり、奈良県からは知事の税所篤などが出迎えていた。このときに案内した寺僧は九鬼図書頭から夢殿本尊の写真を撮りたいという申し出を受けている。

それに対して定朝は書面をもって、つぎのように回答した。

「本日御登山之際案内僧より夢殿秘仏観世音写真の儀に付き貴命の次第御承り奉り候処、右は先般御調査の際も勅奏任の外は拝観許さざる様取計を乞と候事故、其侭御坐を動さずして撮影上命候はば、敢て異存もこれ無し。外へ出し候儀は御断り申し上げ度、此段御洞察仰ぎ奉り候也。」

この書面からもわかるように、過日の調査のときには夢殿ご本尊は高等官でない者には拝観を許さないように、と申し付けられていることもあり、写真撮影は本尊を動かさずに行っていただきたい、と返答している。

この書面にある「先般御調査之際も」は、いつの調査のことをいうのかわからないが、この書状が九鬼図書頭宛のものであることから、先般の調査は九鬼による6月8日から行われた調査を指しているようにも見られる。しかし記録的には、すでに明治19年のときには救世観音像の像高を計測していることから、明治19年の調査のときにご本尊を公式に開扉した可能性は高くなる。（非公式的には明治5年の宝物調査のときに開扉していた可能性があることを付記しておく）

この開扉について最も有名な記録は、フェノロサと岡倉天心の2つの論文である。

フェノロサは、その感激と興奮を『東洋美術史綱』の中で次のように語っている。

「二百年間用ひざりし鍵が錆《さ》びたる鎖鑰《さやく》内に鳴りたるときの余の快感は、今に於て忘れ難し。厨子の内には木綿を以て鄭重に巻きたる高き物顕はれ、其の上に幾世の塵挨堆積したり。木綿を取り除くこと容易に非ず飛散する塵挨に窒息する危険を冒しつつ、凡そ五百ヤードの木綿を取り除きたりと思ふとき最終の包皮落下し、此の驚嘆すべき世界無二の彫像は忽ち吾人の眼前に現はれたり」

岡倉天心も『日本美術史』の中で、つぎのように語っている。

「余は明治十七年頃、フェノロサ及加納鉄斎と共に、寺僧に面してその開扉を請ふた。寺僧の曰く、これを開けば必ず雷鳴があらう。明治初年、神仏混淆論の喧《やかま》しかった時、一度これを開いた所、忽ちにして一天掻き曇り雷鳴が轟いたので、衆は大いに怖れ、事半ばにして罷めたと、前例が斯くの如く顕著であるからとて容易に聴き容れなかったが雷のことは我等が引き受けようと言って、堂扉を開き始めたので寺僧はみな怖れて遁げ去った。開けば即ち千年の鬱気粉々と鼻を撲《う》ち、殆ど堪へることも出来ぬ。蛛糸を掃って漸く見れば前に東山時代と思はれる几帳があり、これを除くと直ちに尊像に触れることが出来る。像の高さ七、八尺ばかり、布片経切等を以て幾重となく包まれてゐる。人気に驚いたのか蛇や鼠が不意に現はれ、見る者を愕然たらしめた、軈《やが》て近くからその布を去ると白紙があった。先きの初年開扉の際、雷鳴に驚いて中止したといふのはこのあたりであらう。白紙の影に端厳《たんけん》の御像を仰ぐことが出来た。実に一生の最快事であった…」

このフェノロサと岡倉天心の文章から、救世観音像は古くから木綿などで覆われていたのを「明治17年頃」に寺僧の反対を押し切って開いたという有名な話が生まれることとなった。しかし、この2人の文章には感激の余り少し誇張的に記した部分があるように感じられる。いずれにしても夢殿のご本尊救世観音像のご開扉年代については未だ確固たる資料がないのが現状である。

61

百年前の法隆寺——子規は何を見たか

正岡子規といえば「柿くへば　鐘が鳴るなり　法隆寺」の句が思い出される。日本新聞の記者であった子規は日清戦争の従軍記者として戦地に赴いていたという。しかし病気療養のために帰国して、しばらく故郷の松山で夏目漱石と同居したことはよく知られている。やがて明治28（1895）年10月に松山から東京の自宅へ帰る途中に奈良に遊び、法隆寺へも立ち寄っている。

法隆寺ではその年の4月1日から100日間にわたって京都遷都1100年の記念祭と京都の岡崎公園で行われていた内国勧業博覧会を機縁として伽藍の諸堂を開扉した特別展観を行なっていた。東大寺でも4月11日から5月15日まで諸堂の仏像を開扉するとともに、もと東南院什宝《じゅうほう》物を展覧している。

子規が奈良を訪れたころには、すでに閉幕していたが、そのときに法隆寺が発行した『大和法隆寺七堂伽藍真景図』や『法隆寺伽藍縁起並宝物目録緒言』などの資料を買求めたかもしれない。退廃から復興へ歩み出そうとしていた法隆寺では夢殿や綱封蔵などの修理にも着手しており、仏教の学校である勧学院の学徒たちの声も境内に聞こえていたことであろう。また三経院には東本願寺の説教場が置かれており、そこへ参拝する門信徒たちの姿もあったはずである。とくにそのころから法隆寺の再建非再建問題も話題となり、法隆寺の存在がようやく世の中で認められはじめたころでもあった。

明治22（1889）年5月に大阪の湊町から柏原までの大阪鉄道が開設されていた。奈良と王寺の区間も明治23年12月に開設されていたが、柏原と王寺の間は亀ノ瀬のトンネル工事が難航していた。奈良から湊町までの全線が開通したのは明治25年2月のことである。子規もこの大阪鉄道に乗って法隆寺を訪れたのかもしれない。

そのとき子規が聞いた梵鐘の音は明治22年に造立した西円堂の鐘楼のものと考えられている。その梵鐘は西円堂へ奉納されていた銅鏡などを鋳つぶして造ったものであった。そのとき子規は明治13（1880）年に西円堂の南面に造られた舞台から大和盆地を一望しつつ鐘の音を聞いた可能性もある。そのころ境内には聖霊院前や西円堂付近にも茶店があった。それらは明治5（1872）年に法隆寺の境内を撮影した横山松三郎の写真にも写っている。

ところが最近では、子規が詠んだ句は東大寺であったのではないか、といった見解もあると聞く。なお法隆寺を訪れた子規が休息したという聖霊院前の茶店は大正3（1914）年に取り畳まれた。あまりにも茶店が西院の堂塔に接近していたために防火の上からも危険であることが指摘されたことによる。茶店は個人の所有であったので、85円で買収している。それからしばらくして大正5年の8月に大阪朝日新聞社の松瀬青々（俳人）から子規が憩いた茶店の跡地に子規の句碑を建てたい、という申し出が寄せられた。やがてその句碑は大正5年9月17日に完成している。

句碑の裏には、つぎのように彫られている。「明治廿八年秋子規居士遊履の憩ひし所に建之・碑面の書は居士自筆の句稿より拡大せるもの也。大正五年丙辰九月青々記云々」

おそらく子規の命日に近い日を選んで子規忌を催し、

句碑を建立したのであろう。その子規は明治35年9月19日に亡くなっていた。いずれにしても、この子規の句によって法隆寺の存在が一般的に知られるようになったことはたしかである。その意味からも法隆寺にとって子規は恩人の一人というべきかもしれない。なお法隆寺を表す季節は秋が最も似合っているらしい。

正岡子規の「稲の雨、斑鳩寺に、まうでけり」。明治40（1907）年に斑鳩物語を発表したことで知られる高浜虚子の「秋風に、また来りけり、法隆寺」。松瀬青々の「どことなく、秋の定まる、法隆寺」などがある。法隆寺を訪れた子規が伽藍を、どこまで拝観したかはわからない。ひょっとしたらそのころ話題となっていた金堂の壁画や夢殿の救世観音像を拝観した可能性もある。そのころ救世観音像は人びとの要望に応じて開扉をしたこともあったらしい。

そのような状況を憂いた法隆寺では大正11（1922）年から、その開扉を厳重にしたという。『法隆寺日記』には、つぎのような要旨が記されている。

「夢殿の秘仏は明治20年代から人びとに拝観を許していたが、それは秘仏信仰を汚す恐れがあるので、古くからの慣習によって秘仏とすることを誓う。とくに信仰の厚い人が参拝を願う時には、一山の寺僧たちが出仕して厳粛なる法要を厳修して開扉することを規定した」

なお、この記載によって明治20（1887）年ごろに秘仏を開いたことを住職の佐伯定胤が知っていたことになる。

明治20年といえば定胤が20歳のときで京都の泉涌寺などで勉学に励んでいた時代であった。この記録が秘仏の開扉年代を示す資料としても重要であり、年代的には、すでに紹介した九鬼隆一などによる開扉年代ともほぼ符合する。なお、この大正11年から毎年春秋2季に特別開扉を行うこととなり、それが恒例となって現在に受け継がれている。

また昭和15（1940）年11月に京都の東山中学校から救世観音像の開扉年代とそれに立合った寺僧に関する問い合せが法隆寺に寄せられた。

「夢殿秘仏初めて人の目に拝せし年月日、開扉に従ひし寺僧及び調査員の人数御聞かせ願いたし」

それに対して、つぎのように返信している。

「明治二十年の頃なり。帝室全国宝物取調局より九鬼隆一氏など出張、外人ビゲロー氏、フェノロサ氏など同行。当時の住職千早定朝にして秦行純、楓實賢、松田宗栄など撥遣《はっけん》供養を行なう」

この記事も、すでに紹介した開扉年代などと一致する。これらの資料から救世観音像を開扉するようになったのは明治20年とするのが法隆寺としての公式見解であったのかもしれない。

なお、大正5年に奈良県庁から法隆寺に対して一つの内談が寄せられた。それは天皇皇后両陛下の行幸のときに奈良帝室博物館で天覧に供するために救世観音像と玉虫厨子を出陳するようにとの要請であった。それに対して法隆寺からは玉虫厨子は出陳するが、救世観音像だけは古くから秘仏であり、天覧に供するためとはいえ、ご辞退を申し上げる旨を陳情している。それに対して奈良県庁においても「至極尤《もっと》もなことなり」として承諾をしている。そのようなことからも夢殿秘仏の救世観音像に対する法隆寺としての篤い信仰態度がうかがえる。

62

定朝の夢——伽藍復興に奔走す

住職の千早定朝にとって伽藍の修復が一大悲願であった。そのためには法隆寺でも興福寺のような保護組織（興福会）をつくりたいと願っていたのである。そのような思いから明治21（1888）年に「法隆寺保存会」を創立したこともあったが、強い組織力を持つまでには至っていない。

いよいよ明治26年から老朽化していた堂塔の修理をはじめることとなる。その修理には大金を必要としていた。内務省からの補助金もあったが、法隆寺が負担する金額も大きかった。そのようなことから修復基金を確保するために什物をふたたび皇室へ献納するか、あるいは博物館での買上げてもらうか、あるいは一般に売却するか、などを真剣に検討している。そのときに売却リストにあがったものは「玉虫厨子」「百万塔」「屏風（周文作）」「十六羅漢屏風」「孔雀明王画像」などである。

そのような什物を処分することによって法隆寺の復興費用として5万円を確保したいと考えたのであった。

なお、明治21年には宮内省が法隆寺の近くにある信貴山の朝護孫子寺に伝わる『信貴山縁起絵巻』と『太子絵伝』を1000円、東大寺の『華厳五十五所絵巻』など4点を1200円、法華寺の『弥陀三尊画像』を500円で買上げようとしていたのである。それからすれば法隆寺が目標としていた5万円は途方もない大金であった。

しかし、法隆寺が申し出た玉虫厨子などの什物《じゅうもつ》の処分は実現することはなかった。やはり高額な要求だったのかも知れない。法隆寺では資金の調達に苦慮しつつ、内務省からの補助金と公債や貯金を引き下ろして対処しようとした。しかしそれでも金額は不足していた。やっと借財をすることによって、修理を行うことができたのである。そのために明治26年に1280円の大金を借り入れている。しかしそれを返済する目処はまったく立っていなかった。そのようなことから明治40（1907）年には負債が6255円余まで膨らんでいる。いずれにしても、この借財によって、やっと夢殿と綱封蔵などの修復に着手することができたのである。

ちょうどそのころ帝国奈良博物館が開館することとなった。明治28年4月29日のことである。やがて法隆寺からも酒買観音像（百済観音）・塑像四天王像（食堂）・金銅観音菩薩像・金銅釈迦及び文殊像（戊子年銘）・天蓋天人及び鳳凰・勝鬘経講讃図・四天王紋錦旗（四騎獅子狩紋錦）・水瓶・阿弥陀三尊像（伝法堂）などの宝物を出陳している。

奈良の寺院からも名高い仏像などが出陳されていた。興福寺の十大弟子像や八部衆像、東大寺の多聞天像、持国天像、唐招提寺の大自在菩薩像、行基像、秋篠寺の伎芸天像、梵天像、帝釈像、薬師寺の薬師座像、弥勒座像、岡寺の義淵像、橘寺の日羅像、大安寺の楊柳観音像など。その出陳料（博物館配当金という）も寺院にとって大きな財源となっていたという。明治30年ごろの法隆寺の年間収入は1714円であった。

そのもっとも大きな財源は公債の利息と拝観料などである。公債などの利息は1244円、拝観料と賽銭は250円であった。博物館への宝物の出陳料は120円であり、法隆寺としては大きな財源となっていた。なお、そのころの拝観料は西院伽藍が2銭、特別拝観が30銭、宝蔵は50銭であった。

しかしそのような収入ではすべての伽藍を復興することはできなかった。やっと夢殿などの一部の建物は修復したものの、全伽藍が一新した姿を仰ぎ見ることは無理な話である。

その定朝が期待していたのは新進気鋭の学僧佐伯定

胤であった。必ずや自分の遺志を受け継いで、その夢を実現してくれるものと確信していたという。やがて定胤はその志念を引き継いで昭和大修理という大事業を成し遂げたことはよく知られている。

もう一つ定朝が後輩たちに託した夢のことが『斑鳩文庫目録抄』に記されている。

「私は若いころから古い記録に興味をもっていました。かつて『法隆寺伝統録』や『法隆寺要録』などを編集したこともあります。しかし、それ以外にも著したい書物がたくさんあります。それは『斑鳩旧記』『斑鳩旧記一覧』『法隆寺伝暦』『宗要略記』『別当次第記』『斑鳩旧跡幽考』『斑鳩堂塔本尊霊験記』などです。しかし残念なことに、私は目を患い、とくに近年は老衰によって読書をすることもできない状況となりました。そのために私はできるかぎり法隆寺に伝わる記録を散失しないよう修理して保存することに努めています。出来れば将来の寺僧たちの中で、そのような資料をもとにわたしの遺志を受け継いで前に挙げた書物を編集してくれることを願っております」

定朝にとって法隆寺の古記録の保存と法隆寺の沿革を編集することが大きな目標であった。そのようなことから日々の記録を残すことにも懸命になっていたのである。

とくに明治13（1880）年からは『法隆寺日記』を樋口正輔に浄書させている。その樋口は法隆寺の学侶であったが明治3年ごろに帰俗して夢殿の近くに居を構えていた。そのようなことから法隆寺のことには精通しており、人材不足の法隆寺を支えるために録事として定朝に協力している。

とくに明治13年から30（1897）年までの『法隆寺日記』やそのころの公文書などの記録のほとんどは、すべてこの樋口によって浄書されたものである。まことに達筆であり、特徴のある書体でもある。しかし、その樋口も老齢のために明治30年12月をもって退職している。また法相宗への独立など法隆寺の再興のために定朝の手足となって東奔西走した北室院前住職の松田宗栄も隠退している。

このように定朝の時代は静かに幕を下ろそうとしていた。定朝の生涯はまさには波乱万丈であった。それを支えたのは「自分が法隆寺を守らなければ」という強い信念にほかならなかった。いかなる苦しみに遭遇しようとも決して屈することのない強い精神力と統率力が偉大な人物をつくり上げたといってよい。そして頽廃していた法隆寺を不死鳥のように再生し、さらに復興への礎を築いたのであった。

63 寺僧たちに後日を託しつつ——規則設け体制固め

明治30（1897）年は孝明天皇が崩御されてから30年祭を迎える年である。また、その年の1月17日には英照皇太后（孝明天皇の女御）が薨去《こうきょ》されている。その祭礼へ各宗管長や大本山の住職たちの参列が許されたという。

しかし、定朝は老齢と病気によって参列することができる状態ではなかった。定朝は眼病を患い、すでに75歳の高齢になっていたからである。定朝は自分が参列できない場合には、是非とも代理を参列させたいと考えていた。ところが社寺局からの通知によると、参列が許されるのは管長及び住職あるいは副住職という役職に限られていたという。そのころ法隆寺には副住職の役職を設けていなかった。定朝は早急に副住職を置きたいと考えたのである。

すでに定朝は佐伯定胤を後継者とすることを決めていたものの、法隆寺には定胤の先輩にあたる寺僧があまりにも多くいたのである。定胤の先輩は、つぎのような寺僧たちであった。秦行純（69歳）、楓實賢（61歳）、松田弘学（48歳）、佐伯寛応（45歳）。とくに秦行純は定胤の師匠であり、佐伯寛応は兄弟子である。

そのような状況の中で定胤を副住職にするには、まず寺僧たちを説得する必要があった。定朝は男爵の北畠治房とも相談して、早急に副住職を設ける必要があること、副住職には定胤が適当であること、寺僧たちの賛同を求めて速やかに役所へ届け出ること、などを申し合わせている。このような定朝の考えに対して寺僧たちは一応の賛同はしたものの、その一部には不満の声も漂っていたという。

それは定朝の代理をつとめてきた秦行純をはじめ、定胤の兄弟子の佐伯寛応も定胤を副住職にすることには全面的には賛同できなかったのではないだろうか。そのような背景のもとに1月26日付で定胤を副住職に任命することとなる。これにはあくまでも緊急の処置という意味が含まれていたらしい。それは定朝が他界したあと秦行純が法隆寺住職に就任していることからも、そのころの法隆寺内の空気が感じられる。

副住職となった定胤は孝明天皇の30年祭や英照皇太后の葬儀に興福寺住職代理（法隆寺執事）の松田弘学と共に参列することとなった。1月30日には孝明天皇の30年祭が執り行われた京都泉涌寺の後月輪陵に南都七大寺とともに参拝。2月7日にも泉涌寺後月輪東北陵で行われた英照皇太后の大喪のときに奉迎が許されている。このように定胤や弘学から参拝が許されたときの状況を聞いた定朝は、すぐさま北畠などの関係者に書面で報告している。そして定胤が副住職に就任したことに、定朝は安堵していたのであった。その一方で定朝は弟子の千早正朝に自分の法統を継がせたいと思っていたという。それは正朝を中院の住職に任命することを意味する。

正朝は明治22年10月に定朝の養子として出家していた。それには一つの理由があった。明治21年に定朝にとって予期せぬ不幸が訪れていたのである。定朝は自分の後継者として弟子の千早定円に期待していた。その定円は柳本藩士の出身で、10歳で定朝の弟子となり、慶応2（1866）年に出家していた。定朝は明治5（1872）年に千早という苗字を付けたときにも、定円を自分の戸籍に入籍させている。とくに明治14年に定朝が法相宗への独立を政府に嘆願したときにも定円が付き添っていた。定朝はその成長に大いに期待していたのである。

ところが明治21年9月に31歳という若さで他界したのであった。定朝の落胆ぶりには想像を絶するものがある。そのような背景のもとに急きょ、正朝を出家させている。しかも明治30年ごろから定朝の老衰は日ごとに人の目にもはっきりと見えていた。同年の7月7日には寺務の一切の権限を副住職の定胤へ引き継いでいる。

寺僧たちも法隆寺復興に偉大な功績を残した定朝を少しでも安心させようと考えたのであろう。そのようなことから正朝を中院の住職に推挙したのである。そのとき正朝は19歳であった。とくにその中院は定朝によって法隆寺では最も格式の高い子院であると主張していた。しかし明治維新まで学侶の子院はすべて同等の資格であり、法隆寺には興福寺の一乗院や大乗院、院家などというような特別の格式を持つ子院は存在していない。ところが明治五年ごろから定朝は法隆寺を一致団結するための手段のひとつとして、自坊の中院を法隆寺の中心的子院であると強調しはじめたのである。

そのことは、定朝がかつての法隆寺の代表者はすべて中院の住職であったとする系図を作っていることからもわかる。定朝が強調していたように中院が格式の高い子院であれば若輩の正朝には住職の資格がなかったことになる。それをあえて寺僧たちが正朝を中院の住職に推挙したのは定朝の心中を推し量ったからであろう。それによって定朝は法統が継承されたことに安心したはずである。

定朝自身も自分の死期が近いことを予期していたに違いない。ますます定朝の老衰は進み、ついに清水寺住職代理として楓實賢、興福寺住職代理には大西良慶を任命している。法相宗の管長も薬師寺の西谷勝遍へ代行を依頼する状況であった。そして法隆寺では副住職の定胤が一山を統率する形をとっていた。

秦行純は69歳の老齢でもあり、寺務は松田弘学と佐伯寛応が担当していた。

明治31年に定朝は『寺務所事務條規並各勤務所細則』という法隆寺の新しい規則を作っている。それは副住職を中心として法隆寺を運営する内容のものであった。

とくに、その規則書の巻頭には定朝の遺言が添えられていた。

「明治維新の一大変革に当たって法隆寺の知行100石は朝廷へ奉還することとなりました。それによって法隆寺は大変衰微をして、一時的には困難に陥ったこともありました。ところが明治11年に法隆寺を維持するために宝物166点を宮内省へ献納し、1万円のご下賜金をいただきました。それによって法隆寺を再建するめどが立ったのです。そのような経緯のもとに、わたしはここに左記のような規則を定めておきますので、弟子たちは、その規則を堅く護って違背しないようにしてください。そして寺僧たちは互いに協力しあって法隆寺を隆盛へ導いてくれることを切に希望しています」

この規則書の奥書には、つぎのように記されていた。

「今回会議を以て議決し将来の亀鑑とする所、依って署名捺印する者也」

それには佐伯定胤、秦行純、松田弘学、佐伯寛応、森智純、楓定憲、秦定海、千早正朝の、8名の寺僧たちが捺印している。

これは、まさに定朝の他界を予期して法隆寺内の体制を固めたものであった。

近代法隆寺の中興往く――境内一望の墓所へ

定朝の最期が近づいていた。そのころ定朝は西園院（現在の法隆寺寺務所）に居住していたのである。定朝には弟子たちが付き添っていた。

ところが明治32（1899）年3月5日の早朝に定朝の異変に気付いた。いくら起こそうとしてもまったく反応がなかった。その知らせを受けて主治医が診察に駆けつけている。しかし定朝の回復は見られなかった。危篤状態は続いていた。悪いことに7日の午前9時55分に地震が発生した。付き添っている者たちが急いで定朝を屋外へ運び出している。そのために病状は一層悪化することとなったという。

定朝の危篤の知らせを受けた人びとが見舞いに訪れている。医師も連日来診して治療を続けたが危篤状態から脱却することはなかった。不屈の精神で幾度もの難関を乗り越えてきた定朝であったが、今回はそれを克服することは不可能であった。

そのようなときに薬師寺から法隆寺へ一つの訃報がもたらされた。住職の西谷勝遍は前年の11月から病床にあったが、3月15日に他界したのである。それは法相宗に独立してから迎える一大危機でもあった。管長の資格を有する住職が2人とも危篤と他界という最悪の事態を迎えたからである。

ついに定朝もその2日後の3月17日午後7時に他界している。その日の『法隆寺日記』には、寺僧たちがその枕辺に座して「御臨終を静護す」と記している。法隆寺は悲しみに覆われていた。それは壊滅寸前であった法隆寺を復興へと導いた高僧定朝の大往生の瞬間であったからである。

すでに定朝の後継者に内定していた定胤はただ悲しみに浸ってはいられなかった。すぐさま寺僧たちと今後の対応について相談をしている。法隆寺のご意見番ともいうべき男爵の北畠治房も法隆寺の行く末を心配していた。すぐさま北畠を中心として葬儀の期日、法相宗管長及び法隆寺住職の後任者の選定についての協議会が開かれた。すでに定朝が決めていた法隆寺の規則に従えば定胤が後任に選ばれるのが当然のことと見られていた。
しかし、法隆寺の事情はそれを許さなかった。定胤を住職に就任するのには少し早すぎたのである。秦行純、楓實賢、松田弘学、佐伯寛応といった先輩たちの扱いがもっとも大きな課題であったからである。法隆寺の安定を考えれば最年長の秦行純を住職に据えるのが最良の方法であった。そのようなことから秦行純が法相宗管長及び法隆寺住職に選定されている。その決定に寺僧たちに異存はなかった。

定胤はしばらく副住職と法相宗勧学院の院長としての業務に専念することとしたのである。これによって秦行純を筆頭とする新体制ができあがった。

そして定朝の密葬は18日の夕刻に執り行われることとなった。定朝の遺骸は沐浴して八角の棺に納められ、午後7時から密葬、7時40分に出棺。法隆寺の墓地に埋葬した。そして本葬は23日に行うことを決定した。本葬が行われる西園院で準備が行われている。まず西園院のケヌキ門には白布が巻かれ、そこに青竹で新しい門構えが造られることとなった。そのケヌキ門は明治23年に皇后陛下が行啓されたときに新たに造ったものである。それからは公賓《こうひん》が出入りする門となっていたのである。そのため棺を出すことが憚《はばか》られたのである。そのようなことから白布と青竹で新しい門を造ったように見せかけ不浄門としたのであった。これも北畠が指導したものらしい。

本葬儀に参列していた来賓の中には、興福会代表の中村雅真をはじめ真言宗、東本願寺、融通念仏宗、東大寺、唐招提寺などの代表者の顔があった。興福寺、薬師寺の寺僧たちや勧学院の生徒たちは来賓の接待などに奔走している。

導師は西大寺長老の佐伯弘澄が勤めた。佐伯弘澄は定朝とともに真言宗からの独立するために共に助け合った法友であった。位牌には「前法隆寺管主探題大僧正法印定朝大和尚」と記されていた。定朝は法隆寺住職の初代であることから戒名も今までの寺僧たちとは異なっている。それまでは法隆寺の代表者であっても戒名はまず冒頭に自坊の子院名、そして大僧都などの僧階がつけることとなっていた。しかも葬儀は子院として執り行われるものであり、法隆寺の公式の記録には記載されていない。そのようなことから寺僧たちの葬儀はどのような内容であったかも分かっていないのである。

定朝の葬儀はすべてが新しく決められたものであっ

た。戒名も、西大寺の長老が葬儀の導師を勤めたことも、法隆寺葬として執り行ったことも、すべてがはじめてのことである。その意味からも定朝は近代法隆寺のすべてのはじまりであったということになる。

本葬儀が始まると北畠は来賓を代表して弔辞を朗読した。それは定朝の功績を讃えるとともに後継者たちが法隆寺を隆盛へ導くことを希求するものであったという。1時間余りに及ぶ葬儀は無事終了した。そして墓地に向かう葬列は西園院を出発している。会葬者は200名にのぼったという。

法隆寺の墓地は法隆寺から東北にある極楽寺にある。そこには子院ごとに寺僧たちの墓が寄り添うように建てられていた。しかし定朝の墓は自坊の中院の墓地ではなく、まったく新しい場所が選ばれていた。

そこからは法隆寺の五重塔が一望することができた。やがて五輪塔が建てられた。百年後でも定朝の墓地からは法隆寺の伽藍がはっきりと望める。

現在では法隆寺近代の祖である定朝の功績を知る人は少ない。しかし法隆寺がこの世に存在するかぎり定朝を除いて法隆寺を語ることはできないのである。それほどに定朝の遺業は偉大であった。

『高僧品評伝』は定朝のことを、つぎのように評している。

「師の学徳資性才幹共に衆に卓越すること数等にして人々之を凌ぎ之れに駕せんと欲するもの又得べからざるものあり」

そして定朝が抱いていた大いなる夢の一つひとつが一世紀後に実現をすることとなったのである。おそらく定朝は墓地から移り変わりゆく法隆寺の姿をじっと見守っていることであろう。そして平成10（1998）年3月17日に法隆寺近代の祖である定朝の百回忌を迎えた。その法要には西大寺、興福寺、清水寺などの縁深い寺院や来賓の参集のもとにその遺徳を偲《しの》んだのである。

65

法隆寺の墓地——葬送の門や地名残る

法隆寺の東大門を出てすぐに北へ向かうと築地に沿った古い小道がある。その道を北へ進むと天満池の堤に突き当たる。この池を猪那部池《いなべのいけ》とも呼ぶ。その池の東に天満宮（斑鳩神社）が建っている。この天満宮は天慶年間（938－947）に法隆寺別当の湛照が勧請したという。その旧地はわかっていないが、元亨4（1324）年に北西の山麓辺りから現在地に移したと伝える。

その山麓の近くには「天満坂往復道」という参詣道があったとする記録もある。天満池の東には極楽寺と呼ぶ法隆寺の末寺（近年まで本堂や庫裏があったが、焼失して現存していない）がある。それを千日堂ともいう。

この極楽寺は貞和4（1348）年に唐招提寺長老の覚尭が結界（僧が過ちを犯すことなく戒律を保てるように一定の区域を区切ること）をしたと伝える。その由来について明記したものはないが、覚尭が結戒をする以前から法隆寺の末寺として、唐招提寺系の律寺であったらしい。その後の沿革は定かでないが、天文2（1533）年には貞誉という浄土宗系の僧が再興したという。

その極楽寺の西と北には墓地が隣接している。法隆寺の寺僧たちの墓所はそのほとんどが北端にあり、南は興留、五百井、服部、西安堵、東安堵、法隆寺、目安、高安、幸前などの住民墓地となっている。古くは18カ村の惣墓《そうばか》であったという。なお、墓地の中では寺僧と近郷の人びとの墓が入り交じっている所もあり、その領域は完全に分離していない。そこには室町時代の年号を刻んだ名号板碑や背光五輪碑などが現存しているが、この墓地の起源を示す古い石碑などはない。

ところが文和3（1354）年に他界した法隆寺の一臈《いちろう》法印（代表者）の湛舜という寺僧の葬送のことが、『嘉元記』に記されている。それによると「天満宮の北浦にある供養法田の南畠の中に葬った」という。その場所は極楽寺の周辺らしく寺僧の遺体を埋葬した場所を伝える貴重な資料でもある。この極楽寺の近くには古くから荼毘所《だびしょ》（火葬場）があった。それは現在にも踏襲されており、斑鳩町営の火葬場が建っている。

なお、かつてこの極楽寺は遺骸の埋葬地であるとともに、処刑した罪人をさらし首にする刑場としての機能も果たしていたらしい。この極楽寺の墓所に対して法隆寺の上御堂の北浦辺りからも古い骨壺が出たこともあった。かつてその骨壺の一つを見たこともあったが、いずれにしても40年ほど前のことであり、はっきりとした記憶はない。

ところが平成16（2004）年ごろにその近くで発掘調査が行われ、奈良時代ごろの火葬墓が見つかったと聞く。その周辺には烟出《けむりだし》とか、土壇《どだん》といった字名がある。おそらく烟出は荼毘の烟が立ちのぼった場所に由来する地名であろう。そして土壇は荼毘に関する施設があったのかもしれない。それに関連して、法隆寺にはつぎのような伝承（要旨）がある。

「西院伽藍を創建してから、まもなくその北浦に寺僧や法隆寺の関係者たちの墓地を設けられることとなった。火葬のときに煙が出たので人びとは烟出と呼び、また土壇は、亡くなった寺僧たちを荼毘に付す施設があったのではないだろうか。永禄12（1569）年に松永久秀と筒井順慶が法隆寺の南にある並松の付近で戦ったという。そのときに久秀は順慶を討ち果たすべく法隆寺の近くまで出陣して軍勢300騎を法隆寺の境内に潜伏させたと伝える。その場所が北浦の墓地であった」

このとき久秀によって北浦の墓地が著しく破壊されたという。その2年前の永禄10（1567）年4月にも順慶と戦ったときに久秀は天満山に陣取ったと伝える（これらの年代は寺伝による）。

このような危機に直面した法隆寺では奈良時代の高僧であった行信の真筆と伝える「大般若経」を用いて「大般若経転読会」を厳修している。この経による転読は古くから法隆寺が危機に直面したときにその安全を祈って読誦《どくじゅ》するものであった。

このとき久秀が陣を置いた天満山は極楽寺墓地の南に隣接する天満宮であったらしい。その地は高台にあって戦況を一望するのには最も適していたのであろう。

なお、すでに紹介した天満池の西方には烟出と呼ぶ地域が広がっている。また天正年間に龍田領主となった片桐且元が法隆寺周辺の池を新たに築き、天満池などの修復や拡張工事を行ったという。そのときに烟出などにあった石塔を池の石垣に転用した可能性は高い。やがて北浦の墓地は消滅し、極楽寺が法隆寺の唯一の墓所となったのかもしれない。おそらく北浦の墓地は忘れ去られて山林と化したのであろう。そして、わずかに烟出とか土壇といった地名だけが残ったのではないだろうか。

そのようなことから山林が農地として開墾されたときに骨壺が掘り出されることもあったのかもしれない。いずれにしても、この墓所は法隆寺の歴史上から完全に消え去ったのである。しかしこの墓地には西院伽藍の創建に関わった寺僧たちや関係者が葬られている可能性もあり、ぜひともその周辺を整備して厚く供養をされることを願うのみである。

なお、この墓地に関連して寺僧たちの葬儀について触れておきたい。古い時代の葬儀に関する資料は確認していない。先ほど紹介した湛舜の遺体も埋葬したとするだけで葬儀の内容についてはわかっていないのである。『嘉元記』によると、暦応2（1339）年に疫病が流行したときに東室で実願という寺僧が死去したことがあった。それまでは東室や西室、北室の三面僧房で寺僧が他界する例はなく、それは未曽有のことであった、と記している。おそらく死期が近づいた寺僧たちは墓所近くにあった死を待つ庵のような施設へと移された可能性もある。

なお、寺僧の葬儀はあくまでも私事として取り扱ったために法隆寺の公式記録には記されていない。とくに法隆寺の寺僧は葬儀を執り行うことはなかったのである。その慣例は現在まで受け継がれている。なお、古くから寺僧の遺体を運び出す門として西大門北脇の大垣の中に小さな潜り門がある。『古今一陽集』には「西大門北に不浄の小門あり。葬送の門なり」と記されている。

現在でも山内の住人たちに不幸がある場合には、その葬送の小門から棺を運び出すこととなっている。けっして南大門や東大門、西大門から出すことはない。また明治時代からは寺僧が死去したときに法隆寺の境内末寺であった北室院の律僧たちが葬儀の導師を勤めている例もある。その慣習がいつごろまで遡ることができるのかはわからないが、法隆寺周辺の律僧たちが葬儀を執り行っていた可能性は高い。これらのことも今後の新しい資料の発見によって解明されることを期待したい。

66　寺門の安定に向けて――信徒総代の起こり

千早定朝の遷化にともなって秦行純が法相宗管長と法隆寺住職に就任した。その行純に次ぐ地位にあった楓実賢が京都清水寺の住職に就任することとなる。それにともなって松田弘学が執事、佐伯寛応が寺務長などにそれぞれ就任している。これによって佐伯定胤の先輩たちの処遇がなされたことになる。とくに定胤の法兄である寛応が法隆寺住職に代わって寺務を総括する地位につくことによって法隆寺は安定したのである。これによって行純を中心とする新体制が整ったのであった。

その時期に薬師寺からの一つの要請が法隆寺に寄せられた。それは、しばらく薬師寺の住職を行純に兼務してほしいというものであった。そのころ薬師寺の副住職には明治31（1898）年に慈恩会《じおんね》の竪義《りゅうぎ》を遂業していた寺田亮遍が就任していたが、薬師寺内の何らかの事情で後任住職に推挙されていない。その「兼務住職願」（明治32年6月24日）には「山内に住職の相当する人体がなく、東塔の大修理中でもあるので是非とも兼務してほしい」という趣旨が記されていた。それには副住職の寺田亮遍と塔中総代橋本隆遍や信徒総代が連署している。それによって行純がしばらく薬師寺住職を兼務することとなる。

そのころ興福寺では25歳という若さで大西良慶が住職に就任している。これから興福寺は良慶を中心として樋口貞俊、板橋良玄、佐伯良謙といった新進の寺僧たちが復興のために尽力することとなった。法隆寺では定朝の後継と見られていた定胤が、しばらく法隆寺副住職と法相宗勧学院の院長として学徒の育成に専念している。その定胤が明治34（1901）年10月15日付で薬師寺の住職に就任することとなったのである。

それは法相宗内のバランスを保つ意味から興福寺住職の良慶よりも一足先に法相宗の管長に就任する必要があったらしい。そのために定胤は本山の一つである薬師寺の住職に就任したのである。そして翌35年9月23日から定胤が興福寺住職の良慶より一足早く法相宗管長に就任している。ところが、しばらくして法隆寺では不祥事が相次いで起こったのである。

明治36年3月4日に綱封蔵の国宝金銅観音立像3体が盗難に遭ったり、5月には法隆寺裏山の山林伐採が表面化することによって保安林法令違反の嫌疑が浮上したりすることとなる。これは法隆寺が役所の許可を得ないで山林の伐採をしたという事件であったらしい（詳しい内容は判っていない）。役所に無断で山林を伐採したことに対して役所から法隆寺が叱責されることとなったのである。

このような状況を察知した定胤は、法隆寺住職に対して副住職や西園院住職の辞職願を提出している。これによって定胤は法隆寺としばらく距離をおいて、薬師寺の専任住職となったのである。これには法隆寺の将来を託していた定胤に傷がつくことを恐れた配慮がはたらいているらしい。

これも北畠治房の配慮と指示によったものであろう。しばらくして住職の秦行純や執事の松田弘学、法隆寺の寺務を委任されていた佐伯寛応などもそれぞれ総辞職することとなる。やがて保安林法令違反問題などが一段落したことによって定胤は5月22日に法隆寺住職に就任している。なお、この山林伐採の真相については今後の新しい資料によって解明されることを期待したい。

いずれにしても、このような背景のもとに定胤は法隆寺住職・薬師寺住職・法相宗管長をはじめ法相宗勧学院院長として法相宗の隆盛と法隆寺や薬師寺の復興に尽すこととなる。とくに定胤が法隆寺の住職に就任した明治36（1903）年の6月1日から新しい法隆寺の寺法を施行することとなった。それには法隆寺を復興しようとする定胤の熱い思いが込められていた。その「法隆寺寺法」の第六条には、つぎのように規定している。

「第六条　大本山法隆寺は法相宗根本の道場なるを以て法相宗を正依となすは永く動すへからさる処とす」

これからも明らかなように、定胤は法隆寺住職への就任したときに改めて法相宗が法隆寺の根本教学であり、永遠に変わることがないことを内外に宣言したものであった。法相教学の学匠として、改めて強い意思表示をしたのであろう。このように法隆寺が法相宗の根本道場であることを確認した定胤であったが、昭和25（1950）年に法相宗からの離脱を宣言して新しい聖徳宗を開くこととなる。

なお、明治の30年代ごろから信徒総代と呼ぶ人たちが寺務の運営に関わってくることが多くなる。その信徒総代について少し紹介をしておきたい。

法隆寺などの古い形態を留める寺院には檀家とか信者とかいう組織は存在していない。法隆寺の管理はすべて学侶と呼ばれる僧侶たちによる集会によって決定することが明治元（1868）年までの制度であった。

そして明治2年における法隆寺の寺法の大改正によって堂方や承仕といった僧侶も学侶に推挙されて寺門の管理に当たることとなり、役所へ提出する書類には新たに設けられた法隆寺住職と塔中寺院（子院）の代表者たちが連署している。

ところが明治14（1881）年9月に大阪府知事建野郷三から一つの指令が寄せられた。それは社寺から役所へ願書を提出する場合には必ず神官や住職とともに氏子や檀家の総代たちが連署で提出するように、とする内容であった。これは僧侶や神官の個人の財産と寺院や神社所属の財産を明確にしようとする含みもあったらしい。そのころ神仏分離令によって廃止した寺院も多く、その什物などがちまたに流失して僧侶たちが所蔵しており、寺院所属と個人所蔵の区分が不鮮明になっていた時代である。そのようなことから僧侶や神官たちの私物と社寺の公物とをはっきりするように、との意味を含んでいたという。

それに対して法隆寺では古くから檀信徒という組織がないので、新しい制度である信徒総代を選出するまでの期間は、法隆寺住職と塔中寺院の代表者が連署で公文書を提出することを届け出て、役所の了解を得ている。

「当寺（法隆寺）義は往古より檀家或は信徒等これなきにつき、右信徒総代取定め候迄の処　山内塔中総代にて連署仕り候間この段下紙を以って御断り申し上げ候也」

ところが寺僧の減少と秦行純や佐伯定胤など法隆寺周辺の出身者がはじめて法隆寺住職に就任したころから法隆寺を維持運営するためのアドバイザーとして信徒総代（法隆寺周辺の人が多い）の存在がクローズアップされることとなる。

67

百済観音にまつわるなぞ①——名称、そして宝冠

百済観音像（クスノキ材、像高209センチメートル）は飛鳥時代を代表する長身の美仏として人びとを魅了している。とくにその柔和な面立ち、軽やかに差し出した慈悲深さが漂う右手、そして水瓶を持つ左手の指の美しさは魅力的である。

ところが不思議なことにその伝来や名称の起源などを記したものはない。天平19（747）年の『法隆寺伽藍縁起并流記資財帳』をはじめ、『金堂日記』『太子伝私記』などの資料にも見られない。はじめて登場するのは元禄11（1698）年の『和州法隆寺堂社霊験并佛菩薩像数量等』である。

それには広大無辺の功徳や知恵によって人びとの願いをかなえる虚空蔵菩薩像と呼ばれていたとする。しかもその像は金堂に安置して日夜灯明を捧げていると

あり、インドで造られ百済を経由して伝わったとする伝承を付記している。ところがそれ以後の記録には「天竺より渡来」とか「異朝将来の像」と記すだけで百済という字句は消えている。

おそらく、慈悲深く尊い仏さまであると感じた寺僧たちが、日本仏教の故郷である百済と結びつけようとしたことによって、このような不可解な表現となったのかも知れない。しかし、日本で造られたとする説が定説化しており、百済やインドからの渡来仏とする説は否定的である。その製作年代については救世観音像にやや遅れる7世紀後半とするのが一般的である。

なお、その名称は元禄11年から「虚空蔵菩薩像」と呼ばれていたが、明治19（1886）年に岡倉天心らによる宝物調査のころから「朝鮮風観音」とする呼称が登場する。明治24年8月1日に臨時全国宝物取締局が発行した「監査状」にも、つぎのような呼称と評価を記している。

「観音像（伝朝鮮作）乾漆　丈七尺　壱体　優等にして美術上の模範となるべきもの」

この評価は「優等にして美術上の模範として要用なるべきもの」とする救世観音像など最高の評価を受けた仏像につぐ二級的なものであった。現在では救世観音像と百済観音像にはそのような評価の差は聞かない。

このように時代と人によって評価は異なるものであることを示している。明治25年に鳥居武平が奈良県下の優等物品を調査した『優等物品集録』には「韓式観音」と記載している。「韓式観音」の呼称は鳥居武平の発想によるものかもしれない。その翌年の3月に法隆寺が作成した『法隆寺寺院什宝明細帳』にも「朝鮮風観音」と記載している。そのころ法隆寺の宝物台帳は天心たちの調査目録を参考にして作成していたらしい。

このように記すたびに名称が異なるのは、この像の正式名称が決まっていなかったことを示している。ところが、明治30（1897）年6月に、奈良帝国博物館へ出陳した目録には「観音」とだけ記載されている。なお、国宝の指定を受けた明治30年12月28日付の指定書にも「観世音菩薩乾漆立像　一躯　伝百済人作」とある。ここでは不思議なことに百済の人が造ったとする伝承がはじめて登場する。

これに対して明治38（1905）年に法隆寺としては「虚空蔵菩薩木彫立像・百済将来・天竺人作」とする名称変更願書を奈良県知事宛に提出したが却下されている。なお、そのころから「木造観世音菩薩像」が正式名称となり、虚空蔵菩薩の名称は姿を消しつつあった。特に奈良帝室博物館に出陳したころから一部の人びとによって「酒買観音」と呼ばれていたという。おそらく左手に水瓶を持っていることから、誰かがそのような愛称で呼んだらしい。

　ところが明治44（１９１１）年に法隆寺の土蔵から一つの古い宝冠が発見された。その宝冠の中央には阿弥陀仏が彫られており、これを付けていた仏像は観音像であったことが明らかとなった。しかもその宝冠の大きさがこの観音像とほぼ一致したという。

　そのときの『法隆寺日記』（2月11日）には、つぎのように記されている。

「過日（2月9日）土蔵より発見したる推古式金具中透彫金物の宝冠を試みに金堂内虚空蔵菩薩に擬するにその模様様式全然同像のものなるに似たり。然るにこの宝冠中に弥陀仏の像在ます。されば矢張り此の像は観音菩薩なるを証するに足る。虚空蔵と曰うは寧ろ後世の謬傳に非るか。尚研鑽を要す」

　この宝冠の発見によって法隆寺でもようやく虚空蔵菩薩像の名称を観世音菩薩像と改めるざるを得なくなった。しかし、それは法隆寺として完全に観音像であることに同意をしたのではなく「尚研鑽を要す」と少し未練的である。おそらく法隆寺として虚空蔵菩薩像であってほしいという気持を捨てきれなかったのであろう。そして、いよいよその宝冠を観音像に取り付けることとなった。

　ところがその宝冠を取付けるための鋲《びょう》がなかったのである。そのために宝冠を付けるための新しい鋲を作る必要に迫られたという。やがて鋲を新しく作ったとする記録も忘れ去られ、現在、取付けられている鋲飾も古い青色のガラスであると考える研究者も多いと聞く。

　私は平成8（１９９６）年から百済観音堂建立勧進の講演会を全国で行ったとき、青色の鋲飾の形状が夢殿の救世観音像の宝冠に附属する円錐形の飾りガラスに極めてよく似ていることに気づいたのである。そして、『法隆寺日記』の中に、つぎのような記事があることを発見した。

「（明治44年10月5日）過日出陳の虚空蔵菩薩の宝冠の金具御尊体に取り付に付、鋲製作せしむべく、就ては右は夢殿秘仏の宝冠のものに模擬然るべし」

　この記事によって観音像に付属している宝冠の鋲飾は明治44年に救世観音像のものを参考に新しく模造したものであることが明らかとなった。

いうまでもなく百済観音像と救世観音像の造像形式や宝冠の様式がまったく異なっているのに鋲飾だけが同じ形式であること自体が極めて不自然でもある。しかしそのことを指摘した研究者の声を聞いたことはない。

なお、この百済観音像に付けられている宝冠の鋲穴と中宮寺の如意輪観音像の頭部に遺る鋲穴とがほぼ合致するとの見解もある。

はたして、この宝冠が百済観音像のものなのか、あるいは別の仏像のものではないか、といった謎を含んでいることをここに提起しておきたい。

68 百済観音にまつわるなぞ②——どこから来たのか

百済観音像という名称が付けられた時代や由来を記した資料を見たことはない。宝冠を発見した明治44（1911）年のころでも虚空蔵菩薩像とか観世音菩薩像と呼んでおり、百済観音像の名前は見られない。ところが最近、明治36年の6月に国華社から法隆寺宛に提出した『国華』に掲載する宝物のリストに「百済観音」とあるのを発見した。これが現時点でわかっている、百済観音像と呼ぶ最も古い記録である。そして大正6（1917）年2月に発行した『法隆寺大鏡』の解説には、つぎのような記載がある。

「金堂　木彫着色観世音菩薩立像　本像寺伝一に百済観音といひ、又台座に虚空蔵菩薩の銘記あるに依りて、一に此称を正しとするが如くにも伝へられたり。されど数年前本像附属の宝冠の新に発見せらるるに及び、正面の化佛は明らかに観音の形相を示現せり」

ここに、はじめて法隆寺に「百済観音」と呼ぶ寺伝が登場する。しかし、不思議なことにこれまで調査した法隆寺の史料には百済観音像と呼ぶ記録はない。もし、大正6年に、そのような寺伝があったとすれば明治30年代から『大鏡』を発行する6年余りの期間に一部の人びとに呼ばれていたということになる。そしてこの『大鏡』発行から2年後の大正8年に、和辻哲郎は、その名著『古寺巡礼』の中で百済観音像が奈良帝室博物館に出陳をしていたときの様子を紹介している。

「数多き観音像、観音崇拝─写実─百済観音
推古天平室に佇立したわたくしは、今さら、観音像の多いのに驚いた。
聖林寺観音の左右には大安寺の不空羂索観音や楊柳観音が立っている。それと背中合わせに。これは虚空蔵と呼ぶのが正しいのかも知れぬが、伝に従ってわれわれは観音として感ずる。その右に立っている法輪寺虚空蔵は百済観音と同じく左手に澡瓶を把り、右の肱を曲げ、掌を上に向けて開いている。これも観音の範疇に入りそうである」

このように和辻が紹介したことによって百済観音像の名称が人びとに浸透することとなる。その事例から見ても寺伝とか伝承の中には、信憑性《しんぴょうせい》に乏しいものも多いことを示している。

たとえば、明治28（1895）年の『法隆寺伽藍宝物目録』に、つぎのように記されている。「虚空蔵菩薩抹香像・小野妹子将来」と。ここに、はじめて遣隋使の小野妹子が将来したものとする説が登場する。これは唐突に新しい寺伝が作られた例である。

しかし寺伝や伝承をすべて否定するものではない。その中には注目に値するものも多いことにも留意しなければならないからである。とはいえ、少なくともこの像に関するかぎり、伝承には一貫性が見られず、古くからこの像の由来が不明確であったことを示している。

この機会に虚空蔵菩薩と呼んでいた理由に関する2つの見解を紹介しておきたい。まず『南都十大寺大鏡』の解説者は、この像を修正会（吉祥悔過）の本尊の一つとしたために虚空蔵菩薩像に改めたとしている。それに対して、内藤藤一郎（『百済観音の新研究』、昭和12〈1937〉年）は、救世観音・如意輪観音と並んで虚空蔵菩薩が聖徳太子の本地（本体）として崇ばれたことから虚空蔵菩薩としたとする説を提起している。

この2つの説に対して、私はあえて前者の説を支持したい。もし後者の説ならば、もともと観音であったものをわざわざ虚空蔵菩薩に改める必要がないからである。古くから太子を観音の化身として信仰していることから観音のままでよいことになる。この像を金堂に安置して、修正会の本尊の一つとしたために、あえて宝冠をはずして虚空蔵菩薩としたとすれば、一応の理由はつく。しかし、この問題も解決する資料に乏しいのが現況である。とくに元禄7（1694）年ごろからは伽藍の堂塔と仏像などの修理を盛んに行っている。その修理のときに宝冠をはずしたので、それを法

隆寺内の土蔵に保管していたと推測することも可能となる。しかし、これも一つの推論に過ぎない。

いずれにしても、この像のことが『法隆寺資財帳』などに記載されていないことから、後世に他の寺院から移遷したと見る説が最も有力である。それに関連して『大鏡』の解説者は、橘寺からの伝来説を提唱している。内藤藤一郎は『金堂日記』の中大厨子の上階には小仏46体（うち木仏1体）を安置し、下階に橘寺小仏44体を安置していることを記しているので、像高7尺余りの長身像を厨子の上階に納めることは不可能であるとして、橘寺伝来説を根拠のない説と退けている。

それに対して私は、一つの試みとして「中宮寺将来説」を提起したい。それは、『古今一陽集』の「東之部・伝法堂の条」の記載に注目したからである。

「私云う、古老曰く、佛頂に華蓋を覆えり、此の蓋は中宮寺の伽藍の蓋也。其外に古佛餘多これ有り。彼の尼寺荒廃の時、本寺たるに因って、當寺へ移し容れる也」

ここに記している「古仏余多」の中に、この像を含んでいるとする確証はない。古くから法隆寺の末寺である法起寺、定林寺、妙安寺などから宝物を移納した可能性も考えられるが、それを立証する史料には乏しい。しかし伝法堂の天蓋のような大きなものを移していることから推測すれば、中宮寺から移納した可能性は高くなる。しかしここではあくまでも中宮寺からの移納説を提起しておくこととしたい。

すでに述べたように法隆寺の記録にこの像が登場するのは元禄11（1698）年であった。そのときから金堂内陣の後方で北向きに安置していたらしい。昭和16（1941）年に大宝蔵殿が造立されるまでは、金堂内陣の釈迦三尊像の後方に橘夫人厨子と並んで北を向いて安置していたのである。明治5（1872）年撮影の横山松三郎の写真をはじめ、昭和初期ごろに撮影した写真にも橘夫人厨子の東側に北向きに佇立する姿が見られる。

このように、記録に登場してからは金堂内陣の後方に客仏（他所から移ってきた仏像）として仮安置しており、明和4（1767）年の法隆寺開帳のときからは大講堂へ移していたとする記録がある。それは参拝者に広い殿堂でゆっくりと拝観をしていただくためであったらしい。このように安置場所を変えるということは、古くから金堂に付属する仏像ではなかったことを意味するのかもしれない。

いずれにしても長身の仏像であるから、造顕されたころには、さぞかしこの像にふさわしい殿堂に安置されていたことであろう。そのようなことから私は全国を行脚して多くの人びとからの浄財とご協力をいただいて平成10（1998）年に「流浪の仏・百済観音」の安住の地である百済観音堂を建立したのであった。

69 仏像の修理——明治期から続々と

明治30（1897）年に文化財保護行政の第一歩として「古社寺保存法」が公布された。それによって仏像の修理なども本格的に行われることとなる。それは岡倉天心が日本美術院を創設して、新制作の部門と文化財の修復の部門が発足したことによって仏像の修理が大きく前進したという。とくに天心の薫陶を受けた新納忠之介を修理の総責任者として古社寺の宝物修理が明治30年から着手されている。

　奈良で修理を受けた仏像としては、明治34年の東大寺三月堂の不空羂索観音像などが最も古い。興福寺の阿修羅像も翌明治35年に修理している。

　法隆寺の修理は明治36（1903）年から始められた。まず聖霊院のご本尊である聖徳太子坐像とその眷《けん》属《ぞく》像の修理が行われている。このときに太子像の体内から銅造救世観音菩薩像や納入品が確認されたが、その修理の記録は公表されなかった。そのようなことから昭和60（1985）年に再び太子像を修理したときに体内仏などをはじめてご開帳することを決意した。そして多くの人びとに参詣していただき大きな話題を呼んだことは記憶にも新しい。

　なお、この太子像の修理から法隆寺の仏像修理が集中的に実施している。明治38（1905）年からは、夢殿救世観音像・百済観音像・金堂四天王像・金堂天蓋・西円堂薬師如来像・玉虫厨子など、法隆寺を代表する寺宝のほとんどを修理した。私たちが拝観している仏像の姿のほとんどはこのときに新納の指導によって修理を受けたものである。

　残念ながら、これ以前の仏像の修理に関する資料はほとんど残っていない。夢殿の救世観音像が明治38年までに3回余りの修理を受けていると考えられている。

それは昭和63（1988）年に行われた救世観音像の修理のときに、体内に遺《のこ》る釘から推測をしたものである。おそらく、この百済観音像をはじめとする仏像もたびたび修理を受けていた可能性は高い。特に百済観音像は救世観音像よりも多くの修理を受けているはずである。

それは、この像が永らく流浪の旅を続けていたことから破損が著しかったと考えられることによる。それを裏付けるように明治5（1872）年の横山松三郎や明治20年の小川一真、明治末年の工藤利三郎が撮影した写真をはじめ、明治38（1905）年の修理の直前に模刻されたドイツ・ベルリンダーレム博物館内民俗博物館所蔵の模像からも、その破損状況をうかがうことができる。

私たちは、堂塔でも仏像でも昔の姿をそのままに伝えているとの錯覚をしていることが多い。しかし、いくら素晴しい建物であっても、美しい仏像でも造られたままの姿では伝わることはほとんどない。すでに紹介したように百済観音像は明治44（1911）年には発見した宝冠を付けるようになり、この1世紀ほどの間にその姿は大きく変化した。おそらく、現在のような美しい百済観音像のお姿を拝観したのは20世紀以降の人びとだけかもしれない。

なお、明治38年に百済観音像は修理のために出陳していた奈良帝室博物館からしばらく法隆寺へ返還されることとなった。このとき法隆寺から日本美術院へ引き継いだときのことが明治38年の『法隆寺日記』に、つぎのように記されている。

「第二期国宝佛像修理着手に付金堂内四天王虚空蔵并四体撥遣法要執行。（中略）午後主任新納氏等立会の上、夢殿安置行信僧都坐像、金堂四天王立像、虚空蔵立像六軀修繕員へ引渡し了る」

これにも法隆寺では虚空蔵菩薩像と呼びたいとする強い意向を感じる。この修理のときの補強材にもそのときの住職が虚空蔵菩薩と墨書したという。これも法隆寺としてささやかな抵抗をしたものといってよい。翌明治39年8月に百済観音像の修理が完成して再び日本美術院から法隆寺へ引き継がれることとなった。そのときの書類にも「観世音菩薩立像・壱軀」と記載していた。これを受け取った法隆寺では観世音菩薩像の横にわざわざ「これは虚空蔵菩薩の事なり」と朱で補筆をしている。

なお、この百済観音像の魅力とその模造について、美術史家として名高い矢代幸雄の『嘆美抄』（昭和45年、鹿島出版会）に、つぎのような記載がある。

「この法隆寺の百済観音像を非常に愛好する外国人は、世界になかなか多いので、大英博物館が造らせた実大模造よりも、もっと古い時代に造られた模造も多少あり、私はベルリンの東洋美術館にも、明治年間に造られたかと思われる立派なおそらく実大らしい模造を陳列してあることを知っている。（中略）とにかく、欧州の代表的大美術館ロンドンとベルリンとの二個所に、別々の時期に作られた実大の丁寧なる模造が常置陳列されていることは、日本彫刻のうちに他に例のないことで、いかに百済観音の優れたる美と威厳とが、全世界の人心に博く浸透する性質を具えているかを、最も明らかに立証する、と思われる」

矢代が紹介している大英博物館の模像は昭和5（1930）年に日本美術院の新納忠之介が造ったものであり、後者は明治38（1905）年に田中文弥という仏師が造った模像を指す。矢代も記しているように百済観音像の魅力は人種国境を越えて多くの人びとを魅了する普遍的な性質を含んでいるのかもしれない。

平成8（1996）年9月、橋本龍太郎総理大臣とフランスのシラク大統領との日仏首脳会談の合意に基づいて、両国を代表する宝物を1点ずつ選んだ相互交換の展覧会を開催することが決定した。そのときに日本を代表する宝物として百済観音像が選ばれたのである。

そして、翌年の9月に百済観音像はパリ・ルーブル美術館のナポレオン3世時代の宮殿ホールでフランスの人びとに披露されることとなった。

そのオープニング式典がシラク大統領の臨席のもとに、裏千家千宗室（後の玄室大宗匠）によるお献茶と開白法要が厳粛に行われた。そのとき私がその導師を勤めさせていただき、大統領に百済観音像の説明をする光栄に浴したのである。

なお、10月4日には「フランスにおける日本年」の記念として百済観音像とパリ日本文化会館を合わせてデザインした切手がフランス郵政省から発行されていると聞く。フランスで日本をテーマとした切手の発行は始めてのことだという。そしてフランスの人びとは百済観音像を日本から美しい女神が来た、と賞嘆したという。この日仏両国による相互交換展を開催するという合意によってフランスからはドラクロワが描いた「民衆を率いる自由の女神」が東京国立博物館で公開されたのであった。

70 百済観音像の模像——新納忠之助が3体

百済観音のお身代わり像（模像）が東京国立博物館とイギリスの大英博物館に所蔵されていることはよく知られている。

しかし記録に残る最も古い模像は、パリ万博に出陳しようとした縮像であるという。明治32（1899）年に東京の飯島成渓という彫刻家が、パリで開催する万国博覧会へ百済観音の縮像を出陳したいとする模像の許可依頼を法隆寺へ提出している。その要請に対して、法隆寺が同意をした書類は残っているが、はたして縮像を造って出陳したのかどうか、はわかっていない。

つぎに古い模像としてはドイツ・ベルリンダーレム博物館内民俗博物館にある百済観音像である。それは明治38（1905）年に奈良帝室博物館からの紹介で、京都の仏師田中文弥が模造したものである。

その制作についても法隆寺はすぐさま同意をしている。ところが日本美術院主任の新納忠之介から異議が申し出されたのである。それは模像を担当する田中文弥は国宝を模造する仏師としてはふさわしくないのではないか、とするものであった。そのときの事情は『法隆寺日記』につぎのように記されている。

「模造希望者独乙人より托せられし仏工は京都田中文兵衛なる由同人は唯た営利的仏工にして到底日本美術国宝品模造として憚るべき完全なる成作を見ること能わず。現に模造せし山城広隆寺国宝仏像を見て知るべし。殊に法隆寺国宝観音立像の如きは天下無比の貴重品にして斯くの如き仏工をして模造せしめては他日帝室博物館のみならず広邦家の体面に関する次第宜しく熟考相成度旨注意を促さる」

このような新納の意見の影響を受けて、法隆寺としては百済観音像を修理する期日が迫っていることを理由に模像の制作を断ることとなる。

それに対して博物館からは、たびたび許可要請が寄せられていたが、ついに法隆寺が同意を渋っている真相を知った博物館は新納と直接に話し合っている。やがて、この模像の件は博物館の説得で新納の承諾を得ることとなり、法隆寺としても正式に同意をしている。これによって6月27日付で、1カ月という条件で模像の許可をすることとなった。このとき博物館と新納との間でどのような話し合いが行われたのかはわからない。おそらく新納は自論を展開する一幕もあったことであろう。天心の強い薫陶を受けた新納は仏像彫刻に対する自信と薩摩人らしい向こう意気の強い一面をうかがわせる逸話でもある。

その模像は田中文弥によって7月28日に完成している。この1カ月という期間は模像を造るのには、信じられないような短期間である。そのとき百済観音像は博物館に出陳されていたため、作業は博物館内で行なわれていた。

なお『(仮称)仏師田中文弥回顧録』にも、つぎのように記されている。

「俗ニ酒買観音(百済観音のこと)ト云。(明治三十八年)七月廿八日ヒル迄に出来候也」

おそらく法隆寺が正式に許可するまでに、すでに博物館の指導のもとに模像の作業を始めていた可能性は高い。そのために博物館としてはどうしても法隆寺の同意を必要としていたのであろう。やがて、完成とともにドイツのベルリンの帝室博物館へ送られている。

幸いその像は第2次世界大戦の戦火をくぐりぬけて著しく破損はしているもののドイツ・ベルリンのダーレム博物館内の民俗博物館に現存していたのである。

そのようなことから、平成9(1997)年9月に私はこの模像と対面することができた。当然のことながら、この像には明治44(1911)年に発見した宝冠は着けていない。なお、明治40年には再び奈良帝室博物館の紹介で、ドイツのキイル市の東亜美術館へ陳列するために金堂の四天王像2体と五重塔の羅漢像の模像が田中文弥によって造られている。

次にイギリス大英博物館にある模像が作られたときの記録を紹介しておこう。昭和5(1930)年1月に、在日英国大使館のジョン・テイリー大使から法隆寺住職宛てに1通の書翰《しょかん》が届けられたことに始まる。

それには百済観音像を模像したいという要請が記されていた。このイギリス大使からの丁重なる書状に対して法隆寺はすぐさま同意をしている。この模像は百済観音像の修理を指揮した新納が担当することとなった。イギリス大使館からの正式の要請書が法隆寺へ提出されるまでにすでに新納から法隆寺へ内々の同意を求めていたらしい。新納としても生涯の代表作として入念に作業を進めたことであろう。木材も島津家山林の樟《くすのき》を伐採している。そして模像の作業は法隆寺の上御堂で行なわれ、約6カ月を要した。

この模像は、その年の11月30日に完成し、しばらく金堂内に安置してからイギリスへ送られている。

なお、この模像とは別に新納はもう1体の百済観音像（ラワン材）を造顕することとなった。百済観音は大英博物館の百済観音とは別にもう1体の模造を新納忠之介の監督のもとに主として鷲塚與三松が制作したものがあったことがわかる。模造に着手した時期を示す記録は現在のところ見当たらないが昭和7（1932）年3月5日に模造作業が完成したことがわかる。そして法隆寺としては後日のために宝冠の金具に模造であることを彫ることを要請している。その模造は昭和8年に東京帝室博物館が新納忠之介から3420円で購入している。

これ以外にも百済観音の半身像がある。この模像の存在については野島正興著の『百済観音半身像を見た』の中で詳しく紹介されており、それには名古屋市昭和区にある龍興寺が古美術商から購入したものという。しかも、その台座の裏には、つぎのような朱書がある。

「法隆寺・昭和七年十一月・百済観世音像半身模造・日本彫人・古拙・新納忠（花押）謹刻」

なお、この機会に新納が百済観音像を模刻したリストを紹介しておきたい。①大英博物館像は昭和5年11月末日に完成　②東京国立博物館像は昭和7年3月5日に完成　③龍興寺像は昭和7年11月に完成

このように新納が制作した3体の百済観音像はそれぞれ個別の目的によって制作したものであることがわかる。とくに龍興寺像は新納が生涯の思い出として、つねに自分の傍近くに置けるように半身像とした可能性が高い。

71　百万塔の譲渡——復興へ苦悩の決断

天平宝字8（764）年9月に太政大臣であった藤原仲麻呂（恵美押勝《えみのおしかつ》）が反乱を起こした。これを「恵美押勝の乱」と呼ぶ。やがて孝謙天皇がその乱を鎮圧したときに『無垢浄光大陀羅尼経』の趣旨に従って弘

願を発して、高さが4寸5分（約13・5センチ）、径が3寸5分（約10・5センチ）の木造の三重小塔百万基を完成させた。その内部には陀羅尼《だらに》が収められている。『無垢浄光大陀羅尼経』は塔を造ることや経典を書写する功徳を説いている。とくに陀羅尼を書写して塔の中に安置して供養すれば現世において寿命を延ばし、この世のすべての争いはなくなり、悪賊怨敵はすべて鎮撫すると説く。

その功徳は塔を新たに造顕するだけではなく、古い塔を修理して供養しても同じ功徳があるとする。その中には根本、慈心（自心印）、相輪、六度、大呪王、修造仏塔の6種の陀羅尼をあげて書写、造塔、修法の功徳を述べる。なお法隆寺に現存する陀羅尼には修造仏塔と大呪王の2種類の陀羅尼はない。これらの陀羅尼は楮紙《ちょし》などに印刷したもので、制作年代があきらかなものとしては世界で最も古い印刷物である。しかし印刷方法には銅板説と木版説、活字版説があり、その結論は出ていない。この小塔は『薬師寺縁起』『興福寺流記』『南都七大寺巡禮記』『東大寺別当次第』『西大寺縁起流記資財帳』などの古文献によって各寺に分置していたことがわかる。

ところが明治時代には、ほとんどの寺院ではすでに失われ、ただ法隆寺のみに伝来していたという。江戸末期ごろまでは「小塔」と呼ぶことが多かったが、「無垢浄光陀羅尼塔」「百万小塔」「百万塔」などの名称もあった。ところが、明治9（1876）年の法隆寺献納宝物の目録が作成されたころから「百万塔」と呼ぶことが多くなり、明治20年代には「百万塔」が正式名称となっている。また、「一万節塔」や「十万節塔」も、明治40年に美術史家の平子鐸嶺が行った調査までは「一万基算塔」「十万基算塔」呼んでいた。おそらく「一万節塔」「十万節塔」という名称は平子が命名したのかもしれない。

一万節塔（ヒノキ材）は全高47・5ヤンチのロクロ挽きの七重の塔で、百万塔が一万の満数になったときに作ったものという。十万節塔（ヒノキ材）は全高71・5センチのロクロ挽きの十三重の塔で百万塔が十万の満数になったときに作ったものとする。

なお、それらの百万塔の安置場所について、古い時代の記録はない。享保2（1717）年に夢殿や舎利殿などに安置したこともあったが、そのほとんどが、明治中期ごろまでは中門、金堂の2階や夢殿、伝法堂などに分置していた。なお平子が調査をしてからは、法隆寺の大文庫と呼ぶ土蔵や東室に納めていたが、昭和5（1930）年の再調査からは、タバコの輸送用の木箱に納めて、寺務所にある新倉と呼ぶ建物の2階に納めていた。

法隆寺では明治40（1907）年ごろ、借財の返却と維持資金に困窮していた。すでに紹介をしたように明治26（1893）年に行った夢殿などの修理費の負担金1280円と、明治34（1901）年に寺山の払い下げを受けたときの500円は、借財によって凌いでいた。ところがその負債が膨らんで明治40年には1280円が6255円余、500円が980円余に膨れあがっていたのである。その負債を早急に返却することが法隆寺にとって早急に解決しなければならない大問題であった。そのために百万塔3000基と紙本山水人物画屛風（伝周文筆）の譲渡を決断することとなる。

それによって多額の負債を償却して、その残金で伽藍の修理や学徒の育成などに充当したいと考えたのである。そのことから明治40年にそれらの処分を役所に願い出ている。それにともなって法隆寺が所有している百万塔の調査を平子鐸嶺に依頼したのであった。

このとき百万塔の総数は4万3930基、その他に組立塔十数基と節塔2基を確認している。その成果を公刊したのが『百万小塔肆攷』（平子鐸嶺著、明治41年）である。やがて明治40年1月に「百万塔百基。一万、十万節塔各一基。陀羅尼百巻」が国宝に指定されている。また同年5月には奈良県が百万塔の調査を行い、9月3日に法隆寺維持基金確保のために百万塔を譲渡することが正式に許可された。そのときに百万塔は日本史の貴重な資料であり、是非とも学校の教材とすることを最優先として、その残りを一般の人びとに譲渡するように、との条件が添えられていた。

法隆寺では住職の佐伯定胤が信徒総代を招集してその譲渡の方法について協議をしている。その席上には興福寺住職の大西良慶も出席していた。定胤が大西に同席を求めたのである。そのとき1人の信徒総代が百万塔の価値について古美術商の見積もりを報告している。それによると「百万塔は1基7円、屛風は5500円で譲り受けたい。百万塔の納金の方法は1万円をすぐに納め、残りは百万塔を受け取ったときに数回にわたって上納したい。残金には利息を支払うが、もし百万塔が1基10円ということならば利息は免除してほしい」というものであった。

これを聞いていた大西はつぎのような発言をしている。「百万塔には稀少価値があり、けっして10円を下るようなものではない。ぜひとも検討して各界の人びとへ譲渡するために東京などで法隆寺が直接に譲渡することを検討すべきではないか」

大西は明治38年ごろから興福寺の「破損仏」を譲渡して興福寺の基本金を作った経験もあった。そのような経緯のもとに法隆寺が直接に譲与することとなる。すぐさま「百万塔譲与規定」を作成した。このとき第1種（百万塔と陀羅尼がともに完全なもの）35円、第2種（百万塔は小破しているが、陀羅尼が完全なもの）25円、第3種（百万塔も陀羅尼も小破しているもの）20円、第4種（百万塔も陀羅尼も相当に破損しているもの）15円、の譲渡金の条件を決めている。しかしその内容と金額については若干の不統一も見られる。

そのような背景のもとに百万塔を木函に入れて譲渡することとなった。定胤をはじめ興福寺の大西や佐伯良謙（のちの法隆寺住職）などが大阪・東京で百万塔の買主を求めて東奔西走することとなる。明治41（1908）年の東京出張所の日誌に、つぎのように記されている。

「十月廿四日・佐伯良謙、津村順天堂方訪問。第一種一基申込の事」

このようにして百万塔962基が譲渡され、法隆寺復興のために大いに役立つこととなる。この譲渡に依って得た金額は、屏風と百万塔とを合わせると3万210円であった。なお明治41年からの譲渡先については『百万塔譲与者名簿』に譲渡先や年月日、金額などを詳しく記録している。

72　法隆寺会の設立――天心の提案で始動

明治30年代から法隆寺再建非再建論争が白熱化し、法隆寺の存在が大きくクローズアップされつつあった。明治36（1903）年に法隆寺住職に就任した佐伯定胤は多くの学者たちとの親交を深めていた。とくに親交を結んだ人びとは、平子鐸嶺、荻野仲三郎、黒板勝美、正木直彦、香取秀真、伊東忠太、関野貞などであった。

東京美術学校の校長であった正木直彦から、明治44

（1911）年の5月26日に定胤のもとに1通の手紙が届いた。それには来る6月11日に東京美術学校の講堂で、太子祭と太子像（高村光雲作）の開眼法要を国華倶楽部の主催で行うこととなっているので、ぜひともその導師を依頼したいという内容である。しかも、そのときに太子ゆかりの御物や、中国の仏像なども展覧をするので、最近発見した金堂虚空蔵菩薩像（今の百済観音のこと）の宝冠を、出陳をいただきたいという依頼も添えられていた。

その要請に対して法隆寺ではすぐさま参詣する旨を回答し、6月9日に興福寺住職の大西良慶や佐伯良謙を伴って上京している。祭典の当日は午前10時から太子祭が開かれ、太子像の開眼供養に続いて、正木直彦が恭々しく祭文を朗読した。そして舞楽「蘭陵王」「胡蝶」なども演じられている。

この式典に続いて午後1時から、関野貞によって「美術史上に於ける法隆寺の地位」と題する講演があり、展示場では太子像、太子伝、仏像、経巻、仏器、染織刺繍、楽器、瓦磚、建築模型、金石拓本などの展観が行われた。この展示には御物や法隆寺所蔵のものを含む、優れた多くの宝物が出陳されていたのである。その日はまことに盛大な祭典で多くの有志者たちが参集していたという。定胤が法隆寺へ出した書状には、つぎのように記るされている。

「本日は細雨ながら中々の盛会にこれ在り、知名の紳士雲集諸種の人々に面会仕り候。陳列品は全く法隆寺的にこれ在り。全く本寺の出開帳然たる趣に候、況んや関野博士の講演は法隆寺と云ことを非常の感動を与へ申し候」

この法要から帰った定胤はすぐさま故平子鐸嶺の追悼会の準備にとりかかっている。鐸嶺は法隆寺研究者として法隆寺に最もゆかりの深い学者の一人であり、法隆寺の非再建論者で干支一巡説を唱えたことでも知られている。とくに法隆寺が明治41年に百万塔を人びとに領与して法隆寺の再興の資金を作ろうとしたときに百萬塔の調査を行った学者であったことはすでに紹介した。

その鐸嶺がさる5月10日に薬石の効なく35歳の若さで逝去していたのである。定胤は太子祭のため上京したときにも、その霊前に参拝して、鐸嶺の友人である黒板勝美、中川忠順らと相談して6月18日に法隆寺で追悼会を執行することを決めていた。その追悼会には久保田奈良帝室博物館々長、中川忠順、新納忠之介などが参詣していた。そのとき中川忠順から、次のような要請が法隆寺に行われた。

①鐸嶺居士のために友人たちで記念塔を作り法隆寺の境内に建設したいこと。

②遺稿中の『法皇帝説解説』の原稿を法隆寺に寄附するので、それを出版してほしいこと。

これらの提案を定胤は快諾している。中川たちはすぐさま記念塔（鐸嶺塔と呼ぶ）の建設にとりかかり、奈良県技師の天沼俊一がそれを監督することとなった。その鐸嶺塔の建設地は定胤と中川たちが実地検分して西円堂前の柏樹の下に決定している。それは鐸嶺がかつて「古柏艸堂」と称していたこともあり、柏の大樹のある場所を選んだという（昭和34＝1959＝年に西方院に移築されている）。その鐸嶺塔の落成供養会は、奈良正倉院の曝涼中が良いということになり、10月16日に決定している。

幸い、鐸嶺塔の供養会は快晴に恵まれ、参詣の人びとは午前9時から11時30分まで法隆寺の宝物などを拝観し、12時30分から厳かに鐸嶺塔の供養会を執り行った。その日に集まった参詣者はいずれも有識者ばかりで、希有の盛儀であったという。

この法会に続いて大講堂前で鐸嶺を追悼する記念講演会が開かれた。大講堂の基壇の中央には講演用のテーブルが置かれて、その左右に岡倉覚三（天心）、黒板勝美、大槻文彦、北畠男爵といったそうそうたる顔ぶれが居並んでいた。まず黒板勝美が立って、法隆寺に関する鐸嶺の研究論文を紹介し未発表の壁画研究の一端を披露した。つづいて大槻文彦は鐸嶺が学界に残した功績を讃えつつ、哀悼の意を述べ、最後に登壇した岡倉天心は「法隆寺は世界文明の淵叢であり、今後も鐸嶺に続いて優れた研究者が続出せんことを希望し、更に法隆寺会なるものを組織して法隆寺の研究及び保護について自ら尽力せん」ことを披露した。

この天心の法隆寺会設立の発案がやがて「聖徳太子一千三百年御忌奉賛会」として実現することとなる。この天心の発案は突発的に行なわれたものではなく、すでにその日の午前中に法隆寺の寺務所を訪れた天心と定胤との間で次のような会話がかわされていた。

「かねてから法隆寺の伽藍の堂塔や多くの什宝は言うまでもなく、宗教儀式などの保存について何とかしなければと思っていたが、今日、鐸嶺の供養会に臨席してその感を一層強くした。西洋などの大寺院においては学会を設け、研究・保護につとめている。法隆寺においても自ら進んで法隆寺会組織の任に当り内外の人びとに謀って法隆寺の研究とその保護に尽力したいと思うが、法隆寺はどう考えるか」と、天心が尋ねた。

　それに対して定胤は「そのような会を組織しようと、かねてから希望していたが、未だその機会に恵まれておりません。今日は貴殿の意見を拝聴して誠にありがたく、ぜひともお願いをしたい」と要請をしている。

　それを聞いた天心はすぐさま「法隆寺当局の賛同を得ることができて誠にありがたい、本日を記念して微意を表したい」と100円を寄付している。このような会談のあとに行なわれた講演会の席上でも「法隆寺会」を設立する必要性を強く訴え、多くの学者たちに賛同を求めたのであった。

　この講演に引き続いて、奈良ホテルで晩餐会（会費2円）が開かれ、40名余りの有識者たちが参加していた。その席上でも天心や黒板勝美らから法隆寺会の設立の提案が出され、出席者も賛成の意を表したという。この鐸嶺塔の供養会こそ法隆寺にとっても忘れることのできない記念すべき日となったのである。

73
岡倉天心の死——遺志継ぎ法隆寺会発足

明治44（1911）年は百済観音の宝冠が見つかったり、平子鐸嶺の供養塔を建立したり、岡倉天心が法隆寺を護持するために「法隆寺会」の設立を提唱したりするなど、法隆寺にとって忘れることの出来ない年であった。

　ところが、その年の11月6日に、法隆寺の宝物館となっていた綱封蔵から「金銅釈迦誕生仏」「金銅釈迦立像」「玉虫厨子の鴟尾（金銅）」「金銅不動明王像」が盗まれる大事件が起った。その知らせを受けた北畠治房や興福寺住職の大西良慶も急きょ駆けつけて、新聞に懸賞広告を出すなど、その対応に奔走している。これは佐伯定胤が法隆寺住職に就任して、初めて経験する不祥事であった。

　とくに念願の法隆寺会設立の兆しが見え始めた最も大切な時期でもあり、法隆寺にとって大きな打撃であったことはいうまでもない。このとき盗難に遭った寺宝の中には仏生会の本尊である誕生仏と玉虫厨子の鴟尾が含まれていた。そのようなことから、すぐさま日本美術院第2部監督の新納忠之介が指導して細谷三郎が誕生仏のお身代わり像を制作している。

その像は、明治45年5月24日に行われた上御堂落慶供養会のときに法隆寺へ寄進された。また大正5（1916）年には東京美術学校教授の香取秀真が玉虫厨子の鴟尾を模造している。これは玉虫厨子の修理のときに盗難に遭った金銅製鴟尾の制作を依頼したからである。

それまでは玉虫厨子の屋根には木製の鴟尾や瓦製の鴟尾を上げていたこともあった。現在、玉虫厨子に付属している2つの鴟尾は、このときに香取が新調したもので、古い鴟尾は現存していない。残念ながら盗難に遭った寺宝は現在も行方がわからない。それからしばらくの間は、盗難事件の収拾のためから法隆寺会についての大きな進展はなかった。

年も改まった明治45年4月に奈良を訪れた天心が定胤と法隆寺会の組織について相談をしている。そのときに天心は、つぎのような要望を述べている。
①ぜひとも2、3の素封家を会の中心とすべきである。まず法隆寺の信徒総代たちの同意を得て、素封家を法隆寺の信徒総代に加え、協同一致の体勢をとることが望ましい。
②奈良県庁において奈良県以外の人物を信徒総代とすることを承諾するかどうか。
③本会設立に就いて奈良県知事が賛成するか、どうか。
天心はこの3件について、法隆寺が至急に検討することを指示し、東京における学者への調整については、自らが行うことを約束している。

その数日後に平子鐸嶺の1周忌法要が供養塔の前で行われた。そのときにも黒板勝美や荻野仲三郎、水木要太郎（歴史家・奈良女高師教授）らが集まって法隆寺会について検討をしている。そして寄附金の募集は二の次として、まず有志の者が集って、法隆寺における「宗教」「美術」「歴史」の研究を行い、それを世に紹介することを目的とした法隆寺会を組織することで意見が一致している。しかも毎年1回か2回は聖徳太子や法隆寺に関する研究発表を行い、その研究成果を出版することを決定したのである。

黒板と荻野は帰京すると、ただちに天心とも相談をしつつ実現可能なことから漸次実行に移すこととなった。ところが、まもなく明治天皇の崩御があり、世も明治から大正へと改まった。しばらくの期間は大喪中のためもあって大きな動きは見られなかったが、定胤は御大葬に参列するためにひさびさに上京し、明治天皇に殉死した乃木大将の葬儀にも会葬している。

そして大正元（1912）年9月19日には、上野の精養軒に黒板や荻野たちが集って法隆寺会組織の件について具体的な協議を行い、つぎのような決議をしている。

①発起人が「法隆寺会」の会則を作成すること。

②東京や奈良でも組織を作ること。

③法隆寺会は隔月ごとに例会を開き、年に1、2回は大会を開催して法隆寺のことを吹聴すること。

この法隆寺会のことは、すぐさま9月27日付の『奈良新聞』に掲載され、その意義深いことを論説している。

「法隆寺会

東大寺に大仏会あり、興福寺に興福会あり、法隆寺に法隆寺会なかるべからず、大仏会は大仏の保存を意味し、興福会は興福寺の再興と保存とを意味す、法隆寺会は則ち法隆寺の研究と保存とを意味せざるべからざる也。（中略）殊に法隆寺は世界最古の木造建築の一にして、我国仏教の興隆及び興隆上至大の関係を有する聖徳太子の遺蹟にして歴然之を有するは我国の誇とする所、宗教上は勿論歴史、美術上得る所多く、之を等閑に附すべからさる也」

ところが、そのような大切な時期に予期しない出来事が起こった。大正2年9月2日に法隆寺会設立の提唱者である天心が静養していた新潟県の赤倉山荘で他界したのである。それは法隆寺にとっても大きな打撃であった。天心の葬儀は9月5日に東京で執り行われた。新納忠之介は、それに参列した帰宅の途上に法隆寺へ立ち寄って、天心の臨終の様子を報告している。その日の『法隆寺日記』には、つぎのように記されている。

「先生は去月古社寺保存会に際し病中を押して出席。大いに金堂壁画保存の儀を論じ一扁の建議案を草し壁画保存会設置の必要を論ぜられ、遂に採用することとなれり。蓋しこの案文こそ同先生の絶筆なり」

このように天心は最後まで金堂壁画の保存が急務であることを強く古社寺保存会で訴えたのであった。やがて天心の提唱によって大正5（1916）年に文部省内に「壁画保存方法研究調査会」が設置されている。

そして法隆寺会の組織作りも天心の遺志を継いで前進をしたことは言うまでもない。そのころの動向は『聖徳太子一千三百年御忌奉賛会史』に、つぎのように記している。

「聖徳太子一千三百年御忌法要をして国民的に且つ最も意義あるものたらしむべく、法隆寺貫首佐伯定胤師の発願に賛同し、大正二年春、文学博士高楠順次郎、高島米峰、正木直彦、文学博士黒板勝美、菅瀬芳英の諸氏相謀り、先ず法隆寺会を興して朝野の名士を集め屢々会合を重ねて機運を促し云々」

74　聖徳太子1300年御忌奉賛会——渋沢栄一を説得

岡倉天心の死後、正木直彦や黒板勝美などの有志が集まって、今後の法隆寺会組織について会合を催している。いよいよ聖徳太子1300年御忌の期日も間近に迫っており、佐伯定胤は正木たちに対して、ぜひとも1300年御忌を盛大に執行したいという思いを強く訴えたのである。

そのことは定胤が晩年に口述筆記をさせた『大正十(1921)年・一千三百年遠忌準備記事』に、つぎのように記されている。

「大正十年は聖徳太子の一千三百年の遠忌に相当す。法隆寺にては奈良時代より御忌を聖霊会と称し、年々荘厳なる式典を修行せり。然るに徳川時代より一般の変化に伴ひ寺運亦衰微を呈するに至り、旧の如くなる能わず。終に毎年は小会式と称し、小規模の法要を営み、大会式は五十年目毎に修行することと成れり。恰も来る大正十年は、その一千三百年遠忌修行に際会す。何とかして古式に准う盛大なる報恩の法要を執行いたしたし」

それに対して正木から「法隆寺のことなれば、いかなることでもお働きをいたしましょう」との好意あふれる言葉を聞いて、大いに感激したことを定胤は晩年に追懐している。そして、このころから「法隆寺会」から「聖徳太子一千三百年御忌奉賛会」という名称へと変更をすることとなる。やがて正木の発案によって国華倶楽部で法隆寺宝物(献納宝物を含む)の図録である『法隆寺大鏡』を編集して東京美術学校から発行することが企画された。その印税を積み立てて、法隆寺の復興費に充てることにしたのである。

その後も、たびたび会合が開かれ、関野貞(東京帝国大学教授)、高橋健自(帝室博物館)、白石村治(法隆寺大鏡編纂員）、中川忠順（文部省国宝保存係）、香取秀真（東京美術学校教授）たちも加わることとなった。そのようなことから、聖徳太子や法隆寺に関する研究の計画は実行に移されたものの、肝心の募金問題ではまったく目処は立っていない。正木たちは「われわれの力ではなんとも致し方ないことである。誰か経済界の中心人物を求めねばならぬ」と、一層の努力を誓い合ったという。そのようなときに定胤は、国史上の太子の聖徳と御忌賛助に関する趣意書の執筆を黒板に依頼している。その「聖徳太子一千三百年御忌奉賛会趣意書」には、つぎのように記されていた。

「太子は推古天皇の摂政として、内は憲法を制定し、以て東方君子国の実を挙げ、外は支那と交り、以て日出処天子尊を示す。夫の大化改新の如き、多く太子の遺策に出つと称するも敢て過言にあらざる也。太子又神祇を崇び、儒学を奨め、特に心を仏法に潜めてその興隆に任じ、三教を包貫して先聖の宏猷を纂ぐ。宮を大和斑鳩に造り、又その地に法隆学問寺を建て、堂塔伽藍今猶厳として存す。実に世界に於ける最古の木造建築にして、中に多数の霊像宝器と共に、皆太子の偉績を伝ふるものに非ざるはなし。

太子は推古天皇卅年四月十一日（旧暦二月廿二日）斑鳩宮に薨じ給ひ、河内磯長に葬り奉る。史官之を記して、日月輝を失ひ、天地既に崩るといへり。大正十年は太子薨後正に一千三百年に当たる、乃ち斑鳩址の法隆寺に於ては古例に准して聖霊御会を修し、磯長墓前の叡福寺に於ては追遠の御式を行ふの議あり、余輩幸に聖世に生れ、文化日に進み、国運月に盛なるを観、ますます太子の遺沢に浴する多きを知る」

このときに黒板は太子の命日である旧暦の2月22日を新暦に換算して4月11日とすることを提唱している。それによって『法隆寺日記』（大正8＝1919＝年）に、つぎのように記されている。

「推古三十年二月廿二日聖徳皇太子薨去を太陽暦に換算致し候へは四月十一日に相当仕り候につき、当年より別紙の通り変更致したく候云々」

これによって法隆寺や叡福寺でも4月11日を太子御忌の日とすることとなった。やがて有志の人びとの一致した意見のもとに、そのころ経済界の大御所といわれた渋沢栄一男爵に協力を依頼することとなる。

そのような背景のもとに、大正5（1916）年11月13日早朝に正木直彦と黒板勝美の2人が渋沢邸を訪問して協力依頼を行っている。

ところが、どうしたことか渋沢がなかなか承諾をしなかったのである。それは渋沢が若いころに国学を学んでいたことに原因があった。

国学では太子が日本固有の神道を軽視して仏教を興隆したこと、592年に崇峻天皇が蘇我馬子に暗殺されたときに太子はそれを傍観していたこと、として太子を「不忠不孝の代表」のように非難していたのである。

とくに江戸時代にはそのように太子を非難する風潮が武士や知識人の間に蔓延をしていたという。そのために渋沢は「予は水戸学派の徒なり、聖徳太子は嫌いなり」と自己の所信を述べて断然拒否をしたのであった。

それに対して黒板は国史の立場から太子の偉業を切々と語り、国学の見解は誤りであることを懇々と説明している。そのときの様子は定胤が口述した『大正十年・一千三百年遠忌準備記事』に、つぎのように記されている。

「さすが賢明なる男爵は廓然として感動をし、始めて太子の真面目を自覚し大いに発明をしました、永々の誤解を訂正いたします。応分のお力を尽くしましょう」

ついに渋沢が協力することを承諾したのである。

そのとき黒板は定胤に対して渋沢が同意したことを知らせる電報を打っている。「(11月13日)シブサワダン・ショダク・イサイフミ」

そして翌日には黒板から正木とともに渋沢邸を訪問したときの様子を詳しく伝える書面が法隆寺に届けられた。

「本日朝、正木氏と共に渋沢男訪問。色々相談之末、奉賛会又は協賛会創立に付、尽力すべき快諾を得申し候。いづれ寺内総理大臣、後藤田内務大臣等にも相談、岩崎(小弥太)、三井(八郎衛門)、大倉(喜八郎)其他の発起人を集合して、成る可く早く発起人会を開くことにしたし、との事にこれ在り。

(中略)かく順調に相運び候事、偏に太子ご加護のしからしむるところと御同様大慶に存じ奉り候」

このように法隆寺の悲願は実現へ向かって一歩一歩と前進したのであった。

75 会長に徳川頼倫が就任——1300年忌の準備進む

佐伯定胤は一刻も早く渋沢栄一に面談をしたいと考えていた。それは直々にお礼を申し上げ、同時に今後一層の協力を要請したかったからである。

定胤は11月20日に上京してから、東京に滞在して、じっと面談の機会の日が到来することを待っていたという。しかし、その機会はなかなか訪れることはなかった。それほどに渋沢は多忙であった。

ところが幸いなことに、定胤と親交のある寛永寺林光院の長沢徳玄が渋沢と交流があった。それは徳川家康の側近として政務にも参画した高僧と名高い「天海僧正」の伝記の編纂が進行中であり、その進捗状況などを報告するために長沢が渋沢に面談する機会があったという。そのようなことから12月12日に渋沢と面談した長沢が、奈良の法隆寺住職が渋沢に挨拶をする機会をずっと待ち続けて東京に滞在していることを伝えたのである。

そのことを聞いた渋沢は、同情されてぜひとも明日にでも来訪するように、と伝えている。その知らせを受けた定胤は翌日午後2時に正木や黒板と共に兜町の渋沢事務所を訪れている。念願の渋沢への面談が実現したのであった。そのときに渋沢からは協力する旨の好意あふれる話を聞いている。そのときにも渋沢は青年期に国学を学んだために太子を大変誤解していたことなども語ったという。そして渋沢の発案によって、会長には侯爵の徳川頼倫《よりみち》（紀州徳川家の当主。史蹟名勝天然紀念物保存協会会長。南葵文庫の創設者）に就任を依頼することになった。

『大正十年・一千三百年遠忌準備記事』に、つぎのように記されている。

「但し、その様な貴き御方の聖徳太子奉賛会の会長としては我輩は不適当であります。もっと崇高な人格者を仰がなくてはなりません。その上、皇族様を総裁に推戴し奉りたいものであります、と計画を述べられ呉れたり。他日、遂に徳川頼倫を会長に、久邇宮邦彦王を総裁に仰ぐに至れり」

ところが、なかなか徳川頼倫の了解を得ることができなかったのである。

大正6（1917）年の春になっても、なかなか良い知らせは届かなかった。しかし御忌の準備期日も迫っていることもあり、定胤は奉賛会の設立を具体化するために上京している。それに先だって正木と黒板たちは頼倫に面談をして正式に会長就任を懇請していた。そのときに頼倫から4月28日まで、しばらく待つようにという返答であったという。

そのときに黒板は、ご承諾いただけるものとして準備にとりかかります、と申し上げたところ、頼倫は微笑を浮かべられていたと伝える。

頼倫の承諾は確実と思った正木たちは、近日中に発会式を挙行する計画を立てたのである。ところがどうしたことか、4月末日になっても、頼倫から承諾の返事がなく、ついに発会式を延期せざるを得なくなった。そのような状況の中で取りあえず、関係者たちが学士会館に集って、会則の修正、名誉顧問、理事、評議員の人選、会長の件について相談をしている。

やっと5日の午後になって、次のような内々の知らせが寄せられた。それは仏教学者としても名高い高楠順次郎が徳川家の家職（執事）から、頼倫は会長への就任を承諾する決意に見えるが、家職たちに非常に気を遣っておられるので、近々に家職から承諾をされるように進言をする旨を聞いたというのである。頼倫が決断を躊躇していたのは家職たちの仕事が増え、徳川一門への寄付金の要請が行なわれないか、といった心配があることに、その要因があったらしい。そして、その翌日に承諾の吉報を受けている。それには、つぎのような条件が添えられていた。
①奉賛人の会議に徳川頼倫の出席を必要とするときは必ず昼間に行い、夜会はさけること（健康上の理由）。
②徳川一門に寄附金などで迷惑をかけないこと。
このような経緯のもとに、ついに頼倫は聖徳太子千三百奉賛会々長への就任を正式に承諾され、これによって同会の組織は大きく前進をすることとなった。それに伴って渋沢栄一が副会長に就任されることが内定している。そのような経緯のもとに大正7年5月13日午後5時から、黒板勝美、正木正彦、高島米峰（仏教思想家・のち東洋大学学長）、島地大等（仏教学者）、中川忠順、高橋健自、高楠順次郎、荻野仲三郎、といった人びとが学士会館に集り、頼倫が会長就任を承諾されたこと、渋沢と相談した結果などの報告とともに、本会設立に関する協議を入念に打ち合わせている。

そして5月25日、銀行集会所において、徳川頼倫、渋沢栄一らの主催のもとに「聖徳太子一千三百年御忌奉賛会」の発会式がにぎにぎしく開かれたのである。

これは明治44年に岡倉天心が発案したことが、見事に実を結び、法隆寺の永年の夢が成就した瞬間でもあった。

『聖徳太子一千三百年御忌奉賛会小史』につぎのように記されている。

「遂に大正五年秋に至って聖徳太子一千三百年御忌奉賛会を設立することとなり、その会則及び事業計画を定め、次いで会長以下役員の就任を得て、本会茲に成立を告げたり」

そして本会が寄付を求める予定金額は45万円（名誉会員は2000円以上、有功会員は500円以上、特別会員は50円以上、通常会員は5円以上、賛助員は5円未満）であった。その記念事業として、つぎのことを実行に移している。

①法隆寺と叡福寺で行なわれる法要（聖徳太子一千三百年御忌法要）を賛助すること。

②聖徳太子記念研究基金を設定すること。

③聖徳太子研究設備費を計上すること。

④聖徳太子の御伝及び唱歌を編纂出版すること。

⑤法隆寺の防災設備を完備すること。

この事業は、とりもなおさず聖徳太子遺徳の高揚と法隆寺の再興を意味するものであり、その喜びはいかばかりであったかは想像を絶するものがある。

この「聖徳太子一千三百年御忌奉賛会」の設立によって御忌の準備が大いに進捗し、興福寺や東大寺をはじめ日本美術院などからも絶大なる支援を受けている。とくに東大寺は大正四4年に大仏殿修理落慶を盛大に執行した経験があり、そのときの計画書などの提供を受けたことが大いに役だったことを、ここに特記しておきたい。

76 聖徳太子1300年御忌——威信回復の契機に

太子の遺徳を追慕して供養する法会を「聖霊会《しょうりょうえ》」と呼ぶ。法隆寺では古くから最も大切な法儀の一つであったが、明治4（1871）年に執行された聖徳太子1250年忌を終えたころからは、多くの伝統行事とともに衰退の道をたどっていた。幸い、法隆寺に伝来していた寺宝に対する価値観が高まり、明治の末期ごろからは多くの有識者たちの協力によって再興へと向かいつつあった。

そのような時期に「聖徳太子一千三百年御忌奉賛会」（以下「御忌奉賛会」という）が組織されたのである。それは聖霊会と法隆寺の再興を意味するものであり、法隆寺は喜びでわき返った。『聖徳太子一千三百年御忌奉賛会小史』（以下『奉賛会小史』という）には、奉賛会設立の趣旨について、つぎのように記されている。

「我が国の文化、日に進み、月に盛んなるものを、その淵源遠くこれを聖徳太子に求めざるべからず、ここに於てか、太子薨後、正に一千三百年に当れる大正十年の春を以て、法隆寺及び叡福寺に於ける太子追恩の大法用を奉讃し、且つ太子を永遠に記念し奉るべき事業を計画し、その洪恩の萬一に報じ霊徳を後代に宣揚すると共に漸く悪化せんとする我国民思想を極力善導せんとすることを實に本会趣旨の眼目たり」

そして大正10（1921）年4月11日から17日までの1週間にわたって聖霊会が盛大に厳修された。なお、これに先立って、すでに久邇宮邦彦王（香淳皇后の父君）を「御忌奉賛会」の総裁に推戴することが内定していた。その奉戴式は4月11日の午前9時から奈良県公会堂で厳粛に執り行なわれている。

「大正十年春奉行の記念大法用に先だち、久邇宮邦彦王殿下を本会総裁に奉戴し、四月十一日奈良県公会堂に於てその奉戴式を挙げ優渥なる令旨を賜ふ。（奉賛会小史）」

この奉戴式のあと総裁は、法隆寺で厳修する聖徳太子1300年御忌法要に参列されている。御忌の期間中には、円照寺の文秀女王（伏見宮邦家親王の第7王女、皇族最後の宮門跡）をはじめ、イギリス・フランス両国大使の参拝もあり、奈良駅や法隆寺駅は記録的な雑踏となった。なお、この御忌には、皇室から「銀製大香呂」や「金襴打敷」が下賜されている。このように聖徳太子1300年御忌法要は、法隆寺史上画期的な大法儀となったのである。

とくに正木直彦の尽力によって東京美術学校教授たちが、御忌に使用する多くの法具類を制作している。香取秀真が明治11（1878）年に法隆寺から皇室へ献納した『金銅灌頂幡』や『柄香炉』を復元、六角紫水が『香合』、石田英一が『柄香呂』、牧弘光が『華篭』などを制作している。また高村光雲、山崎朝雲、平櫛田中、建畠大夢、関野聖雲、山本瑞雲をはじめとする彫刻の教授からも八部衆の輿舁面《こしかきめん》などが奉納された。とくに出仕僧の法衣なども東大寺と同じものを新調している。それは東大寺から法衣などを借用するときに共通する利点があったからである。

その後も御忌法要が盛大になるにつれて儀式の中に新しく加わった部分も少なくなかった。例えば輿舁面が2種類も作られたことによって「舎利輿」（太子の南無仏舎利を安置）だけではなく「聖皇御輿」（太子童子像を安置）にも輿舁面を使用したことである。しかし、古くから「聖皇御輿」を八部衆が担った記録は見られない。そのようなことから私は1370年（平成3＝1991年）の御忌から舎利輿だけに八部衆の面を使用することに復している。

また昭和16（1941）年に行われた1320年の御忌には舞楽「蘇莫者《そまくしゃ》」の舞楽面や装束が寄進され、法隆寺で初めて演じられている。この曲は太子が43歳のときに、斑鳩宮から四天王寺へ向かう途中の椎坂《しいさか》で、笛（尺八）を吹いたところ山神が現れて、その妙音に合わせて舞ったという故事に由来する。

この曲は旧天王寺派楽家であった宮内省式部職楽部の薗家に嫡々相伝していた秘曲であったが、南都の楽頭堀川佐一郎への伝授が許され、法隆寺の聖霊会で舞われることとなった。なお、この大正10年の御忌の期間中には毎日ガリ版刷りの『いかるが日報』を発行している。それには舞楽の解説や出仕者の紹介、落とし物のお知らせなどを掲載して参詣者に配布しており、そのときの活気を感じさせる。この聖霊会の再興とともに「御忌奉賛会」の功績の中で、太子への誤った見解を払拭したことが最たるものであった。

「顧れば本会が法隆寺会と称したる最初より、ここに年を閲すること實に十有二年、専ら力を徳川時代の誤れる太子観の打破に尽くして世人の蒙を啓き、同時に太子の偉徳鴻業を知悉せしめて、其信仰の熱誠を喚起せしめ得たるは、幾多本会の功績中、財団設立の大業と共に、最も大なるものの一つと云うべし。（奉賛会小史）」

しかし、そのようなときにも某紙の投書欄に「聖徳太子のために大法要をやると云うのはけしからぬ。あんな大義名分をみだした人の為にやるのか」という非難が掲載されたこともあった。未だ太子に対する非難がくすぶっていた時代である。これは太子も普遍的に人びとから尊崇を受け続けた人物ではなかったことを示すものであり、時代によって、その評価が変化するのが歴史というものであることを痛感させられる。このような世情の動向に配慮した黒板勝美は「御忌奉賛会」の趣意書の中に、敢えて「太子は神祇を尊び、儒学を奨め云々」の文言を入れたのかも知れない。

　なお、太子の名称も1300年御忌を契機として「聖徳太子」に統一されるようになったらしい。それまでは「上宮太子」と呼ばれることが多かったことはすでに紹介した。そのような経緯によって、ついに昭和5年には太子の姿が100円紙幣へ登場することとなる。

　しかも、その紙幣には太子とともに法隆寺の西院伽藍全景と夢殿の全容が採用され、太子と法隆寺のオンパレードの紙幣となった。法隆寺がはじめて経験する檜舞台への登場であった。

　これは太子の威信が完全に回復したことを意味している。そして太子が日本文化の礎を築いた偉大な人物として日本人から最も親しまれるようになり、その基盤が固まることとなる。しかし、そのころの100円札は庶民にとって高嶺の花であり、この紙幣が一般化したのは戦後のことといわれている。

77

白砂青松——防災の備えも進む

法隆寺の境内には最近まで松の木が多かった。それは太子が3歳のときに父の橘豊日皇子（のちの用明天皇）から桃の枝と松の枝を示されて「どちらを好むか」とたずねられたときに「松が好きである」と答えられた故事に由来する。

『聖徳太子伝暦』

『（太子三歳）春三月桃花の旦《あした》、（中略）皇子問うてのたまわく「わが児《こ》、いかが謂《おも》う。桃花を楽《ねが》わしとやする、松葉をや賞《もてあそ》ばんとする」太子、答えてのたまわく「松葉を賞ばんとおもう」。皇子これを問いたもう。「何のゆえぞ」。太子これに答えしたもう。「桃華は一旦の栄物にして松葉は万年の貞木《ていぼく》なり。かるが故にこれを賞ぶべし」

　この太子の言葉は一時的な虚栄におぼれることのないように戒められたものと伝わる。暑くとも、寒くとも、その色を変えることのない松葉のような安定をした世界の実現を願われた言葉なのかもしれない。

　法隆寺では古くからその故事によって境内に多くの松を植樹している。これも太子信仰の発露そのものといえる。とくに南大門の南に続く松並木が造られたのは弘長元（1261）年に後嵯峨上皇が行幸されたときのことであった。

　なお、最近の発掘調査によって松は古くから人びとに好まれていたらしいことも明らかになりつつある。それは平城宮跡の園池を発掘したときに、その池底の堆積土の中から出土した植物遺体の中に黒松や赤松が多いことを確認したことによる。おそらく古代の人びとも松をこよなく愛したのであろう。

　そのような背景のもとに法隆寺では、昭和天皇と香淳皇后による松のお手植えが実現している。これは法隆寺史上にとって特筆すべき出来事であった。

　まず、皇太子（昭和天皇）が大正4（1915）年4月20日に法隆寺へ行啓されたときに、金堂前の西側に若松のお手植を賜っている。また、皇太子とのご成婚が決定した久邇宮良子女王は大正12年5月31日に、金堂前の皇太子お手植えの松と相対した東側に、若松をお手植えいただいた。これは良子女王の父君である久邇宮邦彦王が「聖徳太子一千三百年御忌奉賛会」の総裁に推戴をしたことによって実現したものである。

　いつのころからか、法隆寺のたたずまいが「白砂青松」と形容されることになった。それは境内に撒かれた砂の白さと青い松のコントラストが美しかったことに由来した言葉らしい。

　ところが明治時代の写真によると、法隆寺の境内は真っ黒い土で覆われており、白砂とはほど遠いように私の目には映る。どうも、そのころの境内は寺運の疲弊によって地面までもが荒れ果てていたらしい。それは法隆寺が明治35（1902）年3月に富郷村へ提出した『富雄川土砂採取願』に、つぎのように記されていることからも明らかとなる。

「当寺伽藍内永年修繕を施ざる為め、土砂流れて瓦礫を露わし土台凸凹大破に及び候」

　このときに富雄川の土砂を採取して境内に川砂を敷くこととなった。なお、土砂の採取税を納めて、その許可を得たことは云うまでもない。やがて大正10（1921）年の1300年御忌などの大法会が行われるたびに川砂を撒いており、境内の土層には砂の層が幾重にも見られる。

　とくに法隆寺では昭和天皇皇后両陛下のお手植えの松を大切に守ってきたことはいうまでもない。昭和54

（1979）年12月5日に行幸された両陛下は金堂前の廻廊内に設えた玉座から大きく成長した松を懐かしまれるかのように、ご覧になっていたお姿が今も眼に浮かぶ。

法隆寺では松食い虫との戦いに苦慮した時代もあったが、やっと20数年前からは松の被害も下火となった。ところが平成10（1998）年の暮れから翌年にかけて境内の景色が大きく変貌した。とくに松の上部や枝が切り払われたことによって枯れる松が続出。残念なことにお手植えの松の姿も無惨なものとなった。まことに千秋の恨事というほかはない。「松の姿は、境内でも次々と消えた。五重塔や金堂の辺りでは、高さ10メートルを超す松がてっぺんを切り落とされ云々」とする報道も見られた。

やがて、松に代わって桜や楓が植樹されはじめ、近年では法隆寺が桜の名所として開花時期が報道されるような変わりようである。境内の樹木を見ているだけでも時代の移り変わりを感じさせる。しかし法隆寺には松が最も似つかわしいとする声は高い。なお、大正10年の御忌を記念する境内の整備事業として実相院や蒸し風呂、役場などの移転や夢殿前の民家の買収などの境内の整備を行い、防災設備計画を実現化することとなった。これらは万一の不慮の火災による類焼の被害を心配したことによる。

この防災施設のことが最初に唱えられたのは、明治45（1912）年ごろのことであった。法隆寺の復興と保存に尽力していた黒板勝美と関野貞は、その設備が急務なることを提唱し、すぐさま設計の立案を行っている。しかし、財源の都合もあり、なかなか実現をするには至らなかった。やがて「奉賛会」の努力によって、ついに大正8（1919）年3月13日に衆議院で防火設備水道工事に関する建議案が万場一致で原案を可決し、具体的に計画を促進することとなった。大正11年2月に京都帝国大学の大井清一や武田五一に根本的計画案の作成を依頼している。

このときスプリンクラー（自動放水器）の装置も計画されたが、万一故障をしたときに壁画などを損傷する恐れもあるので、他日の課題として留保された。この計画は境内に防火用水の鉄管を敷設することと法隆寺の西北の山中に貯水池を築造することを中心とするものであった。やがて文部省古社寺保存会での可決を得て、文部大臣が最終決定している。総工費は29万5000円で2万円は法隆寺の負担、3万円は「御忌奉讃会」からの寄附、残り24万5000円は古社寺保存費の国庫補助を得ることが決定した。そして大正13年12月22日には「聖徳太子一千三百年御忌奉讃会」を「財団法人聖徳太子奉讃会」に改めて、太子の遺徳の高揚と法隆寺の復興を計ることとなったのである。

なお、大正13年9月1日の関東大震災によって御忌奉賛会の事務所が罹災し、関係書類や什器などを悉く失ったことは痛恨の極みであった。その奉賛会の記念事業がほぼ完遂をしたところに徳川頼倫会長は亡くなったが、大正14年12月には2代目の会長として細川護立《もりたつ》（肥後熊本旧藩主細川家16代当主、文化財の保護に努めた）が就任され、その後の法隆寺の復興に多大の足跡を残されることになる。

78　悲願の防災施設――海獣葡萄鏡などの発見も

大正14（1925）年11月22日に、待望の防災工事の起工式を聖霊院で挙行している。金堂前では鍬《くわ》始めの式を行い、錫杖《しゃくじょう》を鳴らし、法螺《ほら》貝を吹きつつ法隆寺裏山の水源地で地鎮祭を執行した。

その工事は、法隆寺西北にある鎌峠下の谷をせき止めて防火池（呵魔池という）を造り、そこから導水管を境内に引き込む計画であった。しかも90カ所に及ぶ防火栓を境内に配備する計画で、そのころとしては画期的な防火施設である。この水道は五重塔の最上階まで水がとどくことを条件として、約16時間放水ができるように計画されていた。

とくに水源地から境内を結ぶ導水管を埋設するために境内の各所にトレンチを入れることとなった。研究者たちは、密かにその発掘調査の成果に高い関心を抱いていたという。それは最大の関心事である火災の痕跡に関する遺物の発見の有無によっては、法隆寺再建非再建論争に重要な資料を提供することになるからである。この防災工事にともなう調査に関連して、奈良県技師の岸熊吉が五重塔の心礎の周辺を調査したところ、心柱の下に井戸のような空洞があることを発見した。

その発見したときの事情は『法隆寺日記』には、つぎのように記されている。

「（大正十五年二月三日）二、三日前より岸技師、五重塔

中心柱礎石研究の為め周囲の塵挨を取り除きつつ専心調査の結果、中心柱の下部腐蝕の間より深さ八尺の空井戸なることを発見せられ、上部は礎石にあらすして花崗岩を以て三角に組立てあり。古代建築学上の礎石問題の新発見にして尚ほ内部構造調査に歩を進めらるる予定」

このように岸は五重塔心柱の空洞を発見したのである。その空洞の底には仏舎利が納められている可能性が強まったことは言うまでもない。しかし法隆寺には、それまで舎利を確認したという記録はなかった。

岸はこれからの調査を慎重に実施するために法隆寺と協議を行っていた最中だった。防災設備の状況を見に来た大阪府技手の池田谷久吉が、塔の中に井戸状の空洞があるらしいという噂を聞いたのである。池田谷はすぐさま大阪天王寺師範の佐藤佐や法隆寺の寺僧たちと一緒に空洞に入って調査している。そして、その内容を新聞に発表したために学界や世間を大いに騒がすこととなった。とくに空洞を最初に発見した岸にとっては青天の霹靂であったことから、池田谷に警告文を発するまでに大問題化することとなる。

このときの事情として、『関野貞博士日記及手記』に、つぎのような岸の話が記されている。

「大正十五年一月三十一日塔礎石を調査の目的を以て田口淺吉（十八歳の少年）を壇の空気抜より入らしめ、床下の塵埃を除去し、始めて中心柱下の穴を発見。自分も亦入りて之を探検す。

二月三日引き続き調査。穴の深さをはかる。二月五日壷坂へ往きし間に大阪の技手池田谷（入る）六日穴中の塵土を除去す。七日始めて底に達し、銅板発見。五日壷坂より帰途、天沼・上田両氏に汽車中にて面会。始めて上田三平君が水道鉄管付設調査の為法隆寺に来り、池田谷の塔の中心柱に出入りするを目撃す。池田谷、穴内をかきまわし、唐草瓦片発見。当時寺の森山氏吉田入り、天王寺師範の佐藤佐氏も入る。

水道監督の北村氏の注意により、上田氏と相談の上、寺務所に話し、池田谷の調査を中止す。且つ一切発表せざることを約す。而るに池田谷は直ちに自身の発見なりとて大々的に新聞紙上に発表せり」

法隆寺としては、この空洞内に納められている舎利こそが信仰の根本であり、その尊厳が脅かされてはならないとして秘密裏に調査することとなった。そのような背景のもとに4月5日未明に法隆寺住職の佐伯定胤、関野貞、荻野仲三郎、岸熊吉らが、空洞内を調査している。

その事情は『関野貞博士日記及手記』に、つぎのように記されている。

「(大正十五年四月)四日午前八時四十五分発(奈良)。岸君と法隆寺に至り、荻野君と五重塔心柱下の空洞調査、又水道工事の際出土の瓦を拓す。

五日前五時起床。早朝佐伯管主・千早師・森山氏及び荻野・岸両君と共に空洞内に入り、銅蓋を開き、銅碗・サハリ碗・金銅壷発見。円穴内水充満す。此等遺物を寺務所に運び調査をなす」

このときに地下の心礎表面の穴から金銅容器に入った玉や海獣葡萄鏡《かいじゅうぶどう》と金、銀、瑠璃《るり》瓶の三重の容器に収められた舎利を発見したのである。

しかし、どうしたことか『法隆寺日記』には、舎利容器の調査に関する記載はない。それは、4月11日から3日間は奉賛会総裁久邇宮邦彦王の臨席のもとに聖徳太子1305年御忌法要を厳修することになっており、この調査に参加した人びとは、その内容を公表しないことを申し合せた可能性が高い。

ところが7月下旬になって新聞紙上に舎利が納置されていた状況が詳しく掲載され、大いに世の関心を集めることとなった。とくに研究者たちはそこに納められていた中国唐代の海獣葡萄鏡に注視したのである。それは法隆寺再建論に有利な資料となる可能性が高まったからであった。

しかし、この舎利とその容器や荘厳具に関する記事は、新聞に掲載されたもののみで、確実な資料は発表されることはなかった。

いずれ行われる五重塔の解体修理のときに舎利容器の再調査が行われるものと研究者たちは期待していたという。

やがて、待望の防災設備工事が昭和2(1927)年10月5日に完成して放水試験の実施を行っている。この防災設備の完成式は昭和3年4月10日に総裁久邇宮邦彦王の臨席のもとに盛大にとり行われた。そして翌11日には聖徳太子1307年と推古天皇1300年御忌法要を厳修している。防災施設計画から実に18年の歳月を要して完成した大事業であった。

この防災施設につづいて堂塔の解体修理が大きな問題として残っていたのである。なお、その優れた防火設備が昭和24(1949)年1月26日未明の金堂罹災のときに、その威力を大いに発揮したことを特記しておかなければならない。しかし、近年その設備も老朽化したために昭和53(1978)年から60年にかけて、設備の全面的改修と一部増設工事を行って万全を期している。

79　法隆寺の後継者——佐伯良謙を迎える

いよいよ伽藍の大修理を目前とした昭和6（1931）年に予期せぬ出来事が起こった。それは3月14日に佐伯定胤の後継者と見なされていた千早正朝が急死したのである。当然のことながら、定胤の後継者の欠如と法隆寺の運営面でも昏迷したことはいうまでもない。

定胤はそのショックもあり、しばらく白浜で静養しながら、これから法隆寺をどのように維持運営しようか、と検討したという。やがて定胤はすでに興福寺住職の後継予定者に決定していた佐伯良謙を法隆寺へ迎えたい、と懇望することとなる。

良謙は、興福寺と清水寺の住職であった雲井良海の弟子で、明治26（1893）年から大西良慶や板橋良玄とともに、法隆寺勧学院で法相教学を研鑽し、人びとから「法相の三良」と呼ばれる学僧の一人であった。とくに明治43（1910）年からは勧学院講師の定胤の次席者として「助講師」と呼ばれ、定胤にかわって「因明」などの講義を行なっている。良謙は早くからその学才が認められ、興福寺内では良慶の後継者に内定をしていたのであった。すでに大本山の住職予定者に許される法相宗の大法会である慈恩会《じおんね》の竪義《りゅうぎ》を明治44年に遂業していた。

そのような背景のもとに大正13（1924）年1月11日付で良慶は、住職辞退届を興福寺の護寺組織である興福会の一條実輝会長に提出している。それには興福寺住職に就任からすでに25年が経過し、大正3年からは京都の清水寺を兼務していること、とくに学僧の良謙を後継住職に推挙したいことなどが記されていた。そしてその年の5月18日付で良謙を正式に興福寺住職に推選する推挙状に、良玄や樋口貞俊も同意の署名捺印をして良謙の興福寺住職就任は決定的となった。興福寺や興福会の推薦によって、そのころ法相宗管長であり法隆寺と薬師寺の兼務住職であった佐伯定胤にその同意を求めたのである。

ところが定胤にとって良慶は永年の法友でもあり、その辞任を強く慰留したという。そのときに興福寺信徒総代の中村雅真が定胤に同意を迫る緊迫した一幕もあった。中村家はかつて興福寺唐院の承仕を務めた旧家で、奈良の名望家であった。やがて定胤と中村との協議によって良慶をしばらく留任させ、実質的に良謙を興福寺の代表者とすることで落着している。それから良謙は興福寺副住職と呼ばれるようになる。

それは昭和25(1950)年4月16日に行われた良謙の法隆寺住職就任披露のときに、東大寺長老の鷲尾隆慶がつぎのような祝意をのべたことによっても、その実状がうかがえる。

「今回の芳躅を御継承になった良謙大僧正猊下におかせられても一大学匠であらせられ、廣く宗乗余乗の内明経典に通達せらるるのみならず、特に因明の学には御造詣が頗る深くあらせらるる。四十年の昔、我等学徒御当山に留学せし時は猊下より親しく倶舎光記宝疏の御講演並に金七十論の御講義を拝聴したことでありまます。(中略)其の後、猊下には大本山興福寺へ御帰りになり、同寺の副住職として御寺門の御興隆に御尽瘁せられた。(中略)昭和七年、前住職定胤猊下よりの懇望により当山後任住職として御入山遊ばされたのでありまして、爾来十九ヶ年の久しき、よく定胤猊下の片腕として補佐せられ今日に及んだのであります」

かつて良謙は明治41年に法隆寺の維持基金を確立するために百万塔の譲渡に奔走したり、大正10(1921)年の聖徳太子1300年御諱法要の庶務部長を務めて、寺務を補佐した経緯もあり、法隆寺のことには全て精通していたのである。しかも定胤に次ぐ法相宗の学匠でもあり、まさに定胤の後継者としては最も適任者であった。

そのような事情から、定胤はどうかして良謙を法隆寺の後継者に迎えたいと、その仲介を荻野仲三郎と大西良慶に依頼している。とくに荻野は奉賛会の理事であり、良謙とも親交が深かったからである。しかし、当然のことながら、その交渉はきわめて難航した。それはすでに良謙が興福寺の後継者に決定をしており、興福寺の住職就任の同意を求めたときに定胤がしばらく保留をしたという経緯もあったことによる。

とくに信徒総代の中村がなかなか同意をしなかったのである。それに対して、法隆寺では毎日のように相談会を開いて良謙を迎えるための方策を協議している。やがて定胤が法隆寺住職を速やかに良謙へ譲るという条件のもとに、中村もしぶしぶ同意することとなる。

そして、ついに昭和6（1931）年12月23日に興福寺会や興福寺、そして良謙が、ようやく承諾することに決したのであった。待望の内諾を受けた定胤は、良謙との仲介に尽力を要請した荻野仲三郎に対して、つぎのような感謝の打電をしている。

「ナカムラ　ショウチス　コウフク　シュウギケッス　オニシキタ　アンシンコウ」

そして良謙が法隆寺へ入寺する当日の昭和7年正月12日は早朝から法隆寺の信徒総代や寺僧たちの代表が興福寺まで出迎えに向かっている。

それに対して興福寺からは良慶と信徒総代たちが自動車を仕立てて法隆寺まで良謙を見送るために同道し、法隆寺南大門では一山の寺僧たちや関係者が出迎えて丁重に歓迎の意を表している。これによって良謙は正式に法隆寺住職の後継者に決定することとなった。それからの良謙は実相院に止住して法隆寺の寺務を補佐することとなったのである。

それによって法隆寺は昭和大修理の事業や法相宗勧学院にも支障なく取り組む体勢が整ったのであった。

しかし、これによって興福寺では良慶の後継者として早急に慈恩会竪義遂業者の必要にせまられている。そのことから昭和11（1936）年に板橋良玄と樋口貞俊が竪義を遂業している。すでに紹介したように良玄も貞俊も竪義を遂業する学識を有していたが、そのころの竪義遂業者は本山住職の後継者とする内規もあり、すでに良謙が後継者に内定をしていたために竪義の遂業を控えていたのが実状であった。竪義が執行されるのは明治44（1911）年以来25年ぶりのことで、そのとき両師はともに61歳という高齢であった。

80　国宝保存事業部の設立――事業と共に発見も

明治30（1897）年に制定された古社寺保存法によって、国庫補助による堂塔の修理工事がはじまった。法隆寺では明治34年に中門、44年に上御堂、大正3（1914）年に南大門、大正9（1920）年に西院廻廊と経蔵及び鐘楼の解体修理を行っている。そして防災設備工事の完成に引き続いて、伽藍の根本的な大修理に着手することとなった。昭和8年から西室と三経院の解体修理に着工していたが、法隆寺には指定を受けた建物で未修理のものは20件もあり、その後に指定を受けたものを合わせると37件におよんでいた。

ところがこれらを今までの方法で修理をしていたのでは１００年を超す計算になる。そのようなことから特別処置によって、早急にその改修を望む声が高まっていた。聖徳太子奉讃会では法隆寺の大修理を国家事業として速やかに全修理が進行するように政界に強く働きかけ、ついに昭和８（１９３３）年5月21日に貴衆両院議員の法隆寺視察が実現している。

貴族院11名と衆議院22名のあわせて33名をはじめ、大蔵省や文部省などの関係者や奉讃会から会長の細川護立など各理事が立ち会っていた。同日午前10時に南大門に到着、直ちに聖霊院に参拝。それから2班に分かれて伽藍を拝観。午後1時から大講堂前で昭和２（１９２７）年に完成していた防火水道の放水試験を見学している。そのときに説明役に当たったのが黒板勝美、関野貞、荻野仲三郎、岸熊吉、新納忠之介たちであった。そのときに議員に対して、つぎのように説明した、と新聞は報道している。

「皆さん法隆寺は一つの博物館です。この建物は今から１３００年前飛鳥時代のもので世界最古の木造建築物、この仏像が天平期の作」

それに対して議員たちも「先生、先生」と矢継ぎ早の質問を行い、黒板たちはその応対に追われている。この議員たちの来訪によって法隆寺の大修理はほぼ決定した観があった。やがて文部省で詳細な調査を行い、直ちに大修理に着手する必要あり、との結論に達している。

なお、その年の10月19日には鳩山一郎文部大臣が法隆寺の修理の検分のために訪れており、そのときのエピソードが残っている。文相を案内した佐伯定胤は法隆寺の背後の山を指して、つぎのように説明した。

「あの山は斑鳩山で太子が最も愛でられた所であります。鳩山閣下を今日法隆寺へお迎えして法隆寺と鳩は縁故が多いと思います」。それを聞いた文相は「佐伯さんは、うまいことをいう」と随行者たちに笑って語ったという。

やがて昭和９（１９３４）年から10年計画、総工費１００万円という見込みの計画を立てている。そしてまず荒廃が著しく、かつ学界で問題が最も少ない東大門、食堂、細殿の修理に着手することとなる。その修理事業は文部省が直轄する国宝保存修理として実施することとなり、法隆寺国宝保存協議会、法隆寺国宝保存事業部、法隆寺伽藍修理出張所の機関を設置して万全を期することとなった。

法隆寺国宝保存協議会は粟屋文部次官を会長として建築や美術、歴史などの権威者15名を委員に任命している。その協議会は修理の根本方針や工事進捗に関する問題の決定機関であった。委員には建築の伊東忠太、関野貞、美術の瀧精一、藤懸静也、歴史の黒板勝美、濱田耕作などが就任、奈良県からは児玉知事も加わっている。法隆寺国宝保存事業部は総務部的なもので、粟屋次官を部長、下村宗教局長と河原会計課長を理事、有光保存課長と朝比奈事務官を幹事として工事に関する司令部のような機関となった。

そして法隆寺伽藍修理出張所の所長には京都大学を退官した建築界の第一人者である武田五一が就任。文部技手の服部勝吉を総務技師、同技師の大滝正雄を施行技師、今井文英を主事に任命。このほかにも吉田種二郎など5名の技手、そして5名の助手を置いて工事に着手することとなった。態勢は万全を期しているかのように見えたが、しかし現場ではなかなか苦労が多かったという。そのころから工事に携わっていた淺野清は『古寺解体』の中でつぎのように追懐している。

「しかしこうした思い切った人事は、工事がはじまるとすぐに、寺大工の口をとおして、寺側を不安におとしいれた。寺大工は仕事のことを何も知らない学校出の青二才どもに大事な仕事をゆだねられては、まともなことはできないと嘆き、これを聞いた寺側もこの人選を白眼視することとなって、工事事務所ははじめから、寺の不信をかうことになった」

やがて昭和9年5月27日に大講堂内で大修理祈願の起工式が行われ、奉賛会の細川護立会長をはじめとする100名余の関係者が参列した。いよいよ食堂、細殿、東大門、東院礼堂の修理に着手したところ、その解体によって大きな発見が続出。東大門の部材に記されていた上代と近世の2種類の番付を発見したことによって、この門は2度解体されていたことが明らかとなった。

とくに、その古い墨書によって創建したころの門は現在の方位とは90度異なることが判明し、移建していたことが確認された。当初は今のように東西に通る門ではなく、南か北向きの門であったことが明らかとなった。現在では南面する門であるとする見解が強い。

いずれにしても東大寺の転害門とともに天平時代の貴重な門であることが明らかとなったのであった。そして食堂と細殿は天平時代の双堂の形式を伝える貴重な建物遺構であることが判明している。また東院礼堂の地下からは前身の中門（中門を礼堂に改造したもの）の基壇石などとともに掘立柱を発掘している。

ここには間口7間と奥行2間という簡素な掘立柱の檜皮葺の建物があったことが確認されたのである。とくに立派な掘立柱を発掘したことによって斑鳩宮の柱ではないか、として関係者や報道陣も大いに活気づいたという。

そして「千古の謎解く円柱・斑鳩宮址と推定」「斑鳩宮址の推定・いよいよ有力となる」などと報じている。しかし、現場の主任である服部勝吉や所長の武田五一、荻野仲三郎、足立康、黒板勝美などの保存協議会の委員たちが検討した結果、それらは中門の遺構であるとの結論に達している。太子が居ました斑鳩宮址ではないか、と心ひそかに期待を抱いていた人びとからは落胆の声も聞かれたという。しかし、その夢はまもなく実現をすることとなる。

81

斑鳩宮址と若草伽藍跡の発見——会津八一の秘話

法隆寺再建非再建論争は明治38（1905）年から、非再建説の関野貞と再建説の喜田貞吉によって論戦の火ぶたが切られた。そして諸説も続出した。特に昭和14（1939）年3月には、関野の愛弟子である足立康が「法隆寺には用明寺と太子寺の2つがあった」とする新非再建説を発表したのに対して喜田は持論の再建を主張し、昭和14（1939）年3月に行われた日本歴史地理学会の席上で白熱した論戦を展開したこともあった。

ちょうどその秋に早くから期待をされていた斑鳩宮の遺構が、その姿を見せはじめたのである。皇極2（643）年11月に蘇我入鹿によって焼かれた斑鳩宮址は、伝承通り東院の伝法堂や舎利殿絵殿の地下に眠っていた。そこには掘立柱の建物跡を示す柱穴があり、その方位が西へ約20度振れていることも確認された。しかも焼土や仏殿に使われていたと見られる瓦などとともに井戸も発見され、それが斑鳩宮の一部であることが決定的となった。とりわけ宮殿の跡から瓦が出土したことは、宮殿内に瓦を葺いた仏殿が建っていたことを示す大発見でもあった。

なお、この発掘において初めて、礎石をもたない掘立柱の遺構が確認され、古代宮殿遺跡の研究に大きな貢献をしたのである。その事情は発掘を担当した浅野清の名著である『古寺解体』（学生社）に、つぎのように記されている。

「斑鳩宮跡の発見・伝法堂は『東院資財帳』にも記すとおり、はじめから瓦葺の堂であったので、その下から東院創立時の掘立柱が出るはずはなかった。（中略）伝法堂の地下は東院創建以来掘り返されたことのない土地であるから、遺跡の重複もないはずで、しらべるには最適の場所である。そう考えたので、礎石据えつけのため、その敷地内に一メートル角ほどの穴を三十四個も掘る機会に、偶然その遺跡に遭遇しないか、注意していた。そしてたった一か所、旹の掘立柱の掘穴と一部重なっているのを発見したのである。これが斑鳩宮遺跡発掘の瑞緒であった（昭和十四年十一月十五日）」

この斑鳩宮址の発見につづいて法隆寺の再建非再建論争の鍵を握る若草伽藍跡の心礎が昭和14年10月に法隆寺へ返還されることとなった。それに伴う若草伽藍趾の発掘がその年の12月に石田茂作と末永雅雄によって行なわれ、金堂や塔のものらしい掘り込み基壇の遺構が発見された。そしてそこに四天王寺式の伽藍が存在したことを確認したのである。

しかも伽藍の南北の中心軸が斑鳩宮の遺構と同じように西へ約20度ふれていることや、出土した瓦が現法隆寺のものよりは古く、飛鳥寺の創建瓦に近いことなども判明し、この発掘によって再建論が決定的となった。この発掘調査については本稿の（13）と（14）の項を参照していただきたい。しかし若草伽藍や現法隆寺の焼失年代や再建年代については結論が出ず、多くの課題は残されている。とくに焼失年代は天智９（670）年説が最有力であったが、それに異論を唱える研究者も多い。

そのころ法隆寺と親交を深めていた学者には非再建論者たちが多かった。その代表でもある関野貞や平子鐸嶺などが法隆寺の復興に尽くしたことはすでに紹介した。それに対して再建論者たちと法隆寺の交流を示すものはほとんどない。そのような時期に美術史家であり、歌人、書家でもある早稲田大学の会津八一が法隆寺焼失年代を推古15（607）年とする説を唱えていた。

会津がはじめて奈良を訪れたのは明治41（1908）年8月のことらしいが、会津の名前が『法隆寺日記』に登場するのは大正9（1920）年ごろからである。早稲田大学学長名で法隆寺を訪れる会津に便宜を与えられるように、との依頼状を法隆寺へ提出しているのが最も古い。そのころ会津は夢殿の南門前にあった「かせや」という宿屋に泊まっていたという。会津は歌を詠み『鹿鳴集』『山光集』などの歌集を刊行しており、法隆寺やその周辺のことを詠んだ歌も多い。

その会津が大正14年ごろから、法隆寺住職の佐伯定胤と交流を深めようとした形跡が見られる。会津から定胤宛に自著の『南京新唱』を送付し、大正15年には金堂諸尊像の光背拓本の恵与を依頼し、昭和2（1927）年には会津が自筆の小屛風一双を定胤へ贈ったこともあった。戦後になって奈良に会津の歌碑が建てられており、法隆寺にも歌碑建設の話が持ち込まれたこともあったらしいが、定胤はそれを断ったという噂話もある。

『まほろばの僧』（太田信隆著、春秋社）にも、つぎのように記されている。

「ただ一人だけ、定胤が会いたがらぬ人物がいた。会津八一であった。どういうわけで定胤は会津を嫌ったのだろうか。どちらも性格の強い人である。会津が定胤に贈り物をしたこともあったが、包み紙のまま手をつけずに部屋に放ってあったという。定胤には気にさわるところがあったのだろう」

そのような話を裏付けるものを、私は昭和59（1984）年に法起寺の土蔵から発見した。そこには包み紙に巻いたままの状態で会津の書が放置されていたのである。色紙状のものには「あおによし、ならやまこえて、さかるとも、ゆめにしみえこ、わかくさのやま」「いかるがの、さとのをとめは、よもすがら、きぬはたおれり、あきちかみかも」、横状のものには「みとらしの、あづさのまゆみ、つるはけて、ひきてかへらぬ、いにしへあはれ」と揮毫してあった。

これらは会津が法起寺住職の川西学猷に、法隆寺へ渡してくれるように託したものらしい。それには「表装はくりぬきにすべし」との表具に対する注文や「此歌は法隆寺寺務所へ寄贈す」と記した紙も添えられていた。

ところが川西は師匠の定胤が会津に好感を抱いていないことを知っていたから、ためらって法起寺の土蔵にしまっておいたものらしい。それを発見した私は、すぐさま額と軸に表装をして法隆寺へ収納した。また法隆寺に現存する会津から定胤宛の書状の中には未開封のままに放置したものもある。風評通り定胤が会津に好感を抱いていなかったことは確からしい。

定胤は法隆寺の境内に会津の歌碑を建てるよりは、平子鐸嶺の供養塔のように正木直彦や黒板勝美など法隆寺の復興に尽力した人びとの顕彰碑を建てたいという思いが強かったのではないだろうか。今となっては会津の歌碑に関する噂話の真偽は分からないが、もしそれが事実とすれば定胤は法隆寺の境内に会津の歌碑を建てる理由がないと判断していたのかもしれない。

82 金堂壁画の保存――蛍光灯の光明

明治30（1897）年に古社寺保存法を施行したときに、金堂壁画の保存方法として壁面にガラスをはめ込むことが計画されたこともあった。

ところが、その保存方法はかえって壁面を害する恐れがあるとして沙汰止みとなっている。大正2（1913）年に岡倉天心が壁画保存研究会を設置するように、と発案したのを請けて、大正4年5月から同8年7月まで「法隆寺壁画保存方法調査委員会」を設置し、壁画硬化等の試験や破損程度の調査を行っている。

特に大正7年5月には奈良県内務部の指令によって壁画の保存上拝観の規程を設け「壁画は毎年春秋の二期に限り期間を定めて拝観を許すこと」となった。また、そのときに壁面を保護するために新にカーテンと木欄を設けている。

昭和9（1934）年に法隆寺国宝保存事業部が設けられてからは壁画の破損修理、顔料、壁画硬化法、剝落調査などについて詳細な研究が続けられたが、その保存方法の結論を得るには至らなかった。しかし、いよいよ金堂の修理の時期も近づき、その結論を出すべく、昭和14（1939）年6月に壁画保存調査会を組織し、建築、地震、細菌、化学、美術、歴史等の権威者たちを委員に委嘱し、その第1回協議会が開催された。1カ月後の7月14日には法隆寺で初会合を開き、壁画保存の根本的解決法を模索するために、同委員会を第1部は建築関係、第2部は理化学関係、第3部は芸術、の3小委員会に分かれて具体的な保存方法を検討することとなった。

とくに、①壁画を現在のままで保存する方法　②解体して保存する方法　③取りはずして保存する方法――の3点から検討が重ねられたが、①はその破損状況から地震や建築保存の上からも不可能であること②解体しても元通りにはめ込むことができないかもしれないこと　③は永久に取りはずすことに対する問題――などがあり、安全でかつ確実な方法の結論が出されないままに時間が過ぎ去っていった。

しかし、文部省では金堂の修理着工も2年後に迫っており、取り急ぎ壁画の忠実な模写を行うことを決定している。

まず模写を担当する、荒井寛方、中村岳陵、入江波光、橋本明治の4人の画家が選出され、2年間で模写を完了する計画を立てている。

その模写事業は、12面を忠実に現状模写するものであり、そのためには充分なる堂内の照明が必要としていた。

やがて、一つの妙案が浮び上がった。それは蛍光放電灯（以下蛍光灯という）を使用することであった。そのころ蛍光灯は軍事用に使われていた機器と聞く。東京芝浦電気のマツダ支社の全面協力によって昭和15（1940）年8月26日に点灯され、洋画界から模写に参加していた和田英作が、その光の下で第一筆を下ろしている。そのときに蛍光がはじめて実用化され、その明るさによって浮び上がった壁画の美しさに画家たちは驚嘆の声を挙げたという。

そのとき「蛍光灯実用化は日本が最初」と報じた新聞もあった。これは暗い戦時体制下にあって、まことに明るい話題であったにちがいない。そのときに使用していた蛍光灯は昭和24（1949）年の火災によって焼損したが、法隆寺の書院用として造られたスタンド式の蛍光灯は今も健在である。現在は日本で最も古い蛍光灯として東芝資料館に保管されている。

昭和15年11月16日の朝日新聞には、『浄土』再現の歓び―法隆寺壁画模写部隊を訪ふ」という写真入りの記事が載っている。

『芸術家の心、創造する意欲は千年の時間的距離を「無」にしてしまふ、かつて闇に等しい暗い堂内で懐中電灯の光をたよりに見てゐた時模写に従ふこの画家達は、千年前の傑作を「夢」と感じてゐた、今明るい蛍光電灯の下で、驚く程真っ白な壁面に浮かび出る浄土の姿を見た時、只々驚嘆して打たれてゐる、鮮かな色、強く正しい線、殊に頭髪の細い線描きに至っては、毎日毎時にらみつける対象ではあっても「素晴しい」とてウーンと唸る一同である。暗い中で見てゐた時は壁の損傷した隙だと思ってゐたのが、今では明らかに雲である、然もジツと見つめてゐるとその雲の中に木の幹が見える、と一人が云ふ、だが他の人には見えない、この「見える、見えない」議論は今も金堂内で未解決のまゝ続いてゐる』

　そのころ画家たちのほとんどが法隆寺の近くに移住していた。模写作業の始業は8時、終業が午後4時30分、正午から1時間は休息という日課のもとに模写の作業をしていた。

　荒井寛方の班（森田沙夷、藤井白英、鈴木三朝）は第10号壁、第2号壁を担当し、法隆寺村の阿弥陀院に宿泊。

中村岳陵の班（吉岡賢二、新井勝利、真野満二）は第1号壁、第5号壁を担当し、龍田の民家に宿泊。

入江波光の班（吉田友一、赤松稜一、吉田義光）は第6号壁、第8号壁を担当し、大和郡山に宿泊。

橋本明治の班（村田泥牛、名古谷謙一、吉田善彦）は第9号壁と第11号壁を担当し、法輪寺に宿泊。

　模写方法は、壁画原寸大のコロタイプ写真をそのまま模写する紙に印画した上へ白胡粉を一面に塗り、それを画面と対照しながら画像の線を黄土で描き起こしてそれに彩色するものと、原寸大の写真の上に神宮紙をおいて壁画を見ながら上げ写しをするものの、2つの方法で行われている。

　前出の朝日新聞も、「朝から晩まで身動きできない仕事場で、肩が凝ると画伯たちが互いに肩を叩きあい、十日間も模写の作業が続くと足にしびれを感じ、目方も減り、仕事の大変さを痛感する」と報じている。

　模写の仕事も、2年間という当初の予定を過ぎても、あまり進行せず、昭和16年の末ごろから、辞退する画家もあり、模写の作業は暗礁に乗り上げつつあった。いよいよ金堂の解体も目前に迫っており、昭和17年には、模写陣の強化を計ったものの、戦局の悪化に加えて、壁画の模写に参加している画家たちの病気や軍への召集によって、自然休止の止むなきに至ったのである。

83

正木直彦の悲願——多彩な美術工芸の奉納

昭和9（1934）年からはじまった昭和修理の特徴は、すべての建物を解体修理することであった。とくに復元が可能な部分はできるかぎり建立当初の姿に復することが原則となっていた。しかし、鎌倉期や慶長期、元禄期の思い切った大改造によって古形式が失われ、復元することが不可能になっていた箇所も少なくない。その意味からも、私たちが仰いでいる法隆寺は各時代の様式が混合したものであり、かつて誰も仰いだことのない姿の建物となっているというのが実情である。

東大門、東院礼堂、東院鐘楼、食堂、細殿、大講堂、西円堂などの解体修理は順調に行われ、昭和12（1937）年からは夢殿の解体に着手し、秘仏の救世観音像をしばらく礼堂へ遷座している。そのころ救世観音像は元禄期に大改造を受けた厨子に安置されていた。そのときに法隆寺復興の大功労者であり、郡山中学校校長、東京美術学校校長、帝国美術院院長などを歴任した正木直彦が大きな発願を行ったのである。それは正木の77歳の喜寿を記念したものでもあった。

正木は私財を投げ出し、竹内栖鳳などの画壇の大家をはじめ全国の篤志家たちに勧進して救世観音像を納める厨子の新調を計画したのである。それには東京美術学校の教授たちも協力を惜しまなかった。日本美術界の重鎮たちが多くの作品を正木に提供し、それを東京の日本橋三越で即売会を開いて販売し、その収益を厨子の新調費に加えている。

特に正木は佐伯定胤の序文のある『上宮王院本尊厨子造立勧進牒』を持参して勧進の全国行脚を行った。そのとき記者の取材を受けた正木は、つぎのように語っている。

「夢殿本尊様のお厨子修造は多年の懸案だった。非常時だが救世観音様のことだから、この際何とかしてやり遂げたいと法隆寺さんとも御相談して早速はじめたようなわけで勧進に歩くものにも功徳あり、賛成される方にも結縁の善業あらんと折角あるいてゐる訳だ」

この厨子の設計を奈良県社寺課技師岸熊吉に依頼し、

法隆寺修理事務所所長の武田五一や美術院長の明珍恒男など多くの人びとの協力のもとに厨子の様式の細部にわたって検討が繰り返された。やがて八角円堂の夢殿に相応しい八角の厨子とすることに決定し、昭和12年9月に厨子の模型も完成している。とくに厨子の木材には法隆寺の古材を転用することとなった。

かつて古代の建物には「ヤリガンナ」という工具が使われていたが、残念なことにそのヤリガンナの技法はすでに絶えていた。ところが幸いなことに金沢市在住の砂張銅鑼《どら》の制作者として名高い魚住為楽（人間国宝）がヤリガンナの古典技法を継承していることを知った正木は、魚住にヤリガンナの技法で厨子を仕上げることを依頼している。『法隆寺日記』に、つぎのように記されている。

「（昭和13年10月6日）夢殿御厨子鎗鉋工魚住安太郎氏施工のため来山。金沢市長町五番丁六四（砂張茶器・銅鑼）魚住安太郎（為楽）」

なお、このときに魚住が使用したヤリガンナは法隆寺へ納められており、ヤリガンナの研究資料としても貴重な糧となっている。とくに、その厨子の漆塗は名匠として名高い松田権六（人間国宝）が玉虫厨子と同じ方法で生漆を使って塗り上げることを決定した。松田は塗師の小泉宗平などとともに1カ月で仕上げる計画を立てていたが、時局柄、生漆が入手することが極めて困難となり、苦労をしながら収集して仕上げている。

とくに漆を塗布方法として塗り上げが完了した時点で漆塗りの美しさを発揮させるか、あるいは何百年後にその真価が現せるか、との2つの意見があったが、最終的に正木の要望によって塗り上げ当時を二次的と考え、時間が経過するに従って美術的価値が高まる将来に主眼を置いたものとすることに決している。

そして金具の制作は清水亀蔵や海野清（ともに東京美術学校教授）などの彫金家が担当し、厨子内に懸ける戸帳は龍村平蔵が四騎獅子狩紋錦などを復元したものを使用することに決している。まさに贅を尽くした昭和を代表する厨子となり、飛鳥の麗仏救世観音像を安置するにふさわしいものとなったのである。

『法隆寺日記』（昭和14年2月16日）に、つぎのように記されている。

「鎗鉋師魚住安太郎・織物業龍村平蔵・漆工松田権六（夢殿御厨子の用材は古材を使用・厨子は飛鳥様式に塗り上げる（茶褐色）・金具は地金で十六貫・鍍金用の金は特別の許可を得ることを交渉中」

そのころ金具に使用する金塊を入手することは困難

であったが、正木の尽力によって大蔵省から特別の許可を得ている。そのとき正木は病魔に冒されていたが、その悲願の成就に全精力を投入し、昭和14年11月4日に待望の厨子の完成を見ている。その日の『法隆寺日記』は、つぎのように記している。

「夢殿厨子金具等を打ち付け、本日を以て完成す。正木氏以下海野氏、松田氏、岸技師等に対し、本坊に於いて粗飯を呈す」

大阪朝日新聞も「現代日本の一流美術工芸家たちの精進凝って完成。修理成った夢殿に一きわ気高い映えを見せた」と報じている。

その正木が昭和15年3月2日に悲願であった厨子の完成を目前にして没したのである。79歳であった。厨子の落慶供養は正木と話し合っていた予定の昭和15年4月21日に厳修することとなった。その案内状には「正木直彦先生の発願に由り新造中の本寺夢殿内御厨子正に竣工」と記されていた。

4月18日に夢殿本尊は新調なった厨子に還座、戸帳などの荘厳も完了している。21日は午後1時から上宮王院夢殿大厨子落慶供養会が執り行われた。この供養会には香取秀真監修の火舎香呂（西脇済三郎寄進）、華瓶1対と柄香呂（武田長兵衛寄進）、磬（小西新兵衛寄進）、燈籠1基（細川護立寄進）、金鼓（香取秀真寄進）が奉納されていた。

この供養会に続いて「正木直彦先生追悼作善講」を厳修している。『法隆寺日記』には、つぎのように記されている。

「堂内戸帳及び諸道具悉皆新調金色燦然たり。荘麗絶言語末代希有之事也」

まさに、この厨子の新調は法隆寺史上を代表する偉業といえよう。おそらく正木直彦も天寿国から合掌しつつ、満面に笑みをたたえて供養会を見守っていたことであろう。まさにこの厨子は近代における聖徳太子信仰の特筆すべき至宝であり、その造立の由来をぜひとも正しく語り継いでいただきたいものである。

空襲に備えて――研究は戦後へ

世界最古の木造建造物である五重塔と金堂の解体修理については、慎重に慎重を期すことが一大方針であった。古建築の解体技術が最も熟達したころ、とくに技師や工匠たちの経験が積まれ、その技量が最も向上した時期に修理を実施しようとしていたのである。

その計画のもとに解体修理が順調に進められていた。あとは聖霊院と五重塔、金堂の解体に着手を迎えるばかりであった。ところが昭和16（1941）年12月8日に太平洋戦争が始まると、法隆寺の修理も次第に停滞することとなる。とくに最大の難題である金堂壁画の保存方法の計画がまったく決まらない状態であった。そこでまず五重塔の解体に着手をすることとなった。修理期間は50カ月を要し、総工費は16万9000円が計上された。

そして塔の優美な姿はしばらく地上から消えることとなる。昭和17年9月25日には塔の魂を抜くための発遣の法要を行い、泣き仏として知られる塑像群も大宝蔵殿などへ移している。

いよいよ10月からは解体をするための足場と屋根を覆う須屋根の工事に着手。翌年の1月からは塔の解体作業がはじまり、まず頂上部にある相輪が取り外され、各層の屋根の瓦も降ろされた。このときに取り外した九輪は大講堂で一般に公開している。

しばらくして法隆寺工事事務所長の古宇田実に代わって、新たに岸熊吉が所長に着任した。そして塔の解体作業も着々と進むかにみられたが、泥沼化する戦局の悪化によって、資財や労力が急激に不足をしつつあった。作業に携わる人びとの多くが戦地へ召集されたからである。そのために屋根の土運びには桜井高等女学校の生徒の勤労奉仕があり、杉皮運びには斑鳩の小学生たちも奉仕をしている。そしてやっと昭和19年末までに塔の姿は初重を残すのみの状態となった。

しかし、都市の空襲が激しくなり、昭和20年のはじめには空爆の目標にならないように須屋根を解体して、初重の仮屋根だけとして掩体《えんたい》を施すこととなった。なお解体した塔の部材のほとんどは倉庫に格納したが、肘木や雲斗のような特殊な部材は仏像とともに柳生などの旧家の土蔵へ疎開している。

昭和18年9月からは聖霊院の解体修理にも着手、その本尊聖徳太子像などは発遣《はっけん》法要のあと丁重に三経院へ移され、これによって解体を残すのは金堂のみとなったが、いぜんとして壁画保存方法の決着は遅々として決まらず、関係者は大いに苦悩する日々を悶々として過ごしていた。

戦局は悪化するばかりであり、激しい空襲は奈良へも押し寄せようとする緊迫した状況にあった。一刻も早く壁画保存方法を決定して、解体に着手をしなければならなかった。ところが、かつて試験的に金堂壁面の一部を樹脂で処理した方法が結果的に芳しくなかったことから、壁画の保存について法隆寺の不信感が強いことが難航の大きな要因となっていた。それで、文部省側が壁画の処置を強く法隆寺へ提示することを躊躇《ちゅうちょ》させ、金堂解体の大きな妨げになっていたのである。

そのような時期に岸熊吉が所長を辞職し、浅野清が所長取扱に着任して、その難局に対処することとなる。浅野清は住職の佐伯定胤に対して、至急に金堂解体の必要を切々と説明し、その方法論を相談している。浅野は取り急いで金堂の上層部を解体することを力説、下層部の壁画に附着する柱は壁画と共に残し、土嚢《どのう》をもって壁画面を保護する処置方法を講じることで、法隆寺側の同意を取り付けることとなる。

浅野が示した試案に対して「壁画にも何の影響を来たさず」との見解のもとに法隆寺側もやっと合意をしている。

風雲急を告げる戦局の真っただ中の5月1日に金堂の解体がはじまった。それにともなって釈迦三尊像をはじめとする金堂の諸尊は大講堂などへ遷している。そのときの事情については『古寺解体』(浅野清著)に、生々しい経験談が記されている。

「解体材料の疎開
こうして解体した(金堂の)材料は西方の丘の間に土の掩躰を作って運びこんだのであるが、一部は仏像宝物などと一緒に、柳生、東山、大宇陀などの山中の豪家に頼んでその蔵に疎開することとなった」

金堂の上層部を解体した部材のほとんどは法隆寺裏山の開墾畑に設けた倉庫へ疎開させたのであった。そのころ本土への空襲はますます激しさを加え、法隆寺の防空対策も危機迫るものがあり、多くの建物にも防空偽装を施している。夜昼となく空襲警戒警報が発令されるたびに浅野をはじめとする工事関係者たちは消火活動に対処すべく、それぞれの住居から法隆寺へと駆けつけている。

　やがて金堂の上層部を解体が終わろうとしていたころには、その頭上を艦載機がかすめるように飛び交い、身の危険を強く感じるようにさえなったという。そのときに金堂内陣の上層部に画かれている天人（飛天）の小壁12面も抜き取って担架で運び降ろすこととなり、その作業も吉野工業学校の学徒の動員によって行われた。

　この小壁画は金堂を再建するときにはふたたび旧位置へ収める計画であったと聞く。しかし残念ながら切り取った壁画を元に戻すことはなかった。それは技術的にも極めて難しいものらしく、今なお、取り外された状態で収蔵庫に保管している姿は痛ましい。この現実を目の当たりにしている。私は高松塚古墳の解体を憂えたことを思い出す。

　このように戦時下にあって可能な限り塔と金堂の解体を行った。そして須彌山だけを残していた塔の掩体作業も進み、金堂は初層の掩躰作業の進行中に8月15日の終戦の日を迎えることとなる。

　なお、塔や金堂の解体によって多くの新発見もあった。塔の中心柱には落雷の痕跡があり、塔と金堂から取り外した天井板には建立に携わった画工たちが画いた絵や文字などの落書きを発見している。とくに塔の小壁の表面をはがすと、そこから山の隈《くま》取りと樹の幹を描いた痕跡も発見され、塔にも壁画が描かれていた可能性が高まったのである。これらはいずれも現法隆寺の建立年代を示す貴重な資料であったが、それらの精査研究は終戦後までしばらく持ち越されることとなった。

85

金属の供出——灯籠も布団も消えた

　戦争が激化するにつれて、ついに本土決戦をめざし「欲しがりません勝つまでは」の標語が流行したころ、すでに物資にもこと欠く厳しい世情となっていた。そのような背景のもとに考えられたのが、社寺をはじめ各家庭からの金属供出政策であった。法隆寺には、鎌倉時代のころから、西円堂の薬師如来の霊験に対する人びとの厚い信仰が栄え、その願いごとの成就を願って武器や銅鏡などを奉納する習わしが生まれていた。

江戸時代には御所の信仰も篤く、御祈禱《きとう》所としてたびたび御代参や御納物もあった。かつてその堂内には所狭しと刀剣、銅鏡、甲冑《かっちゅう》などが懸けられていたのである。その西円堂の解体修理が昭和10（1935）年9月から着手するのに先立ち、考古学者として名高い末永雅雄が刀剣、甲冑、槍、鉄砲、弓の武器をはじめ銅鏡などの奉納品の調査を行っていた。

法隆寺では、その末永に「法隆寺美術工芸品調査委員」を委嘱している。ところが、この国家の非常事態によって奈良県や軍部などの要請によって金属製の仏具や刀剣などの供出を強要される時代を迎える。

記録に残る最も早い供出は昭和17（1942）年3月のことであった。そのとき60余貫という西円堂の青銅製の大香炉（明治30＝1897＝年鋳造）や刀剣500数十本、大砲の砲弾（日露戦争の戦利品という）などを運び出した。

大阪朝日新聞は「青銅の大香炉が応召」と報じている。その年の11月にも諸堂の仏具をはじめ、半鐘3、西円堂水鉢用の青銅の龍、釣灯籠30、銅鏡1615枚、刀剣160余本など、約2トンの金属も供出することとなり、法隆寺ではそれらを集めて献納法要を厳修してから奈良県へ引き渡している。県ではこの供出の模様を町常会などで放映するための宣伝用映画を撮影したこともあった。

それ以降も警察や大阪師団、佐世保海軍軍需部などからたびたび刀剣の払い下げの依頼があり、末永の鑑定によって、その要請に応じている。昭和19（1944）年12月には奈良県警察部長からの要望で、刀50口（長さ1尺5寸以上。ただしできれば1尺7寸以上）と短刀若干を供出。昭和20年4月13日にも佐世保海軍軍需部の要望に答えて短刀（200口・士官用）、脇差（200口・下士官用）、短刀（700口・槍身用）を供出したとする記録もある。このとき軍部からの礼状には「太子鎮護国家の御理想具現仕るべき事」と記している。それは太子の理想を実現するための聖戦であるとする、軍政下の都合の良い理由づけそのものに他ならない。

この文言は、戦後すぐさま太子を平和主義者のシンボルとして崇めたものとはまったく正反対であったと言わねばならない。これは太子観というものが世情の移り変わりによってさまざまに変貌をしたことを示す資料でもあり、太子の普遍的な姿は隠されていたという悲しむべき時代でもあった。いずれにしても聖戦という名のもとに太子も寺院も、そして多くの人びとも戦争に協力させられたというのが実態である。

なお、そのころ多くの寺院からは梵鐘の供出が多く見られた。ところが法隆寺からは梵鐘の供出は行われていない。梵鐘の回収条件は主として慶長年間（1596－1615）以後のものとされたが、新しくても特別に由緒があるものや、形式が特殊なものは供出を免除されている。法隆寺には西院鐘楼、東院鐘楼、西円堂内、宗源寺鐘楼、西円堂鐘楼の5カ所に梵鐘があり、前者の2つはいずれも奈良時代のもので、そのころは国宝（現在は重要文化財）に指定されていた。西円堂内の梵鐘は慶長6（1601）年に豊臣秀頼の二世安楽を祈って奉納したもので、供出判定の基準によって除外された。それに対して宗源寺と西円堂の2つの梵鐘は回収条件によると必ず供出される運命にあった。

ところが宗源寺の梵鐘は元禄14（1701）年に東院の不明門前で西円堂奉納の古鏡を鋳造したとする由緒があり、西円堂の梵鐘も明治20（1887）年に西円堂奉納の古鏡で鋳造していることと、時の鐘として人びとから親しまれていることを理由として供出から除外されたのである。この梵鐘の供出の査定も末永が判断していた。

このように法隆寺では供出をしたものと、免れたものとがあった。いずれにしても供出したもののほとんどは江戸時代に造られたものであったが、信仰の遺産であることをまったく無視をした無惨な政策である。この不幸な戦争による供出の犠牲によって、多くの法具類や、奉納した人びとの信仰の糧が失われ、法隆寺の信仰史上にとってきわめて遺憾な出来事でもある。

ところが不幸中の幸いというべきか、昭和10年に高田十郎が編纂した『法隆寺金石文集』（『法隆寺の銘文』所収、鵤故郷舎発行）によって、失った遺産の欠を補うことができる。そこには供出によって現存しない銘文をもつ金属性の仏具の多くが収録されており、失われた信仰の貴重な遺産の資料となっていることはせめてもの救いでもあった。

しかし、銘文をもたないものがいかに多かったかを思うとき、その供出は千秋の恨事というほかはない。とくに釣灯籠なども多く供出している。

その中には奉納者願文の銘文を彫っている扉だけが遺されているものもあり、その姿を見るのも痛ましい。この金属供出とは別に昭和19年8月30日には大阪海軍経理部からの要請を受けて座布団100枚と敷布団10枚を供出している。

　これも無謀な戦争の悲惨さを伝える資料の一つである。

　このような供出と共に、戦時下の世情の影響によって「寇敵撃滅祈願法要」を聖霊院で厳修したり、警防団を組織したりして敵襲に備える日々であったが、やがて法隆寺周辺の村落も機銃射撃が行われ、法隆寺にも刻々とその危機が迫りつつあった。そのころ松並木の中に軍用品が置かれており、それを目がけたものとの風評もあった。このように法隆寺にも戦争の暗い影が押し寄せていたのである。『法隆寺日記』（昭和20年7月22日）には、その切迫した様子が記されている。

「十時敵機本村上空来襲低空飛行に恐しき響音轟き渡れり。機銃射撃に似たり。敵機興留より松馬場を旋回し機銃射撃を行へり。興留にて三人怪我せりと云ふ。松馬場松樹の間々処々陸軍用品何か置きあり。それを目がけたるに非る也と云ふ」

86 宝物疎開はじまる――終戦4カ月後に帰坐法要

　本土空襲が激しくなるにともなって国宝建造物を護るために掩体《えんたい》で偽装したり、宝物の分散疎開を実施したりすることとなった。

　奈良の社寺でも昭和19（1944）年から疎開がはじまり、東大寺や興福寺の仏像が円成寺、円照寺、大蔵寺などへ運び出したと聞く。

　そのころ法隆寺でも防空対策に追われる日々であったが、肝心の作業員の多くが出征しており、労力の確保に苦労していた。修理事務所の浅野清は宝物の疎開先を求めて吉野、大宇陀、柳生、東山などを訪ね歩いている。

　そのような時局に法隆寺住職の佐伯定胤は「いざという時には金堂の薬師如来像、釈迦三尊像や夢殿の救世観音像は、境内に埋納する」という一大決意をしている。薬師如来像を五重塔の心礎の空洞へ、釈迦三尊像は金堂の基壇内へ、救世観音像は夢殿の基壇の下へ、それぞれ埋納するという悲壮な決意であった。

『法隆寺日記』（昭和20＝1945年5月26日）には、つぎのように記されている。

「金堂本尊薬師如来は塔底空洞内。釈迦仏は金堂土壇下に埋納する事。夢殿本尊は夢殿壇下に埋納する事」

やがて疎開先やその方法論などを検討してから疎開費約3万円を計上して、その年の6月23日には第1回の国宝疎開がはじまった。

疎開を指揮し、中心的役割を果たした浅野清が、その著『古寺解体』(学生社)に緊迫した状況と経験を記している。

「(解体した五重塔などの古材の)一部は仏像宝物などと一緒に、柳生、東山、大宇陀などの山中の豪家に頼んでその蔵に疎開することとなった。疎開先を見つけるためには、栄養失調で重くなった足をひきずりながら、寺の吉田執事と、山中の村々をめぐりあるいた。そうして、百済観音をはじめ、第一流の仏像もぞくぞく荷造りして、トラックや貨車に託して送り出した。村も駅も熱意をもってくれた。金堂の本尊と夢殿の秘仏はいざとなったら池にしずめるという佐伯定胤貫主の決意をきかされて、悲壮な覚悟であった。こうして疎開も一段落し、壁画のある金堂初層の一部と、須弥山を残した五重塔をおおう掩体の骨格建設をすすめるうちに、昭和二十年八月十五日の終戦を迎えたのである」


法隆寺には宝物疎開の記録はほとんど残っていないが、『法隆寺日記』(昭和20年6月25日)に、笠置へ疎開したときの貴重な記録がある。

「午前八時国宝疎開搬出者一行早朝笠置駅より帰寺事。昨日運搬車の手違ひ且つ蔵の床板破損等の為め予定の通り運ばず。其上大雨大困難を強行せり、雨の為「如意輪観音像」小破。同光背大破、光背は徳川時代のものなり」

その翌日には大講堂の四天王像を笠置へ疎開。また柳生へは百済観音像、橘夫人厨子、五重塔肘木、雲斗、金堂阿弥陀如来像台座など。

東山へは夢違観音像、九面観音像、玉虫厨子、行信僧都像など。大宇陀へは金堂の金銅阿弥陀三尊像や天蓋附属の木造天人像、長久寺へは夢殿の聖徳太子像、食堂の梵天帝釈像など。松尾寺へは西円堂の十二神将像。矢田へは夢殿の道詮律師像や五重塔の塑像などを疎開していたと聞く。

なお、大蔵寺へは中宮寺の如意輪観音像、天寿国曼茶羅、誕生仏や東大寺、興福寺、手向山神社、法華寺、信貴山などの寺宝も疎開していたという。

しかし戦局はますます厳しく、ソ連の参戦、原子爆弾の投下によって、やがてポツダム宣言を受諾し、ついに昭和20年8月15日に敗戦の日を迎えた。それに伴って疎開作業を即刻中止して、裏山へ疎開していた塔などの解体部材はすぐさま境内へ持ち帰ったが、宝物類はしばらく終戦後の世情の動向を見極めるために疎開先へ預けたままの状態であった。

ところが8月29日夜に百済観音像を疎開していた家から出火する惨事もあり、宝物を笠置へすぐさま再疎開させるという混乱もあった。

しばらくして宝物が疎開先から帰ることとなり、その宝物が帰着することになった。

やがてすべての宝物の帰着を待って昭和20年12月28日に大講堂で「疎開諸仏帰座開眼供養法要」を厳修している。それは法隆寺がほっと安堵をした瞬間でもあった。

『法隆寺日記』（昭和20年12月28日）は、つぎのように記している。

「午前十時より講堂に於て疎開諸仏像帰座開眼供養法用を修す。それより大宝蔵殿諸尊供養のこと。次に食堂、三経院、西円堂終って夢殿参拝供養のこと」

そして昭和21年1月から聖霊院の工事も再開、やがて召集されていた技能者たちの復員もあり、修理も徐々に進行、画家たちの復員によって翌22年からは金堂壁画の模写も再開している。

なお、金堂は解体中のために、大講堂の仏壇の東側に新しい壇を設けて釈迦三尊像を中心に毘沙門天像や吉祥天像が安置された。

『法隆寺日記』には「金堂ご本尊釈迦三尊大講堂仏壇の東側に別に壇を設え移座のこと」とある。

そして薬師如来像や四天王像は大宝蔵殿の南倉に納められ、天蓋もその頭上にかけられていた。そのころ南倉にはガラスケースがなかったので、四天王像の邪鬼が拝観者の手に触れる距離にあり、人びとの手の脂で黒光りしていたことを思い出す。

このように昭和29年11月3日に金堂の修理が落慶されるまで諸尊たちはしばらく大講堂や大宝蔵殿などに分散して安置していたのであった。やがて金堂の修理が完成したことによって金堂の釈迦三尊像などの諸尊は昭和29年10月に金堂に安置されている。

なお、宝物の疎開については『太平洋戦争と奈良の『国宝』疎開（竹末勤）』（歴史地理教育451号）、『奈良県の歴史』（山川出版社）、『中宮寺・如意輪観音像の疎開（泉田宗健）』（季刊禅文化・191所収）などに詳しく記されているので、ぜひとも参照されることをお奨めしたい。

87

敗戦の日——時代に振り回された太子観

昭和55（1980）年ごろまで、敗戦前後の『法隆寺日記』は見当らなかった。ひょっとしたら終戦の混乱期に焼却処分されたのではないかと思ったこともあった。ところがまったく予期しない雑書の中から、私は偶然にそれを発見した。そこには8月15日を中心とする法隆寺の苦悩する姿を記していたのである。（記事の中には後日追記した部分もある）

例えば敗戦直前の8月7日に奈良連隊の司令官が法隆寺へ参拝したときのことである。そのとき司令官に対して、「軍部より物品を格納する建物を使用したいという要望が法隆寺へ寄せられているが、それは危険であり、ぜひとも中止してほしい」との要請を行っている。そのとき司令官は「今後陸海両軍何れより申来たる時は我方へ振向けられ度し」と答えている。連合軍によって日本は無条件降伏へ追い込まれる直前のことであった。

『法隆寺日記』には、つぎのような切迫した時局が記されている。

「（8月9日）ソ連、北鮮、北満来襲戦を我に挑み来る。ソ連参戦事。ソ連の参戦及原子爆弾投下とに鑑み我国は遂に四国宣言を受諾するの止む得さるに到りぬ」

そして日本がかつて経験をしたことのない敗戦の日を向かえ、天皇による戦争終結の玉音放送によって戦争は終わった。その日の『法隆寺日記』は、そのときの日本国民の心情を切々と記している。

「八月十五日の十二時時局重大なる放送これあり。停戦詔勅渙発（かがやき現れる）ラヂオを通して玉音放送拝聴す。言々切々（ひとことひとこと、胸に迫るように悲しい）、只唯闇涙（人知れずに流す涙）、感涙（深く感じて流す涙）の外これなし。米、英、中華及びソ連四国ポツダム宣言承諾停戦の旨也。無条件降伏申入の旨也。痛恨（深く残念がること）無極（極まりない）一億相哭《いちおくそうこく》（すべての国民が泣く）の秋《とき》也」

なお、昭和20年8月15日付の朝日新聞社説は「一億相哭の秋」と題して論説主幹の佐々弘雄が筆をとっている。

この敗戦によって世情は大きく一変した。日本人がはじめて経験する民主主義の時代を迎えた。すでに紹介したように、昭和5（1930）年から聖徳太子の姿が100円紙幣に登場したことによって、国学者から誹謗されていた太子の威信も回復していた。そして太子を日本の礎を築いた優れた人物として人びとから最も親しまれる人物の地位を築いていたのである。ところが太子も戦時中は国粋主義の発揚を担わされた人物であり、軍国主義の片棒を大いに担がされたこともあった。

そのために占領軍司令部の指示によって紙幣の図案から追放される運命にあった。明治時代からの紙幣の顔であった武内宿禰、菅原道真、日本武尊、神功皇后、坂上田村麻呂、和気清麻呂、藤原鎌足は姿を消すこととなった。そして太子の紙幣の存続も危険信号であったが、幸い一万田尚登日銀総裁（のちの大蔵大臣）が、太子は平和的かつ文化的な人物であったと強く主張したことによって、かろうじて紙幣からの追放を免れたと聞く。

しかし、戦前までは第3条の『三に曰はく、詔を承りては必ず謹め。君は則ち天たり。臣は則ち地たり』が太子の代表的な言葉として宣揚されていたことは事実であった。

ところが敗戦によって太子の言葉も一変する。『和を以て貴となす』が代表的なものとなったのである。まさにこのときから太子の評価は大きく変わった。太子の思想も社会的情勢を背景として変化したのである。この変貌ぶりには太子も苦笑されているかも知れない。

太子が戦後の紙幣へも「続投」したことによって、それからは太子を『和』の提唱者として、平和主義者の象徴となり、文化の先駆者として新しい太子の時代を迎えた。敗戦の疲弊から立ち直ることに懸命となっていた日本を平和国家として再建するためには、憲法十七条の第1条にある『和』が最も受け入れやすい言葉であったのだろう。

しかし、私は太子が『和』を唱えられたとする記録は憲法十七条以外にあることを知らない。もし、『和』が憲法にだけ登場するのであれば、それを太子の言葉としては捉えて良いのであろうか、と思うときもある。

太子が憲法を草案したとしても、必ず推古天皇や蘇我馬子たちの賛同のもとに、天皇が最終決定したはずである。けっして太子が独断で施行していない。とくに憲法の第17条には、つぎのように規定をしているからである。「十七に曰はく、夫れ事は獨《ひと》り斷《だん》ず可からず、必ず衆と與《とも》に宜しく論ずべし」。はっきりと、物事を決定するときには、独断で行ってはならない、と規定しているからである。

しかし、私はけっして『和』を太子の言葉でないとする立場をとるものではない。むしろ太子の草案によって推古天皇や蘇我馬子などと充分に協議をしながら最終決定した言葉として捉えるべきであることを、強調したいのである。

推古天皇はけっしてお飾りの天皇ではなかった。男子中心の世界の中から登場したすぐれた政治能力を持ったカリスマ的資質の強い女帝であった。当然のことながら十七条憲法の中には天皇の意向が多分に取り入れられていると考えるべきであろう。

法隆寺の文献には太子が十七条憲法を作成したとする記録はあっても、『和を以って貴しと為す』を太子の代表的言葉とするものを見ない。太子は敗戦によって新しい国づくりの担い手として、平和主義者、文化発揚者の象徴として生まれ変わったというべきではないだろうか。

そして昭和25（1950）年に1000円札、32年に5000円札、35年に1万円と、太子は高額紙幣の顔となった。このように連続的に、しかも各種の紙幣に同一人物が採用されたのは他に例を見ない。その太子の顔が昭和59年に紙幣から消えたのである。太子が昭和5年に紙幣へ登場する少し前から法隆寺は大きく復興を遂げ、そして紙幣から消えたころに法隆寺の大修理がほぼ完成を見た。まさに近代の法隆寺は太子の紙幣と共に歩んだ感が強い。

注目すべきことは、敗戦直後の指導者たちが新しい日本という国家建設の中心に太子を置くことが最適と考えたことである。聖徳太子関係の寺院はともかく、そのように太子を敗戦後のシンボルとして捉えようとした中心的指導者は誰であったのか。大いに興味がそそられる。

なお、私は以前から太子の姿が紙幣に再登場されることを提唱しつづけている。是非とも疲弊しつつある日本の再建にもう一度、太子に担い手となっていただきたいと願う昨今でもある。

88

東博から五重塔の露盤――御物の下賜を願い出る

昭和22（1947）年5月には、帝室博物館が国に移管されて国立博物館と改称することとなる。それまで帝室博物館に保管していた法隆寺献納御物のほとんどが宮内省から国の所有となるとうわさされていた。そのときに法隆寺から宝物の返還要求書を宮内省へ提出したという風説があったという。その事情は石田茂作の『法隆寺献納宝物の由来』（とみのおがわ4、聖徳太子奉讃会発行）に詳しい。

「終戦と法隆寺献納御物

戦時中各地に分散疎開していた帝室博物館の陳列品も終戦によって再び上野の古巣にもち返られた。そして帝室博物館は昭和二十二年五月付で国家に移管され国立博物館に改称されたまではよかったが、これまで帝室博物館として、その管理の実際を担当して来た法隆寺献納御物と正倉院御物に問題が起こった。この二者は帝室の御物として当然宮内省に帰属すべきものと思っていたところ、マッカーサーの指令により、皇室財産の枠がきめられて来た。その為正倉院御物と法隆寺献納御物について、大至急時価を提出せよといって来た。これは全く乱暴な話だがやれといわれるから仕方がない。せり売りの時価のようなものを正倉院御物と法隆寺御物の一つ一つにつけて出した。

ところが宮内省で計算したところが、その総計は皇室財産を遥かに上廻る。そこで私に宮内省から呼出しがあって、宮内省としては正倉院御物と法隆寺御物とは共に皇室財産として残したいのだが、四囲の事情はそれを許さない。どちらかを手放さねばならないが、どうしたものかと相談があった。私はいろいろ考えた末、世の中では正倉院は国家管理に移すべきだという説もあるが今のところこれだけは宮内省でもっておって貰いたい。法隆寺献納御物の方は博物館でお預りしてもよいからという事で、遂にその通りになった。ところがこのことが新聞に発表されると、早速法隆寺から宮内省へ返還要求書が提出された。文の内容は『あの宝物は皇室に献上したので国へ差上げたのではない。皇室で保管ができぬなら返して貰いたい。』という意味であった。これには宮内省も返事に窮した」

しかし、私はそのような返還要求書というものを見たことはない。『法隆寺日記』には、五重塔の修理に関連して露盤のご下賜を願い出た記録があるだけである。かつて塔に使っていた古い露盤は献納御物に含まれており、塔には江戸時代に新鋳した露盤が使われていた。法隆寺や修理工事事務所では塔の修理のときに是非とも献納している露盤をご下賜いただき、塔に再使用をしたいと考えるようになる。

そのような時期に奈良帝室博物館で「法隆寺献納御物金銅仏展及東京帝室博物館名画特別展覧会」（昭和21＝1946年9月1日から10日間）が開かれ、法隆寺の寺僧たちが「献納御物金銅四十八躰仏供養会」を厳修している。しばらくして奈良帝室博物館館長の藤井宇多治郎が供養会の謝意を述べるために法隆寺を訪れている。そのときに住職の佐伯定胤が藤井に対して、つぎのような相談をしている。

「五重塔の修理に際して、露盤をご下賜願いたく、東京帝室博物館安倍能成総長にお力添えをいただきたいものと思っております」

それに対して藤井は、つぎのように答えている。

「ちょうど安倍総長は10月に奈良へ来られるので、そのことを相談しましょう。そのときに、ぜひとも、法隆寺へも参詣されるようにお勧めをしたいものです」

そのような経緯のもとに昭和21年に帝室博物館総長に就任した安倍能成が法隆寺を訪れたのである。10月27日のことであった。安倍には博物館監査官の石田茂作が同伴していた。定胤は安倍に対して次のように依頼している。

「五重塔の古い露盤は献納御物となっていますが、このたび塔の大修理に際し、御物の露盤を元のように塔上に荘厳いたしたく恩賜をいただけぬものかと思いなやんだ結果、ぜひとも、総長にご依頼をいたすよりほかないと考えた次第であります」。それを聞いた総長はすぐさま、宮内省と協議することを快諾して次のように述べている。

「露盤以外にも、太子像の沓や四天王の剣のように本体より離れている献納御物も、この際、ご下賜を願い出てはいかがでしょうか。それらもぜひ、法隆寺へ下戻され、本体に具備すべきものであり、云々」

この安倍の話に定胤は大いに感激をしている。11月11日にふたたび安倍に面談した定胤へ、待ちわびていた宮内省からの内意が伝えられた。

「露盤下賜のことを宮内次官に相談したところ、そのことに同意され、さらに四天王剣と太子像の沓もこの際、下賜されるべき旨の話であった」

　これに法隆寺が同意をするならば博物館で下付手続を早急に実行しようと伝えられた。それには法隆寺としても異存はなかった。

　昭和22年5月2日付で宮内省からの沙汰書が法隆寺へ届けられ、5月28日には東京帝室博物館から待望の御物が法隆寺に到着。7月6日に献納御物恩賜奉告法要を三経院で厳修した。そのころ聖霊院は解体修理中で、本尊の聖徳太子像は三経院に仮安置をしていたことによる。その日には下賜された御物を拝観するために多くの人びとが参詣し、法隆寺として永年の念願が成就した喜びにわき返っていた。

　このように御物のご下賜のことは、五重塔の解体修理に際して、献納御物の露盤を下賜いただければとの願いが実現したものであった。しかも、敗戦後の大変革による皇室財産の整理に関連して、献納御物のほとんどが宮内省から東京国立博物館に移管されようとした時期でもあり、国有となるまでに法隆寺が希望する御物を下賜しようとの関係者の配慮もあったらしい。

　しかし石田が記している宝物の返還要求というものはどこにも見られない。そのような風評がどこから出たのか、不思議でならない。昭和24年6月には「聖徳太子及び二王子像」「法華義疏」など10件を除く献納御物は全て国有となり、そのときから「法隆寺献納宝物」と呼ばれることとなる。なお、下賜された露盤は修理の都合によって、再使用することはできなかった。それは塔の5層目の勾配を古い時代の様式に復元しなかったことによる。露盤は法隆寺の大宝蔵院に保管されている。

89 無残、金堂炎上――国内外に衝撃

　井上靖が記者として取材のためによく法隆寺へ足を運んでいた。そのとき井上は、模写をしていた画家の荒井寛方から「形あるものは亡びますよ」といった言葉を聞いたことがあった。その言葉は、私も師匠の佐伯良謙から荒井が語ったということを聞いた記憶がある。

私には荒井が語ろうとした言葉の意とするところはどこにあるのかわからない。荒井は、かつてインドのアジャンター石窟寺院に遺る壁画を模写されたこともあった。その豊かな経験の上に立って、そのような考えが荒井の心に生れたのか、あるいは私たちにはわからないもっと深い意味が込められた言葉であったのか、今となっては、その真相を知るすべはない。

不幸にも、荒井の言葉は数年後に現実のものとなった。昭和24（1949）年1月26日未明に金堂出火という悲劇の日を迎えることとなる。金堂の上層部はすでに昭和20年に解体され、12面の天人（飛天）の小壁画はすでに取り外されていたので、辛うじて罹災を免れた。その解体に先立って止利仏師が造った釈迦三尊像や薬師如来像、阿弥陀如来像、四天王像が大講堂や大宝蔵殿に移されていたのは不幸中の幸いであった。しかし、世界文化史上に輝く壁画が烏有《うゆう》に帰したことは、日本はもちろん、世界の人びとに大きな衝撃を与えた。

壁画の模写中に真冬の寒い金堂内での唯一の暖として電気座布団を使用していたことが出火の原因と云われたが、その真相は謎のままである。出火時間はわからないが、午前5時すぎに住職の佐伯定胤が勤行のために諸堂を参拝したときには異常を感じていない。金堂修理に携わっていた瓦葺職の井上新太郎が午前7時20分ごろに火災を発見した。

すでにそのときには内陣は火の海となっていたという。通報を受けた修理事務所ではすぐさまサイレンを鳴らし、消防団や多くの人びとが消火活動に努め、やっと8時40分ごろに鎮火している。まさに悪夢の時間であった。しかし扉が閉まった状態での消火活動は大いに難航した。そのときに金堂修理の副棟梁を勤めた田辺音松が危険を冒して消火栓を梃子棒《てこ》として内陣の大扉を巧妙にこじあけたことが、消火活動に大いに役立っている。その功績に対して法隆寺から感謝状と金一封を贈った。

その田辺の活動を近くで見ていた画家の吉田善彦は「扉をあけたとたんに、それまで堂内でくすぶっていた黒煙が、一瞬に赤い炎となって吹き出してきて」と、そのときの切迫した状況を語っている。

この悲惨な出来事の全ては焼損した壁画の前で合掌する定胤の写真と自らが記した『法隆寺日記』などの記事にすべてが凝縮されている。

『法隆寺日記』
「昭和二十四年一月二十六日（水）快晴

金堂火災之事。早朝六時□分頃修理工事事務所の「サイレン」鳴る。普通の鳴らし方にも、非常警報の鳴らし方に非ず。

然る処、金堂出火の報あり。貫首以下一同打驚き、慌ただしく伽藍に走り到る。此時火は炎々として屋上に吐き出あり、消防隊は当地及び隣村より続々駆け着けて、ホースを取付けつつありたり。

貫首は直に金堂内陣に飛び込まんとせしも衆人大に危険なるを見て「あぶない」と叫び皆々抱きかかへて階段に連れ下ろしたり」

『法隆寺国宝保存工事事務所日記』

「午前七時二十分頃金堂屋上より火の手が上り内部、天井、貫を焼失。壁画面焼失し、八時二十分頃鎮火」

『法隆寺国宝保存工事事務所宿直日記』

「一月二十六日朝七時発火　金堂火災焼失

人夫井上新太郎の報知に依り直ちに小使をしてサイレン吹鳴せしめ附近在住の所員、現場職人に連絡招集の処置を構ず。後火災現場に馳せ、消火に努む。鎮火八時」

焼損直後の各新聞は「けさ法隆寺金堂全焼」を伝える号外をはじめ「法隆寺金堂けさ焼失」「国宝・法隆寺の金堂焼く」「法隆寺金堂全焼す」「法隆寺十一面壁画焼く」と、その失われた世界的至宝を悼んで大々的に報じた。やがて文部大臣の下条康麿が責任を執るよう辞職勧告を受ける一幕もあった。失火原因は壁画を模写していた画家の電気座布団のスイッチの切り忘れだとか、漏電説、放火説もあり、その真相ははっきりしなかった。

この壁画焼損後、その責任問題、焼損壁画の保存方法、そして法隆寺の内紛などでしばらく紛糾している。かつて京都や奈良を米軍の爆撃から救うことをアメリカ政府に進言したといわれるラングドン・ウォーナーは金堂焼損の悲報に接して、すぐさま館長をつとめるボストンのハーバード大学付属のフォッグ美術館所蔵の原寸大壁画写真を中央ホールの壁一面に飾って哀悼の意を示している。28日付の『朝日新聞』には、つぎのような談話を寄せている。

「驚くべきことだというほかない。私だけがこうした貴い日本の文化財を戦火から守ったのではない。私たちと志を同じくする者がみな協力をした結果だったのだ。今の日本にはこうした気持が少ないように思う」

この壁画罹災という深い禍根は世界文化史上に深く刻まれ、その惨事を痛む声は後を絶たなかった。多くの人びとから法隆寺へ見舞いが送られていた。宮城県の専念寺住職徳力祐憲からの火災見舞に対する定胤からの礼状には、つぎのように記されている。

「修理復興候えば、外観は何の異状もこれ無く、一千三百年のままのすがたに相成り申すべく存じ候。ただ内陣の柱だけ新材に取り替えらるる程度に御座候。ただしかしながら最も取り返しの付かぬ事と相成り候は壁画の焼損にて、誠に痛惜の感に耐え申さず候。全く文部省の壁画模写役人の不注意怠慢の結果の事、ここに至りしものにこれ有り。文部省として大いに責任を自覚し、なるべく速急に復興すべき案を立て、すでに工事に着手致し居り申し候。三年もしくは四年間に成功出来申すべしと存じ候。

何と致しても太子の聖慮を篭められたるこの聖堂、一朝かかる災害に罹りし事、いつに野老不徳の致す所、誠に恐懼の至りに堪えず罷り在り候」

このような記録から法隆寺や工事事務所の動揺ぶりがリアルにうかがえる。

90 信仰と秘宝の間で——国会質問にも発展

塔婆には舎利が納められている。しかし法隆寺の古記録には、それを確認した記事はない。ところが大正14（1925）年に岸熊吉が塔の心礎を調査したところ、心柱の下に空洞があるのを発見した。

しかし公表することをさけて、極秘裏にその年の4月5日未明に佐伯定胤、関野貞、萩野仲三郎、岸らが、空洞内を調査して地下の心礎表面の穴から金銅容器に入った玉や海獣葡萄鏡と金、銀、瑠璃の三重の容器に収められた舎利を発見したことはすでに紹介した。この秘宝が五重塔の本尊であることから、すぐさま埋め戻されて、一般には発表されることはなかった。ところが朝日新聞や毎日新聞にこの秘宝の存在が掲載されたことによって、世間の注目を集めることとなる。

とくに秘宝の中に唐代の海獣葡萄鏡があることに学者たちは大いに注目した。唐代の海獣葡萄鏡が納められていることは法隆寺再建非再建論争に極めて重要な意味をもっていたからである。再建論に有力な資料であった。しかしそのときに公表をしなかったことから、いずれ行われるであろう五重塔の解体修理のときに舎利容器の調査も行われるであろうと、研究者たちは期待していた。昭和17（1942）年から五重塔の解体に着手したが、それは解体するだけに留まった。

敗戦後に再建工事が進行するにともなって法隆寺国宝保存事業部としては学界のために法隆寺に対して舎利容器の再調査を望む声が高まることとなる。そのころの工事事務所長大岡実を始めとして各委員が法隆寺に対して再三に亘って公開を懇請し、昭和23年10月には、文部省法隆寺国宝保存課長の有光次郎から正式に法隆寺に対して調査の申入れを行っている。

法隆寺としては信仰の根本である舎利であるとする立場を厳守して容易に公開には同意をすることはなかった。そしてこの問題は、暗礁に乗り上げる形となったのである。この秘宝問題に関する法隆寺の態度は、その年の12月13日に開いた会議で定胤がのべた言葉に象徴されている。

『法隆寺日記』（昭和23年12月13日）

「近来研究者の間にて埋蔵品の公開を要求するの声あり、一旦外部に取り出す事あらば次には公開の要求迫り来る恐これ有り。是れは中々重大の問題也。塔の埋蔵品を軽率に公開するが如き事あらば金堂修理の際、伏蔵の公開も亦要求せらるゝの事無きに非ず。塔埋蔵品の外部取出しは其背後にかゝる策動の為なるや亦知るべからず。依而是れは断じて承諾出来難き事なり」

しかも金堂が炎上する不幸もあり、この問題はますます困難な状況となり、しばらく棚上げとなった。そして五重塔の再建工事もいよいよ進捗して9月25日に立柱式を挙げるところまで進んだために、その問題は未解決のまま空洞に砂を詰められようとしていた。

五重塔の秘宝を公開しない法隆寺の態度に不満をつのらせていた国立博物館職員組合や日本美術史学会は、法隆寺と文部省に対して善処を要望する強い調子の声明書を9月9日に提出する一幕もあった。このことが新聞各紙に報道されて、この問題を世間に訴えることとなり、にわかに大問題として衆参両院の文部委員会でも質問が行われるという事態となり、大きな社会問題にまで発展していた。

そのような背景のもとに、この問題の沈静化を図るために文部省は、社会教育局文化財保存課課長の深見吉之助を派遣している。そして法隆寺と充分に協議を行い速やかな解決策を模索させるとともに法隆寺と話し合いを行っている。秘宝の公開をこばむ法隆寺に対して世情の声はきびしい批判が相次いだが、定胤の強い信念は微動だにしなかった。深見も関係者と種々折衝して、両者は和解の道を探り合い、やがて定胤と深見とが最終的に合意をすることとなる。その会談の内容については『法隆寺日記』につぎのように記されている。

「九月二十三日深見氏云く。舎利容器安置の穴中に水侵入せるものの如し、銅盤上「コンクリート」にて覆ひあり。「コンクリート」溶解し浸水すとせば埋蔵の金属宝器を腐蝕せしむるに至る。依って此際清掃浄拭し、宝器を「ガラス」内に密閉し浸水と絶縁せしめ、永久に保存の処置を施さなくてはならぬ。これが為め一時外部の浄室に奉遷有り度し云々。

予（定胤）云く、是れは必要の事也。実行致度し。

深見氏云く、外部に一先奉遷の機会に信徒代表及び専門の学者五、六名に限り拝礼許るされては如何。非公開の下に拝礼許るさること出来ぬか。又学者の人選も寺側に於て決められて然る可し。予云く事重大也」

このような2人の協議を経て、信仰の立場を尊重することを第一義とするとの認識のもとに調査が行うことと合意に達した。そして9月26日午前11時に法隆寺と文部省で、この問題が円満解決したことを同時発表して、その落着を見ることとなる。

ところが9月24日付の『東京日々新聞』の夕刊の一面に「法隆寺五重塔秘宝のカギ」の大見出しとともに「仏舎利はない」とし、東大建築学科教授岸田日出刀、同講師堀田捨巳、同助教授太田博太郎、衆議院文部委員長原彪、文部省文化財保存課長深見吉之助による「舎利容器の公開非公開」の座談会が掲載された。後年になって深見が私に贈られた秘宝に関する新聞の切り抜きの中に、その『東京日々新聞社』の掲載紙があり、それにはつぎのような深見の思いを記した張り紙がある。

「この記事は深見が西下する前日二十四（年）、九（月）、二十日に行われたもので、二十二日朝刊に発表し、信徒総代会二十三日を牽制するものであったが、小生が強硬に反対し三日間延期せしめ九月二十四日の土曜日に掲載されたもので、この記事が事前二十二日に発表されたら信徒総代会は決裂したと思われるものです。私には大変な決断でした」

秘宝公開問題の文部省側の代表者として、薄氷を踏むような気持ちで法隆寺側との協議に臨んだ、深見の進上が察せられる貴重な資料でもある。

91

開かれる秘宝――五重塔の鎌の新調も

五重塔秘宝の公開を迫る文部省と信仰の立場から拒否をする法隆寺は互いに歩み寄り、秘宝の容器を清掃することで同意。その機会に信徒と学者の代表が奉拝するという形での調査を実施することとなった。

それにともなって9月26日に文部省と法隆寺の合意書を作成し、文部大臣の高瀬荘太郎は、次のような談話を発表している。

「学問の探究はもとより必要であり、また、宗教の尊厳は犯すべからざるものであります。学者が研究のためには信仰を無視して顧りみず、宗教家が宗教の神秘を偏重して学問の自由を排するとすれば、それは文化国民として共に取らざることであります。

幸に秘宝を奉拝する機会を与えられましたことは、日本文化のため重大な意義あることであり、学術のためにも感謝に堪えぬところであります」

秘宝の奉出は10月3日午後11時から行われ、舎利などを納めた宝器は法隆寺の図書施設である鵤文庫に遷座。17日から容器の清掃と調査を行っている。

調査には羽田亨（歴史）、岸熊吉（建築）、梅原末治（考古学）、石田茂作（仏教考古学）、藤田亮策（考古学）、小場恒吉（工芸文様）などの学者が選ばれた。その初日に法隆寺を訪れた高瀬文相は秘宝を奉拝。文相はそのときの印象を「頭が下がったの一言につきる」と語っている。やがて清掃と調査を終え、秘宝を納めるガラス製容器の作製と舎利を納める容器などの複製の完成を待って11月28日に、五重塔心礎の舎利穴へ奉遷した。

この秘宝の詳細と調査の内容は『法隆寺五重塔秘宝の調査』（昭和29＝1954年3月法隆寺発行）に詳しく記載している。

なお、五重塔が竣工したときに建物及び工事の概要を刻した修理銘にも、つぎのように刻している。

「心柱の下、深く納められている秘宝は硬質硝子を以て作製した容器に納め旧位置に戻し永久保存の方途を講じ、空洞は清浄な砂利を充填して崩潰を防ぐこととした」

この秘宝の公開問題が一段落したことによって五重塔の修理工事が促進し、昭和24年12月11日に心柱の立柱式を挙行。五重塔の再建は順調に行われるかに見られたが、昭和25年9月3日に近畿地方を襲ったジェーン台風によって素屋根が大破して、その復旧に3カ月を費やしている。

翌年からは軸部の組み立てがはじまり、昭和27年3月には露盤や相輪を取り付け、いよいよ素屋根を取り除く作業に着手。10年ぶりに五重塔は、その優美な姿を現わした。そして5月18日に落慶供養の舞楽法会を盛大に厳修したのである。

この五重塔には古くから落雷の難を除くために大きな青竜刀のような三日月形の鎌が九輪の東西南北に立てられていた。鎌倉時代に編纂した『太子伝私記』には「九輪の最下の輪に四角に鎌を立てたり。此等は皆竜王の難を除くためなり」と記している。最も古いと見られる奈良時代の鎌（鎌長40・5センチ）が法隆寺献納宝物の中に現存している。その鎌は五重塔の創建されたころから立てられていた可能性もある。

それは法隆寺の前身と見られる若草伽藍の塔が落雷の難に遭遇したために、再建するときに雷から塔を守ろうとして鎌を立てたことを示唆しているのではないだろうか。しかし、どうして落雷の難を除くために鎌を選んだのであろうか、太刀や矛の刃物でも良かったのではないか、という疑問が生じる。それに対して納得するような理由を聞いたことはない。また他寺の塔に鎌が立っている例を私は知らない。

なお、秋田県や東京都大島には雷が鳴れば鎌を立てる風習があると聞く。その起因なども知りたいものである。雷を悪魔と考えた場合、それを除くことを降魔《ごうま》という。その「ごうま」は「がま」とも読む。私はその「がま」に因んで鎌を立てたのではないか、と推測しているが、確証はない。大正15（1926）年に法隆寺の裏山に防火施設として貯水池を築造したときに、その池の名称を「呵魔池《かまいけ》」と命名している。

これはその近くにある鎌峠に因んだものであるが、この命名も降魔の意味を込めたものとは言えないだろうか。いずれにしても降魔のために鎌を立てたことだけは確かなようである。修理前の五重塔には、「出雲丞藤原定国」（文化年間の人）の銘が遺《のこ》る2本の鎌が上がっていたが、すでに老化していたために昭和大修理のときに新しく製作することとなった。

昭和22（1947）年に堺の太子会（聖徳太子を信仰する人びとの会）の紹介で法隆寺を訪れた、堺の鋳鉄匠水野正範に新しい鎌4本の製作を依頼。昭和22年6月17日に「五重塔鎌鋳造火打之儀」を挙行している。そのときに住職の佐伯定胤が奉読した表白文には「鉄鎌四口を鋳造し、高く九輪最下の四方に懸け以て風火の魔障を切断するに擬す」と記されている。このように昭和の新しい鎌が製作された。それが五重塔の九輪に立てられている4本の鎌である。

しかし五重塔には落雷の難がいくどかあったらしい。鎌倉時代（建長4＝1252年、弘長年間＝1261－4）には落雷があり、昭和の大修理のときに心柱の3層付近から焼痕を発見している。そのとき高徳の僧として名高い西大寺の興正菩薩叡尊《えいそん》に、五重塔各層の四面の正面に打ち付けるための避雷符（桧材87・3センチ、27・1センチ）の揮毫を依頼した。弘安6（1283）年6月9日のことであった。『太子伝私記』には「層毎の四面に皆板に最勝所説の四種の竜王之名を書いて之を打つ」とある。その避雷符には四竜神の種子（梵字）と漢訳の名号を記している。それは叡尊の法力によって落雷の難から五重塔を守ろうとした寺僧たちの切なる願いをこめたものであった。

ところが昭和の解体修理のときに避雷符の老朽化などもあり、一部分が取り替えられ、住職の佐伯良謙が揮毫した避雷符で補充している。なお新補した鎌や避雷符については修理工事に直接関係がないために『法隆寺国宝保存工事報告書（五重塔）』（昭和30＝1955年）には記載していない。

92　聖徳太子の宗派——法相宗との決別へ

佐伯定胤は第2次大戦後の混乱期にある日本を再建するには、聖徳太子が提唱した和の精神を広く高揚して、世の浄化を計らねばならないことを痛感していた。仏教社会運動家として禁酒運動や廃娼運動を展開したことで知られる高島米峰（浄土真宗本願寺の僧、東洋大学学長、1875－1949）が著した『聖徳太子正伝』（明治書院発行、昭和23＝1948年）の中で、法隆寺は太子の宗派を開くべきであると強調している。

「元来、法隆寺も、四天王寺も、共に宗派未分以前の創立にかかるもので、聖徳太子が、何宗にも属せず、何宗をも開闢《かいびゃく》せられたのではないばかりでなく、三経中心の聖徳太子の日本仏教の根本道場ともいふべき法隆寺が、法相宗に属して居るといふこと自体が、不自然であって、既成教団の何宗にも属しない、独立独歩の法隆寺であるべきである。最近、四天王寺が天台宗の羈絆《きはん》を脱したといふ、その後塵を拝するといふのではなく、法隆寺は法隆寺の立場で、法相宗から離脱することが、真に聖徳太子の造寺の精神に合致するものといふべきであらう」

かねてから定胤と深い交流があった高島が法隆寺の独立をうながす見解を発表したのである。これを読んだ定胤は大いなる啓発を受けて「一大警鐘」と記している。昭和24（1949）年の11月には四天王寺が天台宗から独立して「和宗」を開き、太子の御廟がある叡福寺も真言宗を離れている。

金堂罹災の後、定胤は明治38（1905）年から昭和25年までの47年間にわたって在任していた法隆寺住職を引退。その後任に佐伯良謙が就任した。良謙は昭和6（1931）年に定胤の強い懇望によって興福寺から転じて法隆寺住職の後継者となり、19年間にわたって定胤を補佐する日々を過ごしていた。昭和25年4月16日に行われた良謙の法隆寺住職就任を祝う晋山披露に参列した東大寺長老の鷲尾隆慶が、その祝辞の中で「十九ヶ年の久しきよく定胤猊下の片腕として補佐せられ今日に及んだのであります。此の所にも忍従の高徳がよくあらわれて居ります」と語っている。

そのころ法隆寺の寺僧は住職の良謙、長老の定胤、執事の間中定泉と木下円超の4人であった。しかし定胤は長老となってからも法隆寺が聖徳太子を奉じる新たらしい宗派を開宗することを悲願としていたという。

その年の9月22日に開いた法隆寺信徒総代会の席上、定胤から一大決意が披瀝《ひれき》された。

「法相宗の教義は人びとの素質を5つに別《わ》けて仏となるものと、仏になれないものがあるとするのに対して、聖徳太子の教えはこの世の生きとし生けるものはすべて仏となるとするものであり、両者の教義は全然正反対のものである。是非とも法相宗を離脱して、新しい宗教を設立すべきである」（要旨）と力説したのである。

ちょうど、そのころ宗教法人法が制定されようとしており、定胤はそれが施行されるまでに永年の念願を実行に移したいと考え、この独立を急いだものともいう。とくに翌26年は聖徳太子1330年の御忌の年に当たることを意識した決断であった可能性もある。その定胤の発言に対して信徒総代の1人が、つぎのように述べている。

「これは現管長にもご意見あると思われるゆえ、しかとご熟議ありたき旨」

しかし、定胤は信徒総代たちが自分の考えに賛同したものと理解して、その日の『法隆寺日記』に、つぎのように記している。

「信徒各位はそれは、尤《もっと》もの事なり、宗教法発布迄に実行然るべし。」

その日から定胤は独立への準備を進め、その新宗派の要義などを作製している。そのころから聖徳宗の独立のための事務を担当したのが間中定泉である。定泉は大正9（1920）年に定胤の弟子として得度、昭和24年3月に法隆寺執事に就任している。

定泉が定胤の指示によって聖徳宗の立教開宗の諸準備に奔走していたのである。10月4日に開かれた地元信徒会で、はじめて定胤自筆の聖徳宗の規則案を示され、開宗の準備が予想以上に進行していることに驚いたと良謙が後日に洩らしたことがあった。そのときに地元信徒総代たちが口を揃えて賛同の意を表している。

「凡そ宗派の独立は大低、経済問題が中心であるが、今本案はそういうことは全くなく、只信仰問題のみであり、かかる純粋なることは他に例を見ないことである」

その地元信徒総代の賛意のあとに意見を求められた良謙は「新らしきものの生れるのは目出度ことながら古きものの死んで行くのはかなしきことなり」と語っている。この法隆寺の独立問題に対して良謙は興福寺住職の板橋良玄や清水寺住職の大西良慶と緊急に協議をすることとなる。

良謙にすれば法相宗である法隆寺の後継者として興福寺から転じたものであり、法相宗や興福寺と袂を分かつことはまったく予想だにしていなかったことである。まさに青天の霹靂《へきれき》そのものであった。

10月11日に、興福寺を訪れた良謙は板橋良玄と聖徳宗開宗の状況について話し合っている。そのときに板橋は、つぎのように語っている。

「これに関する一切の権限は法隆寺住職にしかなく、何とぞ、甚深の考慮の上で処置を願いたい」

その後もたびたび板橋良玄からは良謙に同情する好意的な書状が寄せられている。その後、講話のために中宮寺を訪れた大西良慶と良謙は中宮寺の一室で長時間にわたって話し合っている。しかし、そのときに、どのような会話が交されたのかはわからない。
良謙は興福寺と法相宗との決別というまったく予期せぬ現実に苦悩する日々を過ごすこととなる。

93 聖徳宗へ――難しかった円満独立

聖徳宗独立の準備は長老の佐伯定胤の主導のもとに進められていた。そのころ、法隆寺が独立することは公然の秘密というよりは、むしろ公表された状況にあった。

昭和25（1950）10月27日の『法隆寺日記』は、つぎのように記している。

「中外日報、去二十一日に「法隆寺を太子様に戻せ」。「宗派学問からも開放せよ」。「独立一原因」なる記事あり」

11月12日午後、法隆寺の本坊で宗会が開かれたが、興福寺と薬師寺の住職はいずれも欠席、両寺からは執事2名が出席しただけであった。

宗会の席上で法隆寺が法相宗からの独立を宣言すると予測したために両寺の住職が出席を取りやめていたという。

それに加えて法相宗管長である佐伯良謙も数日来の風邪ということで宗会には出席せず、管長や本山住職が欠席をした異例の宗会となった。

宗会では定胤が、法相宗を離脱して聖徳宗を開く理由を陳述し、興福寺と薬師寺の同意を、と申し出ている。

それに対して両寺の執事たちは、ともに帰寺して住職に報告してから返事を申し上げるということで、そのまま散会した。

法隆寺の住職である良謙が法相宗管長在任中であり、定胤は宗会が法隆寺で開催される昭和25年が独立に踏み切る好機であると決断をしたとする、うがった見方もある。翌13日は、法相宗を代表する法会の慈恩会《じおんね》が行われる日である。その日に間中定泉は興福寺、薬師寺を訪れて独立の承認を得たい旨申し出ている。

ところが、興福寺と薬師寺はすでに法隆寺で執行する慈恩会にも出仕しないことを決めており、円満な同意を得ることはできなかった。

したがって興福寺や薬師寺、清水寺からの出仕がないままに慈恩会を修行することとなる。これによって法隆寺は法相宗から離脱することが決定的となった。そして定胤は11月15日に念願の聖徳宗開宗奉告法要を聖霊院で執行したのである。

その法要は極めて簡素で定胤が奉読する奉告表白文が主たるものであり、参列者は信徒総代と工事事務所長、主事、末寺総代などの数名であった。そのときの宗僧は住職の良謙をはじめ長老の定胤、執事の間中定泉と木下円超、法起寺住職の川西学猷、大野泰治（のちに可圓と改名）のわずか6名であり、人材的に見ても最も小さい宗派であった。

そのころ宝珠院や普門院、宗源寺、福生院などの子院には多くの工事関係者たちが暮らしており、現在の法隆寺からは想像することはできない状況であった。

いずれにしても、この聖徳宗の開宗によって良謙は法相宗管長を辞任し、改めて聖徳宗管長に就任したのである。そのような状況の中で、11月21日には法相宗との宗務の一件書類と法具などの引継ぎが行われ、法隆寺は完全に法相宗と袂を分かったのである。

すでに紹介したように、明治15（1882）年に興福寺と法隆寺は労苦の末に真言宗から法相宗へ独立した。そのとき内務省から許可する旨の通達を受け取ったときに歓喜し、感涙した寺僧たちの記録を整理して世に紹介した私は、極めて複雑な心情を抱いたこともあった。

しかし、聖徳宗開宗の発願主ともいうべき定胤は恒例による病魔に見舞われつつも、正式の聖徳宗独立開宗奉告式を昭和26（1951）年3月4日に執行するための準備や宗務の充実に向けて着々と歩みを進めていたのである。

94

入宗した寺院——中宮寺、法輪寺など加わって

長老の佐伯定胤は聖徳太子ゆかりの寺院などが聖徳宗の開宗に呼応して入宗を希望するものと期待していた。しかし、実際に入宗が実現したのは中宮寺と法輪寺だけである。

中宮寺は、法隆寺夢殿の東に隣接する尼門跡の寺院で、鵤尼寺、法興尼寺とも呼ぶ。太子が御母間人皇后のために、皇后の宮殿を改めて寺院としたものと伝え、聖徳太子建立7カ寺（法隆寺、四天王寺、中宮寺、橘尼寺、蜂岡寺、池後尼寺、葛城尼寺）の一つに数えられる古刹《こさつ》である。中宮寺は中世のころから法隆寺の4末寺の1つとなり、江戸時代には法隆寺の1000石の知行米から12石を配分していた。ところが明治維新に法隆寺から離れて、明治16（1883）年からは真言宗泉涌寺派の所轄を受けることになる。

　しかし法隆寺とは古くから格別の法縁もあり、聖徳宗への入宗の意思が中宮寺にあることを確認した定胤はその要望などを参考にして、資格を「聖徳宗門跡寺院」とすることを考えていた。それにともなって中宮寺では明治16年から所轄を受けていた泉涌寺や信徒総代の同意を受ける手続きを行い、聖徳宗へ正式に入宗することとなった。そのとき中宮寺門跡の一條尊昭は、つぎのような「宗派寄属請願書」を提出している。

「拙寺儀、今般本寺の縁起に基き信徒一同の協議の結果、貴宗派に寄属することに決定致しましたから信徒総代連署の上入宗を請願申し上げます。　昭和二十六年三月十五日」

法輪寺も聖徳太子ゆかりの寺院と伝えられるが、明治維新までは興福寺一乗院の末寺であり、明治5（1872）年の太政官の布告からは真言宗古義派教王護国寺（東寺）の所轄を受けていた。ところが、聖徳宗の開宗に伴って法輪寺住職の井上慶覚は東寺からの円満な転宗の手続きを完了して正式に聖徳宗への入宗手続を行ったのである。

　そのときに井上が定胤に対して語った言葉が『法隆寺日記』（12月9日）に記されている。「法輪寺聖徳宗転宗の件、信徒一同同意す。東寺へ交渉の処、是また渋々歴史的因縁の在る処なる故を以って同意承諾これあり」

　しばらくして法輪寺から聖徳宗管長宛てに『宗派寄属請願書』が提出された。これによって法輪寺は古くから法隆寺の所轄を受けていた法起寺とともに聖徳宗の大本山の1つとなったのである。そして昭和26（1951）年3月4日に改めて聖徳宗独立開宗奉告式を聖霊院で執行。導師は聖徳宗管長の良謙が勤め、定胤は独立開宗表白文を奉読した。その日の式典は、知恩院管長・仁和寺管長・西大寺管長・四天王寺管長・東大寺代表・中宮寺門跡・圓照寺門跡をはじめとする多くの来賓が参列して盛大に執り行われた。

定胤はそれ以後も太子や法隆寺にゆかり深い寺院が聖徳宗へ加入すると期待していたらしいが、実現はしていない。ところが昭和27年の9月に聖徳宗へ複雑な入宗を試みた寺院があった。それは法隆寺の西の村落（西里）にある融通念仏宗の西福寺という寺院の住職と一部の檀家たちである。しかし、中宮寺や法輪寺のように所轄宗派の同意や西福寺の全ての檀家の賛同を得ることができなかった。そのために住職の枡田秀夫（のちに秀山と改名）は、一部の檀家とともに融通念仏宗西福寺から離脱して聖徳宗への入宗を図ったのである。

法隆寺や興福寺、東大寺、薬師寺などの寺院には檀家がなく、葬儀を執行しないことを慣例としている。しかし、その末寺の寺院には檀家を有する例が多く見られる。例えば法隆寺の境内末寺であった北室院や宗源寺、そして法起寺や成福寺などの末寺にはかつて檀家があり、聖徳宗の末寺に檀家があることには問題はなかった。

そのようなことから西福寺の住職と一部の檀家が変則的な聖徳宗への入宗を決行。住職は家族を伴って身を寄せ、檀家の葬儀や法事などを引き続き執り行っている。なお、ここに登場する「入宗」「転宗」は聖徳宗に所轄依頼をした寺院とその僧尼のことを意味する。それに対して法隆寺の寺僧となることを「入寺」と表現している。

95

金堂再建へ——資材・工具も復元

五重塔修理の完成につづいて金堂の再建が急がれていた。昭和24（1949）年4月から本格的な修理に着手。昭和25年には新たに竹島卓一が法隆寺国宝保存事務所長に着任している。ようやく金堂罹災のショックから立ち直って再建計画もほぼ決まりつつあった。焼けた壁画を焼損の姿のままで取り外して保存しようとする方針も決定していた。焼損した壁全体にアクリル樹脂注射と噴霧を施し、鋼鉄のフレームで締め付けてつり上げ、金堂基壇の東北部を切断、焼損した壁をレールに乗せて壁体処理場へ移動。さらなる損傷を防止するために保存処理を施すことが計画された。

昭和26年3月6日には「焼損壁画移動法要」が住職の佐伯良謙を導師として執行。いよいよ焼損壁画の抜き取り工事着手し、壁体処理場でその保存作業を実施した。皮肉にも金堂罹災という不幸な事件が最大の難題であった壁画の保存という問題を一挙に解決させる結果となった。これによって再建作業が急速に前進したのである。罹災のために補充する下層の柱や雲形肘木を造る木材は木曾御料林（皇室所有の森林）から良材を得ることができた。その新材を乾燥させる方法として高周波乾燥法を採用し、生木を数ヵ月で乾燥させている。

とくに再建する製材の工程をできる限り古代のものに復元することを基本方針としていた。それまで廻廊や大講堂などではヤリガンナや手斧《ちょうな》で仕上げた古い柱と、近代に補足した、台鉋で滑らかに仕上げた柱が混在しており、全体的に見て調和が取れない状況にあった。その問題を解決するために浅野清は早くから「ヤリガンナ」などの古代工具の復元の研究にも取りかかっていたのである。浅野は『古寺解体』の中で、つぎのように述べている。

「この仕上げの問題は、その後になって、せめて法隆寺の工事の山である金堂や五重塔の修理のときには、幾分経済的にも可能性が出ようから、それにそなえて準備することとなった。まず工具の研究からはじめ、兵庫県三木の山本栄吾さんの好意で試作もしてみた。そうして進んで雲肘木の製作には彫刻家の石井鶴三さんが協力して下さるようにまでなって、わたしのささやかな念願も実現されることとなったのである」

古代工具やその技術はすでに絶えていたのである。しかしヤリガンナは古くから桶師が使っていたし、古墳などからも出土していた。『春日権現霊験記絵』などには工匠たちがヤリガンナや手斧を使って造材している様子が描かれていることも大いに役だっている。また昭和14（1939）年に魚住為楽がヤリガンナで夢殿の厨子を造立したときの技術も大いに参考になった。金堂や塔の古材に遺る刃の痕跡から、ヤリガンナや手斧の刃型を再現することも可能だった。

法隆寺が創建されたころは原木を割って素材を造り、その仕上げに手斧やヤリガンナを用いていたと推測されている。しかし、今回の修理のときには、その方法を採用すると木材に無駄が生じ、予算的にも工期的にも無理があった。そのために初期の製材過程の工法部分は近代的に電気ノコギリなどを使用し、仕上げの部分だけを古代の工具である手斧やヤリガンナで復元したのである。ところが直面した難題は中央にまろやかな膨らみを持っているエンタシスの柱と雲形肘木の製作であった。しかも罹災した28本の柱を解体してみると、1本1本の柱の膨らみ加減が異なっていることが判明していたのである。金堂再建を陣頭指揮した竹島卓一が語った『苦労した復元作業』（アサヒグラフ増刊『法隆寺金堂壁画再現』、1967年）には、つぎのように記されている。

「再建には、資材から工法に至るまで、むかしの通り再現することに苦心が払われた。たとえば、当時用いた手斧、ヤリガンナを使ったり、柱を建てるにも、柱の曲率を一本一本実測して、元通りのものを復元した」

また金堂の雲肘木には美しい雲形の彫刻があり、それだけでも優れた飛鳥彫刻であった。それを復元することも高度な技能を必要とし、関係者たちはその解決法に行き詰まっていた。幸いその心配を解消する朗報が寄せられた。彫刻家として名高い東京芸術大学教授の石井鶴三が門下の人々と共に率先して協力したのである。石井たちは東室を作業場として、仏を刻むかのような敬虔なる態度で、雲肘木の再現に従事したのであった。この浄業によって難題が一挙に解決したことを特記しておきたい。

96　米人ウォーナーの来訪——供養塔が境内に

そのころ長老の佐伯定胤は待望の聖徳宗の開宗と五重塔の落慶を無事に終え、ひたすら金堂修理の完成を心待ちする日々を過ごしていた。

その時にアメリカのラングドン・ウォーナーが法隆寺を訪れるという吉報が寄せられたのである。ウォーナーは1903年にハーバード大学を卒業してから来日。岡倉天心の指示で国宝修理部門の監督であった新納忠之助宅（東大寺勧学院）に寄寓。その家族と生活を送りながら仏像彫刻を研究していた。その時にウォーナーは新納に伴われて法隆寺を訪れ、定胤と交流を深めている。そしてボストン美術館やグリーブランド美術館、フィラデルフィア美術館に所属して東洋美術史を研究、たびたび中国や日本を歴訪し、法隆寺へも翌足を運んでいる。晩年はハーバード大学付属フォッグ美術館の東洋部長に就任していた。特に第二次大戦中に連邦政府に設けられた「戦争地域における美術的並びに歴史的遺跡の保護に関する委員会」に働きかけて奈良や京都を戦火から救うために努力したという「ウォーナー恩人説」が流布されていた。

しかし、そのことをウォーナー自身は強く否定していたと聞く。昭和20（1945）年12月28日付でウォーナーから新納忠之助宛てに届けられた書状には、次のように記されていた。

「私の尽力により京都奈良が戦火から免れたなどと思わないで下さい」

とくに昭和24年に法隆寺の金堂が罹災したことを聞いたウォーナーはフォッグ美術館に原寸大の壁画写真を飾り、黒リボンで追悼の意を表して、次のように語っている。

「法隆寺金堂の火災がもたらした東洋美術に対する損失は、これを西欧の美術に例えると『ハグヤソフィヤ』（コンスタンチノーブル）または『システィネル礼拝堂』が焼失するようなことがあった場合に比すべきものである」

そのウォーナーが昭和27年8月26日に法隆寺を訪れたのである。

定胤とウォーナーの2人にとって旧交を温める楽しい時間であった。その時の内容は『法隆寺日記』に詳しく記されている。

『（定胤）開口一番ワーナー先生寧楽康寿を祝福す。（ウォーナー）氏曰く、私があなたにお目にかかりてより丁度五十年になります。懐旧の感に堪えません御自愛を祈ります。私も七十一才を迎えました云々。

野僧も八十六才になりまして老朽事に任へす。且つ昨年来、盲腸炎を煩い幸いに快復しましたが、なお歩行不自由であります。（中略）

先生のお力によりまして京都奈良が戦火から免れましたことは誠に感謝に堪えぬ処であります。然るにかかわらず金堂が罹災しまして貴重な壁画が焼損したことは痛惜の至りであります。

その節は御懇切なる御慰問のお手紙を戴き、誠に有り難く御礼を申し上げます。但し金堂は目下再建中にこれあり。明年には竣工いたします云々」

しばらくして定胤は遷化。ウォーナーも昭和30（1955）年にその生涯を閉じた。そのころ奈良や京都を戦災から守ったとするウォーナーの功績を顕彰しようとの声が高まり、昭和33年6月9日にウォーナー供養塔が法隆寺の境内に建立された。

昭和56（1981）年にニューヨークジャパンソサエティの創立75周年を記念して『法隆寺展』が開催された。私はその開幕式典に参列するために訪米する機会を得た。そして9月22日にフォッグ美術館にあったウォーナーの研究室を訪れることができたのである。その部屋の一隅にはウォーナーの遺影が飾られ、「第2次大戦中、奈良、京都を戦災から守ることを進言したとわれている」とする趣旨の説明版が日本語で書かれていた。私はその遺影の前に菊花を供え、心経を唱えながら、この地を訪れたことに感激したのである。

97

最後の獅子吼——仏教徒大会代表団を迎えて

佐伯定胤はすでに86歳の老齢でもあり、病床につく日々が多くなった。そのころ定胤は読み下した和訓（日本読み）の昭和会本『法華義疏』（法華経を聖徳太子が注釈した）を上梓することにその心血を注いでいた。それは学僧定胤の生涯を飾るにふさわしい浄業であった。しかし、残念ながら定胤は生前にその完成を見ることはなかった。やがて多くの人々の努力によって、ようやく百カ日法要の霊前に捧げられたことで、大いなる供養となった。

そのようなときに東京築地本願寺では「世界仏教徒大会」が開かれていた。大正10（1921）年に中国廬山で開かれた世界仏教徒大会に日本を代表して定胤が出席し、その翌年に日本で開催した大会の会長に就任したことがあった。

しかし定胤は東京で開かれた大会には老齢もあって出席することがかなわなかった。幸いその代表団が法隆寺を訪れたのである。

定胤にとって感慨深いものがあったに違いない。一行は10月7日の早朝に京都を自動車で出発。9時30分、法隆寺へ到着した。定胤は管主の佐伯良謙とともに南大門で出迎えた。この時県内の仏教界の人々もその対応などに協力していた。大講堂では一行を代表してセイロン（スリランカ）の比丘たちがパーリー語の経文を読経している。

つづいて五重塔などを参拝してから休憩所の西室《にしむろ》で昼食をとっている。比丘たちは正午までに食事をとらなければならなかった。それは午後は食事をしないという戒による。

そして定胤は、次のような関係のあいさつをしている。

「今より二十九年前（大正十年夏）中華の仏教徒廬山の山頂に於いて太虚法師の主唱発起人として世界仏教会を催す。集まるもの中華の仏教徒約五十－六十人なり。我が日本よりは代表として出席するもの予と及び木村泰賢博士と二人のみ、実に貧弱なるものなりし。

其の節は次回は日本に於いてこの会を開催ありたく要求これあり。これが因縁となりて、その翌年大正十一年我が東京に於いて日本第一回の世界仏教大会を開くこととなれり。予はそれの会長として主宰せり。集まるものは中華より三十名ばかり『ビルマ』『タイ』より五、六名なりし。極めて規模小なるものたりし。然るにこの度の第二回世界仏教徒大会は各位が全世界より御出席に相成りたることは実に日本の栄光として喜びの感に堪えません。深く謝意を申し上げます。どうか各位は一路平安夫々に御国へご機嫌よくお帰りあらんことを仏陀の冥護にお祈りして止みません。

さて会議の宣言として『世界平和』という問題を議決され、一千三百年の昔に我聖徳太子の御理想が茲に表現したわけであります」

この定胤のあいさつに続いてセイロン仏教団長が答辞を述べている。その一行の中には中国の太虚法師の弟子たちやなじみのある人々の姿もあった。

しかし、定胤はこの日を境として体調を崩している。まさに世界仏教徒大会役員に対するあいさつは定胤にとって最後の大獅子吼《ししく》となった。

しばらくして定胤は黄疸症状によって大阪大学付属病院へ入院。そして1カ月後の11月23日に86歳の天寿を全うしたのである。

その生涯を法隆寺の再興に捧げた近代法隆寺再興の祖ともいうべき高僧の大往生であった。

密葬は11月25日に法隆寺の本坊で行われた。そして本葬は12月11日に西大寺長老瀬木俊明の導師のもとに西室で厳粛に執り行われた。いうまでもなく各界からは多数の参列者があり、その偉大な孝徳をしのんだのである。その墓所は法隆寺東北に位置する極楽寺墓地にある。昭和29（1954）年に五輪塔が建立された。それを定胤の号にもとづいて「渕默塔《えんもくとう》」と呼ぶ。平成8（1996）年からその高徳を追慕するために、ご命日の11月23日を「定胤忌」と定め、法隆寺の年中行事として報恩謝徳の法要を厳修している。

98　法隆寺の小僧となる——江戸時代のような寺内

私が法隆寺の小僧になったのは12歳の夏のことであった。昭和28（1953）年8月22日の暑い日であったと記憶する。

東大寺住職平岡明海師の勧めなどもあって、寺院というものに何の抵抗もないままに法隆寺住職佐伯良謙の徒弟となった。

師匠の配慮によって、聖徳太子のご命日の22日を選んで入寺することが決められた。その時私の誕生日が聖徳太子のご命日の2月22日であることを知られた師匠が「法隆寺とは縁の深い子どもや」と喜ばれたことを思い出す。師匠はすでに74歳の高齢で、その日からおそばで養育されることになった。私の小僧時代が始まったのである。

そのころの法隆寺の境内には今のように拝観者のにぎわいはなく、閑散とした田舎のひなびた古寺の佇《たたず》まいであった。

ただ昭和24（1949）年に罹災した金堂が再建の途上にあり、その工事に従事する人々の声や木工の音色が境内にこだましていた。

そのころ法隆寺の周辺の村落には水道施設もなく、井戸水をくんで炊事をしたり風呂をわかしたりしていた。とくに時代劇に登場するような丸い棺桶を荷車に載せて親族や縁者たちが火葬場まで野辺の送りをする姿や荼毘《だび》の煙をたびたび目にしたこともあった。

そのような風景は私にとってすべてが江戸時代にタイムスリップしたような、不思議な空間であり、極めて刺激的でもあった。

小僧の私には部屋というものはなく、師匠の住坊である管主室の6畳あまりの玄関部屋で寝起きをすることとなる。

早朝から師匠のお伴をして聖徳太子像をご本尊とする聖霊院へ参拝。その勤行から小僧の1日が始まる。それが終わると、長い廊下のふき掃除、そして朝食をいただくのが日課となっていた。

それから、やっと学校へ向かうこととなるが、ほとんどが遅刻の日々であった。授業にはまったく関心がなく、登校中の時間帯だけが、ほっと息を抜くひとときであった。学校が終わると、下校途中で適度な道草をしつつ、法隆寺へと帰る。あまり道草をしていると、私が下校したかどうか、法隆寺から学校へ問い合わせる電話がかかったこともあった。

学校から帰ると、庭の掃除と風呂たきが待っていた。風呂のたき口に薪をくべながら、庭の掃除をする。小僧にとってその時がいろいろと思いを巡らせる自由な時間でもあった。

私は、竹ぼうきを握りしめながら、一日も早く一人前にならなくては、と誓ったことを思い出す。

私が庭の掃除を始めるころには、決まって西大門の近くで子どもたちの遊びがはじまる。夕日が沈むころまで、ボール投げをする楽しそうな声が境内にこだまする時間である。

その声に誘惑されるかのように、私は風呂のたき口に薪をいっぱい押し込んでは、知らず知らずの間に、遊びの輪の中に入っていた。

私が法隆寺の小僧になったときは「えらいところへ来てしまった」という印象が強かった。「はたしてこれから我慢ができるんやろか」という不安でいっぱいの日々でもあった。

そのころ金堂の再建工事がいよいよ大詰めで、早朝から建築関係者たちがつめかけて、境内もにぎわっていた。

工事はよほどのことがないかぎり午後5時ごろには終わる。そして6時には南大門、東大門、西大門のすべてが閉まるのである。

そのあとは居住する寺僧や工事関係者たちが広い境内に取り残された形となる。

それからは翌朝まで大門が開くことはなかった。小僧にとってまるで陸の孤島にでもいるように感じたものである。

99

小僧が見た法隆寺――仲間もいなくなって

私が法隆寺は「えらい節約をする寺やなあ」と感じはじめたのは、入寺をしてからしばらくしたころであった。たとえば、来客に出すお菓子の、ほとんどが到来品。客があるからといって、新たに茶菓子を買い求めることは、ほとんどなかった。小僧の口に入るお菓子は、もう務めを果たせなくなったと判断されたとき、つまり、古くなり、固くなって、来客には出せない形状になったものである。

有名な鶏卵そうめんなどは、長い間、柔らかいお菓子とは知らなかった。干菓子のように固いものだとばかり思いこんでいたのである。これにかぎらず、新しく軟らかなお菓子が口に入ることはなかった。このように法隆寺は、何ごとにも「節約、節約」の日々であった。

これは小僧だけではなく、寺僧たちの日々の生活にも困窮する様子が小僧にまで垣間見られたものである。とくに12歳の小僧にとってガランとした広い暗やみの境内は、あまり気持の良いものではなかった。私の寝室になっている玄関から10数メートル離れた暗がりにある小屋のような建物が、私の専用便所である。夕方になると、コウモリなどが飛びかったり、タヌキなども出没したりするといううわさがあり、怖くてしかたがなかった。

私は恐ろしさのあまり、小便は、管主室の廊下から庭に向かって済ましたこともしばしばだった。見つからないと思っていたら、しばらくすると、その放尿した場所の苔が枯れて変色したのである。すぐさま小便をしたことが発覚し、師匠から大目玉をくらったことがいくたびあったことか。しかし、しかられてもしかられても、怖い思いをするよりは耐えられた。それほどに法隆寺の暗い夜は淋しく、そして怖かったのである。夜になると、天井を「トトトッ」と走るものがいる。ネズミやテンが天井裏に住みついていたのである。それが毎晩のように走りまわっていた。それも気持のよいものではなかった。

私が小僧となってからしばらくしたころに、1人の少年が小僧としてやってきた。ところが、いざ眠りにつく時刻になると、その姿が見えない。「どうしたんやろ」と思って探すと、門のところで、「家に帰りたい」と泣いていたのである。私は懸命に「そういわんと、ぼくも一緒やから」と、慰留したことを思い出す。そしてやっと一緒に枕を並べて眠ることとなったが次の朝になると早々に実家へと帰ってしまったのである。私にとっては、それはつかの間の喜びとなってしまった。

しばらくして師匠は、私が小僧として落ち着くと判断されたのであろうか、奈良の鹿の角きりに連れていってくれたことがあった。師匠のお伴をして法隆寺前からバスに乗って奈良へ行き、しばらく鹿の角きりを見てから東大寺の本坊へと向かった。東大寺住職の平岡明海師に対して私が徒弟となったことに対する挨拶《あいさつ》のために連れて行かれたのである。そのとき平岡明海師をはじめ執事長の狭川明俊師らが丁重に出迎えられ、しばらく歓談されてから法隆寺へと帰ることとなった。

そのときに東大寺からタクシーが準備され、法隆寺まで送ってもらったのである。これは私が最も長距離のタクシーに乗った最初でもあったと記憶する。

昭和28（1953）年ごろ、金堂の再建工事が急ピッチに行なわれていたことはすでに紹介した。そのころ実相院には文部省法隆寺国宝修理部の工事事務所が設置され、食堂の裏には大きな製材などの作業場が設けられていた。その場所はもっとも活気があった。そこは小僧の遊び場の一つであり、師匠の頭を剃るカミソリの刃を研いでもらいに行ったものである。そして金堂の足場に登ることもあった。

そのころの工事の足場は今のように頑丈なものではなかった。そのすき間からは下が見え、歩けば足場板が動く。登ることはできたものの、あまりの高さに足がすくんで降りることができなくなった。そのとき私を背負って降ろしてくれた人がいた。鳶《とび》の頭の山本龍太郎さんであった。そのときのうれしかった気持ちは今も忘れることはない。

100

金堂上棟式の記憶——鴟尾か鬼瓦か議論も

飛鳥の雄姿を再現する金堂の上棟式が行われた。昭和28（1953）年11月1日のことであった。大湯屋から出仕する寺僧たちの行列が金堂へ向かう姿を見送ったことを懐かしく思い出す。上棟の儀式を終えた棟梁の西岡楢光さんをはじめとする匠たちが、法隆寺から振る舞われたお酒で顔面を染めながら御幣や木槌などを持って西大門から帰って行った姿が、今もしっかりと私の目に焼きついている。

最近、そのときの儀式に使われた木槌の1つを、副棟梁をつとめた田辺音松さんの遺族から贈っていただいた。その木槌は小僧になったころの最も印象深いものであり、私の大切な宝物のひとつになっている。

そのころ焼損した壁画の保存処理なども続行されていた。世界の至宝といわれる法隆寺金堂の壁画は罹災したために、残念ながら焼損前の姿を私は知らない。その美しさは、写真や人の話から想像するしかない。しかし、今となっては知らないほうが幸せであったのかもしれない。

もし、知っていれば焼損した壁画があまりにも無残であり、今以上にもっと悲しくになるに違いない。

その焼損した壁画を保存する施設として収蔵庫が昭和27年に完成していた。昭和29年の秋からその内部では、焼けただれたままの柱や壁画が罹災したときの姿の状態で組み立てる作業が行われていた。きつい樹脂臭が目と鼻を刺激し、収蔵庫に入ると自然と涙があふれ出たものである。それは決して壁画の悲惨なさまを見て流れる涙ではなかった。残念ながら幼い小僧にとって、焼損した壁画がいかに悲劇の主人公であるかといったことを充分に理解するだけの能力が育っていなかった。ただ、樹脂の強烈な刺激臭が私をそうさせたにすぎない。今から思えば、まことにはずかしいかぎりである。

やがて私は年を重ねるにしたがって、日本文化をこよなく愛したラングドン・ウォーナーが「焼けた壁画は見るにしのびない。友の亡骸に接するような心地がする」と語られた言葉をかみしめて受け取れるようになった。しかし私たちにはそれだけですまされない責務を感じる。

焼損したとはいえ、今なおかつての美しい壁画をしのばせる焼損壁画。それは決して死んだものとは思われない。壁画自身も必死に耐えしのび、人びとの切なる努力によって、壁画の箇所によっては焼損以前よりも鮮明となったところもある。私たちは、壁画の苦痛を意として、このような惨事が再び起こらないよう、焼損壁画がいついつまでも、私たちを凝視し、無言の忠告を与えつづけていることを忘れてはならない。

その大惨事を契機として我が国の文化財保護の気運が高まり、そして昭和25年に「文化財保護法」が制定されることとなった。この壁画の焼損が文化財保護のための礎になったのである。

そのころ金堂の屋根の大棟に鴟尾を上げるか、鬼瓦にするか、という議論が専門家たちによって討議されていた。昭和大修理の方針は、できる限り創建されたころの様式に戻すことにその主眼が置かれていたことによる。

とくに金堂を解体したときから、各時代の修理の痕跡を綿密にたどりつつ、創建時の姿に近づけることに努力していた。十分な資料がないところは、これまでの知見から推測されることもあり、専門家たちの見解が対立することもあった。

幸いなことに金堂とほぼ同時代の貴重な資料としては玉虫厨子がある。この厨子の屋根は、錣葺《しころぶ》きになっていて、その棟には鴟尾《しび》が載せられていた。鴟尾というのは、はね上げた魚の尾のような形をしたもので大棟を飾る瓦のことをいう。金堂もこれにならって、鴟尾を採用するべきだ、との議論が出てくるのも当然であった。しかも境内から鴟尾の断片が発見されていた。

しかし、解体以前は近世の鬼瓦が大棟を飾っていたのである。金堂の解体修理が完成に近づいても「鴟尾か、鬼瓦か」の論争を捲き起こしていたが、その議論は平行線をたどり、ついに決着がつかなかった。すでにそのころ、どちらになっても対応できるように鴟尾と古式の鬼瓦が準備されていた。しかし最終的に鬼瓦を採用することになり、現在の姿となっている。

101

稚児読みを習う——信二から良信へ

法隆寺の夏はヤブ蚊が多いことで有名であった。その蚊が法隆寺の夏の風物詩であったと懐かしむ人もめっきり減った。

小僧となった夏の終わりのころからいよいよ小僧としての試練がはじまった。日々の小僧に課せられた仕事が終わると、夕食のあと、やっと風呂に入る時間となる。これで小僧の1日が終わったかのように思われるが、実はこれからお経の稽古の時間が待っていた。この時間帯は私にとって最も緊張する、長い時間でもあった。

「さあ、はじめようか」という師匠の声がかかると、私は玄関の部屋から廊下ひとつを隔てた師匠の部屋へ入ることが許された。そこに準備されている小机を挟んで師匠と対面するように座る。当然のことながら座布団を敷くことは許されない。その小机の上には師匠が自ら書写された般若心経の経本が置かれている。師匠は心経の一字一字を筆の軸で指しながら、その読み方を教えられる。その様子は謡《うたい》を習う方法によく似ているように思われた。かつて私は6歳のころから金春流の仕舞や謡を習っていたこともあり、初めのはさほど苦痛に感じることはなかった。

しかし、次第に節しまわしが難しくなっていく。その節は「稚児《ちご》読み」といって出家する前の稚子が習ったと言われている。まさに童歌のような節まわしで、お経を読む基本を教えるものらしい。昔は南都の大寺で稚児たちに教えられていたという。その稚児読みの節は法隆寺に伝わっている貴重な声明の一つとなっている。

お経の練習は毎夜のようにつづく。そして次第に節まわしが難しくなって行く。なだめ、すかされるように師匠は教えられる。足の痺れと、お経の節回しが難しいことに大いに苦戦する。しかも、師匠と一対一の練習であるからまったく気を抜くことができなかった。

この苦痛のお経の練習が終わったあとが、私にとって最も楽しみの時間だった。それは、師匠から、お菓子とお茶をいただけるからである。小僧にとってお菓子が待ち遠しかった。師匠はお茶を飲みながら、よく昔の話を聞かせて下さった。ご自分の小さいころの興福寺や法隆寺のことを語られることもあった。やがて私はお経の練習よりも、そのお話を聞くのが楽しみとなった。そのようなことが次第に古いものや法隆寺の歴史などにも興味を抱くようになり、法隆寺が好きでたまらなくなった。

　そのことも小僧教育の一つでもあったのであろう。そのような経緯のもとに、私が得度を許されたのは昭和29（1954）年5月10日のことである。早朝から聖霊院《しょうりょういん》で得度式が行なわれた。師匠の名前の一字をいただいて「良信」という法名が授与された。

　たしか、その翌日のことであったと記憶する。師匠から突然に呼出された。何かしかられるかと、恐る恐る師匠の前にうかがったところ、つぎのように言われたのであった。

「お前は、昨日得度して法隆寺の坊さんになったのやから、すぐに戸籍の名前を良信と改名するように」

　そのようなことから私の戸籍名である新二から良信へと改名したのであった。そのとき師匠はなぜ急いで改名せよといわれたか、という理由が後になってやっと理解ができた。「今まで、法隆寺で得度した小僧の多くが、志なかばで還俗《げんぞく》したものが多い。どうしたことか法隆寺には小僧が育たないので、良信だけでも早く改名して法隆寺に落ち着かせたい」ということであったと聞いた。

　そのことから改名の手続きが行われ、奈良地方裁判所へ出頭するように、との通知が届いた。わずか13歳の私は何もわからないままに裁判所へと出向いた。そのとき本当に自分の意思で出家したのかどうか、という略式の尋問が裁判官によって行なわれたように記憶する。私は「自分の意思で坊さんになりました」とはっきりと答えたことを覚えている。

　私が質問を受けた裁判所の建物は唐招提寺に移されて鑑真和上の御影堂となっている旧興福寺一乗院の一室であった。私は唐招提寺を訪れるたびに御影堂を仰ぎながら、あの改名手続きをしたときのことを懐かしく思い出す。

　なお、このとき寺僧の木下円超の徒弟として末寺の成福寺（聖徳太子薨去《こうきょ》の地という葦垣《あしがき》宮址）に住んでいた種村紘和も一緒に得度した。法名は大超と付けられた。これは明治時代に成福寺の住職であった大教と師匠の円超の1字を付けたものであった。この種村大超も大学へ進学するころから本坊の小僧部屋で生活することとなる。

102

金堂落慶の日——模写壁画が関心呼ぶ

金堂の解体と再建の作業は順調に進渉。最も難題であった焼損壁画を移設する作業も昭和26（1951）年4月に無事完了していた。

そのころ新しく取り替える柱や雲形肘木などの部材作りが行われ、昭和27年12月12日に立柱式を挙行。28年11月1日に上棟式が行われたことはすでに紹介した。

この金堂修理と並行して焼損壁画の保存処置と収納施設の建設も急がれていた。関係者たちには昭和9年に挙行した昭和大修理の起工式から20年目を迎える昭和29年に金堂修理の完成を迎えたいとする思いが強かったと聞く。しかし11月3日の「文化の日」に金堂落慶式を行うことが決定したのは昭和29年3月のことであった。

そのために工事は大いに急がれ、やがて金堂の天井には3つの天蓋《てんがい》も懸《か》けられた。そして10月12日からは大講堂の東座に安置していた釈迦三尊像、多聞天像、吉祥天像、大宝蔵殿から薬師座像や四天王像なども金堂に還座された。このときに廃仏毀釈の嵐が吹き荒れたころ三輪山大御輪寺から法隆寺境内末寺であった北室院へ移された、国宝木彫地蔵菩薩像（明治18〈1885〉年5月に北室院から法隆寺へ奉納）と、昭和10（1935）年に食堂から発見された塑造の吉祥天像（昭和10年に食堂の観音菩薩像を修理したときに後補の部分の下から現容が発見された）が、釈迦三尊の背後に北面して安置された。これらの仏像の還座や仏具などの運び入れの完了を待って落慶の準備は大きく前進した。金堂前には源頼朝が寄進したと伝わる重要文化財の舞台を設置。堂塔の柱や軒先には幡《ばん》が、境内には庭幡がたなびき、法隆寺は祝賀ムード一色となった。

そして11月3日に待望の「金堂落慶供養会」が厳修されたのである。その日は金堂罹災という悪夢のような大惨事を払拭するかのような晴天に恵まれた。講師を勤められる師匠の嬉しそうな顔が昨日のよう思い出される。その日は早朝から落慶に参列する人びとが境内にあふれんばかりであった。

東大寺からは住職の平岡明海師や長老の北河原公海

師をはじめとする多くの僧が出仕した。東大寺僧が法隆寺の法要に出仕するのは大正10（1921）年の聖徳太子1300年御忌からの慣例となっていたことによる。

　夢殿の近くにある北室院が出仕僧たちの集会所となり、午前11時30分に行列が進発。その総数160名余、300メートル余に達する大行列であった。私も従僧として講師が乗られる輿《こし》の前を歩んだ。小僧としてははじめての晴れ姿であり、青空に目もくらまんばかりであったことを思い出す。

　この大会を指揮する会奉行を東大寺執事長の狭川明俊師に委嘱して、法会は順調に進行。金堂前の舞台を中心として梵唄《ぼんばい》、舞楽、表白神分、読経など南都の諸大寺に襲用する多彩な盛儀が執り行われた。

　それに続いて、大講堂では法隆寺昭和大修理に尽くされた多くの物故者たちに報告する「金堂落慶奉告作善法要」を厳修。やっと行列が帰途についたのは日が西に傾きつつあった午後4時ごろであった。これによって金堂落慶を祝う一大法会は無事にその幕を閉じた。そのとき師匠の顔には安堵感が漂っていたことを私はひしひしと感じた。この金堂落慶を記念して法隆寺では『金堂落慶記念展』を開催。廻廊・大講堂・大宝蔵殿を会場として金堂解体修理の経緯が多くの写真や図面、模型などの資料を工程順に展示していた。

　ヤリガンナ、手斧《ちょうな》などの復元した工具をはじめ出土品、古釘、古金具、出土品から復元した鴟尾や鬼瓦なども展示。とくに大講堂で昭和16（1941）年から模写をした金堂壁画の大壁と小壁の模写が披露されて人びとの大きな関心を呼んでいた。

103

金堂修正会の思い出——緊張と安堵と

法隆寺の冬は寒い。とくに、毎年正月8日からはじまる吉祥悔過《きちじょうけか》からは最も厳しい寒波に見舞われる。その法会を「吉祥会」「金堂修正会《しゅしょうえ》」と呼ぶ。

『金光明最勝王経』の所説によって、昼は最勝王経を講じ、夜は悔過の法を修して国家安穏・万民豊楽・寺門興隆の安泰を祈る。悔過とは、すべての人びとの過ちを担って本尊の多聞天と吉祥天に懺悔《さんげ》し、心身ともに清らかとなって仏や菩薩の加護を祈願することをいう。

悔過会としては『吉祥悔過』や『十一面観音悔過』、『薬師悔過』などが広く知られている。その由来は『続日本紀』や『吉祥悔過の開白文』に詳しい。この法会は神護景雲2（768）年に大極殿で行なわれていたが、やがて諸国の大寺でも修行されることとなった。

法隆寺でも、朝廷の命によって神護景雲2年から大講堂で行ったと伝える。しかし、そのころ本尊であった吉祥天や多聞天の像は現存していない。

ところが承暦2（1078）年に、それまで閉鎖的であった金堂へ飛鳥の橘寺から49体の小金銅仏などが移納された。そして新たに多聞天と吉祥天の木彫を造顕して釈迦三尊の左辺に吉祥天像、右辺に多聞天像を安置した。そして翌承暦3年から修正会の会場を大講堂から金堂へ移すこととなった。このときから現在の七日七夜の吉祥悔過の行法の原形が整うこととなる。

しかし、この行法の内容も時代によって大きく変貌することもあった。

とくに昭和20（1945）年から戦局の悪化によって金堂の上層部が解体され、釈迦三尊像などは大講堂や大宝蔵殿へ移遷、西座の阿弥陀如来像は大宇陀へ疎開していた。やがて悪夢のような戦争が終結したことによって、疎開していた仏像や宝物は無事に還ったが、金堂の諸尊はすぐさま堂内へ戻ることはなかった。それは金堂が半解体の状況で壁画の模写が続行されていたことによる。

そのときに金堂の罹災があり、金堂の再建は昭和29年まで遅れた。その金堂修理の期間中は大講堂で修正会が厳修されていた。

私は昭和29年の修正会に初めて参拝し、その末席に座ることを許された。修正会期間中の起床は早い。朝は午前3時すぎから講堂へ向かう。境内に敷かれた砂利が凍るほどの寒さである。砂利を踏む下駄の音がカラカラと鳴る。月の光も身が震えるほどに美しく澄んで見えた。

得度も受けていない私はお経も解らないままに、ただ寒さと襲い来る睡魔と戦いつつ、ただ黙っているしかなかった。小僧にとってその行法が非常に長く感じられた。広い堂内には私を含めて5名という寂しさであった。夕方の法会は6時から始まった。中学校から下校して掃除や風呂炊などの仕事を終えて入浴。夕食を済ますと、すぐさま大講堂へ向かう。小僧にとってまことに忙しい時間帯であった。

そして翌30（1955）年から修正会は金堂で行われることとなった。修理が完成した金堂の内陣は美しかった。天井に吊られた3つの天蓋の下に釈迦三尊像や薬師如来像、阿弥陀如来像を中心とした諸尊が安置され、その四方を四天王像が護っていた。ただ壁は白く、かつての壁画は見られないのが惜しまれた。小僧の眼にも白壁がまぶしく感じられた。

冷たい風に叩かれる金堂の大きな扉、その隙間から吹込む寒風。そのたびに堂内の燈明のあかりが揺れ動き、仏前で焚かれている香のけむりが神秘的な雰囲気を醸し出す。堂内にまします仏の顔が様々な形相に変貌する。私にとって、仏の顔がやさしくも見えたり、恐ろしく感じたりするひとときである。

ピーンと張詰めた緊張感と共に、一つの安堵感のようなものを覚えた。それは、仏に抱かれ、救われるとの思いを抱いたことによる。いずれにしても、小僧のころからこの吉祥悔過が最も好きであった。

104

苦闘した墨擦り――文房古玩の刺激

私は学校の勉強よりも、むしろ小僧としての日常の修行で精いっぱいであった。とくに休みの日は近所の子供たちの遊びの輪に入りたいという気持ちで浮き足だっていたことを出す。

そのころ近くの村落に住んでいる子供たちにとって、法隆寺の境内は格好の遊び場であった。子供たちはボール投げなどの遊びに夢中となっていた。やがてテレビが普及し、勉強や習い事が盛んになると、子供たちの姿はいつのまにか境内から消えた。私にとって学校の休みはうれしいようで、ちょっと不安な予感がする日でもあった。

それはお使いや墨を擦《す》る仕事が待っていたからである。とくに信者さんに請われて師匠が揮毫をされる墨を擦ることも小僧の修行の一つ。長時間にわたって大きな硯との格闘がはじまる。

ときたま師匠が墨擦りの様子をのぞかれる。そのたびに硯《すずり》の面を墨で赤ん坊の肌をなでるようにゆっくりと、優しく、そして大きく硯の面を擦るようにと教えられる。小僧にとっては一刻も早く墨が擦り上がってほしかった。

墨擦りは辛く、そして非常に長い時間帯に感じた。睡魔に襲われて、擦った墨をこぼす失敗をいくたびくり返したことか。師匠が揮毫された扁額や軸などを見るたびに叱正《しっせい》を受けながら硯と墨と悪戦苦闘をしていた懐かしい修行時代がよみがえる。

私の実家は豊後（大分県）の小さな城下町にある。先祖は下級武士であったが、明治維新後は酒屋を生業としていた。座敷に続く、古い座敷蔵には甲冑や刀剣、陣笠などの武具類などの一般的な骨董に混じって、昭和の大横綱双葉山の「明荷《あけに》」や手形を押した二枚折れなどもあった。幼い子供にとってその薄暗い蔵の雰囲気は少し不気味に感じた。これが私と一般的な骨董との出会いである。

ところが12歳のときに法隆寺の佐伯良謙菅主の徒弟として養育をされたころから、私の古美術を見る眼は一挙に開花した。

師匠の膝下にはべる生活は、高尚な文房四宝や古美術に囲まれていたからである。とくに鶏血石などの印材も師匠の自慢の一つ。硯は須恵器で作った猿面硯《えんめんけん》を大切にされていた。そのような環境の下で私は少年期を過したのである。ときどき、それら文房四宝に対する師の解説を聞くことも大いに刺激となった。そして私の耳と眼だけは異常なまでに発達したのである。

やがて日本と中国との国交が回復し、私は待望の敦煌や五台山など多くの仏教聖跡を訪れる機会に恵まれた。そして北京の琉璃廠《リューリチャン》にある、栄宝斎や悦雅堂などに並ぶ文房古玩に私の眼は釘付けとなった。やがて鶏血石《けいけつせき》などの印材、元代や明代の陶硯、乾隆帝の用箋として名高い乾隆描龍紅絹なども愛玩の一つとなった。私が蒐集したささやかな文房の諸具をご覧になって師匠がどうおっしゃるか、もう一度、その謦咳《けいがい》に接したいとの思いは募る。

私は、かつての法隆寺の小僧たちとはちょっと異なった環境のもとで養育された。それまでの小僧は本坊にある小僧部屋で数名が合居生活を行い、師匠とは少し距離があったと聞く。

ところが私は小僧となったときから師匠の側近くで暮らすこととなり、ひとときも気が抜けない境遇におかれた。事実、息苦しさを感じるときもあった。しかし、そのような生活を通じて師匠を敬愛する気概が育まれ、師匠と弟子の絆が強く結ばれた。老齢であったことから、師匠の手をとったり、背負ったりしたときの温かい感触は今も忘れることはない。

昭和37（1962）年5月に天皇皇后両陛下の御召列車が王寺駅を通過された。そのときも私は師匠を背負ってホームへと急いだ。ちょうど両陛下のお立ちになっている菊の御紋のついた窓の前で奉迎する栄誉に浴した。

両陛下の慈しみの眼差しが老齢の師匠へ注がれていたことが昨日のようによみがえる。そして私は年を重ねるごとに師匠の法恩に感謝する思いは強まる。

105 平城遷都1250年祭――長谷川一夫の姿も

法隆寺の小僧として、やっとその生活になじんだものの、学校の成績は次第に低下するばかり。学業にはまったく興味がわかない。自信をなくし落胆している私の姿をご覧になった師匠は、つぎのようにおっしゃったのである。

「何ごとにも一生懸命に打込むことや。それで上達しなくても決して急がなくてもよろしい。毎日毎日の精進努力がやがて花を咲かすときがくる。人間は一生が勉強や」

この師匠の言葉は今も私の脳裏から離れることはない。私にとって最高の人生訓であり、その言葉によって私は救われた。

師匠がただ漠然と過ごされている姿を見たことはない。病気でない限り、いつも正座をして書物を読まれ、筆を走らせる姿が日常的に見られた。今から思うと師匠は私に身をもって「学問のすすめ」を教えられていたのかも知れない。そのような師匠の励ましをいただきながらも自分の非力を大いに自覚した。そして私は法隆寺の僧侶として何か一つでも自分にできることはないものか、と真剣に考えるようになる。

そのときに思いついたのが、法隆寺に伝わる声明《しょうみょう》（音楽的読経）や法会の作法をしっかりと身につけることであった。声明には少し自信があった。大学の受験勉強もそこそこに声明の練習に没頭する日々が続いた。

そのような私に対して「あんなことをしていて大学へ入学できるのか」と陰口をたたいたり、いじめのようなものもあったりした。

しかし、そのような誹謗にも屈することなく、声明の練習や宝探しにはますます熱が入っていった。庭や廊下の掃除をしながらも声明を口ずさむ日々が続いた。師匠が病気のときは1人で聖霊院《しょうりょういん》へ参拝した。灯明をともし、習ったばかりの経を読む。しかし早朝であることから睡魔が襲う。そのようなときに限って誰かが突如として聖霊院へ参拝する。

そのころ法隆寺の境内にいろんな人が仮住まいしていたことはすでに紹介した。疎開をしている人、工事関係者などが寺僧の家族と同居していた。その中に、宝珠院に住んでいた浄土真宗本願寺派（滋賀県金照寺の住職）の西川龍山師がいた。西川師は法隆寺勧学院に在籍し、昭和3（1928）年に宝珠院に開設した「性相学聖典刊行会」の編纂《へんさん》員の1人であった。その刊行会は法相宗や聖徳太子関係の経典や論書を刊行するために開設したものである。

編纂長には佐伯良謙師、編纂員には浄土真宗本願寺派の田村至道師、真宗高田派の生桑完明師、曹洞宗の保坂玉泉師、真宗大谷派の富貴原章信師、そしてこの西川師が選任されていた。その刊行会からは昭和15（1940）年に『新導成唯識論』が刊行されたことはよく知られている。

西川師は戦後も宝珠院に留まって佐伯定胤師監修による和訓昭和会本『法華義疏』の編纂を担当し、昭和28（1953）年に刊行されてからも、資料整理などのために宝珠院に滞在していた。ことのほか静かな人であった。私が聖霊院の内陣で居眠りをしていると音もなく参拝し、障子に映る西川師の影と幽かな音に、私は幾度となく驚いて飛び起きることがあった。

そのようなできの悪い小僧であったが、幸い昭和35（1960）年に龍谷大学へ入学することができた。その年の3月10日に奈良で平城遷都1250年祭が行われ、奈良の寺院の僧たちと一緒に参列した。奈良市の三条通にある浄教寺から行列は出発。その中には名優として人気の高かった長谷川一夫さんなどが天皇役に扮した姿もあり、多くの人びとは行列を取り巻くように集まっていた。

その行列は新公会堂の北側にあった春日野グランドへと向かった。グランドには祭壇が設けられ、神式と仏式による式典が行われ、その翌日には寺院の代表者たちが奈良時代の天皇陵に参拝した。

106

古い瓦との出会い——宝探しに熱中した日々

私は法隆寺の小僧になる直前に母たちに連れられて西宮の黒川古文化研究所を訪れたことがある。そのとき黒川幸七邸の広い屋敷では古い瓦の展観が行なわれていた。大広間には長い机が置かれ、その上を白布で覆っていた。

白布の上には多くの古い瓦が展示されていた。しかし、古い瓦の一つ一つについては、まったく記憶していない。ただ、その中でほぼ正方形の美しい花のような模様のある大きく重そうな瓦が、私の脳裏にしっかりと焼きついている。12歳の少年にも、この瓦がほしいなあ、と思わせるほどの美しい花模様の瓦であった。

それが韓国の慶州にある雁鴨池《がんおうち》から出土した、1300年ほど前の宝相華文の磚瓦であることを知ったのはずっと後のことである。私はこの古瓦との出会いによって瓦というものに興味を抱いたのである。

そのころの法隆寺の境内には古い瓦の破片がいたるところに散在していた。私は師匠の許しを得て時間があれば古い瓦を集めることに懸命となった。その瓦収集が面白くてしかたがなかった。それが私の遊びの一つとなった。

そのような私の姿をご覧になった師匠はご自分が蒐集《しゅうしゅう》されていた古い瓦を「仲間にしてやったら」といって譲ってくださった。この瓦の収集には多くの人びとも協力をしてくれた。瓦を探すことに懸命となっている私の姿を見た人びとから、いつしか「瓦小僧」と呼ばれるようにもなった。それに由来して今では「瓦礫法師」「古瓦法師」と号している。

毎晩のようにお茶をいただきながら、師匠が若いころに経験された思い出話を聞く機会が多くなった。

あるとき師匠は興福寺の東金堂の天井裏から『日本霊異記』の古写本を発見されたときのことを話されたことがある。

大正11（1922）年の9月に師匠は東金堂の塵埃《じんあい》の中から発見されたもので、現在は国宝に指定を受けている。このような師匠の話を聞くことによって「師匠がアッと驚かれるようなものを発見したい」という、宝探しのような気持ちを強く抱くようになる。この刺激を受けたころから、暇さえあればお堂の天井裏や土蔵の中に入って、宝探しに精を出した。

土蔵や納屋の片隅には舞楽面や百万塔、経典などの断片が放置されていた時代である。それを発見するたびに、得意気に師匠へ持参した。すると師匠は、その一つ一つについて、小僧にもよく解るように説明をしてくださった。今から考えると多忙な中をまことに面倒であったに違いない。しかし、それが小僧に対する教育の一つであり、私は知らず知らずの間に法隆寺学へと導かれたといえる。

とくに、懐かしく思い出されるのは昭和34（1959）年10月に、「蜀紅錦《しょっこうきん》」の断片と一緒に「藤ノ木古墳」に関する古文書を宗源寺の天井裏で発見したときのことである。その文書について師匠は小僧にも分かるように詳しく説明してくださった。

「この陵には蘇我馬子の謀略によって暗殺された崇峻天皇という天子さまを葬ってある」

それからの私は陵の近くを通るたびに崇峻天皇のことを思い出すこととなる。このように師匠から教えられたことが次第に私の血となり、肉となった。

そのころ奈良や京都を戦災から護ることを米国政府に進言したと伝えるウォーナーさんを顕彰する声が高まっていた。そしてウォーナー供養塔の建設準備が進み、法隆寺の西院伽藍が一望できる西方院山に完成した。その開眼供養会は昭和33年6月9日に厳修された。

その日は晴天に恵まれ、ウォーナー塔と移設した平子鐸嶺塔は並んでその盛儀を見まもっているかのように思えた。なお、ウォーナー塔には「水晶勾玉（ウォーナーへ岡倉天心が寄贈したもの）」「鍍金小金具（漢時代）」、「容器（古代紙縒紙撚之籠）」など、ウォーナーさん遺愛の品が納められている。

107

研究者たちの謦咳に接して——チベット学者との出会い

小僧時代には多くの知名な人々が法隆寺を訪れることがあった。政治家として名高い西ドイツのアデナウアー首相と握手をしたことや、古橋広之進さんなどの世界を代表する水泳選手たちが法隆寺を参観したこともあった。そのときに古橋さんが私の持っていたノートに全選手のサインを貰ってくれた。そのときの感激は今も忘れない。

小僧のころから多くの仏教学・仏教史学・仏教考古学・美術史などの日本を代表する学者たちの謦咳《けいがい》に接する機会を得た。これも師匠に随伴していた小僧にとって大いに勉強となり、ありがたい経験をさせていただいた。最も印象深い学者としては、花山信勝さん、長井真琴さん、塚本善隆さん、中村元さん、坂本太郎さん、石田茂作さんといった人びとであった。

その中で昭和28（1953）年の11月に法隆寺を訪れた1人の学者に強い刺激を受けた。その人の名は多田等観さん。チベット学者である。

小僧にとってチベットという言葉に魅力的な響きを感じた。そのときに私の脳裏にチベットという名前が強くインプットされたのである。

その多田さんが1人で宝光院に泊まられた。宝光院は法隆寺の南大門を入った右側にある建物。私が小僧になる直前まで師匠の住坊であった。管長室へ移られてからはしばらく無住となっていたのである。

とくに本坊（寺務所）と最も近い子院であることから信者さんたちが泊まられることが多かった。

多田さんはチベットの法王第13世ダライ・ラマから正式の許可を得て鎖国状態にあったチベットへ入国。10年間の長きにわたって修学をした浄土真宗本願寺派の高僧である。

幼かった私はチベットが世界の秘境であることも、すぐれた仏教文化の聖地であることもまったく知らなかった。

その多田さんのお世話を私がすることとなった。お世話といっても風呂を焚いたりお茶を入れたり、境内を散策される多田さんのお伴をするぐらいである。そのとき多田さんが私に注いでくださったやさしいまなざしを忘れることはない。多田さんには私とチベットの幼い修行僧の姿がダブって見えたのかもしれない。

やがて私はインドやネパール、中国の成都や敦煌などを訪れる機会に恵まれた。そのたびに、このはるか彼方にチベットがあることに思いを馳せ多田さんのことを思い出していた。そしてついに憧れのチベットを訪れる日が到来した。それは昭和61（1986）年の夏のことであった。

高山病に悩まされつつチベット仏教の聖地ラサのポタラ宮やデプン寺、大昭寺、小昭寺、カンタン寺などを参詣したときの思い出は尽きない。

とくに多田さんが修学していたセラ寺を訪れたときは大いに感動を憶えた。そこに多田さんの足跡を求めたが、日本人の僧が修学していたというだけで、多田さんの名前は伝わっていなかった。しかし私は多田さんの記録とセラ寺の部屋の位置が符合したことに満足した。

それは多田さんの謦咳に接して33年目のことであった。それからも更にチベットの仏教文化に対する関心は高まり、青海省の西寧の郊外にあるタール寺や甘粛省の夏河にあるラブロン寺、そしてブータンなどのチベット仏教文化圏を訪れることが実現した。

とくに海抜3200メートルにある青海湖（琵琶湖の6倍ともいう）を1周したときの感激は今も忘れることはできない。そのときに青海湖周辺の未解放地区を訪れた外国人はほとんどいない、というタール寺の僧や村落の人びととの言葉に大いに感激したことが思い出される。

このように私のチベット仏教文化への憧れは多田さんとの出会いから始まったのである。

108

天井裏での出会い――位牌の〝声〟に導かれて

私が宝探しを遊びとしていたころに子院の持仏堂や庫裡の天井裏で目に止まったものがある。

それは廃仏毀釈の嵐が吹き荒れたころに忘れ去られた江戸時代の寺僧たちの位牌であった。寺僧たちが維新の前後に出奔したり隠居したりしたために、その数は著しく減少した。

そのために法隆寺境内にあった末寺の北室院や宗源寺の住職を法隆寺の寺僧に取り立てる処置も講じたが、無住の子院が続出した。

やがて地蔵院や福園院には学校や村役場が置かれ、古い位牌の多くは持仏堂などの天井裏に放置された。

それらに出会った私は、位牌を整理して寺僧たちの菩提《ぼだい》を弔《とむら》うことが私に課せられた使命の一つではないか、と思うようになる。

その中には織田信長や歴代の徳川将軍家、法隆寺に莫大な財政援助をした5代将軍綱吉の生母桂昌院、家康の寵愛を受けた大工頭中井正清など、歴史上名高い人びとのものもあった。

とくに法隆寺で最も古い位牌を福園院持仏堂の天井裏から見つけたときの興奮は今も忘れない。それは応永17（1410）年に70歳で没した実秀という寺僧のものであった。

私はそれらの位牌を整理しながら、そこに記された戒名などを写し取ることに没頭。やがて寺僧たちの戒名には一つの形式があることに気づいた。位牌の表面には寺僧が住んでいた子院の名称、次に僧正、僧都、律師、大法師などの階級、最後に名前という順序で構成している。

裏面には没年月日、年齢が記されており、行蹟を詳しく記したものもあった。例えば49歳で没した良訓のものには、「前中院法印大僧都良訓人和尚」とある。良訓は中院の住持で法隆寺の一臈《いちろう》法印（代表者）に昇進、階級は大僧都であった。位牌を見ることによって、その寺僧がどの子院に住み、どのような階級であったかが分かる。

とくに寺僧たちの中で若くして高い地位に昇った僧と高齢であっても低い階級に留まっていた僧がいたことに不審を抱くようになる。

例えば65歳で没した弘辨の位牌には「前善住院弘辨大法師」とある。

先に紹介した良訓は49歳で大僧都、弘辨は65歳で大法師という格差があった。やがてそれは厳格な「学侶《がくりょ》」と「堂方《どうほう》」と呼ぶ身分制度によることを理解するようになる。

良訓は医師の子息で、花園宰相中将実廉の猶子《ゆうし》になったことも大僧都へ昇ることができた理由であった。

そのころの寺僧の資格について、法隆寺の「覚書」には次のように記されている。

「学侶には公家や武家の息を以て寺僧となす。町人、百姓などは堅く成り申さず候。武家に候得ども五代相続の由緒正しき武家にこれ無き候はば、取り立て申さず候。但し、堂方と申し候には町人、百姓も取り立て申し候」

明治維新の大変革によって、この不条理な制度は瓦解し、旧弊を一新することとなる。

法隆寺では明治2（1869）年に古くからの学侶、堂方、承仕《じょうじ》の階級を完全に撤廃した。ついにそれまで最下位にあった承仕職の僧が法隆寺の住職に就任する革新的な大変貌を遂げる。法師から大僧正へ昇進したのであった。そして寺僧の戒名からは封建制度に基づく格差は姿を消した。

私はそれらの位牌の銘を書き写すことによって、子院や寺僧たちの名前を記憶するようになる。それがやがて『法隆寺子院の研究』として私のライフワークの一つとなった。

109

法隆寺夏季大学のはじまり――暑さと蚊に悩まされて

明治26（1893）年から法隆寺に仏教の学校である法隆寺勧学院が開設された。そこには宗派を問わず多くの学徒たちが集まり、仏教や漢学、歴史などの学舎となっていた。とくに法相宗の教学である唯識《ゆいしき》や論理学の因明《いんみょう》などが講じられ、明治から大正、昭和にかけて多くの学僧を輩出して法隆寺勧学院の名を世に知らしめた時代もあった。

その中には大西良慶師、佐伯良謙師、板橋良玄師（いずれも法相宗）、麻生道戒師（臨済宗）、臼杵祖山師（浄土真宗本願寺派）、岸信宏師（浄土宗）、生桑寛明師（浄土真宗高田派）、鷲尾隆慶師（華厳宗）、高井観海師（真言宗智山派）、富貴原章信師（真宗大谷派）、中川善教師（真言宗高野派）などの学僧の名前が見られる。しかし、太平洋戦争が悪化するにつれて勧学院は昭和19（1944）年から自然休講となり、そしてついに終戦とともに事実上の閉校となった。

この敗戦による大変動で法隆寺の復興に大きな援助を行った聖徳太子奉賛会は基本財産をはじめとする資財のほとんどを失っていた。

そのような中で考えられたのが「法隆寺夏季大学」である。それが実行に移されたのは法隆寺が聖徳宗を開宗した翌年のことであった。聖徳太子奉賛会の理事である花山信勝さん（仏教学）、坂本太郎さん（歴史学）、石田茂作さん（仏教考古学）、大岡実さん（建築学）の4人と法隆寺住職の佐伯良謙師を講師として、西室の大広間で開かれた。

その内容は、仏教や聖徳太子の教え、歴史、仏教考古学、建築などを講義するものであった。第1回の昭和26年7月22日と23日の2日間には180名が参加。その翌年からは7月27－29日の3日間となり、29日は飛鳥方面の見学を実施して好評を博した。

昭和30年からは7月26日から4日間となった。私が夏季大学を経験したのは昭和29年の第4回からである。200名を超す受講者たちが西室の大広間で熱心に講義を聴いていた。暑さが厳しく、浴衣を着て団扇《うちわ》を片手に居眠りをする人や襲来する蚊と戦う姿もあり、西室は人びとの熱気であふれていた。そのとき直径1メートルもある大きな団扇で師匠の後ろから扇ぐことが私に課せられた仕事であった。蒸せるような暑さに加えて団扇の重さには閉口した。早く講座が終ってほしいと心の中で祈ったことを懐かしく思い出す。

これも小僧に課せられた修行の一つであった。いつも師匠の歩まれる後ろに私は付き従っていた。もし、無断で離れようものなら大目玉を食らった。学校よりも法隆寺を、そして師匠を大切にすることを、身を持って教わったような気がする。

そのころの受講者の半分以上は法隆寺の境内に宿泊していた。それぞれの子院が宿舎となっていたからである。夜には金堂修理などの映画が野外で上映されたこともあった。

人びとは法隆寺の夏の風物詩である蚊に襲われながらも熱心に映画を見ていた。私はこの夏季大学の期間が楽しくてたまらなかった。いつも寂しい生活を送っていた小僧にとってそのにぎわいはうれしかった。

その期間中の一夜は本坊で座談会が開かれた。多くの宿泊者たちが重要文化財の西園院客殿に集まる。講師と直接に意見交換をする最も人気のある催しの一つであった。このときも蚊の大群が容赦なく参加者たちを襲う。おそらく法隆寺の蚊たちは夏季大学の季節を私と同じように待ち遠しく思っていたのかもしれない。

夏季大学が終わると法隆寺は一変して寂しくなった。再びいつもの静寂な佇《たたず》まいの境内に戻るからである。

110 法隆寺の変貌——寺で最後の小僧となる

明治10（1877）年ごろには子院の建物の老化も激しさを増し、その多くが取り畳まれたことはすでに紹介した。とくに明治36（1903）年に法隆寺住職に就任した佐伯定胤師がその弟子たちと寺務所（西園院）で生活をする習慣が生まれた。

現在のように寺僧が妻帯をして子院で生活をするのは、昭和24（1949）年に金堂壁画が罹災したころからと聞く。

私が小僧になったころ寺僧たちのほとんどがいろいろな経歴を持つ人びとが集まっていることに気づいた。戦前や戦後に還俗《げんぞく》した若い僧たちがおり、その人たちはそれぞれに新しい職業について、完全に法隆寺とは無縁となっていた。しかし金堂罹災や聖徳宗開宗などの変革期にふたたび法隆寺へ入ってきた人たちがいた。大野泰治さん（可圓と改名）と古谷郷一さん（明覚と改名）の2人である。大野可圓師は昭和25年、古谷明覚師は昭和29年6月に法隆寺へ入っている。

それに加えて檀家とともに融通念仏宗を離脱して聖徳宗へ入宗した枡田秀山師も法隆寺に住むようになった。

やがて、それらの寺僧たちの子供が得度する時代を迎えた。これによって法隆寺における小僧の修行というものは終わりを遂げた。小僧の時代から法隆寺に止住したのは間中定泉師と私だけとなり、法隆寺の法灯も大きく変貌した。私は法隆寺の最後の小僧となったのである。

多くの寺院でもそのような変化の時代があったと聞く。しかし、そのような大きな変革があったことを知る人はすっかりと少なくなった。

111 尼僧たちの生活——中宮寺の静かな佇まい

夢殿の東隣に中宮寺という尼寺がある。飛鳥時代の国宝、菩薩半跏《はんか》像と天寿国繍帳残闕が伝わる古刹として知られる。

創建したころの境内は現在地から東へ約550メートルの場所にあった。今も土壇の一部が残り、往昔の旧跡をわずかにとどめている（国史跡）。その中宮寺はたびたび復興と荒廃を繰り返していたが、やがて寺地を夢殿の東側へ移した。

その移建年代や理由は分からないが、16世紀の後半には移建がほぼ完了していたらしい。そのころから宮家の皇女を中宮寺門跡に迎える習慣が生れている。そして「中宮寺御所」や「斑鳩御所」と呼ばれた時代もあった。

このころの中宮寺は法隆寺の知行1000石の内から12石の配分を受けていた。ところが明治維新の混乱期に法隆寺から離脱。長谷寺の所轄に入ったが、明治16（1883）年からは真言宗泉涌寺派に属した。

しかし皇女を迎える習慣はなくなり、中宮寺の尼僧であった辰巳亭倫尼が住職に就任した。ところが明治22年1月に門跡号の使用が許されたこともあり、明治23年に住職の辰巳亭倫尼を戒師として近衛尊覚尼が得度した。これが旧公家ゆかりの子女が中宮寺へ入寺したはじまりである。

やがて法隆寺が聖徳宗を開宗したときに、中宮寺も旧縁によって聖徳宗門跡寺院となった。私が小僧となったころ中宮寺の尼僧の数は法隆寺よりもはるかに多かった。多くの尼僧たちが老御前の近衛尊覚尼と門跡の一條尊昭尼にお仕えしていた。何もわからない小僧の眼にも雅な佇《たたず》まいの尼寺に映った。

その尼僧たちがときたま師匠を訪れることがあった。仏教の講義を聴聞するためである。門跡につきそう尼僧たちが提灯の明かりで足元を照らしながら境内を歩まれる姿は一幅の日本画そのものであった。門跡たちは管主室の玄関から客間へと向かわれる。そのたびにお使いなさい、と文房具のセットなどをちょうだいした。小僧にとって宝物をいただいたようにうれしかった。

しばらくして道明寺門跡の六条昭伝尼が中宮寺の後継門跡に就任された。ところが門跡が遷化される不幸などが相次いだために門跡の座が空席となった。そのとき中宮寺の尼僧たちの首座にあった原田智明尼に対して師匠がおっしゃった言葉を思い出す。

「あなたが中宮寺の住職に就任しなさい。もう古いことにとらわれる時代ではない」

それに対して智明尼は「それは恐れ多いことでございます。私たちは幼少のころから、ご削さまにお仕えをして参りました。私が中宮寺の住職につくことなどは到底、考えられるものではございません」と応えた。

そのときから智明尼は中宮寺代表役員代務者となり、後継門跡の候補が現れるのを待った。やがて日野西公子さんが迎えられた。聖徳宗管長として佐伯良謙師が得度の戒師を勤められた。そして新門跡に光尊尼の法名が授与されたのである。それは中宮寺に戒師を勤める尼僧がいなかったことによる。

ありがたいことに近衛尊覚尼が愛用されていた毛筆が私の手元にある。そして、その筆を握るたびに、かって尼僧たちが行き交っていた生き生きとした中宮寺の懐かしい姿がよみがえってくる。

112

太子1340年御忌——聖徳会館の建立を決断

法隆寺夏季大学は年々盛況を呈していた。受講者が500名を越えることもあり、師匠の佐伯良謙師は多くの人びとが集まることを非常に喜ばれていた。高齢とぜんそくのために歩くのが困難なときもあり、私は小僧のころから師匠を背負うこともあった。最晩年になってからは駕籠《かご》を使われることが多くなった。

幸い法隆寺には江戸時代の寺僧たちが江戸などへ出向くときに使った立派な駕籠が遺っていた。それに乗って境内を往来された。私はその駕籠に付き添うことが多かった。とくに夏季大学の前日には会場の西室や宿舎となる子院の準備状況を自分の目で確認されることが慣例となっていた。

宿泊者を迎えるために美しい花は生けられているか、掃除は行き届いているか、など客を迎えるおもてなしの心を大切にされたからである。そして聴講生は年々急増し、西室の外にまであふれる盛況ぶりとなった。

昭和36（1963）年は聖徳太子1340年御忌の年にあたる。それを記念して教学の殿堂を建設することを決断された。それが聖徳会館である。多くの人びとを収容する近代的な設備とすることが検討された。

宿泊施設も備える2階建てとする計画もあったが、最終的には単層の講堂だけの施設となった。そのとき師匠が言われた言葉を思い出す。「これからは土足の時代や。椅子と机の時代やで」。その建設場所は東大門から夢殿に向かう右側の築地の中に決定した。建設予定地の発掘調査が行われたが、問題になるような遺構は出土しなかった。

必要な手続きを経て昭和34年から建設に着手。翌35年にほぼ完成した。そして昭和36年4月11日から2日間にわたって太子1340年御忌とその落慶法要が執り行われた。

このとき講師が乗る立派な四方輿《しほうごし》も新調された。その様式の輿は東大寺にだけにあり、法隆寺はいつも東大寺から拝借していた。

法要は集会場《しゅうえ》の西室を進発。東大門を経て聖徳会館へ向かった。会館内には重要文化財の舞楽台や鼉太《だだい》鼓《こ》、鉦鼓《しょうこ》などがしつらえられていた。雨天でも法儀を決行可能な施設とする考えがあったことによる。このときも東大寺から管主や長老をはじめとする寺僧たちの助法を得た。

落慶に向けて半年ほど前から声明の練習がはじまった。寺僧たちは師匠のもとでそれぞれに声明を習った。時間があるかぎり、ほぼ毎日練習は続いた。

とくに私は、種村大超師とともに番論議の節回しを教わりながら、それを暗記することに懸命となった。法相宗の時代は慈恩会のときに若い僧がこの論議を行っていたが、法隆寺では昭和25年から久しく絶えていた。

師匠は雛《ひな》僧のころから論議や声明が得意であったと聞く。とくに清水寺管主の大西良慶師は法隆寺勧学院で声明の教授に就任していた。師匠にとって良慶師は先輩であり、興福寺時代からの法友でもあった。師匠は自分が法隆寺に正しい声明を伝えなければという気持ちが強かったようだ。

そして落慶供養会が終わりに近づいたころ、番論義の時間が訪れた。幸い論議の文言を忘れることなく無事に終えることが出来た。管主室へ還られた師匠は駕籠から降りるなり、「今日の番論議は良い出来やった。清水（良慶）さんも聞きながら調子をとってはった。ほんまに良かった」と絶賛された。小僧にとって最高のうれしい言葉であった。それは音響効果も手伝って番論議の声が館内に響き渡ったことによる。

小僧のころから習った声明が、やがて断絶していた法隆寺の行事を復興するときに大いに役立つこととなる。

113

徒弟への薫育——心から学問の隆盛祈る

聖徳会館のご本尊には平櫛田中作、前田青邨彩色の聖徳太子摂政像が安置された。それを納める厨子は東院の舎利殿にある、14世紀に造られた厨子を模したものである。この落慶を祝って人びとから花瓶など、多くの品々が奉納された。夏季大学の受講生たちも基金を募って会館の周辺に記念植樹を行った。それを師匠は非常に喜ばれていた。

ところが後に、そのとき植樹された樹木の多くが無惨にも伐採された。その事情を見聞していた私にとって、植樹の由来が忘れられたことに虚しさを憶えた。

いよいよ昭和36（1963）年の第11回法隆寺夏季大学が聖徳会館で開かれた。真新しい会場で受講者たちは講義に聞き入った。その年の参加者は宿泊者が526名、通学者が179名、計705名に及んだ。その様子を見ながら喜ばれていた師匠の笑顔が思い出される。

そのころから師匠は隠居したいと考えられていた。そのために管主室の近くに隠居所の新設が計画された。そして数寄屋風の建物の建設に着手した。昭和37年9月に完成すると、そちらへ移られた。

維摩経の方便品にある「是の身は幻の如し・是の身は夢の如し」とある字句に、号である「浄心」を入れて、その隠室を「夢幻庵浄心居」と名付けられた。師匠はその翌月に法隆寺へ「辞職願」を提出された。

それには「近来、特に老衰を加へ、全く重責に堪へず法隆寺住職を辞職仕りたく」と記されていた。

しかし関係者たちの留意の声が高く、しばらくその職に留まることとなった。そのころ師匠は私が龍谷大学を卒業するのを心待ちにされていた。良信が大学を卒業したら、自分のそばで法相宗の学問である唯識を教えようとおっしゃっていたと聞く。

昭和37年の夏ごろから、『大乗法苑義林章』（唯識について記された慈恩大師の著作）という仏教書を、師匠の前で読誦することとなった。それを聞いて指導されることが、そのころの日課となっていた。

師匠は「それだけ読めたら、大したものや」と、私に自信を与えて下さった。人間とは、何か一つでも誉められると、他のこともできるのではないか、という錯覚に陥いるものである。

私はそのころ中耳炎を患って大阪の病院に入院していた。師匠は老体にもかかわらず私を病室まで見舞ってくださった。

そのとき病室で私の卒業論文にじっと眼を通してくださった姿が今も目に焼きついている。

師匠は待望の聖徳会館の落慶を終えてほっとされているように私には見えた。そのころ師匠のもとに一つの話が寄せられた。それは奈良の裁判所となっていた旧興福寺一乗院の寝殿を法隆寺へ移建しようというものであった。それは師匠が興福寺の出身ということから申し出られたものであった。そのときの師匠の言葉を思い出す。

「一乗院の建物はほしいけれども、聖徳会館を建てたところやし、法隆寺には移建する場所もないなあ」。そしてついに断念された。その建物がやがて唐招提寺へ移されて鑑真和上像を安置する御影堂となっている。これも今となっては知る人も少ない秘話の一つである。

114

師匠の急逝――衝撃に茫然自失の日々

昭和38（1963）年に師匠が急逝された。私が大学を卒業する直前の3月8日の寒い日のことであった。その前日には斑鳩小学校の卒業予定の児童たちに講話されていたのである。寒さで急性肺炎を患われたのが原因であった。

戒名は明治32（1899）年に遷化された千早定朝管主の先例などに倣《なら》って「前法隆寺管主大僧正法印良謙大和尚」とされた。

師匠の逝去は言葉では言い尽くせないほどの大きな衝撃であった。私にとって高く、そして大きな目標を失ったからである。

その年は記録的な異常気候であった。1月26日の金堂罹災の防火訓練のときに放水した水がかかった樹木にたちまち、つららができるほどの寒波であった。3月の半ばを過ぎても大雪が降ったり、地震が発生したりする不順の年だった。

そのような異常気象もあって、1月に中宮寺の奥山祐章尼、2月に同寺の原田智明尼、そして法起寺の岡田了猷師が相次いで亡くなった。

岡田師の葬儀のときのことである。私は師匠の代理として葬儀に参列することとなった。

その葬儀の様子を報告していたとき、師匠は突然、つぎのようにおっしゃった。

「わしが死んだときにはお前は素足で藁草履を履いて、左手で、青竹で作った杖をついて火葬場まで棺の伴をするように。その時には青竹の先に五条袈裟《ごじょうげさ》を挟んで白丁を着た伴の者に持たせるのや。火葬場に着いたときに、はじめてお前が五条袈裟を着けて、わしを見送るのが古くからの作法や」

それは遷化《せんげ》される2週間余り前のことであった。あまりにも唐突な話に私は答える言葉がなかった。ただ黙って聞き入るしかなかった。

師匠がおっしゃった風習は、1069年作の法隆寺絵殿の障子絵にある、太子葬送の場面にも描かれていた。そこには棺に随伴する人びとが左手で青竹の杖をついている姿が見られる。

師匠の遺体は清められて特別製の立派な棺（八方龕《はっぽうがん》）の棺が一般的。映画で見るような江戸時代の風習そのままに遺る片田舎の姿であった。

師匠の遷化の報をお聞きになって弔問に訪れた清水寺管主の大西良慶師は、師匠の頭をなでながら「長い付き合いやったなあ」と、一言ささやくように呼びかけられた。良慶師にとって若いころから寝食をともにした法友であった。とくに自分の後継者として興福寺後任住職に推挙していたこともあり、いろいろな思いがこみ上げていたのかもしれない。興福寺の樋口貞俊師、板橋良玄師に続いて良謙師を失い、寂しさと懐かしい若いころのことを思い出されたのであろう。

通夜は3月9日、密葬は翌10日に西園院の客殿で行われた。それは定胤長老の密葬の次第を踏襲したものだった。律院の北室院ゆかりの僧たちの出仕によって、その葬儀は執り行われた。

喪主は法隆寺住職代務者の間中定泉師、師匠がおっしゃったように棺のお伴は遺弟の私が勤めさせていただいた。

115

最後の野辺の送り――遷化し不浄門より葬送

3月10日に密葬を終えた師匠の棺は西園院を出発。葬列は一路、焼香場へと向かった。これが法隆寺で最後の、古式による葬送となった。先頭は高張り提灯、樒《しきみ》花、供花それぞれ一対を白丁が奉持。葬儀の式衆たちに続いて棺を白丁8人が担いだ。その棺の上には天蓋《てんがい》が懸けられていた。

その後には青竹に差した私の袈裟を持つ白丁、そして私が素足で棺のお伴をした。その後ろには墓標を持つ白丁や、親近の縁者たちがつづいた。

葬列は西園院の唐門を出て、能石の下の大路を西に折れて西へと向かった。棺は西大門の北側にある不浄門から出ることがしきたりとなっていた。

法隆寺の古記録には、つぎのように記されている。

「西大門の北には不浄の小門あり、葬送の門なり」。

江戸時代のころも西院の境内で遷化した寺僧たちの棺は、この門から送り出されたとある。この葬送の道について、後日の参考として古い記録を紹介しておきたい。

「西大門脇の不浄門より南に折れ南大門前を東に通過。福井に至り、中之門（東大門）前より東へ上宮王院門前を北に、北小路に入り、今北小路を経て三井村に通ずる新開路より順次極楽寺に至る」

やがて葬列が火葬場に到着した。薄暗い施設の中に棺が据えられ、荼毘《だび》にふされた。恩師佐伯良謙管主との最後のお別れである。とめどなく涙があふれ、賜った数々の法愛に厚く厚くお礼を述べた。

密葬の日は悲しさを加速するかのような、雪交じりの冷たい雨が降り、私の足は寒さで麻痺していた。心配をしてくれた人びとがバケツに熱いお湯を汲んでくれた。それに足を入れてもまったく反応がない。しばらくすると強烈な熱さを感じて、バケツから飛び出した。それほどに寒さで足の感覚がなくなっていたのである。

そして翌朝に遺骨を極楽寺墓地にある定胤長老の墓石の隣に納められた。それからも異常気候はしばらく続いた。

私は四十九日の間、毎朝5時から師匠の墓前で読経することが日課となった。そして大学の卒業式も終え、卒業証書をその墓前に供して報告した。予期しない師匠の遷化に直面をして茫然自失の状態の私に対して、法隆寺から急きょ、大学院を受験するように、との申し渡しがあった。

それは遷化から数日後のことで、未だ本葬も終わっていない時期であった。それまでは師匠に従って勉学をする予定であった私は、大学院へ進学するつもりはまったくなかった。しかも、受験日は1週間余りに迫っていた。きわめて心許ない心境のままに受験したことを思い出す。

幸い、本葬前日の3月29日に龍谷大学大学院への入学が許された。私はそれまで整理をしていた多くの寺僧たちの声なき声の励ましと、恩師の加護を感じずにはいられなかった。

そして師匠が推挙されていた通りに間中定泉師が住職に就任され、新しい法隆寺の歩みが始まった。

なお、これを最後に古い野辺の送りの姿は消えた。それからの葬儀は、それぞれの自坊で執り行われるようになった。棺も寝棺となり、火葬場へは霊柩車で送られるようになった。これによって古くからの葬送の道も葬列の次第も忘れ去られていったのだ。

116

師匠を追慕して——初のインド巡礼で供養

佐伯良謙管主の本葬は昭和38（1963）年3月30日に行われた。師匠が最も愛された聖徳会館を荘厳して、導師は西大寺長老の瀬木俊明師が勤められた。南都楽所《がくそ》の伶人の奉仕もあり、法隆寺ではじめての大規模な葬儀となった。

しばらくして私は法隆寺塔頭実相院の住職に任命された。実相院は法隆寺境内のほぼ中央に位置しており、師匠が最初に住まわれた子院である。しかし、そのころは同院に「法隆寺文化財保存事務所」が設置されていたこともあり、しばらく境内末寺の宗源寺に住むこととなった。私が実相院の住職に就任したときに東大寺観音院の上司海雲師（のちに東大寺別当に就任）が宴席を設けて祝ってくださったことを思い出す。

幸いなことに、その年の秋に憧れのインド・タイ・ビルマ（ミャンマー）・セイロン（スリランカ）の仏教遺跡を巡拝する機会に恵まれた。それは龍谷大学の教授たちを中心とするインド巡礼団への同行を勧められたことによる。私にとって海外旅行も飛行機に搭乗することもはじめての経験であった。

昭和38年11月16日に、非常な興奮を憶えながら羽田空港を飛び立った。途中に立ち寄ったバンコックやラングーン（ヤンゴン）では私の丸刈り頭を指さして「日本兵隊さん」と声をかけられたこともあった。丸坊主の日本の兵隊さんの印象が遺っていた時代である。私にはすべてが初体験でカルチャーショックはすごかった。その感動は今も忘れない。

このときは1ドルが360円で、国外持ち出しは300ドル、日本円では2万円が限度だった。仏教徒にとって憧れのインドであり、師匠の遺影を懐に入れての巡礼となった。釈迦誕生の地ルンビニ（ネパール）、釈迦が悟りをひらかれたブッダガヤ、6人の比丘に釈迦がはじめて説法されたサルナート、多くの教えを説かれた霊鷲山《りょうじゅせん》、涅槃《ねはん》の地クシナガラなどの仏跡では、師匠の遺影を安置して供養した。アショカ王が建立したというサンチーの大塔では第1塔や第2塔の欄楯の仏足石の拓本を採ったことを懐かしく思い出す。

この旅行中にアメリカのケネディー大統領が暗殺されたという訃報がもたらされた。そのときインドの人びとから東西陣営の対立が激化して日本に帰ることができないかもしれないと、脅かされる一幕もあった。

霊鷲山の麓に日本山妙法寺という寺院があった。それを建立された藤井日達師が若いころに法隆寺で修学されていたというご縁もあり、法隆寺とは交流があった。

そこには八木という僧が常駐されていた。夕刻にその八木師の案内で近くにある温泉へ行くこととなった。暗くて様子がわからないままに、脱衣して温泉に入ろうとしたときのことである。入浴中のインド人たちが大声を挙げた。私たちが真っ裸になったことに原因があった。インドでは入浴するときに下着を着けたままで入るのが習わしであるらしい。このようにインド旅行は見たり、聞いたりすることすべてが始めての体験ばかり、まさに珍道中そのものであった。

とりわけ大乗教の祖師である龍樹菩薩の遺跡であるナーガルジュナサガールを訪れたときは大いに感動を憶えた。その遺跡がダム建設で埋没するために遺構を丘の上に移す大工事のまっただ中であったからである。とくに1959年にダライ・ラマ14世がインドへ亡命して4年後ということもあり、仏跡で出会う仏教徒の多くはチベット人であった。そしてチベットから運ばれたらしい曼荼羅《まんだら》や仏像、仏具などが売られおり、チベットから逃れた人びとの悲哀を感じた。

そして12月15日、思い出深い旅から帰国した。羽田空港での入国検査のときに税関員から「石を持っていますか」と尋ねられた。私は遺跡の記念として小石を採取していたので、それらを提出した。するとその税関員から「石とは宝石のことです」と一笑に附されたことが懐しく思い出される。

117

『聖徳』誌の編集――季刊発行へ執筆に熱中

インドから帰国した私は、師匠の3周忌にお供えする講演集『良謙和上遺芳集』を上梓するために遺稿を集めることに懸命となった。

その一方で大学院の卒業論文の作成にも没頭した。昭和40（1965）年春に龍谷大学大学院を修了したが、しばらくは法隆寺の寺務に携わることはなかった。

そのころ法隆寺では新しい制度をつくることを模索していた時代である。その意味では私がすべて第1号となった。

龍谷大学の大学院へ進学したことも、聖徳宗教学部長であった法輪寺住職井上慶覚師の指導で四度加行《しどけぎょう》を修法したり、西大寺で伝法潅頂《でんぽうかんじょう》を受けたりしたことも初めてであった。

とくに、そのころ加行を修法していたのは住職の間中定泉師、木下円超師と私だけである。そのような新しい制度を終えても私が寺務に就くことを心良しとしない空気が漂っていた。私のようにずっと幼少のころから法隆寺で育った寺僧がいなかったことによる。還俗《げんぞく》した人が再び法隆寺へ入ってきたり、融通念仏宗の末寺から壇信徒とともに聖徳宗へ入った宗僧があったりということも大いに影響していた。

若い者にとって暇なことほど苦痛なことはない。そのような私の経験から後輩の寺僧たちにはできるだけ早く仕事を与えるように努めることとした。そして私はひたすら位牌の整理や法隆寺関連資料の収集を続けたのである。やがて寺僧たちの過去帳を作成して宗源寺の本堂でそれをよみ上げ寺僧たちを供養することが日課となった。

すると、いつしか寺僧の名前や住んでいた子院の名称までを暗記するようになる。昭和40年まで法隆寺には定期的に発行する布教誌はなかった。ただ『聖徳』と呼ぶ雑誌を夏季大学とか御遠忌などの大きな法要のときに発行していた。

そのころ執事長であった大野可圓師と相談して、法隆寺に「友の会」の組織を作って『聖徳』を年4回発行することとなった。

しかし、はたして掲載する原稿が集まるかどうか、ということが課題となった。僧たちの中には定期的に発行できるのか、と冷ややかな目で見る向きもあった。私は季刊誌として『聖徳』を発行するために必至に原稿を集めた。その傍ら率先して自分の原稿を寄稿して雑誌としての体裁を整えることに懸命となった。そのために私は慣れない執筆に没頭した。

ところが、それが大いに私の勉強になった。それまで私が集めていた資料を駆使しつつ法隆寺の内部から見た法隆寺の歴史や裏話的なものを紹介し続けたのである。『法隆寺の沿革』『法隆寺年中行事』『法隆寺に於ける子院の変遷』『法隆寺銘文集成』『法隆寺の虚像と実状』『法隆寺教学の研究』『法隆寺高僧伝』『近代法隆寺の歩み』などである。

それらの研究の多くは私のライフワークとなっている。そのほとんどが20歳代に執筆したものであった。

当然のことながら、それらはいずれも未熟な内容であったことは言うまでもない。そして今日では、それを見て赤面することが多い。しかし『聖徳』誌への執筆が私を育んでくれたことに感謝する昨今でもある。

118

青年隣山会——寺院間交流を広げる

私が小僧のころ、奈良の寺院間の交流はほとんどなかった。そのような中で法隆寺は東大寺や興福寺とは格別の交誼《こうぎ》があった。東大寺は古くから互いに法要に協力し、法縁もあった。師匠の佐伯良謙師は法隆寺から請われて興福寺から移られた関係もあり、強いつながりがあった。しかしその他の寺院とはほとんど親交はなかった。

昭和31（1956）年ごろから奈良県では観光税問題が勃発。それに対応するための会合がもたれるようになった。そのことが一つの発端となって東大寺、興福寺、西大寺、唐招提寺、薬師寺、法隆寺の6カ寺の交流会を組織することとなる。それを『隣山会《りんざんかい》』と呼んだ。この会の目的はあくまでも親睦であり、それ以上のことを求めるものではなかった。ところが、一部の寺院が勢力団体の方向へ向かおうとする気配を感じたこともある。

　東大寺別当に就任した上野澄園師が隣山会に出席されたときに、「隣山会とはあくまでも親睦会であると聞いておりますので」と重い口を開いてはっきりおっしゃったことを、昨日のように思い出す。それは隣山会の方向性を危惧された発言であると私は理解した。その言葉は今も私の脳裏から離れることはない。

　この隣山会が組織されてからしばらくして1通の書状が法隆寺に届いた。たしか昭和37年ごろであったと思う。それには隣山会に所属する寺院の若い僧たちの集まりの会として『青年隣山会』を組織して、それに参加を呼びかける内容であった。それには幹事者の名前も記されていたと記憶する。それをご覧になった師匠がおっしゃった。

「どうも奈良の一部の寺院では何かにつけて人を集めて、その上に立とうとする傾向がある。会が組織もされていない時期に幹事者名を記してくるとはもってのほかや、お前はそんな者たちの傘下に入らないように」

　そのような事情から法隆寺は青年隣山会に入会しなかったというのが真相である。やがて翌年に師匠の遷化のあと、法隆寺の住職に就任された間中定泉師が昭和40（1965）年の秋ごろに私に話されたことがあった。

「あんたもまもなく大学院を修了することになっているし、実相院の住職にも就任したんやから親睦のために青年隣山会に参加してはどうやろうか」

　それに対して私は私なりにしばらく考えた。師匠の言葉が脳裏に残っていたからである。しかし法隆寺住職からの提案でもあり、しばらくして師匠の言葉を胸に秘めつつ入会することを決断した。

　法隆寺からは私と種村大超師の2人が参加した。その年の暮れに西大寺で開かれた青年隣山会の幹事会にはじめて出席した。そこには親友の東大寺・上野道善師（現東大寺長老）の顔があり、西大寺・大矢實圓《じつえん》師（現西大寺長老）、薬師寺・安田映胤師（現薬師寺長老）、唐招提寺・遠藤證圓師（元唐招提寺長老）などが集まっていた。このときから法隆寺が青年隣山会に加入したのである。

　私は師匠が危惧された方向へ行かないように、言うべきことは大いに主張をすることにつとめた。幸い、その後も『青年隣山会』は、あくまでも親睦団体としてその域を出ることはなかった。私はその方針が変わらないようにかたくなな発言をしたこともあった。そして入会することも退会することも本人の自由意志であり、けっして強制されたり、束縛されたりするものではないことを主張しつづけた。

人の出会いというものは不思議なものである。上野道善師とはすでに昵懇《じっこん》であったが、初対面の大矢實圓師ともいち早く意気投合した。この2人との交誼は今も変わらない。しばらくして幹事に興福寺の多川俊映師（現興福寺寺務老院）も加わった。多川師とは師匠良謙師が人生の大半を過ごされた興福寺とのご縁から法類として格別の絆で結ばれていた。

この会が組織されたころは青年僧であった会員たちも、やがて壮年から老年の時代を迎えた。そこで名称を改めようとの意見が出たが、なかなか名称は決まらない。そこで私は『聖和会』とすることを提案した。「聖武天皇」の聖、「聖観音」の聖、「聖天」の聖、「聖徳太子」の聖を採って、それらが和睦する会ということで会員の同意を求め、『聖和会《しょうわかい》』と呼ぶこととなった。これが、私が記憶している『青年隣山会』の組織と改名に至る概略である。

119

法隆寺資料の収集——充実の法隆寺年表作成

法隆寺には古くから特定の信者の集まりはなかった。しかし他の宗教や宗派に属しつつ聖徳太子を信仰する人びとによって結成されていた『太子会』とか『太子講』と呼ぶ集まりがあった。その中で、富山の『太子会』が最も熱心で大きな組織となっていた。その信者さんたちが年に何回も法隆寺へ参詣された。いつも師匠の側に随伴していた私も小僧のころから顔なじみの人が多かった。

そのようなことから、私が成人したころに結婚相手を富山から迎えさせようとする声が挙がっていた。やがて富山の真宗寺院の子女とお見合いすることとなった。その後、あれよ、あれよという間にトントン拍子に話が進んで婚約することとなった。そして富山太子会会長の須垣久作さんを仲人として昭和41（1966）年10月8日に結婚式を奈良ホテルで挙行した。東大寺からは別当の橋本聖準師、上司海雲師、守屋弘斎師

（現東大寺長老）、法隆寺からは管主の間中定泉師をはじめとする寺僧たち、母校の龍谷大学からは教授たちも列席して下さった。

これは法隆寺の寺僧として結婚披露宴をする第1号となった。法隆寺の聖霊院で奉告式を行い、奈良ホテルで神式による結婚式を行った。このようにして新しい人生を歩むこととなったが、それからもこれといった寺務につくこともなく、ただひたすらライフワークの一つである『法隆寺年表』の補遺や史料の整理などに熱中する日々が続いた。

そのころ古材の断片や古い襖《ふすま》などが薪小屋の隅に無造作に積まれており、やがてそれらは焚き火となる運命にあった。その襖たちの姿が私の目に留まったのである。私は直感的にひょっとしたら破棄寸前の襖の下張りに古文書などが貼られているのではないか、と感じるようになる。それから私はすぐさま襖を丁寧にめくって古文書を探し出すことに懸命となる日々が続いた。

ほこりまみれになりながら、くる日もくる日もボロボロの襖と葛藤する日々が続く。家内にも手伝ってもらった。すると、その中から鎌倉時代や室町時代の古文書の断簡が見つかったのである。ますます襖をめくる作業に熱が入った。そのような毎日が面白くてしかたがなかった。見つけた古文書の断簡を整理しつつ、そこに記載されている寺僧たちの記録などを調べることに喜びを感じ、そのボロボロになっている古文書に裏打ちなども施した。

このように破棄寸前の古文書の多くを助けることができたのである。後年になってほこりまみれになりながら集めた古文書類を2巻の太巻きの巻子本に仕立てて『法隆寺良信別集文書』と名づけた。それは江戸時代の良訓という寺僧が反古の中から集めた文書類を整理したものを『法隆寺良訓別集文書』と呼ぶことにならったものであった。私の集めた文書類は、法隆寺昭和資財帳を編纂《へんさん》したときに『法隆寺至宝』の中に収録され、今では法隆寺の文庫に納まっている。これらの思い出深い資料などによって、詳しい法隆寺の年表を作成することに懸命となった。

昭和44（1969）年ごろ、その年表が仏教考古学者として名高い奈良国立博物館長の石田茂作さんの目に留まることとなる。そして「これをさらに充実したものにするように」との助言と励ましをいただいた。ちょうど、そのころ『秘宝　法隆寺』といった大著が講談社から出版されることとなった。石田さんの推挙によって私の編纂した『法隆寺年表』と『法隆寺関係著作目録』などを収録していただくこととなったのである。

この年表と目録の作成は私にとって、最も思い出深いものの一つとなった。そのころはパソコンといった便利なものはなかった。一つひとつの資料をカードに書き込み、それを整理する作業の繰り返しであった。このようなときに私の脳裏に資料のほとんどがインプットされることとなる。私の生涯の中でこの時期が最も充実をした貴重な時間であったと追懐している。

120　法隆寺の近世史——学び楽しんだ研究時代

奈良の六大寺（東大寺、興福寺、西大寺、唐招提寺、薬師寺、法隆寺）の堂塔や仏像、仏画、工芸などを詳細にまとめる『奈良六大寺大観』（岩波書店）の刊行が企画されていた。

ある日のことであった。東大寺の上司海雲師から奈良へ至急に出て来るように、との電話が入ったのである。すぐさま訪問したところ、そこには美術史家の町田甲一さんや岩波書店の関係者たちが会していた。

そこで上司海雲師から、これからいよいよ待望の『奈良六大寺大観』の編集作業がはじまるから、ぜひともこの世紀的な事業に協力をするように、との申し出があった。そのような経緯のもとに建築学や美術史の権威である太田博太郎さんや町田甲一さんをはじめとする建築や仏教美術の研究者たちが法隆寺を訪れることが多くなった。

幸いなことに、私は各界の専門家たちの謦咳《けいがい》に触れ、いろいろと指導をいただく機会も増えた。そのころから西川杏太郎さんや鈴木嘉吉さんを知ることとなった。そして、私が小僧のころほこりにまみれつつ土蔵やお堂の天井裏に入って宝探しをしていたことが、ついに役立つ時代が訪れたのである。

編集室から送られてくる「大観・法隆寺」のゲラ刷り原稿を拝見しつつ、私が調べていた未公開の資料を提供することとなった。

その解説の箇所に「これらは髙田良信の教示によったが、また近世の文書についてもその教示によるところが多い」と記していただいた。

若輩者にとってそのことが大いに励みになった。ますます新資料を提供するための調査に熱が入った。そしてそれが大いに私の勉強ともなった。少しでも多くの資料を提供することに快感さえ覚えるようになる。

そのころ、法隆寺の僧侶の階級制度を調べていた私の研究に太田さんから理解を示していただいた。

そして太田さんの推薦で『奈良六大寺大観・法隆寺一』の月報（昭和47〈1972〉年）に「法隆寺における学侶・堂方の制度」を執筆させていただくことになった。法隆寺の寺僧の階級の制度と、それにともなって子院の建築様式にも相違が見られることを披瀝したのである。

その研究が今では定説化しつつあることに感謝している。そのころ南都仏教史の碩学として知られる東大寺の堀池春峰さんから声をかけられたことがあった。『大日本仏教全書』という権威のある書籍が再版されるときに、そこに収録している資料の解題をする仕事に参加させていただいたのである。

26歳という若輩にとっては身に余るような機会が与えられた。そのとき私が解説を担当する資料は興福寺関係のものがほとんどであった。聖徳太子や法隆寺関係の解説は東京の研究者たちが担当していたことによる。

私はすぐさま興福寺にお願いして原本を拝見しつつ、一生懸命に執筆に取り組んだ。それらの資料については、そのほとんどはすでに師匠の佐伯良謙管主が解説されていたこともあり、それも大いに参考にさせていただいた。

この仕事に続いて『日本大蔵経』の解説をすることとなり、『勝鬘経《しょうまんぎょう》義疏《ぎしょ》』や『維摩詰《ゆいまきつ》経義疏』などの解題も担当した。

そして『国史大辞典』（吉川弘文館）の解題も担当するようになった。このように私は多くの人びとからありがたい法愛をお寄せいただき、育んでいただいたのである。

121

再現金堂壁画――昭和に失った宝を再興

昭和24（1949）年1月26日未明に世界の至宝といわれた「金堂壁画」が罹災した。その大惨事から16年が過ぎようとしていた昭和40年に、金堂壁画の再現事業計画が朝日新聞社から法隆寺へ提示された。

その趣旨は私たちの世代で失ったものはその時代に再現しておきたい、というものであった。法隆寺ではその企画に対して熟慮検討した結果、壁画再現に積極的に取り組むことを決断。住職の間中定泉さんが発願者となり、朝日新聞社の全面的な支援のもとに事業はスタートした。桝田秀山さんがその事業に関する法隆寺側の事務を担当している。なお、法隆寺の同意を得た朝日新聞社ではその復元方法については専門家たちと検討することとなる。そして焼損直前の壁画の状態を和紙に岩絵具で描き、それを額装にして壁の前面に取り付ける方法が採用された。

やがて文化財保護委員会（昭和43年に文化庁となる）の指導のもとに許可を申請。昭和41年末に正式の許可があり、それから1年で完成させることに決定した。画壇の巨匠である安田靫彦さんと前田青邨さん、昭和14年からの模写にも従事していた橋本明治さんや吉岡堅二さんの4人を中心として壁画の模写ははじまった。私が平山郁夫さんにお会いしたのはこのときのことである。

平山さんは安田靫彦さんや前田青邨さんをはじめとする代表的な画家たちの中でもっとも若かった。しかも前田青邨さんの秘蔵っ子として3号壁を一人で模写されていたのである。これは前田さんが平山さんの技量を高く評価されていたことを意味する。

壁画の模写が進行していた昭和42年3月に、前田夫人が一門の画家たちをともなって法隆寺を訪れられたことがあった。そのとき、自坊の宗源寺でご休息いただいた。そこには平山さんも同行されていた。雑談しているとき、前田夫人が私にこう語りかけられた。「あそこにいるのは平山といいます。あの人は今にきっと偉くなりますよ」。その言葉は今も私の耳から離れることはない。率直に言って、前田大人が「偉くなりますよ」とおっしゃるのはどれほどの器量をお持ちなのか、と思った。

私は平山さんにお会いするたびに、いつも前田夫人の言葉を思い出した。とくに仏教東漸の道であるシルクロードと、その終着地という飛鳥・斑鳩・平城への道を優れた作品で人びとに語りかけ、文化財保存の赤十字構想を着々と実現されていることに敬服していた。そのこともあって平成9（1997）年に法隆寺が世界文化遺産に登録されて3周年を迎える記念として、平山さんに記念碑への揮毫《きごう》を依頼したのである。そして私は裏千家家元千宗室さん（後の玄室大宗匠）や平山さんとともに中国を訪れ、敦煌の北大仏殿の前庭でお献茶法要を厳修したこともあった。とくに敦煌の近くにある鳴沙山に登って大宗匠や平山さんとご一緒に童心に帰って楽しいひとときをすごしたことなど、思い出は尽きない。

平山さんは平成21（2009）年の暮れに黄泉の世界へと旅立たれた。私は平成22年2月に東京で行われた「平山画伯を偲ぶ会」に参列した。そして昭和42年から40数年にわたってちょうだいしたご厚情に思いをはせつつ合掌し、献花した。

なお「金堂再現壁画十二面」は、多くの画家たちや関係者の努力によって計画通りに昭和43（1968）年に完成した。その年の11月18日に、その落慶法要が執り行われた。そして昭和46年には大壁と同じ方式で金堂内陣上層にあった20面の天人（飛天）小壁の模写も完成。金堂の内陣は壁画が再現されたことによって昔日のようによみがえったのである。

122

風致保全をめざして——難題に見舞われた時代

金堂の修理が完成した昭和30（1955）年ごろから、法隆寺に多くの観光客が訪れるようになった。それにともなって門前の土産物店の数も増え、時代の流れとともにひなびた法隆寺周辺の光景も変貌したのである。昔の佇《たたず》まいを懐かしむ声も高かったが、時代の変化はそれを許さなかった。

そうした状況を背景として、京都、鎌倉、奈良の3市につづいて、法隆寺のある奈良県斑鳩町でも法隆寺を中心とする地域を風致保存区域に指定することが告示された。その区域の中で、とくに重要な地域を特別保存地区とすることとなった。ところがその指定予定地に住む住民から反対する声が挙がったのである。

特別保存地区に指定されることによって法隆寺の門前参道周辺が現状の姿に凍結されることによって生活権がおびやかされるとして住民が反対。「古都法反対期成同盟」を結成した。当然のことながら「古都保存法」の指定は遅れた。

そのときの奥田良三知事は県議会で古都保存法問題にふれ、「斑鳩町がいまだに保存区域の指定計画をしていないのはおかしい。議場を通じて町長に早期指定を要請する」と、異例の発言を行った。知事はさらに「法隆寺周辺の保存計画を1日も早く立てることが、県だけでなく全国の願いである。むしろ法隆寺があるから、門前の人たちは発展をしてきたのである」と早期解決をうながす一幕もあったと聞く。

しかし住民の強い反対によって法隆寺の門前地域は古都法から外され、法隆寺の境内だけが特別保存地区に指定された。

そのために古都法が「ザル法」とか「骨抜き法律」と揶揄《やゆ》されたこともある。やがて「都市計画地方審議会」は建設大臣に対して、法隆寺門前の都市計画街路事業を答申して、その方針を切り替えている。そして法隆寺南大門前から国道25号線までの360メートルの参道の松並木を中心とする幅を52メートル（現状は21メートル）に広げて整備することを計画したのである。これによって松並木の景観は保護されることとなったが、完成まで予想以上に時間がかかった。

用地の買収価格問題で難航したこともあり、奈良県が予定地の測量を実施をすることも困難を極めた。土地の所有者たちは「立ち入り禁止」などと書いた立て札を連立させ、測量反対を表明して抵抗運動を展開した。とくに門前の公園広場を建設するには斑鳩町の財政状況では経費が捻出できないこともあり、法隆寺から斑鳩町に対して7千万円の資金を寄付するといったこともあった。

昭和42（1967）年8月に斑鳩町の公民館で行われた「斑鳩町都市計画委員会」に私が出席をしたときのことである。会場は異常な雰囲気に包まれていた。鉢巻きをしたり、プラカードを持ったりして反対する人びとが押し寄せていたのである。あまり広くない会場には怒号も飛び交っていたと記憶する。そして「法隆寺があるから生活が脅かされようとしている。そのような住民の弊害になる法隆寺は斑鳩町から出て行け」といった暴言まで私の耳に入った時代である。

法隆寺の存在が邪魔者扱いにされていたのであった。ところが今では、斑鳩町は「世界文化遺産の町　斑鳩町」の看板を掲げて法隆寺を観光資源のシンボルとしている。時代の変化と人びとの心の移ろいを見る思いがする。これまで現場の前線でいろいろと折衝などの事務を経験してきた私の眼にはその変貌ぶりが滑稽にさえ見える。

この都市計画街路事業は昭和45年に開かれる大阪万博までに完成をさせる計画であったが、事業は遅れに遅れた。やっと平成16（2004）年2月に法隆寺門前の住民が住んでいる建物に対して奈良県が行政代執行を強行した。この事業は当初の予定から遅れに遅れたが、やっとその完成を見たことは記憶に新しい。

123

観光税問題の裏話——寄付金の形で県へ

昭和31（1956）年10月から奈良県で文化観光税問題が起きたことはすでに紹介した。その観光税は昭和39年9月に期限切れを迎えた。ところが、ふたたび観光税問題が浮上したのである。

奈良県では昭和40年3月に新たに文化観光税条例を県議会に上程して可決。昭和41年に自治省の許可を得て、その年の3月5日に文化観光税条例を公布した。

そして即日、奈良県から法隆寺宛に「奈良県文化観光税条例に基づく特別徴収義務者の規定について」という公文書が送付されたのである。

それには「奈良県文化観光税条例（昭和41年3月奈良県条例第18号）第6条第1項の規定により、法隆寺西院に係る文化観光税の特別徴収義務者として宗教法人法隆寺を規定します」とあった。

これによって奈良県は、5年間の時限立法で「東大寺金堂（大仏殿）」と「法隆寺西院」を対象に税を徴収しようとしたのである。

それに対して東大寺は奈良県と全面対決の姿勢をとり、裁判で争ったことはよく知られている。

そのとき法隆寺では境内の拝観規制を行い、「大宝蔵殿」のみを拝観の対象とすることを真剣に考えたこともあった。

　法隆寺の見解をまとめた『奈良県文化観光税対策起案』（私がガリ版刷りしたもの）によると、つぎのように記されている。

「本寺（法隆寺）は多数の国宝、重要文化財を所有し、これを完全に管理保存する責務があり無制限の一般入堂は文化財保存上、危険性が伴うので、或る程度従来における諸堂拝観の一部入堂を制限する必要も止むを得ない。しかし大宝蔵殿は博物館法担当施設として指定されて居り、また文化財活用のための陳列の場であるからして、この大宝蔵殿のみを有料公開とする」

　そして、もし法隆寺が奈良県の交付した納税義務者となった場合、南都諸大寺との友好関係が悪化することを考慮し、各諸大寺の動向いかんによっては隣山会や奈良古社寺保存会などから脱退することも検討していた。

　しかし最終的には信徒総代など有識者たちの意見を参考にしつつ、法隆寺は独自の対応策を打ち出したのである。

　そのときに法隆寺が作成した「奈良県文化観光税条例について」には、つぎのように記している。

「法隆寺としては観光税そのものに就いては根本的に反対であるから参詣者から税の徴収はしない。したがって法隆寺は税相当額を納付する。奈良県文化観光税条例は5年を経過した時にその効力を失うとあるが、その期間中と雖《いえど》もかかる条例は一日も早く廃止されることを希望する」（要旨）

　法隆寺からの納入金は、形式上は条例によるものであったが、その実質は県に対する寄付金という形で県と法隆寺は合意していた。

　この条例の施行によって、県から定期的に、拝観券に検印を捺す係員が法隆寺へ出張していた。

　ときおり私も複雑な気持ちをいだきながら検印に立ち会ったことを思い出す。そして昭和45（1970）年にその条例は効力を失ったのである。

124

百済観音像の模像が万国博へ――40年ぶりの「化粧直し」

飛鳥時代を代表する百済観音像のお身代わり像（模像）が東京国立博物館とイギリスの大英博物館に所蔵されていることはよく知られている。

昭和5（1930）年1月に英国大使館から法隆寺住職へ百済観音像を模像したいとの要請が寄せられた。これに対して法隆寺はすぐさま同意。明治38（1905）年に百済観音像の修理を指揮した美術院の新納忠之介さんが模像を造ることとなった。

用材は島津家の山林にあったクスノキを伐採している。そして模造の作業は法隆寺の上御堂で行なわれた。約6カ月の期間を要した。

この模像はその年の11月30日に完成し、しばらく金堂内に安置してからイギリスへ送られている。

なお、この模像とは別に新納さんはもう1体の百済観音像（ラワン材）を造っている。それは新納さんの監督のもとに鷲塚與三松さんが制作したものであった。模造に着手した時期を示す記録は見当たらないが、『法隆寺日記』によると昭和7年3月5日に完成している。

この像と大英博物館の模像との間には1年半余りの制作の年代差がある。2体はまったく別の理由によって制作された可能性が高い。

やがてその模像は昭和8年に、東京帝室博物館が新納さんから3420円で購入している。その東京国立博物館の模像を昭和45（1970）年に開催する大阪万国博覧会の日本政府館へ出陳することが決まった。

そのために模像の彩色を補修することとなり、京都国立博物館内にあった美術院が担当することとなった。制作されてから40年余りで顔料がすっかりとはげ落ち、実物とは比べものにならないほど変貌していたことによる。そのために昭和44年9月10日から彩色の仕直しの作業がはじまった。その色合わせは美術院の杉山秀雄さん（当時78歳）が担当している。

百済観音像を安置している大宝蔵殿中倉の北隣に仮設の建物が増設され、そこへ東京国立博物館所蔵の像を安置して、百済観音像と見比べながら作業は行われた。

それに着手された日のことである。私と法隆寺文化財保存事務所の林野了三さんと万国博の担当者の3人に、美術院の杉山さんが話しかけてきた。

杉山さん曰く「私は昭和5（1930）年の百済観音像の模造のときに私も関わっておりました。ところが不思議なことに、しばらくして模造の関係者たちが亡くなっているのです。法隆寺さんでも寺僧が亡くなっているはずです」。

事実、法隆寺側では翌6年の3月に寺務全般を担当していた千早正朝師が急逝されていた。

さらに杉山さんは話を進めた。「今回はただ色を合わすだけなので、そのような心配はないと思っていますが」

その年の10月18日に色合わせは無事に完了した。それからしばらくして杉山さんの訃報を聞いたのである。

偶然とはいえ、杉山さんから直接に昭和5年の話を聞いた私たち3人はきわめて複雑な気持ちを抱きながらご冥福《めいふく》を祈った。

万国博覧会の期間中は百済観音模像の台座の下に杉山さんの写真と戒名を貼って冥福を祈ったとの話も聞く。

これも今となっては東京国立博物館所蔵の百済観音模像を大阪万国博覧会に出陳したときの秘話の一つとなっている。

125 若草伽藍の再発掘――研究者と共に現場調査

法隆寺境内の東南の隅に、若草伽藍跡と呼ぶ広い空地がある。その南に延びる大垣（大きな土塀）の近くに大きな礎石が据えられている。この礎石こそ「法隆寺再建非再建論争」を決定づける第一級の資料である。

この塔の心礎らしい礎石は明治10（1877）年ごろに法隆寺から持ち出されて、北畠治房邸の有に帰していた。その後、大正4（1915）年に北畠邸から阪神沿線住吉観音林の久原房之助邸へ売却された。ところがその久原邸は昭和13（1938）年に野村徳七邸となったのである。

ちょうどそのころに「法隆寺再建非再建論争」が白熱化していたこともあり、昭和14年に野村徳七さんのご厚意によって法隆寺へ寄進された。

それにともなって12月7日から19日までの2週間という短期間に、石田茂作さんと末永雅雄さんが若草伽藍跡礎石の発掘調査を行った。やがて塔の基壇跡とおぼしき地層に続いて金堂基壇跡と認められる地層の変化を発見した。そして、その地に現法隆寺に先行する四天王寺式伽藍配置の寺院があったことが確定的になったのである。

その後、五重塔や金堂の解体調査、五重塔の秘宝調査などによって、法隆寺の再建論が有力となった。とくに昭和40（1965）年6月から解体修理に着手した南面大垣が若草伽藍跡に近いこともあり、文化庁ではその機会に昭和14年の発掘結果の再確認と若草伽藍跡の全容を調査することを検討していた。そして石田茂作さんを顧問に、前平城宮跡調査部長の椎本亀次郎さんが発掘担当責任者に就任。第1次調査は昭和43年8月16日から9月19日まで、第2次調査は翌年の9月30日から11月25日まで行われた。

第1次発掘期間中、「幻だった若草伽藍」とする記事が新聞に掲載される一幕もあった。しかし結果的には昭和14年の調査通りに古い伽藍遺構の再確認している。

この発掘調査の報告書の刊行が待望されていたが、実現するまでには時間がかかった。幸い多くの人びとの尽力によってやっと2007年に「法隆寺若草伽藍跡発掘調査報告書」が発行された。あらためて出版にご協力をいただいた多くの関係者に厚くお礼を申し上げたい。

なおこの第2次発掘調査のときに森郁夫さん（のちに現帝塚山大学付属博物館館長）との出会いがあった。私が法隆寺側の発掘調査の事務を担当していたこともあり、発掘に参加をしている多くの人びととも親しくなった。

その報告書の中にも法衣を着た姿で発掘に熱中する若き日の私の写真が掲載されている。これは森さんの配慮によるものと感謝している。

また、昭和53年度から法隆寺防災改修工事にともなう事前発掘調査が行われた。そして新たに創建法隆寺に付属する、北と西の棚列群の一部が発見され、発掘された南北に流れる溝の遺構からも伽藍を造営したときの木片なども出土した。とくに平成16（2004）年には南面大垣の南方や若草伽藍跡の西方に位置する宝光院の近くから創建法隆寺に属する壁画の焼損片などが出土した。

平成18年にも公共下水事業に伴うマンホール設置の事前調査として発掘した宝光院の東に隣接するわずか1坪の調査面積から、壁画片など豊富な遺物が出土している。おそらく、その周辺には多くの遺物を埋蔵されている可能性があり、宝光院周辺の発掘調査に期待する研究者たちの声は高い。

かつて若草伽藍の跡塔跡に近い南面大垣の石垣の下から、百済の影響を受けた単弁八弁蓮華文（飛鳥時代）を配置した鬼瓦の断片が出土したことはよく知られている。なお、その断片が出土したころ、南面大垣の石垣の下から創建法隆寺の建物に付属したと見られる分厚い壁面の断片も出土していた。そこには何も描かれていなかったが、壁面には赤い焼痕が見られた。どうしたことか、そのことは公表されていない。

今となってはこれも若草伽藍跡の調査に関連する秘話の一つとなっている。このように闇に埋もれている未公開の貴重な資料や遺構も多いことをこの機会に申し添えておきたい。

126
御忌の準備――「太子遺跡巡礼会」の裏話

昭和45（１９７０）年の夏のころである。翌年の聖徳太子１３５０年御忌を記念して「太子遺跡巡礼」の会を組織することになった。それは仏教考古学者として名高い石田茂作さんの発意によって太子ゆかりの17カ寺が選ばれていた。言うまでもなく太子の17条憲法にちなんだものである。

奈良からは大安寺の河野清晃師や額安寺の喜多亮快師とご一緒に、その会合にたびたび出席した。ところが太子ゆかりの寺院の住職たちから、石田さんが決めた巡礼の順番について異議の声が続出、出発から大いに難航した。例えば、太子創建の由緒深い寺院でも、荒廃していたり住職が住んでいなかったりする寺院は巡礼の番外にすべしとか、学者の意見などは考慮すべきではないとか、ちょっとあぜんとするような意見が飛び出す一幕もあった。

その会合に集まっていた関係者の中で私が最も若輩

であり、自分たちの意見に協調しない私を非難する声も挙がったが、それにひるむことはなかった。いよいよ御忌も近づいたこともあり、最終的には28カ寺に改正して「太子遺跡巡礼」はスタートした。

そして聖徳太子1350年御忌奉賛会などが主催する『聖徳太子展』（昭和46〈1971〉年4月16日－21日）を近鉄あべの百貨店で開催し、「太子遺跡巡礼」を高揚したこともあった。しかし不協和音のままでの太子遺跡巡礼はあまり進展を見なかった。

そのころ、私は御忌の記念誌の発行や記念品の制作などにも追われる日々を過ごしていた。とくに御忌を記念して、法隆寺に伝わる「聖徳太子像」を一堂に集めた『聖徳太子尊像展』を開くことを計画していた。

それは土蔵などの中に未整理の太子の画像などが数多く秘蔵していることを小僧のころから知っていたことによる。

この機会に、ぜひとも法隆寺が所蔵する太子像を調査した成果をまとめておきたいとの強い思いがあった。

やがて法隆寺住職の間中定泉師の賛同を得て、そのころ奈良県教育委員会文化財保存課に在籍していた岡田英男さんや坂田宗彦さんの協力によって太子像の調査を実施した。その成果を『法隆寺聖徳太子尊像集』（昭和46年4月2日発行）として上梓することとなる。

夜遅くまで自坊の宗源寺に集まって編集作業をしたことを思い出す。坂田さんと太子像の調査をしていたときに偶然、太子二歳像の胎内から徳治2（1307）年の造像銘を発見したのである。たしかに、法隆寺の古記録には徳治2年造像の太子像があることは記されているが、それがどの像であるかはまったくわかっていなかった。

この発見に2人は興奮して思わず歓喜の声を上げた。そのときの感動は今も鮮明に記憶している。そのとき展覧会場（大宝蔵殿北倉）で披露した太子像は彫刻が23体、画像は21幅である。

そのような時期に思いもよらない要請を受けることとなる。いよいよ太子の1350年御忌を迎えるようとしていた昭和46年の新春のころであった。

御忌の法会を担当することになっていた大野可円師が急に辞退を申し出られたのである。その理由は家庭の事情によるものであったと聞く。

そのために急きょ、間中師から、後任として私が御忌を担当するように、との要請を受けたのである。ちょうど私が30歳の春のことであった。

127

御忌に協力してくれた人びと——御忌の日を変更する

私は御忌を直前にして忙しい日々を過ごすこととなる。そのときに幸い私に協力をしてくれる人たちがいた。

その一人は奈良県教育委員会法隆寺出張所主任の岡田宗治さんである。岡田さんは、綱封蔵や大湯屋などの解体修理を担当するかたわら、法隆寺の中世以降の瓦の変遷や子院の庫裡や表門などの研究にも熱心に取り組んでいた。

その分野の研究に着目する人がほとんどいなかった時代である。それは私の研究テーマとも合致した。

私は毎日のように、岡田さんの仕事が終わる夕方から出張所を訪ねては瓦や子院に関する資料などについて議論を交わすことを楽しみにしていた。岡田さんはちょっといかつい風貌ではあったが、まことに優しい人柄であった。

その岡田さんに御忌の行列を掌握する「列奉行」という役を引き受けてもらったのである。平城宮跡の朱雀門、大極殿や興福寺中金堂の復元に携わっている山本清一さんや瀧川昭雄さんとの交流もそのころからはじまった。

山本さんには御忌の輿を担ぐ人手を提供してもらい、そのころ山本さんが取り組んでいた古代瓦の作り方についての熱い持論を幾度も聞いたことを思い出す。瀧川さんはそのころ法隆寺の修理現場に席を置いていたこともあり、親しく接する機会が多かった。

とくに瀧川さんには子院の表門や持仏堂の棟木や棟札の墨書銘を調査したときに、全面的に協力してもらった。このときに私の法隆寺子院の研究は大いに前進したのである。また御忌の記念品などの製作では、飛鳥園（奈良市）の有本不二継さんが私の手足となってくれた。

なお記念品は、石田茂作さんの発案で五重塔にある塑造の舎利塔を復元して『一千三百五十塔』と名づけることとなった。御忌は古くから太子の忌日である2月22日（太陰暦）に厳修していたが、明治44（1911）年から1カ月遅らせた3月22日を太子の忌日としている。

2月22日を太陽暦の改めると毎年の太子の忌日が変動することから、春のお彼岸の3月22日としたのである。

ところが、東京帝国大学の国史の大家である黒板勝美さんが旧暦の2月22日を新暦に改めて4月11日を太子の忌日とすることを提唱したのである。法隆寺ではその見解に従って太子の1300年の御忌から4月11日から法要を執り行うことに決まった。

しかし、昭和46年の1350年の御忌は、間中定泉師の発意で十七条憲法発布の日である4月3日を中心とした3日間に厳修することに変更された。これは毎年4月11日に東京国立博物館内の法隆寺宝物館で聖徳太子を讃える法要が行われていたことに配慮したからである。

そのころは国立博物館で法要を執り行うことが許されなかった時代だった。もし1回でも法要ができなかったときは、翌年から館内での法要が許可されないことを憂慮したことによる。しかし平成3(1991)年の1360年御忌のころからは4月11日に東京国立博物館での法要が許可されなくなったため、御忌の日を4月11日に復して執り行っている。

このように御忌の日が時代によって流動的となったため、人びとが太子のご命日について戸惑われることも多いと聞く。そのようなことから私は、2月22日をぜひとも「聖徳太子の日」に制定して、太子の忌日であることを多くの人びとに知っていただきたいと訴えて続けている。

128 蜂起之儀——御忌の無事厳修を祈る

御忌前夜の4月1日の夕方から、法隆寺を守護する神々をまつっている惣社に向かって法会が無事に執行されることを祈る「蜂起之儀《ほうきのぎ》」が行われた。

蜂起とは蜂が飛び立つように何かを訴える目的で立ち上がることをいう。古くは寺院で何かに抗議をするために行動をすること意味するものであったらしい。しかしその実態については不明なことも多い。法隆寺では江戸時代の行事の1つに「蜂起始」というものがあり、1月22日にその行事を行っている。その内容はほら貝を吹く僧たちが白の五条袈裟で頭を包む裏頭《かとう》という姿で三経院池の堤の辺で貝を吹き、法隆寺の寺務を指揮する僧のひとりである沙汰衆も裏頭の姿で大湯屋へと出仕する。

そして大湯屋の北の縁に腰を掛け、貝を吹き終った僧たちも大湯屋に入って、北の縁の西の方に腰を掛ける。そこで規式（決まりごと）を読み、祝儀の詞（新年の祝儀）をのべる。つづいて評定（集まっての評議）を行い、官位校名（寺僧の官位と僧名）を確認したという。これは古くからの蜂起の儀式が形式化したものらしい。しかし明治３（１８７０）年の太子１２５０年忌に「蜂起之儀」を行った記録は見つかっていない。

蜂起之儀のときに参集する衆徒たちは裏頭で太刀をはいていることから、本来は堂方の行人という僧の役であった可能性が高い。行人とは上之堂などで修行をし、主として西円堂の堂司役や綱維《こうい》をつとめる僧のことをいう。その行人が行う当行《とうぎょう》とは修験道的色彩の強い行法であった。夏安居の期間中の4月12日から7月13日まで法隆寺の裏山にある蔵王堂の瀧で閼伽水《あかみず》をくみ上げて供花懺法《せんぼう》を行い、不動石、ケサカケ石などの行場を中心に修行していたと伝わる。その行人たちが蜂起之儀の役を勤めた可能性が高いのである。それは蜂起の儀のときに「僉議之辞《せんぎのじ》」を奉読する綱維は堂方の行人方の中から選出する役職であることによる。

法隆寺最後の行人であり、大先達であった実相院懐厳（安政４〈１８５７〉年に法隆寺から松尾寺へ転院）とその弟子の祐賛（安政元年に法隆寺から松尾寺へ転院）や秀賛（慶応３〈１８６７〉年に法隆寺から松尾寺へ転院）が松尾寺や日野法界寺、世義寺へ移ってその法流を継承したが、法隆寺での法灯は断絶していた。大正10（1921）年4月10日の夕刻に行われた「蜂起之儀」は、東大寺や法隆寺の記録などを照合しつつ再現した可能性が高い。とくに懐厳の弟子の秀賛が１３００年御忌の読師役を勤めていることから、その経験などを聞いて参考にしたのかもしれない。

いずれにしても再興した蜂起之儀は、夕刻に打ち鳴らす初夜の鐘を合図に白丁の持つ松明に導かれた衆徒たちが大湯屋前に集合。綱維（古くは堂方の役であったが、大正10年からは法隆寺住職が勤めていることが多い）は衆徒を引率し、大湯屋の北にある三経院前の弁天池の堤の南東へ向かう。綱維はそこから惣社に向って御忌が無事に厳修されることを祈る「僉議之辞」を奉読した。

なお衆徒の装いは黒の重衣を着し、白の五条袈裟を以て頭を裹《つつ》み、腰に一刀を帯び、素足に黒塗りの下駄を履いている。僧兵の姿そのものである。衆徒たちは仁王門前へ巡行をして廻廊東南の隅で法螺貝をひと吹き、次いで東大門、東院、南大門、西大門でもそれぞれひと吹きしてから解散する。そして明日からはじまる大法会が魔事なく修行することが出来るよう天地神明の佑助を乞い、その加護を祈願するのである。衆徒が吹き鳴らす法螺の音は魔障を降伏することを意味するという。

　昭和46年4月1日に行った蜂起之儀も大正10年の御忌に再興したものを踏襲したものであった。

129

晴天に恵まれた御忌——東大寺・西大寺も協力

　法隆寺の境内は御忌を迎えて荘厳され、参道には庭《てい》幡《ばん》が立ち並び、五重塔の九輪には吹き流しがたなびいていた。大講堂前には朝日に照らされて輝く一対の灌《かん》頂幡《じょうばん》が飾られ、舞台の準備も万全であった。行列の進発地でもある東院では北室院太子殿が式衆や伶人の集会所、夢殿前の礼堂や伝法堂には３００人に及ぶ行列に参加する人びとの装束も、整然と準備されていた。

　太子１３５０年の御忌にあたって、天皇陛下から「金一封」が下賜された。それをもって法隆寺献納宝物の金山寺香炉を復元したのである。

　それは石田茂作さんの考案によって鋳金工芸作家（人間国宝）の香取正彦さんが製作したもので、大講堂内の南無仏舎利と太子像の宝前に供せられた。そして太子１３５０年御忌は昭和46（１９７１）年４月２日から３日間にわたって執り行われたのである。幸い３日間とも晴天にめぐまれた。

　２日の開白法要は「法華経勝鬘経講讃」、３日は「管絃講（世界平和祈願法要）」、４日は結願法要「法華経維摩経講讃」であった。古くから法隆寺で行う大法会には東大寺の寺僧に出仕を依頼し、法隆寺から東大寺の法要にも出仕することが慣例となっていた。そして法服や道具なども貸し借りをしていたのである。例えば元禄５（１６９２）年に大仏の開眼供養会が行われたときに八角燈籠《はっかくどうろう》の前に舞台が設けられていた。その舞台は源頼朝が法隆寺へ寄進をしたものとの伝承をもつもので、そのときに東大寺へ運んだものである。今回の御忌でも東大寺別当の上野澄園師や長老の狭川明俊師、長老の橋本聖準師をはじめ寺僧たちにご出仕をいただいた。そして「四方輿《しほうごし》」や「法服」などの多くの法具も東大寺から借用したのである。東大寺から出仕してもらったのは2日と4日の2日間であった。

なお3日は松本実道長老をはじめとする西大寺の寺僧がたに出仕を依頼した。西大寺とは法隆寺の末寺であった北室院を介して古くから法縁があり、文政4（1821）年の1200年御忌にも出仕した記録もある。

なお、開白の日には97歳の高齢である清水寺管主の大西良慶師が舞台上で「頌徳文」を朗々と奉読された姿を思い出す。良慶師は大正10（1921）年の1300年御遠忌の中心的な役割を果たされており、50年後の法会に参列して感慨ひとしおのものがあったと拝察した。

このように東大寺や西大寺をはじめとする多くの人びとの協力のもとに、太子1350年御忌は無事にその幕を閉じた。4日の結願の日に集会所へ行列が還ったときのことである。東大寺長老の狭川明俊師が、私に語りかけられた。「ご苦労さんでした。無事によくできました。あなたの姿を見ていると、私が若いころからたびたび法隆寺の御忌の会奉行をつとめていたときのことを思い出しました」

御忌の後片付けが一段落をしたころ住職の間中師から「ご苦労さんでした。お陰で無事に御忌を勤めることができました」と、ねぎらいの言葉とともに金一封をちょうだいした。その温かい言葉と配慮に私は疲れが癒されたことを思い出す。そして、この法会を担当させていただいたことは私の生涯で最も貴重な経験となった。なお、この御忌の記念として大宝蔵殿北倉で開催をしていた『聖徳太子尊像展』は人びとの高い関心を集めた。

その励ましの声によって毎年の秋に一つのテーマに絞った展覧会を開くこととなった。それがやがて『法隆寺昭和資財帳』の編纂《へんさん》へとつながるのである。

130

初出版への反響――知人や友人からの助言

昭和46（1971）年の太子1350年の御忌が無事に厳修されて、ほっと安堵していたときのことである。

大阪の四天王寺が主催している聖徳太子研究会の学術大会で研究発表するように、とのお誘いをいただいた。その年の12月に「法隆寺を中心とする聖徳太子信仰の展開」について発表したのである。やがてその研究発表を『聖徳太子信仰の展開・法隆寺を中心として』という論文としてまとめることとなった。それが太子信仰の研究論文の一つとして評価をいただくこととなる。やがて『日本仏教宗史論集第一巻』（吉川弘文館、昭和60年）の『聖徳太子と飛鳥仏教』に花山信勝、中村元、・田村圓澄、福井康順などといった大家の研究成果とともに収録された。執筆者の中で私がもっとも若輩であり、大いに感激し、恐縮したことを思い出す。

ちょうどそのころ、住職の間中定泉師から、学生社が発行する寺院シリーズの『法隆寺』を間中師と私の共著として発行するように勧めていただいた。そこには今まで研究していた太子信仰の変遷や子院の研究をはじめ伝統行事などを紹介した。そしてすでに整理しつつあった未公開の宝物目録や、私のライフワークであった「法隆寺年表」「法隆寺別当（歴代管主）次第（私が改正をしたもの）」なども収録したのである。

この出版（昭和49〈1974〉年1月発行）も予想外の反響を得た。

『大和タイムス（奈良新聞）』（昭和49年2月7日）の『国原譜』に、つぎのように紹介していただいた。

「近ごろ東京のある出版社が『日本の寺院』シリーズを計画。大伽藍の多い県下で唐招提寺、東大寺がすでに取りあげられ、このほど法隆寺が刊行されて、本屋さんの店頭に並んでいる。なかなかの人気で、品切れになってさがし回る人たちもあるほどと聞いている。ここにとりあげられた寺院は、すでに専門学者のくわしい研究が多くなされて、寺史・仏像などほぼわかって、ほかにも同名の出版物がすでに発行されているのでことさらどういうこともないが、このシリーズのミソは、その寺のお坊さんが筆をとっていることにあるらしい。だから、よそものにはわからない何ものかが語られ記されているという興味が絡んでいると思う。そういった意味からいえば、こんどの『法隆寺』は夢殿のお水取りや子院の変遷や文化財は今までの同寺関係書にもなかったものだけに大いに参考になる。主として執筆に　あたった同寺の実相院の髙田良信住職には、まだ面識の機会は無いが、執筆者紹介によると、ことし三十二歳の学僧とか、これからの研究に期待する」

　このような有り難い励ましによって大きな勇気を与えられた。

　そのころ友人や知人から私がライフワークとしていた研究成果を公刊しては、との温かい励ましと助言をいただいた。そのひとりが昭和44年の若草伽藍の発掘のときからご交誼《こうぎ》をいただいている森郁夫さんである。やがて『法隆寺銘文集成』『近代法隆寺の歴史』『法隆寺子院の研究』などを相次いで公刊することとなった。この出版には法隆寺文化財保存事務所や奈良県教育委員会文化財保存課の職員の皆さんからもいろいろと協力をいただいた。

　それに続くように、主婦の友社から『法隆寺のなぞ』を出版することとなった。そのころ梅原猛さんの法隆寺は聖徳太子の怨霊鎮魂の寺であるとする『隠された十字架』が大ベストセラーとなっていた。その影響もあって『法隆寺のなぞ』は驚くような反響を呼んだのである。

131

円空仏か——それは宗源寺にあった

法隆寺の東大門から夢殿へ向かう参道の左側に宗源寺という寺院がある。そこには鎌倉時代から金光院《きんこういん》という子院があったが、元和８（１６２２）年に焼失していた。幸い類焼を免れた四脚門（重要文化財）だけが往昔の姿を今にとどめている。

　金光院は焼失後もしばらく存続していたが、元禄10（１６９７）年に敷地や本堂、坊舎までもが浄土宗の寺院に譲渡された。そして寺名も宗源寺に改め法隆寺の末寺となったのである。

そのために法隆寺の子院とは異なり、四脚門の正面に寄せ棟造りの本堂があり、鐘楼、庫裡、地蔵堂（位牌堂）を備えた浄土宗寺院の形態を伝えている。私が昭和38（1963）年の秋から15年間ほど宗源寺に住んでいたことはすでに触れた。そのころ本堂内の正面の仏壇には本尊の阿弥陀座像と脇士、少し奥まった左右の脇壇にも多くの仏像があった。東の脇壇には三十三所の観音像と千体仏、西壇は上下2段に分かれ、上壇には平安時代の阿弥陀如来立像や大日如来像、下壇には厨子に入った雨宝童子像など大小の仏像が所狭しと安置されていた。しかも、それらの目録はまったくなかった。

昭和41（1966）年に私と結婚したときから、家内は本堂を掃除することを日課としていた。しばらくして本堂に円空仏があると言い出したのである。

その像は檜材の一木造り、像高は79センチ。頭に五智の宝冠をつけ、頭に微笑を浮かべながら胸の前で智拳印を結んで岩座上の蓮台に坐《ざ》している。それは薄暗い西の脇壇にあった。

円空（1632−95）は江戸時代前期の僧で、全国各地を遍歴して多くの仏像を彫ったことで知られる。その作風は図像にしばられることなく、きわめて独創的で、荒削りの像を一木から造り出しているのが特徴である。

妻がいう仏像を改めて見直すと、円空仏のようにも見えてくる。それから機会があるごとに、その像について人びとの見解を求めた。

私は昭和46年から未公開の寺宝を一つのテーマを決めて展観してきた。それを積み重ねることによって寺宝の目録をつくることができるという思惑によるもので、聖徳太子尊像展から観音菩薩展、地蔵菩薩展などに続いて昭和50年に「真言密教展」を開いた。この展覧会からはじめて写真入りの図録を作ったのである。

そのとき私は、その像について次のように解説した。

「彼（円空）の作例と対比すると本像は非常に入念な仕上げを施しており、円空作と決するには若干の問題が残されている。後日の研究に期待をする」

それに対し、大日如来像は円空仏であるとする多くの見解が寄せられることとなる。そして円空仏であることが決定的となったのである。

そのころ私は奈良国立博物館を訪れ、学芸課長に、法隆寺で円空の大日如来像が見つかったことを話す機会があった。するとその課長は「円空仏などは仏教美術ではない」と吐き捨てるように一蹴したのである。

それが、そのころの仏教美術家たちの見解であったのか、それともその課長の私的見解であったのかはわからない。世情の移り変わりには不可解なことが多い。2006年に奈良平安仏－江戸時代の特別展「仏像　木に込められた祈り」が開かれた。しかも何と、その会場が東京国立博物館の平成館である。そして法隆寺で発見した大日如来像も堂々と展示されていた。現在の奈良国立博物館の見解は知らないが、私はこのとき、東京国立博物館は円空仏を仏教美術として扱っていると理解した。

132

法隆寺の行者との交流――円空が法隆寺に立ち寄った？

円空仏を法隆寺で発見したときの事情はすでに紹介した。そして今では法隆寺の大日如来像は古くから存在が知られていたかのように、円空展に出陳されることも多くなった。

しかし、円空仏が法隆寺に伝来する経緯について触れたものはない。そのために、なぜ円空仏が法隆寺にあるか、という一つの考察を試みることとしたい。

円空の年譜によると寛文11（1671）年に法隆寺で学び、7月15日に巡尭から「法相中宗血脈」を受けたとされる。

しかし巡尭という僧の存在は不明で、法隆寺には円空が法隆寺を訪れたとする記録もない。円空は修験の行者として各地を遊行遍歴しており、法隆寺の行者たちと交流をしていた可能性もある。

そのことから私は、法隆寺の修験行者の寺僧と円空の関わりを調べることとなる。

法隆寺には古くから山岳修行をする寺僧のグループがあった。それを堂方の行人と呼ぶ。その行人たちは上御堂を管理し、西円堂で行われる追儺会《ついなえ》の鬼役となる僧たちである。

とくに4月から7月の安居の期間中には法隆寺の裏山にある蔵王堂の滝から閼伽水《あかみず》をくみ上げて上御堂の仏前にお供えして法要を行っていた。そして不動岩、ケサカケ石、悔過池などを行場として修行をしていたのである。その修行を積むことによってやがて正大先達に任命された。そしてその法灯は幕末まで続いている。

法隆寺最後の行人である実相院懐厳とその弟子の祐賛や秀賛は、幕末に松尾寺や日野法界寺、世義寺などの修験の寺院へ移って、その法流を継承した。その松尾寺には円空作の役行者像が伝来している。当然のことながら修験の寺院である松尾寺にも円空が立ち寄った可能性は高い。

しかも、その像の背面には法隆寺との関係を示す墨書があった。延宝3（1675）年の年号とともに「法隆寺文殊院秀恵」と記しているのである。

これによって延宝3年に、この像が造られ、法隆寺の子院の一つである文殊院の秀恵がこの像に関与していたことが明らかとなった。

とくにこの秀恵は法隆寺の堂方行人で学春（俊）房と云い、夢殿の近くにある文殊院の住持であった。それは松尾寺の役行者像の墨書銘とも符号する。

この役行者像の銘文を記した4年前の寛文11（1671）年には、円空は法隆寺で法相宗の教理を学び、巡尭から「法相中宗血脈」を受けたという。そしてその巡尭は高栄から伝授をしている。その高栄（寛文2年没）は観音院の住持で、学僧として名高く法隆寺の一臈《いちろう》職（寺の代表職）にも就任していた。

その高栄と巡尭、秀恵は何らかの法縁で結びつくのかもしれない。そのように推察すると、宗源寺にあった大日如来像は文殊院に伝来していた可能性も出てくる。しかし文殊院はすでに安政3（1856）年には無住となり、坊舎もなかったとされる。おそらく文殊院の什物《じゅうぶつ》は法類の子院へ移され、その中に大日如来像があったことも充分に考えられる。やがてその子院も崩壊したために宗源寺本堂へ移ったのかもしれない。

いずれにしても、この円空の大日如来像は修験の行者たちとのつながりによって法隆寺に伝来していることは確からしい。

残念ながらそれ以上のことは分からない。今後の調査によって巡尭のことや宗源寺に安置した時期などを記す資料の発見に期待したい。

133

太子道を往く——太子信仰生き続ける道

昭和51（1976）年の秋、法隆寺に新しい耐火構造の寺務棟を建てることが計画された。法隆寺の寺務所は明治末年から、南大門を入って左側にある西園院と地蔵院の敷地内に設置されていた。そのころ私は法隆寺文化財保存事務所を総覧する役職にあったので、寺務棟の建設を担当することとなった。

そのとき文化庁や奈良県庁へ提出する書類が複雑であったことを思い出す。それにともない奈良国立文化財研究所平城宮跡調査部に依頼して建設予定地の発掘調査を行うことになった。

そのときに発掘調査を担当されたのが森郁夫さん（後の帝塚山大学名誉教授）である。森さんとは若草伽藍跡の再発掘から交流があった。発掘現場で、法隆寺の地下に眠っているだろう遺構について話し合ったことを懐かしく思い出す。そのとき、飛鳥と斑鳩を結ぶ太子道のことが話題となった。太子道とは太子が愛馬黒駒にまたがり侍者の調子麿を従えて斑鳩宮から飛鳥の小墾田宮へ通われたと伝わる道のことをいう。

それは大和盆地の南北に整然と区画された条里を斜めに走っているという。そのために「須知迦部路」（筋違道）とも呼ぶ。おそらく飛鳥と斑鳩を結ぶ最短距離の道であったのであろう。その道はどこを通っていたのか、きっと今も残る遺跡の近くを通っていたはずである、などと熱っぽく話し合う日々が続いた。そしてぜひとも早い時期にその古道をたずねることで意見が一致した。いよいよその年の12月5日（日曜日）に決行することとなった。

森さんや奈良文化財研究所の研究員の皆さん、法輪寺住職の井上康世さんなど総勢15名が集まった。井上さんと私は略袈裟と間衣、運動靴を履いていた。それ以外の参加者は思い思いの軽装で参加していた。今のようにリュックとかスニーカーなどの姿はなかった時代である。

午前10時に南大門前を出発。若草伽藍跡の南にある若草道や、中世のころまで斑鳩が生息していた大槻の樹の旧蹟という福井を歩く。そして夢殿の南門前を通過、法輪寺や法起寺、中宮寺跡を左に望みながら国道25号線を横断して東上。富雄川を渡って高安や安堵町の飽波神社前を通過する。

斑鳩町の上宮（神屋）から飽波《あくなみ》神社に至る広い地域には太子が薨去《こうきょ》した飽波蘆垣宮《あくなみあしがきのみや》の伝承地である。やがて三宅町の「屏風《びょうぶ》」という古い村落に到着する。太子が昼食をとったときに村人たちが屏風で囲ってご接待したという伝承が地名の由来と聞く。そこには今も「太子の腰掛石」と呼ぶ石がある。

その近くにある杵築神社へ参拝して、更に南下すると「伴堂《ともんどう》」という村落に至る。

歩く途中で出会った古老たちに「太子道」のことをたずねた。すると「ここが太子さまのお通りになった道で、その道沿いに私たちは先祖代々暮らしている」と、誇らしげに語たるのを何度も聞いた。改めて深く浸透し生きつづけている太子信仰を知らされた心地がした。

そして宮古、保津、薬王寺を経て多神社の祭祀遺跡などを見学。歌舞伎の「梅川忠兵衛」で知られる新口を通り、古い町並みを眺めたり、藤原宮跡を遠望したりしながら小墾田宮跡へと急いだ。そして午後4時すぎに到着したのである。

やがてこの太子道を歩いたことは、昭和56（1981）年4月に法隆寺から科長《しなが》の太子墓への太子葬送の道をたずねることや、平成8（1996）年の「太子道サミット」、平成9年からの「太子道をたずねる集い」の開催へとながったのである。

134 新寺務所を建設するために――蔵から新発見の古文書

新寺務所を建設するために西園院や地蔵院の周辺の環境整備をする必要があった。とくに建坪率の規制によっていくつかの建物を取り畳むこととなる。江戸時代末期の2階建ての部屋、3部屋からなる小僧部屋、旧寺務所、1棟からなる納屋群などである。

納屋には薪、炭、漬物、梅干、味噌、諸道具類を納める部屋があった。昭和30（1955）年ごろからその中の一つが大工小屋となっていた時代もある。棟梁の西岡楢光さんや田辺音松さんたちが作業する姿があった。

私にとって小僧時代の思い出のある蔵である。お腹が空いたときにタクワンをかじったこともある。いろいろな思い出のこもる建物が姿を消そうとしていた。いよいよ道具蔵の一つを取り畳むこととなった。

その蔵には多くの日常の道具に混じって、刀の鞘《さや》が長持からはみ出るように入っていた。これらの刀身の多くは戦時中に軍部へ供出をしたものという。その一角にうずたかく積まれた紙片があった。見るからに不用の和紙類である。いずれ襖《ふすま》の下張りとなる運命のもとに集められていたのであろう。

その紙片からはすでに異臭も漂っていた。永らく放置されていたためにネズミの巣となっていたのである。触れるとホコリが舞い上がる。しかしよくよく見ると、古文書や経巻の断片などがほとんどであった。私はそれを段ボールに放り込んで寺務所の一室に運んだ。そしてホコリにまみれながら整理したのである。マスクもせずにホコリの中で暮らす日々を過ごした。整理すればするほどに面白さが増してくる。

その中からは、奈良時代の虫食経として知られる行信経や、平安時代の法隆寺一切経がカチカチに固まって棒状になっている巻子本もたくさん出てきた。

古文書は中世から江戸時代のものが多かった。いずれも新発見である。その中で、「不用の文書」と書いた付箋をつけた古文書のかたまりが目についた。これは不用どころか、貴重な資料であったのである。

江戸時代に稚児が法隆寺の学侶に取り立てられるときに、その実家から提出した系図である。江戸時代の封建制の確立によって、学侶となるには公家の子息か5代以上続いている武士の子息であることが条件となっていた。それを吟味するために法隆寺へ提出をした系図である。

それが不用の文書として放棄される寸前の状態にあった。しかし法隆寺の寺僧の出自を調べるためには貴重な資料である。おそらく明治以降の寺僧たちは、そのような不条理な資料は破棄すべきと考えたのかもしれない。いずれにしても不用の文書が生き返ったのである。

このような資料を、大ざっぱではあったが時代別に分類して袋に入れた。しかしそれは完全な分類でも調査でもなかった。やがて法隆寺昭和資財帳や法隆寺史の編纂所に受け継がれて整理と調査が行われた。このような破毀寸前の資料を救ったことが私はうれしくてたまらなかった。

このときに土蔵の中にあったタンスに秀吉の時代から明治初年まで法隆寺の経済を支えた安部村（奈良県広陵町）とその周辺の直轄領に関する一件書類が入っていたことも付記しておきたい。


なお、法隆寺の新しい寺務所は昭和53（1978）年の春に完成した。そしてそれまで実相院に設置していた「法隆寺文化財保存事務所」も新しい寺務所に移転することとなったのである。

135

天皇皇后両陛下の行幸——緊張しつつおそば近くへ

昭和54（1979）年の夏の終わりごろに、天皇皇后両陛下が法隆寺へ行幸されるとの内示があった。住職の間中定泉師の指示で、私がその準備を担当することとなった。両陛下のご料車がお通りになる道筋の整理や、玉座の制作にも取りかかった。宮内庁や奈良県庁との綿密な打ち合わせもたびたび行った。

そしてご説明する内容を記した原稿も県庁へ提出していた。行幸は当初11月1日であったが、ご公務の都合で1カ月遅れの12月5日となった。寒さが心配されたが、未明から降った雨も止み、境内にはピーンと張りつめた緊張感が漂っていた。

午前9時に奈良ホテルをご料車でご出発、法隆寺南大門前にご到着になった。ご案内の間中住職とそれを補佐する私は緊張をしながらお出迎えした。

両陛下は奉迎の人びとにおこたえになりながら中門をお入りになり、金堂正面の廻廊内に設えた玉座に着かれた。

そして間中住職が法隆寺のご説明を申し上げた。お足元が冷えないようにと電気ストーブをテーブルの下に入れていた。

そのときに両陛下は感慨深げに金堂前の左右にある松樹を見上げるようにご覧になったのである。そのお姿を今も忘れることはできない。

大正4（1915）年4月20日に皇太子だった天皇陛下が金堂前に植樹された。大正12年5月31日には、ご成婚が決まった久邇宮良子女王時代の皇后陛下が金堂前の天皇陛下お手植えの松と相対した東側に、松をお手植えになったのである。両陛下は成長した松樹をご覧になって往時を懐かしく追想されているように拝察した。当然のことながら法隆寺では、お手植えの松を大切にして松食虫の被害にも非常に神経を使っていた。

法隆寺の境内には太子が愛《め》でられたという故事によって松が多い。そのために動植物学のご研究をされている天皇陛下から、松食い虫の被害状況に関するご下問があるかもしれない、と推測して、虫や薬の名前を覚えることに懸命となっていた。しかしそのご下問はなかった。

金堂を出て、五重塔へ向かったときのことである。陛下からお言葉があった。「法隆寺はこれですべて復興できたのか」とのご下問である。「おかげさまで復興することができました」と間中住職が申し上げた。

大正10（1921）年には、皇后陛下の父君である久邇宮邦彦王殿下を、聖徳太子のご遺徳の高揚と法隆寺復興のために組織された『聖徳太子奉賛会』の総裁宮にご推戴していたのである。そのことをご存じであったことから、そのようなご下問となったと拝察した。

両陛下はその後、罹災した金堂壁画や玉虫厨子、百済観音像などをご視察され、ご料車で夢殿へと向かわれた。夢殿では秘仏の救世観音像を開扉していた。最後に間中住職は「これからも太子のご精神を継承しつつ法隆寺を護持してまいります」と申し上げた。

天皇陛下からは「しっかりとやるように」とのお言葉を賜ったのである。その後、両陛下は中宮寺にお入りになった。間中住職と私はすぐさま奈良へ向かった。近鉄奈良駅でお見送りを申し上げるためである。このように法隆寺史上に特記すべき行幸が行われたのである。今ではその行幸の実情を知っているのも私一人となった。

136
はじめての訪中——魅了された待望の敦煌

昭和55（1980）年7月に、初めて中国を訪れる機会に恵まれた。境内に敷く石を購入するためである。

それまでは大阪などの市電の敷石を購入して東大門から夢殿の参道に敷いたこともあったが、そのような石の入手が困難となった。そのために中国の青島にそれを求めようとしたのである。

そのとき石工の左野勝司さんに同行した。左野さんはのちに高松塚古墳解体に携わった石工として活躍する人である。そして1万枚の敷石を購入したのである。初めての訪中であったが、そのころの中国は治安も良く、訪問先の北京や青島、済南などで筆談と片言の中国語を駆使しつつ観光や買い物を楽しんだことを懐かしく思い出す。

そのころ日本ではシルクロードブームがピークを迎えていた。しかしそのころは自由に敦煌へ行くことはできなかった。中国はまさに発展途上の時代であり、国内旅行をするにも厳しい制限があった。

私は北京の王府井や天壇などで敦煌の壁画の模写や文房四宝、骨董《こっとう》などの買い物を楽しみつつ、敦煌へ思いをはせた。

そして私の敦煌への憧れが、ついに実現をする機会が訪れた。はじめての訪中から2カ月後のことである。

幸い敦煌を訪れるグループに加えてもらうこととなった。中国の仏教遺跡を訪れることは仏教美術に関心を抱いているものにとって憧れであった。その願いがやっと実現する機会が訪れたのである。

その旅には奈良県立橿原考古学研究所の前園実知雄さん（のち奈良芸術短期大学教授）に同行した。見るもの食べるものすべてに興奮したことを懐かしく思い出す。しかし敦煌への道は遠かった。夜光杯の産地として知られる酒泉からバスに揺られて敦煌へ向った。そして立ち並ぶ烽火台や蜃気楼《しんきろう》にも興奮した。砂嵐のような竜巻にも出会った。万里長城や玉門関、嘉峪関、炳霊寺石窟なども訪れることができた。

そのころ敦煌の周辺は秘境のような環境にあった。兵舎を思わせる宿舎や扉のない中国式の便所にも閉口した。

夢にまで見た憧れの敦煌の仏像や壁画には魅了された。時間が経つのを惜しみつつ見学に熱中した。テレビで見たり話に聞いていたオアシスにある市場の賑わいやいろいろな民族楽器、衣装や珍しい食べ物にも感動した。

その旅の帰り道に長安の都として名高い西安を訪れることができた。そして始皇帝の兵馬俑坑や華清池、大雁塔などを参観したのである。

とくに玄奘三蔵やその弟子の慈恩大師の墓所である

興教寺に参詣したときの感激は今も忘れない。法相宗の教理を学ぶものにとって聖地そのものであったからである。毎日が夢のようであった。その夢は少しでも長く続いてほしかった。しかも、そのころは遺跡のほとんどは未整備であることが、きわめて素朴で魅力的に感じた。

その帰りに北京を訪れた。そのころ奈良県から北京大学へ留学していた菅谷文則さん（後の県立橿原考古学研究所長）や河上邦彦さんとも出会った。そして菅谷さんの案内で中国考古学の重鎮である宿白さんを訪問し、中国の考古学の話を聞いた。このとき中国仏教協会の本部がある北京の広済寺にも参詣をした。

この敦煌への旅は私にとってすべてが思い出となった。そして法隆寺の寺僧たちにも是非とも敦煌を訪れてほしいと思った。やがてそれが実現することとなる。

137

明治史料の発掘――フェノロサやビゲローの記録発見

井上靖さんは「法隆寺ノート」の中でつぎのように記している。

「明治四十年頃の法隆寺を調べる必要があって、法隆寺に出掛けたのは（昭和）三十九年の秋である。私は新聞記者としてよく顔を出した寺務所に、その時初めて小説家として顔を出した。特別に当時を語る資料というものはなかった」

そのころ明治時代の資料は未整理で、その存在すらわからなかった。私は小僧のころからフェノロサと岡倉天心による夢殿の本尊救世観音像を開扉した資料に関心があった。

そのころ法隆寺にはその資料は見つかっていなかった。その開扉についてはフェノロサと天心が著書や講演の中で語っているだけであり、私は法隆寺側の資料をぜひとも発見したいと期待していた。

たまたま土蔵で未整理の古文書を整理していたときのことである。『諸事願届書類』という1冊の記録つづりを発見した。そこには私が探していた記載があった。明治17（1884）年8月16－20日、文部省御用掛の天心が米国人のフェノロサとビゲローとともに法隆寺を訪れて諸堂や古器物などを調査したことが記されていたのである。

そして『法隆寺日記』の中にも同じような記録があることも確認した。しかし、最大の関心事である夢殿を開いたという記事はなかった。

私はフェノロサたちが救世観音像を開扉したときに「法隆寺の寺僧たちは怖がって逃げ去った」と言っていることにはどうしても同意することができなかった。しかも記録を残すことに熱心であった法隆寺住職の千早定朝が何も書き残していないことも不可解でならなかったからである。

しかも像に巻かれていたという長い白布の木綿も伝わっていない。そのことも私が明治17年開扉説を疑う要因になっている。そのころ私は反古《ほご》の中から『懇志簿』と言う冊子を発見した。それには日本美術に関心を抱いてその収集をしていたビゲローが「蓮池図」（鎌倉時代）と「四騎獅子狩紋錦」（唐時代）の修理費用を寄付することを申し出た記録があった。

定朝は外国人からの寄付ということもあり、大阪府の許可を得てから寄付を受けている。そのときに定朝が浄財を記録する『懇志簿』を作成したのである。その冒頭には英文と和文の寄進文が添えられていた。

序文を記した定朝はビゲローからの寄付について、つぎのように記している。

「法隆寺では宝物を皇室へ献納致しましたが、それでもなお多くの宝物が伝わっています。その中でも四天王紋錦の旗と巨勢金岡の花鳥の画は有名なものです。最近、アメリカ・ボストンのビゲローという奇特な人がその修理費を寄付されました。私はそれを記念してこの『懇志簿』を作ることとしました。これからも日本や外国の有識者たちがビゲローのように法隆寺を維持する基金を寄付していただくことを願っております」（要旨）

法隆寺では篤志家たちから寄付金が集まることを期待したのである。

平成3（1991）年9月に奈良県立美術館で開催したボストン美術館秘蔵フェノロサ・コレクション「屏風《びょうぶ》絵名品展」に併せて「奈良県を中心としたフェノロサ関係資料展」が行われた。そのときに私が発見した『懇志簿』をはじめとするフェノロサ関係資料をはじめて紹介したのである。

しばらくして京都大学教授の村形明子という人から『懇志簿』をぜひとも拝見したいと言う速達を受け取った。私は村形さんとは面識はなかったが、それにはつぎのように記されていた。
「『懇志簿』について陳列頁前後の英文関係の箇所たけでも見せてほしい」
そしてこの展観に出陳したことによって、『懇志簿』はフェノロサやビゲロー関係の貴重な資料として多くの人びとから注目を集めることとなったのである。

138

棟札や瓦銘が語る——匠が残した当時の世相

法隆寺には多くの建物がある。幸い法隆寺は火災が少なかったこともあり、修理も必要に応じて行ってきた。そのために飛鳥時代から近世までの建物が現存しており、そこには建立や修覆したときの棟木名や棟札が残っている。

それには工事に携わった人びとの名前があり、公式記録に記していない詳しい記録もある。とくに造立したり修復したりしたことは、『法隆寺別当記』や『嘉元記』などをはじめとする記録類には記されているが、それに携わった人びとのことまでは記していない。

それを補う資料がこれら棟札の銘文である。法隆寺では13世紀から棟木銘や棟札が登場する。

棟木銘では建保７（１２１９）年の舎利殿、棟札では寛喜２（１２３０）年の夢殿のものが最も古い。

そこには別当をはじめとする学侶や堂衆、中綱などほとんどの寺僧の名前が見える。そして修理の浄財を集めた勧進衆や喜捨をした結縁衆をはじめ工事に携わった大工や瓦工、刀禰、堂童子、大仏師、神主などの名も見える。

幸い法隆寺には昭和期までの棟木銘や棟札をたくさん現存しており、子院の持仏堂や表門の棟札などは法隆寺の子院を研究する好資料となっている。この銘文を集めるだけでも法隆寺の建築年表ができるほどである。

この棟札銘とともに面白い銘文が瓦の刻銘である。棟札は公的な記録であるのに対して瓦銘は落書的なものが多い。法隆寺で最も古い瓦銘は貞観８（８６６）年の磚《せん》である。しかしどこで使用したものか、といったことは刻まれていない。

瓦を作ったときの事情がはっきりするのは応永２

（１３９５）年の平瓦の刻銘からである。そこには「ニシテラ（西院）ノタウ（五重塔）ノカワラ百廿マイ（１２０枚）ノウチ」とある。これによって応永２年に五重塔で小規模な瓦の葺き替えが行われたことがわかる。このころから瓦銘がめっきりと多くなる。瓦工たちがこっそりと自分の思いやそのころの世情を物語る箆書《へらがき》を残している。

そのほとんどにはどのお堂の瓦を作ったとか、使用した土や瓦竈《かま》の場所、瓦を作る資金を提供した寺僧の名や瓦大工が自分の年令や名を改名したことが刻まれている。

とくに面白いものとしては、応永30（１４２３）年の丸瓦の刻銘に「銭カホシクテ」とか、嘉吉２（１４４２）年の講堂用の平瓦に「ニシムロ（西室）ノ土トフクイ（福井）ノ土トヲハフン（半分）アワセ（合わせ）ニシタル土ナリヨキカ（良きか）シラン（知らん）ガ」と刻んだものなどがある。

瓦銘は瓦作りのときに瓦の匠たちが思うままに刻んだものであり、そのころの世情を窺わせる資料も多い。

なお、これ以外にも建物に残る工匠たちの墨書もあるが、瓦銘のような面白いものは少ない。これらの銘文と共に江戸時代ごろからの寺僧たちの墓碑銘や位牌銘も貴重な資料を提供している。

それらには『法隆寺別当記』や『嘉元記』、そして元禄４（１６９１）年から記しはじめられた『法隆寺年会日次記』にはない記録も多い。これは法隆寺の実像を探る貴重な資料となっている。

私は、昭和40（１９７５）年ごろからほこりと汗にまみれながら懸命にそれらを調べていたのを懐かしく思い出す。

139

宮大工とは――歴史浅い呼称で由来不明

６世紀ごろに百済から多くの技能者たちが優れた技能を携えて来日した。そのとき匠たちのことを「造寺工」とか「寺工」と呼んでいる。法隆寺に伝わる大工の記録は13世紀のものが最も古い。

建保７（１２１９）年の舎利殿の棟木銘に「大工」とある。それらは興福寺所属の工匠たちで、法隆寺の周辺には修理に携わる大工はいなかったらしい。そのために工事のときには興福寺などの人工が従事していたのである。

14世紀になってようやく、法隆寺の周辺に大工組織が成立するようになる。そして4人の大工を代表とする集団ができあがったのである。4人大工の名称は仏の世界を守護する四天王に擬えたものとの伝承もある。それを「四人番匠大工」と呼ぶ。

特に文明8（1474）年に、法隆寺境内末寺として夢殿の東側に修南院（東林寺）という寺院が建立された。それは工匠たちが聖徳太子の広恩に報いるために建立したものである。

古記録にはつぎのように記されている。「法隆寺に止住する工匠一味共に同じて建立するなり。是れ太子の広恩に報じ奉らんためなり」。その修南院は4人の大工を中心に維持していたのである。そのころから法隆寺周辺の工匠たちの代表を「四人番匠大工職」に任命することとなる。

法隆寺の公式記録である『法隆寺公文所補任記』にその任命のことが登場をするのは、16世紀ごろからである。その制度はしばらく続いたが、徳川家康の信頼を受けた4大工の1人であった中井大和守正清が「一朝総棟梁」の地位を築いている。それによって大工棟梁たちはその傘下に吸収された。そして「四人番匠大工職」のことも有名無実化することとなる。

やがて中井家は建築許可を与える立場となり、役所化する。それにともなって法隆寺村の周辺に住んでいた棟梁たちの多くは中井役所のある京都に在住することとなった。そして幕末には「四人番匠大工職」の制度も崩壊し、長谷川家と安田家の棟梁が法隆寺村に止住して、かろうじて修南院を護持していたのである。

そのころ木工に従事をする大工たちの多くは法隆寺周辺の西里、東里、辻本、福井、円成井、興留、本町、魚町、出垣内、阿波、東安堵、竜田などの村落に住んでいたのである。

とくに明治6（1873）年に修南院が廃寺となることによって法隆寺村の大工組織も完全に解体した。それは廃仏毀釈によって修南院の維持が困難になるのに拍車をかけ、ついに建物も取り畳まれた。

やがて古文化財として法隆寺が重視されたことによって老朽化していた堂塔の修理が、明治26（1893）年ごろから実施された。その工事は文部省や奈良県へ委託することとなる。そのころ工事に携わった工匠たちのことを棟札には「大工棟梁」と記している。

ところが昭和40年代から「宮大工」と言う名称がメディアに登場しはじめる。今では広辞苑にも宮大工の項がある。それには「神社・寺院・宮殿の建築を専門とする大工」とあるだけで、その由来は明記されていない。大工関係の記録をよく伝えている法隆寺の古文書にも宮大工の名称は登場しない。どうも由来がはっきりしないのである。

かつて奈良県の文化財保存課に所属していた研究者が興味深いレポートを私宛に送ってくれたことがあった。

そこには、つぎのように記されている。

「宮大工という呼称は、現在の社会通念上、社寺建築に関わる大工をいっているようであるが文化財建造物の修理現場で、そのように呼称していることはなく、マスコミ等が勝手に呼んでいるだけである」

やがて寺社工事に関わる大工自身の口からも宮大工という言葉が出るようになる。現在では古くからの名称であるかのように吹聴され、広く知れわたっている。この「宮大工」の呼び名の起因や変遷を調べることも面白い課題である。

140

太子1360年御忌を記念して——太子葬送の行列を再現

太子1360年の御忌法要は昭和56（1981）年4月3日に行われた。昭和36年の例にならって聖徳会館内に舞台を組んで厳修した。太子のご遺徳を讃える講式の奉読と声明を唱え、雅楽を奏する管弦講である。

特に法要に続いて花山信勝さんと坂本太郎さんによる記念講演会を開催した。当代屈指の学匠の太子に関する講演は聴衆を大いに魅了した。

この御忌を記念して色鍋島13代今泉今右衛門さんから「色鍋島吹墨牡丹絵花瓶」「色鍋島桐絵茶碗」の奉納があり、太子の宝前に供した。

また法隆寺献納宝物中に伝わるわが国最古の蜀江小幡4流を復元して龍村織物から奉納を受けた。それを会場に懸けると、会場は飛鳥時代に立ち戻ったような光彩を放ったのである。

特に御忌を終えた4月5日に磯長の太子御廟に参拝する「太子葬送の道を探ねる集い」を計画することと

なった。

これには法隆寺から種村大超師や奈良国立文化財研究所の森郁夫さん、奈良県立橿原考古学研究所の前園実知雄さんを中心にコースの調査をしてもらった。太子道はすでに断片的に語り継がれているだけで、完全な道はつながっていなかった。道路も大きく改修されていた。そのためにコースを決めてもらったのである。

その日は小雨が降っていたが、富之小川や聖霊院の阿伽井《あかい》からくみ上げた清浄水や菊花をそれぞれの木桶に入れて白丁2人がそれを担いだ。それに従って太子の棺が運ばれたであろう古道を一路、磯長《しなが》へと向かったのである。

それには7－70歳の120名にのぼる参加者があり、太子を慕い敬う人びとの行列となった。幸い途中で小雨も止んだ。

叡福寺の山門前で威儀を正し、行列を整えてから太子の廟前へと進んだ。そこへ富之小川の水や花を供して法要を厳修した。そして清々しい気持ちを抱きつつ帰途についたのである。

私はこの御忌の記念として、仏教美術の宝庫として人気が沸騰していた中国の敦煌莫高窟を訪れる計画を立てた。

ぜひとも寺僧たちに敦煌や唐の都として名高い西安などを訪れて視野を広めてほしいと考えたことによる。間中定泉住職を名誉団長、大野可圓師を団長として訪中した。美術院の小野寺久幸さん、南都楽所の笠置侃一さん、奈良国立博物館の河田貞さん、森郁夫さんなども参加された。

幸い、遺跡などではそれらの専門家たちから教えを乞うことも多かった。そのころの中国は発展途上にあり、航空機やホテルなどでもトラブル続き困惑することもしばしばだった。その後も中国の仏教遺跡を訪れたが、トラブルから解放されることはなかった。

そのころ中国で出会った人びとの多くは素朴であり、そして治安も良かった。例えば1本のボールペンでもタクシーの中に忘れたらホテルの部屋へ届けてくれた。

最も記憶に残っているのは、奈良県から中国へ留学していた菅谷文則さんと北京で出会ったときのことである。中国の紅旗という高級車をチャーターして北京市内を巡ったことがあった。そのとき運転手と昼食をともにした。そのときに運転手がビールを飲んだのである。そのころ中国では飲酒運転は違反ではなかった。また私が1人で上海から西安へ向かう途中、飛行機のエンジントラブルで合肥に緊急着陸したことがあった。

そのとき日本人は私1人で、日本語はまったく通じない。そして私が持っていた時計が時限爆弾ではないか、と疑われて拘束されそうになったが、筆談でかろうじて疑いは解けた。

このようにそのころの中国ではいろいろと面白い貴重な経験をした。

141　ニューヨークで法隆寺展――ウォーナー氏の遺影に献花

昭和55（1980）年の春ごろであった。奈良国立博物館館長の倉田文作さんから私に一つの内談があった。昭和56年に、ニューヨークジャパンソサエティーの創立75周年とジャパンソサエティーギャラリー開設10周年を記念して、「法隆寺展」を開きたいと言うものである。

ニューヨークジャパンソサエティーから法隆寺の内意を聞いてほしいとのことであった。すぐさま私は法隆寺で協議した。ちょうど昭和56年は聖徳太子の1360年の御忌の年であり、意義深い企画であると判断して正式に承諾することとなった。

この展観は文化庁とニューヨークジャパンソサエティーが主催をすることとなった。そして私は倉田さんと出陳品目について協議した。その結果、国宝2件、重要文化財21件45点を出陳することとなったのである。法隆寺としては一度に多くの宝物が海を渡るのははじめてであった。

そのとき私は出陳する一つの宝物を推薦したのである。それは明治17（1884）年にフェノロサとともに法隆寺を訪れたビゲローが資金を寄進して修理をした「蓮地図」（重要文化財）である。私はビゲローへの感謝を込めてアメリカで展示をしたいと思った。

宝物は昭和56年9月はじめに大阪空港から日本航空の貨物機で出発した。宝物を3便に分散して奈良博から河田さんや光森さん、湊さんの3人の技官が同乗していた。法隆寺からは住職の間中定泉師と私が出席することとなった。そして間中師は11日に出発された。

そのころ私は法隆寺からの訪中団とともに敦煌を訪れていた。敦煌で一行と別れて1人で柳園と言う駅から汽車に乗車。筆談をしながら蘭州を経てやっと北京に到着した。ちょっと心細い、そして刺激的な旅であった。ガイドを付けずに国内を旅することが珍しかった時代である。

北京在住の菅谷文則さんの協力を得て11日に帰国。14日にニューヨークへ向かったのである。ケネディ空港では奈良博の河田さんやジャパンハウスギャラリーの人びとの出迎えを受けた。そのままジャパンハウスに直行。すでに大ホールでは、常陸宮両殿下をお迎えしてニューヨークジャパンソサエティー創立75周年の記念式典が盛大に開かれていた。

いよいよ9月15日に「法隆寺展」が開幕した。午前10時から展覧会場の中央に安置している銅造観音菩薩像の宝前で法要を厳修したのである。その日の午後9時から常陸宮両殿下をはじめ各界の代表者が参列をされてオープニングが行われた。そのセレモニーは3日間続いた。参加者の男性はタキシード、女性はドレスと言った正装である。そしていよいよ18日から一般に公開された。

私たちはしばらく展覧会場とホテルを往復する日々が続いた。ときたま光森さんの部屋でおかゆやカレーを作ってもらったことが懐かしい。幸い法隆寺展は好評であった。とくに国宝地蔵菩薩像は最も人気が高かった。神秘的で堂々とした重厚さを漂わせていることがアメリカの人びとに感動を与えたらしい。

間中師は20日に帰国されたが、21日から私は河田さんと一緒にボストン美術館やハーバード大学などを訪れた。京都や奈良を爆撃しないように進言したと伝わるラングドン・ウォーナーさんの遺影に花を献じるためである。その遺影はフォッグ美術館内にあるウォーナーさんの執務室に置かれていた。私は遺影に合掌し、この地を訪れることができた満足感に浸った。うれしかった。

岡倉天心の薫陶を受けたウォーナーさんは仏教にひかれ、東洋美術に魅了されたという。私は興奮するのを抑えながら、ウォーナーさんが敦煌から持ち帰った壁画の断片や塑造の菩薩像などのコレクションを拝見した。敦煌から帰った直後のことであり、ちょっと複雑な思いがよぎったこともある。

ボストン美術館でもモースやフェノロサ、ビゲローのコレクションを特別に見学することもできた。そしてフェノロサの親族の人たちとともに夜が更けるのを忘れて語り明かしたのである。そのころボストンに私の親戚が住んでいたので、車で案内してくれた。おかげで短時間の滞在期間で多くの場所を訪れることができたのである。

142　法隆寺献納金銅仏展開く――正倉院展に代わって

昭和56（1981）年は、奈良国立博物館での「正倉院展」に代わり、「特別展　正倉院宝物」が東京国立博物館で開催されることとなった。天皇陛下の御年80歳の寿をお祝いする記念だった。

奈良で正倉院展が行われないのは関係者にとってショックであった。それを耳にした私はおそらく正倉院展の見返りに法隆寺献納宝物が奈良で展示されるのではないか、と直感した。

私が推測したように奈良国立博物館での「法隆寺献納金銅仏展」の開催が決定。飛鳥時代から奈良時代にかけての小金銅仏49件、光背34面が出陳されたのである。

それに法隆寺から献納宝物に関連する寺宝12件を賛助出陳することとなった。これによって正倉院展に代わる展覧会が開催されたのである。

25年ぶりに奈良へ里帰りした献納金銅仏の供養法要を、法隆寺の寺僧が厳修した。この展覧会の後半にはニューヨークへ出陳していた宝物の重文16件29点が加わったのである。この展観は法隆寺にとっても聖徳太子1360年御忌のよい記念となった。

そのころ私は西日本新聞社から一つの要請を受けていた。「西日本文化フォーラム」に出席をするようにとの申し出である。

それは三笠宮両殿下のご臨席のもとに福岡市で開かれた。このとき殿下から「大学に東アジア学科を設けることが望ましい」とのご提唱があったと記憶する。そして私は江上波夫さん（オリエント博物館館長）、岡崎敬さん（九州大学教授）、黛弘道さん（学習院大学教授）とご一緒にフォーラムに参加して当代を代表する学者の謦咳《けいがい》に接したことは私のよい経験になった。

このとき両殿下からお言葉をいただき、食事への同席をお許しいただいた光栄は、私の生涯の思い出となっている。

しかしこの年に残念な知らせが届いた。日本人が戦前戦後の苦難をともに過ごしてきた聖徳太子の姿が紙幣から消えることが決まったのである。

　多くの人びとから親しまれていたあの太子の姿は法隆寺に伝来していた画像で、明治11（１８７８）年に皇室へ献納したものであった。

　そのような理由から昭和33（１９５８）年12月1日に1万円札を発行したときに、その第1号（Ｃ０００００１Ａ）が法隆寺へ奉納されたのである。

　そのときに昭和25年1月7日発行の千円札（ＧＥ００００１Ａ－10Ａ）10枚、昭和32年10月1日発行の5千円札（Ｑ０００００１Ｂ－２Ｂ）2枚も納められた。その奉納式が聖霊院と夢殿で厳粛に行われた。そのときの大蔵省政務次官の野田卯一さんが政府を代表して持参されたと記憶する。

　その太子の姿が紙幣から消えるというのである。昭和5年発行の百円札のときから太子と法隆寺西院伽藍全景、夢殿の図柄が採用され、多くの人びとから親しまれてきた。その紙幣が消え去るのは残念でならなかった。そのとき私は勧めに応じ、昭和56年10月の奈良新聞紙上に「聖徳太子の姿が紙幣より消えるの報に接して」とするレポートを書いたこともある。

　太子が紙幣から消えて30年が経過した。太子が1万円札に採用していたころは日本も経済的に発展をしていたという声もある。昨今の冷え込んだ経済振興の喚起を呼び起こすきっかけとして、日本の文化の祖である太子をぜひとも紙幣へ再登場することを訴え続けている。

　平成９（１９９７）年に総理大臣の橋本龍太郎さんに直訴したこともあったが、実現していない。ぜひとも２０２１年の聖徳太子薨去１４００年には再登場してもらいたいものである。切に希望して止まない。

143　南都楽所に同行して——慈恩大師の廟前で法要

　奈良には雅楽の保存発展に努めている「南都楽所《がくそ》」という組織がある。

　昭和56（１９８１）年に、春日大社宮司の花山院親忠さんや楽頭の笠置侃一さんをはじめとする楽所の人びとと中国を訪れることとなった。「南都楽所」の念願であった雅楽の里帰りが実現したのである。まさに雅楽の回帰であった。

法隆寺からは大野玄妙師と古谷正覚師に同行してもらった。西安の大雁塔や北京の広済寺などで雅楽法要を行い、中国の楽団との交流も計画されていた。

11月26日に上海に到着。冬の中国は寒かった。12月1日に西安のシンボルである大雁塔の前で雅楽の奉納を行ったのである。そのときに長安の昔に帰ったような空気が漂ったのを私は感じた。

その後も雅楽の公演が各地で行われ、大きな反響を呼んだ。西安の郊外にある興教寺には法相宗を開かれた玄奘三蔵（664年没）と慈恩大師（682年没）などの師弟の墓所がある。

ちょうどその年は慈恩大師の1300年の御忌にあたっていた。そこで私はぜひともその墓前で御忌の法要を執り行いたいと思ったのである。そしてその夢が実現することとなる。

師匠の佐伯良謙師には『慈恩大師伝』という著書があった。私はこの機会にその著を再版することを思い立ち、仏教界の最長老である清水寺の大西良慶師に序文をご依頼した。そして中扉の題字を中国仏教界会長の趙樸初師に揮毫していただいた。その著書を墓所にお供えして御忌法要を厳修したのである。私は師匠の遺愛の五条袈裟をつけて表白文を奉読した。

そして楽所の人びとが雅楽を奉納して下さったのである。地表温度が零下11度という身も凍るような寒さの中の法要であり、大いに感動を覚えた。足の底から寒さがジーンと身体にしみ込んできた。

そしてこの法会に協力をいただいた人びとに感謝した。特に興教寺の住持である常明法師をはじめ多くの法師たちも出仕して下さったことはありがたかった。そして北京にある中国仏教協会の本部の広済寺でも雅楽法要を執行することができた。

その翌57年4月25日に私は日中友好仏教協会第5次友好訪中団の一員として訪中することとなった。日本仏教界の代表者たちが中国仏教協会から招待を受けたことによる。

そして北京の人民大会堂で歓迎の宴が催された。27日からは趙樸初師の先導で中国仏教の聖地を訪問した。

まず四川省の省都の成都にある文殊院に参拝した。そこに奉安している玄奘三蔵の頭蓋骨を参拝したときは大いに感激した。特に文殊院でいただいた精進料理は忘れられないほどの美味であった。この成都は蜀の都で、法隆寺に伝わる蜀江錦の故郷であり、感慨深いものを感じた。

そして霊山として名高い峨眉山《がびさん》に登ることとなったのである。中国仏教の4大霊場の一つで普賢菩薩の霊場として知られている。そのころ峨眉山を訪れる人が少ない時代であった。

そして中国最大の磨崖仏である、高さ71メートルもある楽山大仏を参拝した。長い階段を往復して参観し、その雄大さに驚嘆した。

成都から夜行列車で重慶に向かった。そこから東紅号に乗船して長江を下る。2泊3日の三峡下りの船旅である。三峡を通りながら移り変わる豪快な景色に見とれ、その規模の雄大さに圧倒されつつ船は進んだ。この船内で法隆寺発掘調査概報に寄稿する「若草の礎石に就いて」を懸命に執筆したことが懐かしく思い出される。

やがて武漢で下船し、武漢や上海などの名刹を参拝した。これらの仏教聖地を訪れたことによって中国の寺院や遺跡が急速に復興しつつある実情に接することができた。

144

防災工事による発掘——若草伽藍の遺構を発見

世界最古の建造物を火災から守るための防災設備は昭和2（1927）年に完成していた。しかしそれから半世紀が経過したために老朽化が進み、その改修工事が急がれていたのである。

昭和53（1978）年11月22日に改修工事の起工式を行った。それにともなって「法隆寺防災工事発掘調査委員会」を設置して工事に先立って発掘調査を行うこととなる。とくに発掘調査は、奈良国立文化財研究所と奈良県立橿原考古学研究所（橿考研）の共同調査となった。そのころ2つの研究所が一緒に発掘調査を行うことは少なかったと聞く。それが法隆寺の現場で実現したのである。

そして奈文研から森郁夫さんたちが、橿考研からは菅谷文則さんたちに参加していただいた。その様子を見ていた人が私に言ったことがある。「2つの研究所が共同調査をしているのはあまり見たことがありません」

その発掘調査によって法隆寺再建非再建に関係する遺構の発見も相次いだ。その中で記憶に残るものが2つある。

そのひとつは昭和57年8月に若草伽藍の重要な遺構である掘立柱の柵列を検出したことである。その現場で森さんや菅谷さんと柵について語り合ったことを懐かしく思い出す。

そして東大門と西大門とを結ぶ参道のほぼ中間点から法隆寺が再建したときの地鎮具らしいものを発掘された。土師器を2つ合わせた中に金箔と和同開珎が入っていた。これは中門の金剛力士像が完成した和銅4(711)年ごろの地鎮具と見られる。これらは創建法隆寺と再建法隆寺に関わる大発見である。

もう一つの発見は昭和58年の6月のことであった。大湯屋の門の前から大きな石が出てきたのである。それは伏蔵《ふくぞう》の蓋石であった。

法隆寺には3つの伏蔵があると伝わっている。金堂と経蔵と大湯屋の3カ所にあるという。金堂と経蔵は地表に露出しているために場所は確認されている。

ところが大湯屋の前にあるという伏蔵はどこにあるのかわかっていなかった。それが記録通りにあらわれたのである。

南北幅約2・4メートル、東西幅2メートルの偏平な大石で、側面には一部加工を施してあり、現地表下10センチの深さにあった。この伏蔵が何を意味するのか、何が納められているのかは全く分からない。

伏蔵について最も古い記録は鎌倉時代の『聖徳太子伝私記』である。物部守屋征伐の時に使った太刀・甲冑とか、金銀銅の珍宝を納めていると伝えている。そしてもし法隆寺に一大危機が訪れたときには伏蔵を開き、その中にあるその財宝をもって再興せよ、という伝承もある。珍宝が納められているのか、どうか大変興味深いが、未だかつて伏蔵を開いたという記録はない。

ところが、明治維新の混乱期に開いたという、うわさがあった。明治20(1887)年ごろ、奈良の古社寺の宝物を調査した『美術品目録』という記録に、そのうわさのことが記されている。

「今回試掘の噂あり。千載の奇遇と待ちしに、其後は聞処なし。遺憾究る業にてあれとも、玉手箱は開かぬうちの楽しみなるかも」

金堂や経蔵の解体修理のときも、信仰上の理由から伏蔵の調査はしていない。今回も確認をすることはなかった。発掘後はもとのように土で覆い伏蔵を踏むことがないように囲いをしてしめ縄を巡らせている。

145 宝物の総合調査――専門家から好反応

太子の「1350年御遠忌（1971年）」の記念として、大宝蔵殿の北倉で開催した『法隆寺聖徳太子尊像展』が好評であったことに、私は大いに勇気づけられた。

やがて、その実績を踏まえつつ、ひとつのテーマに焦点を合わせた『法隆寺秘宝展』を毎年秋に開いた。それによって、今まで未整理であった寺宝も序々に整理されたのである。

はじめはこのような企画に関心を示さなかった人びとも、次第に理解してくれるようになった。

そのころ「奈良六大寺大観」の編纂のために調査が行われ、それに立ち合うといった絶好の機会にも巡り会った。

そのときに、当代を代表する研究者たちの近くでその謦咳《けいがい》に触れたことは私にとって幸せであった。

小僧のころから土蔵などの隅々まで入って宝探しを遊びのひとつにしていた私は、そこに眠っている膨大な資料が山積みにされているのを見て、いずれは整理をしなければならないという大きな夢を抱いていた。その熱情は冷めることはなかった。

やがて法隆寺のすべての宝物を調査し、それらを整理してしっかりとした保存処置をすべきではないだろうか、という永年の私の思いを研究者たちに相談する時代が来た。

そのときのほとんどの答えは「ぜひとも実行すべきであり、私たちも大いに期待している。しかしいずれにしても大きな事業であるからしっかりと腰をすえて行なうべきだろう」と言う意見が大勢を占めていた。

昭和53（1983）年ごろに私がそのような構想を抱いていることを伝え聞いた出版社の小学館から、その計画が実行に移すならばぜひともお手伝いをしたい、との申し出があった。そのことを早速に法隆寺内でも相談して昭和56年の太子1360年御遠忌の記念事業としてスタートを切ることを決意することとなる。

そして住職の間中定泉師に随伴して建築史家の太田博太郎さんにお目にかかり、法隆寺の宝物の総目録を作成するためにぜひともご指導とご協力をいただきたいとお願いしたのである。そしていよいよ調査に向けて一歩ずつ前進した。

ある集まりで、法隆寺の宝物調査のことが話題になったことがあった。そのときに西川杏太郎さん（後の奈良国立博物館長）から「それはまさに昭和の法隆寺資財帳作りですね」と言われたのである。やがて西川さんの言葉をいただいて、この調査を「法隆寺昭和資財帳」と呼ぶようになる。

そして小学館が全面的に協力をすることも決定した。そのとき法隆寺と小学館が同意をした趣意書には、つぎのように記されている。

「法隆寺は来る昭和56年に聖徳太子御聖忌1360年を迎えますが、かねてより当山所蔵の什宝《じゅうほう》の全てを整理し『法隆寺昭和資財帳』ともいうべき昭和の総目録の作成を行うことが、法隆寺に止宿する僧侶の使命の一つと考え、その機が熟するのを切望いたしておりました。幸い昭和57年に創業60年を迎える株式会社小学館がその記念事業の一端として『法隆寺昭和資財帳』の刊行に全面協力をしたい旨の申し出があり、その後充分に検討した結果、原則的な合意に達しました」

そしてまず編纂委員会を設置して、太田博太郎さんに委員長を依頼、倉田文作さん、坪井清足さん、鈴木嘉吉さんにそれぞれ委員を委嘱し、資財帳の編纂事業は大きく前進することとなる。

そのようなときに間中定泉師が法隆寺住職を勇退（昭和57年3月）され、大野可圓師が住職に、そして私が執事長に就任したのである。

いよいよ資財帳の調査が本格的に取り組む時期が到来したのである。

146

佐伯良謙和上像を造る——法隆寺再興100年を記念して

法隆寺管主佐伯良謙和上の肖像を造顕することが小僧時代からの夢であった。私は秘かに師匠の生誕10

0年を記念して実現したいと考えていた。やがて多くの関係者の協力を得て実現することとなる。

そしてその肖像の制作を東京芸術大学名誉教授の西村公朝さんに依頼したのである。公朝さんは良謙さんにほとんど面識がなく、ひたすら写真を参考にしながら制作をはじめられた。そのために公朝さんには、大変なご苦労をいただくこととなる。肖像の制作に当たっては、特に清水寺貫主の大西良慶師にご指導をお願いした。

それは明治の中ごろから良慶師や樋口貞俊師、板橋良玄師、良謙和上が興福寺や法隆寺でご一緒に修行時代を過ごされていたことによる。

やがて公朝さんが試作中の肖像を良慶師にご覧をいただいたときのことである。良慶師はすでにご高齢のため目がご不自由であったが、石膏で作った試作像の頭をなでながら「ああ、これが良謙さんか、頭がよう似てる」とおっしゃったのである。その言葉に公朝さんは安堵されたという。

やがて肖像が完成した。像の胎内へ、師匠の遺骨を納めた銀製の五輪塔や自筆の『般若心経』『聖徳会館落慶供養表白文』、そして私がいただいた遺愛の念珠を、銀製の箱（私がインドから将来したもの）に入れて納めたのである。

私は小僧のころから日常的に師匠から多くの影響を受けていた。特に昭和37（1962）年ごろに聞いた、法隆寺と興福寺が法相宗に独立したときの話は刺激的に耳に残っている。

それからの私は懸命となって法相宗へ独立したころの資料を探しはじめたのである。そして、埋もれていた多くの資料を発見することとなる。やがてそれを整理して昭和55（1980）年に出版したのが『近代法隆寺の歴史』（同朋社）である。

その中で、明治15（1882）年に興福寺と法隆寺が苦労をしながら真言宗から独立して法相宗になったこと▽そのとき興福寺と法隆寺が本山となったこと▽明治19年に薬師寺から法相宗へ加えてほしいという申し出があり、興福寺と法隆寺がそれを受け入れたこと▽興福寺住職園部忍慶師の早世により本山住職が千早定朝師1人となり、千早師が法隆寺と興福寺、清水寺の住職を兼務していつも法相宗管長の要職を兼ねばならなくなったこと▽そのため明治23年に法相宗の宗制を改めて薬師寺を本山の1つに昇格させたこと——などの新資料を紹介したことがある。

ちょうど昭和56（1981）年に、興福寺と法隆寺が真言宗から法相宗へ独立して百周年を迎える。私はそれを記念する法要の厳修と明治時代の資料の公開することを計画していた。

そして聖徳会館にこしらえた祭壇の中央に木造の慈恩大師像（昭和13〈1936〉年、大川逞一作）を中心に佐伯定胤像（昭和6〈1931〉年、高村光雲作）、そして新たに造立した良謙像（西村公朝作）を安置して、「法隆寺再興100年」の法要を執り行ったのである。導師は長老の間中定泉師に勤めていただいた。そのとき良慶師からつぎのような慶讃文をお寄せいただいたのである。

「良謙大僧正の生誕百年にあたり和上像の造顕なる。和上は佐伯定胤猊下と故郷を同じくし、懇望せられて法隆寺に入る。学業は申すまでもなく、一山の萬事に精通さる。英才賢正、明治已後定胤和上を継ぐ唯一の人なり。

法隆寺第百四世として太子の遺風を奉じて名声偏す所なし。寂して十有余年、爰に像なり、開眼の式を挙げらる」

そして「法隆寺再興百年記念資料展」を開催した。いずれも初公開の明治時代の資料であり、多くの人びとの関心を集めた。

やがて法要を終えた良謙像は、新調した春日厨子に奉安して律学院（重要文化財）に安置した。その厨子は平城宮跡大極殿や興福寺中金堂造営の工匠で知られる瀧川昭雄さんに造ってもらったものである。

147
法隆寺住職の就任式——「印鎰之儀」を再興

寺院を統括する僧官を「別当」と呼ぶ。法隆寺では承和年間（834-848）の「延鳳」を別当の初代としている。そして新しく別当に就任したときに伽藍の諸堂を巡拝する行事を「別当拝堂」と言う。

そのときに別当は寺官の役人から法隆寺の公印である「銅印」（鵤寺倉印）と綱封蔵の「鎰《やく》（鍵）」を受け取る儀式があった。それが「印鎰之儀《いんやくのぎ》」である。

ところが、天文22（1553）年に就任した「兼深」（興福寺東北院）を最後に別当職は廃止された。それからは法隆寺専属の寺僧の首座である一臈《いちろう》法印（法隆寺の代表者）が法隆寺を統率することとなる。

その慣習は明治初年まで続いた。この一臈法印に昇進した寺僧は講堂（現在は経蔵に安置）に安置していた聖僧像（伝観勒僧正像・鬢頭《びんずる》盧尊者像・木造・彩色・像高90・6センチ・平安時代）の宝前に参拝して白麻製の戸帳と杖を奉献することが慣例となっていた。

戸帳には「聖僧御宝前・僧綱位と名前、奉納年号」が記されており、現存するものでは天正9（1581）年が最も古い。一臈法印が聖像に参拝をするのは勧勒を初代の法隆寺別当とする伝承に由来しているらしい。

その慣例も、明治維新のときには姿を消した。明治年間の千早定朝師、秦行純師、佐伯定胤師が住職に就任したときの状況はわかっていない。そして昭和25（1950）年の佐伯良謙師の住職就任奉告式からは聖霊院で執り行われている。昭和38年の間中定泉師もそれを踏襲している。

最近では住職就任式を晋山式と呼んでいるが、法隆寺の古記録の中で晋山式という名称を見たことはない。私はかねてから機会があれば「印鎰之儀」を再現したいと考えていた。いよいよそれを再興する時代が到来したのである。

昭和57（1982）年に大野可圓師の晋山式のときに実現をすることとなる。私は古記録を参照しつつ、古い就任式の姿を再現することにしたのである。

ご本尊となる聖僧像は鎌倉時代の春日厨子に安置をしており、厨子には注連縄が巻かれ扉は枢《くるる》（扉の開閉軸）で閉められていた。古くは海老鍵がかかっていたことを示す金具の痕跡がある。しかしすでに鍵は失われていた。幸い私がその金具に符合する海老錠を所蔵していたのでそれを提供した。今ではその錠を法隆寺へ寄進している。

そしてその厨子を大講堂へ遷し、その宝前で「印鎰之儀」を執り行ったのである。

厨子の宝前で前住職の間中定泉師から新住職の大野可圓師へ法隆寺の銅印と鍵を入れた居箱を手渡してもらうこととした。

新住職は厨子を開いて新たに戸帳と杖を納めたのである。それからの住職の就任式はこのときに私が創案した法則を踏襲している。

なお、法隆寺では別当や一臈法印、住職については明治期に千早定朝さんが『別当記』と自坊の中院の歴代の住持の次第を参考に決めたものである。

その中には若くして亡くなったり、退寺をした寺僧なども含まれており、決して完全なものではなかった。

それについて、私は師匠がおっしゃった言葉が今も耳元に残っている。

「法隆寺は古い寺やのに、私で104代というのはおかしいなあ。もっと多くの住職がいたと思うがなあ」

私はいつもそのことが気がかりになっていた。そして機会があるごとに寺僧の記録を調べたのである。そして『別当記』から欠落している別当や一臈法印を、古文書などを照合しながら整理した。

　それらの資料に基づいて私が法隆寺住職に就任したときに大改正したのである。

148

昭和資財帳編纂所を設置——世紀の大事業に着手

法隆寺昭和資財帳編纂の調査は、奈良国立博物館と奈良国立文化財研究所を中心にご協力いただくこととなった。そして聖徳会館内に「法隆寺昭和資財帳編纂所」を開設。私が資財帳編纂所長を兼ねるとともに、事務局と調査室の機能を充実するための準備にとりかかったのである。

　しばらくして浜田隆さん（文化庁・奈良国立博物館館長）、西川杏太郎さん、山本信吉さん（文化庁・奈良国立博物館館長）にも委員に加わっていただいた。そして法隆寺からは資財帳編纂の提唱者として私が委員に加わったのである。

　なお、昭和13（1938）年に法隆寺美術工芸品調査委員に就任して西円堂奉納鏡や武具、武器などを調査された末永雅雄さん（奈良県立橿原考古学研究所所長）の推挙によって、菅谷文則さん（奈良県立橿原考古学研究所）と宮崎隆旨さん（奈良県立美術館）が調査に参加することとなった。

　そして銅鏡は菅谷さん、武器・武具は宮崎さんが担当をして貰った。そして昭和資財帳の編纂は昭和57（1982）年4月26日の銅鏡の調査からはじまった。

　偶然にもその日に、漢代の鏡や唐代の海獣《かいじゅう》葡萄鏡《ぶどうきょう》をはじめ、貴重な和鏡などを続々と発見した。それにより、調査の前途に大いなる期待がもたれることとなった。

　しかし、この調査も順風満帆ではなかった。いくつもの山を乗り越えなければならなかった。

やがて銅鏡に続いて飛鳥時代の蜀江大幡《しょっこうおおばん》や金箔牛皮のついた衣裳（馬甲）、褥《じょく》（しきもの・ふとん）などの発見もあり、それらは新聞、テレビを通じて大きく報道された。そして「法隆寺昭和資財帳」を編纂する意義を広く人びとに理解していただくこととなったのである。

考古関係も、奈良国立文化財研究所で古瓦や百萬塔の調査が始まり、百万塔が4万5755基も伝来し、その塔底などに残る墨書銘から奈良時代の工人たちの様子を伝える貴重な成果をもたらした。

奈良国立博物館の調査は、倉田文作さんの他界という予期せぬ不幸もあって着手が少し遅れたが、しばらくして後任の濱田隆さんの指揮のもとに、彫刻、工芸、絵画の調査もはじまった。

建築部門も奈良国立文化財研究所によって進行し、ここに「法隆寺昭和資財帳」づくりは全面的に前進することとなったのである。

そのころ見つけた『法隆寺宝物目録』（千早定朝編）に、私と同じ考えがあったことが記されていた。

「天平の古式に倣ひ當寺流記資財帳を編集せんと欲するの志念あり」

すでに明治期にも『法隆寺明治資財帳』の作成をしたいという考えがあったことが語られていたのである。

この発見が私にとって大きな励みともなった。私はこの事業に対していかなる困難が待ち受けていようとも、必ず完成しなければならないとかたく誓ったのである。そして資財帳の調査とともに、明治時代の記録の整理にも懸命となり、調べれば調べるほどに興味がわいた。

若いころからご交誼をいただいていた東大寺長老の橋本聖準師の病床をお見舞いしたときのことである。

「良信さん、宝物を調査するのは楽しいやろう。いつもテレビや新聞で見ています。私も若いころに東大寺図書館で古文書を整理したときは楽しかった。良信さんの姿を見ていると私も若いときのことを思い出します」

橋本長老がおっしゃったように私は毎日が楽しくて仕方がなかった。膨大な未整理の資料に接するたびに幸せを感じていたからである。

149

伝統行事の復興——慈恩会、三蔵会、涅槃会……

「法隆寺昭和資財帳」の調査も軌道に乗った。それに伴って、多くの宝物や法具も発見されたのである。その多くは信仰の尊い遺産であり、伝統行事に使用されつつ伝わった貴重なものが多かった。

それらを正しく生かして伝えることこそ昭和資財帳調査の意義があると、私は痛感をしたのである。そして古記録によって可能な限り、断絶している行事を旧姿に復することにも取り組むこととなった。

昭和57（1982）年の11月13日には32年ぶりに法相宗の高祖慈恩大師の追悼法会である「慈恩会《じおんね》」を、そして2月5日に玄奘三蔵の追悼会である「三蔵会」、2月15日に涅槃会《ねはんえ》、4月8日の仏生会など、多くの法会を再興したのである。そして修正会などの行事も可能な限り旧姿に復することに努めることとなった。

特に金堂で行う修正会のお手伝いをいただく承仕《じょうじ》の役を昭和58年から新設した。それには菅谷文則さん（奈良県立橿原考古学研究所）、松浦正昭さん（奈良国立博物館）、山岸常人さん（奈良国立文化財研究所）、前園実知雄さん（奈良県立橿原考古学研究所）、折橋俊英さん（小学館）らに協力いただいた。

その期間中に、集まってはよく談笑し、法隆寺の話に花が咲いた。そして法要に使用している法螺貝《ほらがい》に延慶3（1310）年の刻銘があることを発見したのも、このころである。

昭和62年から修正会の一般参拝を始めた。そのころに修正会の現在の姿が整うこととなる。法会の表白や行事の古文書が伝来していたことが、行事の復興に大いに役だった。

しかし、鎌倉時代に興福寺の「維摩会《ゆいまえ》」にならって法隆寺で行っていた「勝鬘会《しょうまんえ》」は復興できなかった。余りにも資料が乏しかったことによる。私は誤った内容の伝統行事を創作して後世に遺すことを、懸念していたからである。

また、聖徳太子の忌日法要であるお会式にお供えする「ケイピン」という供物が久しく絶えていた。それを平成元（1989）年に朝日放送の牟田口章人さんの協力によって古代食の研究家である奥村彪生さんに復元していただいた。

このように現在、法隆寺で行なわれているほとんどの行事はこの時期に復興して現在の姿に整えたものである。

そのようなときに銅鏡の調査を担当した菅谷文則さんからひとつの提案があった。それは西円堂へ銅鏡を奉納する信仰を復活しては、というものである。昭和10（1935）年に西円堂の解体修理をしたとき、鎌倉時代から西円堂の薬師如来の霊験に対して全国から奉納されていた銅鏡や武器、武具、櫛、簪《かんざし》などが取り外されていたのである。

やがて菅谷さんの発案によって、銅鏡の奉納を復活することとなった。菅谷さんに選んでいただいた平安時代の銅鏡の複製を、鋳物の町で知られる富山の高岡市で製作してもらうよう依頼したのである。

菅谷さんと2人で、高岡の鋳物業者を訪ねて銅鏡の製作を発注した。そして平成6（1994）年10月8日に西円堂への銅鏡奉納式を厳修したのである。

それから毎年の10月8日に、西円堂銅鏡奉納大般若経転読法要を厳修している。そして年々新しい鏡が奉納されつつある。

150

善光寺如来の御書筥――永遠に開くことなく

法隆寺は「善光寺如来御書」が入った筥《はこ》を秘蔵している。その中には善光寺如来から聖徳太子宛の書簡が3通入っているという。

太子が用明天皇を供養するために、四天王寺で7日間にわたって「南無阿弥陀佛」の念仏を7万遍《べん》唱えたとする伝承がある。

太子はその功徳について、信濃国善光寺の阿弥陀如来のもとへ書状を遣《つか》わしてお尋ねになったとする。使者は調子麻呂や小野妹子たちであったと伝わる。

善光寺では太子からの書状に墨、筆、硯、紙を添えて如来にお供えしたという。すると不思議なことにしばらくして、返書が戸帳の外に置かれていたのである。

それには「あなたは休むことなく一心に名号を唱えられている。それは大いなる功徳です」（要旨）と書かれていた。

太子に善光寺如来からの返書を届けられると、太子はその書面を拝見してから封印して、法隆寺の宝蔵に納められた。そして太子はその書状を開くことをかたく禁じたとする。そのことは鎌倉時代の『太子伝私記』や『善光寺縁起』にも記されている。

昭和60(1985)年に法隆寺昭和資財帳調査の一環として、御書筺を調査することとなった。御書は4重の箱に納められており、外の2重は元禄7(1694)年に5代将軍綱吉の生母桂昌院からの寄進で新調、内の2重は慶長11(1606)年ごろに新しくしたものである。その中には、錦の袋に包まれたものが入っていた。

さらにその袋の中を調べると、それには奈良時代の古い幡《ばん》を転用した錦に包まれており、その奥に小筺(縦30センチ、横7・8センチ、高さ3・9センチ)があった。

その筺は四方が蜀江錦《しょっこうきん》と呼ぶ「赤地格子連珠文錦」で覆われており、その色はきわめてあざやかであった。おそらく永年にわたって奥深く納められていたために退色しなかったのであろう。

特に、3重目の箱の中には慶長11年と元禄4(1691)年の2通の封衆状(開かないことを誓った書状)が納められていた。

それにはいかなることがあっても御書を見てはならない、という趣旨の掟が記されている。法隆寺では古くからその掟を遵守することを大切に守ってきたのである。そのためにこの調査でも書状の中は確認していない。

ただ御書の保存状況を確認しておくため、X線写真を撮った。すると、巻かれた書状らしいものが3つ入っていることが確認されたのである。

その小筺の発見は、昭和60年11月3日からテレビ、ラジオ、新聞を通じて大きく報じられ、大反響を呼ぶこととなった。

ところが、この禁断の筺が明治5(1872)年に開かれていたことが判明したのである。それは明治5年に政府が古社寺の宝物を徹底的に検査したときのことである。

そのときに御書筺が開かれ、善光寺如来から太子に出したとする3通のうちの1通を、紙を重ねて写し取っていたことがわかった。

その写しには「善光寺如来ノ返書三枚ノ内、八月二十六日写柏木」とあり、柏木という調査員が写していたのである。

それは東京国立博物館が所蔵する『壬申検査社寺宝物図集』に収録されていた。これは町田久成や蜷川式胤たちが日本最初の文化財調査をしたときの貴重な記録であり、日本の文化財保存の魁の資料となっている。

しかし寺院にとっては、強引に信仰を踏みにじられた調査であったことは否定できない。

151　聖霊院本尊胎内仏ご開帳——最後の秘仏に長蛇の列

聖霊院《しょうりょういん》の中央の厨子《ずし》に安置している聖徳太子像は、平安時代に造られたものである。その太子像は、冠を戴いて胸前で笏《しゃく》を持った正装の姿で、朱色の袍《ほう》を着て、顔は聡明な太子にふさわしい容貌である。

しかも軽く口を開いてわずかに歯も見えており経典を講義している姿を現している。

この太子像には、眷属《けんぞく》として太子の御子である山背大兄王、太子の異母弟の殖栗王、卒末呂《そまろ》王の3人の王子と、太子の師である恵慈《えじ》法師の4体が太子を擁護する四天王のように従っている。

特に太子像の胎内には亀の背に蓬萊山《ほうらいざん》（木造・総高28・5センチ）が据えられ、その上に太子の本身である金銅の救世観音立像が奉安されている。それに太子が講讃した法華、勝鬘《しょうまん》、維摩《ゆいま》の3経が添えられている。

明治38（1905）年に行われた修理では、胎内納入品は確認されたが、ごく一部の信徒と学者に奉拝を許し、写真撮影しただけで一般に公開することなく再び胎内に納められていた。

ところが、明治の修理から80年が経過した昭和60（1985）年にふたたび修理が必要となったのである。

5月22日に納入品の保存状況を確認するために、寺僧や関係者たちが見守る中で胎内から奉出した。

経巻に、わずかに虫食いはあったものの、好条件のもとに納入されていることが判明した。私はぜひともこの機会に、救世観音像（金銅製・白鳳時代、高24・2センチ）やすべての納入品を希望者にご開帳したいと考えた。

法隆寺の同意を得て、6月22日と23日の2日間に限り、午前10時から午後3時まで聖徳会館でご開帳したのである。この千載一隅の機会に多くの拝観者が殺到した。

聖徳会館から西大門に至り、再び東大門まで折り返すほどの長蛇の列となり3時間以上も待っていただく盛況ぶりである。まったく予期していないほどの大反響であった。2日目の23日はあいにくの雨天であったが拝観者の列は絶えることはなかった。

法隆寺最後の秘仏を拝観したいという人びとの熱気が、境内に漂っているのを私は感じた。

ときには余りの待ち時間の長さに苦情も続出した。私は人びとに謝罪してまわった。そのときに罵声を浴びることもあったが、うれしかった。これほどの反響に、ご開帳を決断してよかったと満足していたからである。

特に私は、このご開帳に寄せられた拝観料（1000円）やお賽銭《さいせん》のすべてを社会福祉に充てたいと考えていた。ご開帳を決断したときに、法隆寺の同意を得ていた。

そして奈良県知事の上田繁清さんを訪ねて、すべての浄財を「世の人びとのお役に立ててほしい」と託したのである。

なお2日間の拝観料（1万108人分）と賽銭26万円余りの合計は、1037万3168円であった。

それに対して奈良県では、日本赤十字社奈良県支部を通じてアフリカ難民義援金に500万円、残りを財団法人奈良県交通遺児援護会へ送られたと聞く。

このご開帳の実現にもいろいろと心労はあったものの、後味のよい清々しさを感じたのである。

152 藤ノ木古墳の被葬者論争——崇峻天皇説を唱える

昭和60（1985）年の夏に、法隆寺の近くにある1つの古墳の発掘が行なわれた。それは、法隆寺の西大門から西へ250メートルほどの距離にある。

その古墳を「藤ノ木古墳」と呼んでいる。その発掘によって未盗掘の朱塗りの石棺、みごとな文様を施した馬具、そして数多くの副葬品が発見され、この古墳の名が国の内外にまで知れ渡ることとなった。

そして古墳の被葬者の論争も華々しく展開された。

私が小僧のころの藤ノ木古墳は、柿畑となっていたように記憶する。そのころ人びとは「ミササキ」とか「ミササキ山」と呼び、古墳に生えている樹木などを切ったら腹痛が起こるといった伝承が、まことしやかに語り継がれていた時代でもあった。

そのころ私は「宝探し」と称して、法隆寺の境内にある土蔵や、建物の天井裏などに入って、何か珍しいものはないかと探しまわっていた。

そのとき、私がはじめて見つけ出したのが奇しくも、この藤ノ木古墳に関する古文書類である。それは昭和34（1959）年のことであった。

法隆寺の東大門を出た左側に、宗源寺という寺院がある。その庫裏《くり》の押入れにある隠し階段から、2階に上ったときのことである。その隅に小さな舟タンスがほこりの中に埋もれるように置かれているのを見つけた。私は、その舟タンスから多くの古文書を発見したのである。

それには藤ノ木古墳の図面や古墳を守護するかのように建っていた「宝積寺」のことなどの記録が含まれていた。

宝積寺は浄土宗の尼寺で、宗源寺の末寺であった。そのために宝積寺が管理していた古墳の記録があり、それに「ミササキ山は崇峻天皇の陵墓である」と記されていたのである。

やがて私はそれを根拠として、この古墳の被葬者は「崇峻天皇」という伝承が起こりうるような人物ではないか、と唱えることとなる。いわゆる「崇峻天皇説」である。

始めのころは、崇峻天皇説はまったく支持されなかった。皇族の古墳が斑鳩にあるはずがない、というのがおおよその見解であったことによる。そのころは、膳《かしわで》氏や物部氏といった豪族を被葬者とする説が圧倒的であった。

やがて石棺の蓋《ふた》が開かれた。そしてその中から立派な副葬品が発見され、2人の人物が葬られていたことが明らかとなったころから、被葬者論も大きく変化を見せた。やがて、皇族説や崇峻天皇説までが唱えられるようになる。研究者たちも被葬者説を変更せざるを得なくなったのである。やがて崇峻天皇に近い人物とする説が有力視されはじめた。

そしてこの被葬者論争は、法隆寺の資財帳調査の成果とともに大いに考古学や古代歴史ファンを魅了することとなった。

法隆寺では、昭和資財帳の調査も順調に続いており、新聞やテレビなどで新発見の報道も行なわれた。

そのころ、あるテレビ局のニュース番組で、キャスターから「このごろ法隆寺では大掃除をしているのでしょうか、」といった皮肉めいたコメントがあったほどである。

藤ノ木古墳の被葬者論争が盛んとなっていたころ、東福寺管長の福島慶道師とご一緒に中国を旅したことがあった。そのとき福島管長がつぎのようにおっしゃったのである。

「藤ノ木古墳の被葬者論争は大変興味深いですなあ。髙田さんの崇峻天皇説が有力になってきましたね」

それに対して奈良のある大寺の住職は「あんたはこのごろ墓を調べているらしいなあ」と、皮肉たっぷりに一言。世に呼ばれている高僧もさまざまやなあ、と私は感じた。

153

昭和大修理完成を祝う――夢殿前に舞台を復元

昭和9（1934）年からはじまった法隆寺の「昭和大修理」が昭和60（1985）年に完成。それとほぼ時期を同じくして、法隆寺防災施設改修及び一部増設事業も完了した。

私はそれらを記念して「法隆寺昭和大修理完成法要」を厳修することを思い立ったのである。法隆寺の大法要で使用する舞台は、源頼朝が寄進したとの伝えがあり、夢殿前のスペースに合わせて造られたものという。

しかし夢殿の前庭が狭いこともあり、元禄4（1691）年から西院の大講堂前へ移して法要を行なうようになり、夢殿前に舞台を設営することはなくなった。

そのことから私はぜひとも夢殿前に舞台を組んで法要を執り行いたいと考えたのである。舞台を夢殿前にしつらえてみると、やはり夢殿と礼堂の空間にピタリと収まった。特に、この法要を記念して聖徳太子像を新たに造ることも計画した。聖霊院本尊を修理された京都・美術院所長の小野寺久幸さんに彫ってもらうこととなった。

そしてこの法要のために、染織研究家として名高い吉岡常雄さんのご協力によって堂塔を飾る蜀江錦《しょっこうきん》の幡《ばん》や、太子像の輿《こし》を担う輿舁《こしかき》の衣裳なども復元し、奉納していただいた。そのときに、昭和57年に発見した蜀江錦など飛鳥時代の織物や染色を参照して再現されたのである。

特に金堂内へは、壁画の模写をされた日本画壇の重鎮吉岡堅二さん（常雄さんの実兄）から天人を描いた素晴らしい幡2流が奉納された。

いよいよ11月4日に法要を執り行うこととなったが、準備のために一足早く東院の南門を開く必要があった。法要の行列や参拝者が入る通路を確保するためである。

この門は不明門として近年は開いたとする記録はないが、明治5（1872）年に開いている写真がある。それを根拠に開門することを決めたのである。

そのことからまず太子像に不明門からお入りいただくこととなった。

昭和60年10月15日、私が「ご開門」と発声すると不明門は厳かに開かれ、太子像を先頭に入門したのである。このとき不明門を開いたとして話題となった。

そして11月4日に法要が執り行われたのである。幸い晴天に恵まれ、境内は参拝者であふれていた。

特に、11月3日にＮＨＫで放映された特別番組「斑鳩の秘宝」によって資財帳調査の様子が放映され、調査の意義を多くの人びとにご理解をしていただくこととなった。

この法要が無事に行なわれた記念と、資財帳の意義を多くの人びとに知っていただくために、資財帳の成果をご披露する展覧会を東京、大阪、名古屋、福岡などで開催した。それに関する講演会も各地で開いて、大いに盛り上がった。

なお、私はかねてから兵庫県揖保郡太子町にある斑鳩寺と交流を深めたいと願っていた。斑鳩寺は太子の時代から関係が断絶する秀吉の時代までの約1千年間、法隆寺の財源を支えた鵤荘《いかるがのしょう》の出先機関でもあったからである。

そしてこの法要を契機に正式に交流がはじまり、永年の私の願いがかなったのである。そのときから斑鳩寺のある太子町とも親交を深めることとなり、やがて太子町と斑鳩町が姉妹提携する契機ともなった。

154

土岐善麿の新作能「夢殿」——昭和60年念願の奉納

私は、機会があれば太子に能楽を奉納したいと考えていた。それは能楽が太子からはじまるとする伝承があることによる。特に私は、6歳のころから謡《うたい》や仕舞《しまい》を習っていたこともあり、能楽に興味を抱いていた。

残念ながら、法隆寺に関係する能の演目が見当たらなかった。昭和59年7月に東京で講演をしたときのことである。

そのときに歌人であり、国文学者としても名高い土岐善麿さん（1885－1980）の三女の三宅ミナさんと出会った。そして三宅さんから一冊の書籍をいただいたのである。

それは土岐さんの名著『新作能縁起』（光風社書店、昭和51年発行）で、土岐さんの署名もあった。しかもそこには、土岐さんの新作能「夢殿」が収録されていたのである。とっさに私はこれだ、と直感した。それは太子の伝記を資料として太子を奉賛する内容の能であったからである。

その話は、ある春の日に法隆寺に参詣した東国からの旅僧の前に、1人の老人が現れて夢殿へ案内することから始まる。

そして仏教の教えを説きながら、太子が片岡山で餓人に逢われた説話、太子誕生の奇瑞、十七条憲法の根本的理念などを語って、老人は夢殿の中に消える。

やがて読経する旅僧の前に太子が現れ、黒駒に乗って富士山を駈け、北越の空を巡ったという説話を展開する。

この能楽は土岐さんの処女作であり、昭和15（1940）年5月27日に夢殿前の礼堂で、素謡の形で初めて奉献されていた。

そのとき節付けをされたのは、喜多流第15世宗家の喜多実さん（1900－1986）である。宗家は善麿さんと協力して「夢殿」「鶴」などの新作能を発表している。それは善麿さんが喜多流の門弟であったことによるらしい。

このとき、太子と等身像という秘仏の救世観音像も開扉されていた。宗家は礼堂の中央から夢殿に面して座した。そして右には喜多流職分の和島富太郎さん（１９１４－１９９４）、左に土岐善麿さんが端座して「夢殿」が奉献されたと聞く。

その右側には広辞苑の編著で名高い言語学、文献学の大家として名高い新村出さん（１８７６－１９６７）夫妻、民俗、国文学者、そして歌人としても知られる折口信夫さん（１８８７－１９５３）、歌人の前川佐美雄さん（１９０３－１９９０）などの顔があった。

その左側には住職の佐伯定胤師をはじめとする寺僧たちが居並んでいた。このように新作能の「夢殿」は初めて奉納されたのである。しかし、夢殿前で能楽として演じられることはなかった。

そのことから、ぜひともその能楽を夢殿で奉納いただきたいと、私は秘かに期待したのである。それは、喜多流で演じられているために宗家の喜多実さんにお願いすることになった。そして夢殿前で新作能「夢殿」の奉納が実現したのである。

昭和60年11月5日に「昭和大修理関係者物故者法要」につづいて仕舞（喜多流）「井筒・船弁慶」、狂言（大蔵流）「六地蔵」、能（喜多流）「夢殿」が奉献された。そのとき宗家に代わって喜多長世（喜多流第16世宗家）さんが上演した。

これによって、私のささやかな念願のひとつが実現したのである。

155

法隆寺創建１３８０年——現代の遣隋使

昭和61（１９８６）年4月に、法隆寺創建と遣隋使派遣１３８０年を記念して中国を訪れた。舞楽を継承している南都楽所《がくそ》の協力を得て北京や西安・上海で舞楽法要を行なったのである。

まさに舞楽法要の回帰であった。中国の仏教界や音楽関係者も大いに興味を抱いたと聞く。

そして聖徳太子が遣隋使を派遣されて１３８０年を迎えることを記念して、その訪中団を「現代の遣隋使」と名づけたのである。

それは中国仏教協会会長であった趙樸初師と相談して決めたものである。このとき１００名余りの人びとと一緒に訪中して中国仏教界と交互に法要を執り行った。これは日中仏教法要の相互交流でもあった。

　この中国での法要にも、染織研究家の吉岡常雄さんが制作した古代衣裳をつけた輿舁《こしかき》が、小野寺さんの制作した太子像を担いで行列したのである。

　このときの様子はＮＨＫの特別番組『大黄河』にも収録されて、広く報道された。そのころ資財帳調査なじどとともに、画期的な出来事が相次いでいた日々である。

　日中仏教の交流の会合で来日した中国仏教協会の申在夫師から私にひとつの相談が寄せられた。それは趙樸初師が最も崇拝されている唐招提寺の鑑真和上のご廟近くに、趙師の歯を納めたいというものであった。

　しかも申師はそれを密かに、私と２人で実行をしたいというのである。

　そして私たちは非公式に唐招提寺を訪れて鑑真廟に参拝し、ご廟の左下へ納めたのであった。そしてそのことはしばらく秘すこととなったのである。

　このように訪中、訪日が盛んになることによって、ますます相互交流が深まった。そして中国仏教協会との会合などを通じて日本の仏教界とも親しくなったのである。

　それまでの法隆寺は、奈良の諸大寺以外とは交流はなかった。法類寺院である清水寺とは深いご縁があったが、それ以外の寺院とはほとんどないというのが実情であった。

　ところが、中国仏教協会を介して京都の諸大寺をはじめ、東京の寛永寺や増上寺などの関東の名刹や日本の宗教界ともご交誼を深めることとなった。

　このように日本の諸大寺と法隆寺の交流は中国仏教協会を介して結ばれたというのが真相である。

　特に中国仏教協会の招請によって清水寺、知恩院、永平寺、比叡山、浅草寺の高僧たちとご一緒に中国の古刹を訪れ、東福寺や相国寺などの高僧たちと西安郊外の法門寺の落慶供養会に参列したことによって、そのご縁がますます深まることとなった。

　その意味では、法隆寺と日本の仏教界との関係が盛んになったのには、中国仏教協会との交流が大きく影響したというべきであろう。まさに日中仏教交流のたまものである。

　特に比叡山や京都仏教会と法隆寺の交流は、中国仏教協会と清水寺によって深く結ばれたことを改めてここに特記しておきたい。

156
法隆寺ふたつの観音――百済観音堂建立を決意

法隆寺には観音像が多い。それは聖徳太子が観音の生まれ代わりであるという信仰によるものらしい。そのことから法隆寺には飛鳥時代を代表する救世《くせ》観音、百済観音、夢違《ゆめちがい》観音、六観音をはじめ、遣唐使が将来したと見られる檀像の九面観音や如意輪観音など多くの観音像が伝わっているのである。

ちょうど昭和資財帳の調査の最盛期であった昭和62年に秘仏として知られる夢殿の本尊救世観音像の修理を行なうこととなった。

それは明治39（1906）年の修理から80年ほど経過していたこともあり、再び修理を必要としていた。そして修理のために救世観音像は夢殿から収蔵庫へと運ばれたのである。私はこの機会に救世観音像を明るい場所でご開帳をすることを秘かに考えていた。ちょうど奈良県では「シルクロード博覧会」が開かれようとしていた時期である。ちょうどそのころ法隆寺では百済観音を安置するための新しい殿堂を造りたいという気運が高まりつつあった。

どうしたことか、この世界的にも名高い百済観音が、いずこで造られ、どこに安置されて来たのか、その由来はまったくわかっていない。

飛鳥彫刻を代表する尊像ではあるが、初めて記録に登場するのは今から300年前の元禄11（1698）年のことである。

かつては金堂や講堂の客仏として安置されたこともあり、ご信心の篤い人びとに福徳寿命を授け給う虚空《こくう》蔵《ぞう》菩薩として信仰されていたと伝える。また、明治30（1897）年ごろからはしばらく奈良帝室博物館に出陳されていた時期もあった。昭和16（1941）年からは、聖徳太子1320年御遠忌の記念事業として開館された「大宝蔵殿」の特別室に安置されている。しかし、いずこも百済観音像にとって、あくまでも仮の館にすぎなかった。

いずれは百済観音にふさわしいお堂を建立することを願う声もあり、私も昭和52（1977）年に出版した『法隆寺のなぞ』（主婦の友社）の中で「是非とも百済観音像を安置するお堂を造りたい」と記している。昭和大修理も一段落した昭和62（1987）年の夏のことであった。

法隆寺住職の大野可圓師が、百済観音を安置する殿堂を造りたい、との思いを私に漏らされたのである。それを聞いたときに私は即座に賛同した。そして救世観音の修理が完成するのを記念して百済観音と一緒にご開帳をすることを発願したのである。

その機会に百済観音堂の建立を正式に発願しようと考えたからである。私は飛鳥時代の白眉である救世観音と百済観音を一緒に公開することは、この機会を失うと2度と実現することはないと考えていた。

そして昭和62年10月1日から6日までの6日間に、救世観音の修理完成と百済観音堂建立発願を記念して「救世観音と百済観音」の特別ご開帳を聖徳会館で開くこととなった。この「法隆寺ふたつの観音」のご開帳が大きな反響を呼んだことは言うまでもない。それからの私は百済観音堂の建立が成就するために、浄財の勧進と計画の促進のために奔走することとなる。

世紀のご開帳を終えた救世観音は夢殿の厨子内に再び安置をしたのであった。そして10月9日に救世観音の修理完成を記念して夢殿で、裏千家千宗室宗匠（後の玄室大宗匠）によるお供茶をご奉仕いただいたのである。

これがきっかけとなって裏千家から格別のご交誼《こうぎ》をいただくこととなる。

157 天皇崩御——古例によって追悼する

昭和資財帳編纂《へんさん》の一環として、法隆寺から流失した宝物の行方を調査していた。そのために私はアメリカのボストン美術館やメトロポリタン美術館などへも調査に出かけたこともあった。その成果は、昭和63（1988）年10月にNHK特集「追跡・聖徳太子の秘宝」で放送されたのである。

それは「法隆寺旧蔵宝物」の追跡調査の様子を追うドキュメントであった。この放送によって不明であった流失宝物の存在が次第にあきらかになったのである。私にはそのころ1つの大きな願いを抱いていた。

ちょうど明治11（1878）年に寺宝を皇室へ献納をしてから昭和63年で110年目を迎える。私はその機会に、最も古い太子像の「唐本御影」にぜひとも法隆寺へ里帰りしていただきたい、と願っていたのである。

やがて宮内庁との1年越しの交渉が多くの人びとの尽力によって実ることとなる。その秘宝中の秘宝が法隆寺へ特別の思し召しでお貸し下げになることとなったのである。昭和63年の10月12日は法隆寺の歴史の1ページを飾る記念すべき日となった。私は宮内省からの連絡によって京都御所へ受け取りに赴《おもむ》いたのである。かつて明治天皇のお手許に納められた代表的な献納宝物は戦後も天皇の財産として宮内庁で保管をされて来た。

その保存管理は宮内庁の侍従職があたっていたのである。私は指定された京都御所の乾御門内にある宮内庁京都事務所を訪ねた。

そして参内殿で「聖徳太子と二王子像」のお貸し下げとなった。御物は勅封である「御文庫」に納められていると聞く。

毎年秋に曝涼《ばくりょう》が行われていたが、その年は天皇陛下がご不例のために中止となっていたが、法隆寺への貸し下げは特別に許されたのである。

私は緊張をしながらお預かりをしたことを鮮明に覚えている。法隆寺へ持ち帰った御影は一時的に収蔵庫に保管した。

翌10月13日に夢殿内の正面に設えたガラスケース内に奉懸したのである。そのご宝前には東京国立博物館からこの日のために特別に借りた四十八体仏の観音像も安置していた。

そして献納宝物110年記念法要「聖徳太子奉賛法要」を夢殿前で厳修したのである。私は、古くから天皇や皇族の病気平癒の祈願をするときに本尊とする、西円堂本尊の胎内仏と伝わる「薬師如来坐像」も安置した。

それは天皇陛下のご病気平癒を参列者とともに祈願するためであった。

しかし、残念ながら翌昭和64年1月7日に天皇陛下が崩御された。私は両陛下が法隆寺へ行幸されたときの御製「過ぎし日に、炎をうけし法隆寺、たちなほれるを、けふはきて見ぬ」を想いつつ黙然合掌をした。

そして私は急遽《きゅうきょ》、古記録を参照しつつ大行天皇陛下をご供養する作法を決定した。そして毎日の日課御供養、7日ごとの作善講、2月24日の「大喪の礼」の日には先例によって南、東、西の大門を閉門（拝観中止）して同時刻に聖霊院で「大喪の礼遙拝法要」を厳修したのである。

なお、1月9日には即位された今上天皇陛下の聖寿無極を祈って「朝見の儀」と同時刻に「聖寿無極祝禱法要」仁王講一座を執り行った。そして新しい平成の時代が始まったのであった。

158

聖霊院の蓮池図——林功さんとの出会い

国宝の聖徳太子像をご本尊とする聖霊院《しょうりょういん》の内陣の、各厨子《ずし》内の三方の板壁に「蓮池図」がはめ込まれている。それは元禄3（1690）年に絵師長谷川等真が描いたものであるが、破損が著しかった。特に聖霊院を昭和23（1948）年に解体修理したときに、厨子内を建立当初の姿に復元したために、蓮池図と板壁の大きさが合わなくなっていたのである。

そのため、昭和資財帳編纂委員長の太田博太郎さんをはじめとする編纂委員や文化庁とその善処策を相談した。

そしてこの機会に、障子絵を新調することとなったのである。ところが、それを依頼する画家を誰にするのか、といったことが問題となった。

その人選は、資財帳編集委員の1人であり東京国立文化財所長の濱田隆さんに一任することとなった。そして濱田さんは『源頼朝像』や『瑞巌寺の襖絵』などの模写を担当していた林功さんを推挙されたのである。

やがて濱田さんは、林さんをともなわれて聖霊院の下見をされた。それは昭和62（1987）年6月19日のことであったと記憶する。

このとき私は執事長と昭和資財帳編纂《へんさん》所の所長を兼任していたので、はじめて林さんにお目にかかった。そのときの初対面の印象はまことに穏やかな人柄であったが、なかなか信念の強いものを持っている人物のように感じた。

やがて濱田さんの指導のもとに蓮池図の作成に着手

され、上野の不忍池の蓮のスケッチなどの取材に同行をしたことが懐かしく思い出される。

蓮池図が完成したことを記念して「林功・蓮池図復元完成記念・法隆寺聖霊院厨子絵展」を東京と大阪の高島屋で開催した。そして平成元（1989）年3月22日に聖霊院へ納められ、太子像も鮮やかな蓮池の中に鎮座されることとなったのである。まことに太子像とマッチした穏やかな出来栄えであると私は感じた。

おそらく林さんにとっても、自信作の一つであったに違いない。また、林さんを介して多くの人びととの出合いもあった。林さんの畏友である日本画の中島千波さんをはじめとする「横の会」に所属されていた多くの画家たちとの交流も深まった。その画家たちから、私の悲願でもあった百済観音堂へ「散華」を奉納していただいたのである。

そして、林さんたちと一緒に旅行する機会もあった。中国の五台山をはじめ、ブータンやインドなどを楽しく旅した。やがて林さんは愛知県立美術大学で教鞭をとられるようになり、私も百済観音堂建立のために全国を飛び回る日々が続いたので、楽しい交流の時間を持つ機会はめっきりと少なくなった。

私が林さんに最後にお目にかかったのは平成12（2000）年3月22日のことであった。ちょうど、その日は聖霊院の厨子を開扉して太子の御忌法要を厳修することとなっている。林さんはその機会に障壁画の状態をチェックされるのが恒例となっていたのである。

その日に林さんはわざわざ自坊の実相院を訪ねて下さった。それが林さんとの最後となった。その年の11月4日に中国西安で交通事故のために突如としてあの世へと旅立たれたのである。それは言葉では言い尽くせない大きなショックであり、誠に残念でならなかった。

159 ギメ美術館にあった勢至菩薩像——里帰りが実現

平成2（1990）年にパリのギメ東洋美術館から、かつて法隆寺金堂の阿弥陀如来坐像の脇士であったらしい勢至菩薩像が見つかった、との朗報が入ってきた。それは日本文化の最高の理解者であったベルナール・

フランクさん（コレージュ・ド・フランス教授、フランス学士院会員、日本学士院客員）によって公表されたのである。

その勢至菩薩像は、阿弥陀三尊像の脇侍として貞永元（1232）年に運慶の4男である康勝が造顕したものとする由来が光背銘や古記録に見える。それによると、承徳年中（1097－99）に盗賊が金堂に侵入して仏像や仏具類を盗み去ったため、寺僧たちは須弥座《しゅみざ》だけが空しく残されているのを見るにつけて嘆き悲しんでいたとする。

やがて範円別当のときに、勧俊や菩提山静恩という僧たちが中心となって、阿弥陀三尊像を再興するために諸方面を勧進し、ついに貞永元年8月5日にその完成供養を行った。そして金堂の西の間に安置していたとする。

現存する三尊像のうち、中尊の阿弥陀如来像と観音菩薩像は鎌倉時代に造顕されたものであるのに対して、勢至菩薩像は夢違観音像よりも古様の飛鳥期のものとなっている。しかも、その勢至菩薩像の像容は明らかに観音菩薩像そのものであり、阿弥陀如来像や観音菩薩像とは誰が見ても明らかに異質なものである。

勢至菩薩像が盗まれたときに大きさがよく似ている観音菩薩像を勢至菩薩像の代りとして安置したものらしい。

ギメ東洋美術館での発見によって、かつて法隆寺が盗難にあった勢至菩薩像を、明治9（1876）年の8月26日から同年の11月初めにかけて日本を訪れた、ギメ東洋美術館の創設者として名高いエミール・ギメ（1836－1918）が購入したと考えられている。ギメ東洋美術館では永らく中国彫刻として分類されていたと聞く。

私は昭和資財帳編纂の提唱者として法隆寺から流失をした宝物を探査していたこともあり、関心を抱いたことは言うまでもない。そして平成4（1992）年5月に私はパリを訪れ、ギメ東洋美術館の勢至菩薩像と対面したのである。

そのとき、ぜひとも勢至菩薩像に法隆寺へ里帰りしていただきたいと心に誓ったのである。それはやがて、平成6（1994）年の『国宝法隆寺展』で実現することとなった。そのときフランクさんが執筆された『流浪の菩薩、仏縁で里帰り』の中でつぎのように記されている。

「勢至菩薩像は長い旅路の末、昭和資財帳を完成された髙田良信先生の仕事を飾る国宝法隆寺展にピッタリと間に合うように、再び姿を現した」

そのフランクさんが平成8（1996）年に亡くなった。奇しくも翌年の10月に「百済観音」のパリ公開が、ルーブル美術館で開催されたのである。

私がパリ滞在中の10月15日にフランクさんの1周忌の法要が、友人たちが集まってユネスコ本部で営まれた。そのとき私は舞台の中央に安置された遺影の前で読経をすることとなった。

10月21日の朝日新聞夕刊の「窓」には「マロニエの並木が深く色づいたパリの一隅に、法隆寺・高田良信管長の読経の声が、静かに流れた」とある。

そして改めてフランクさんのご功績に感謝したのであった。

160

阿弥陀像台座からの発見――人物像を描いたのは？

平成4（1992）年の夏に釈迦三尊像台座、阿弥陀如来像台座、薬師如来像台座、玉虫厨子、橘夫人厨子の比較調査が行われた。

それには法隆寺昭和資財帳編集委員をはじめ、奈良国立博物館、奈良国立文化財研究所などから多くの専門家たちが参加していた。

調査場となる聖徳会館への台座の搬入作業を行っていたときのことである。にわかに激しい雷雨となり、その作業を中断せざるを得ない状態となった。その待機時間を利用して、私はすでに搬入していた阿弥陀如来像台座の内部のほこりを取り除いていたのである。そのときに人物の顔らしいものがこつぜんとして現われたのであった。

その容姿は、きわめてリアルに描かれており、しかも伎楽面などとも共通するような西域の香りが漂っているように感じた。

私は極度の興奮を憶えつつ、昭和資財帳編纂所の職員とともに丁寧にほこりを払ったのである。すると高さ約25・7センチ、幅10・4センチ（最大幅）の異国情緒が漂う人物の全身像が浮かび上がってきた。墨で描いた人物像である。

それは鳥の羽をつけた冠をかぶり、上衣は筒そでの着物を腰でしばり、膨らみのあるズボンを足首でしぼって大きな革製らしい沓《くつ》を履《は》く正装した男性像であった。これは日本や朝鮮半島の服飾史の研究にとっても貴重な資料となった。

その発見はすぐさま大きな話題となり飛鳥時代に朝鮮半島から渡来した使節の姿ではないかともいわれた。

その後の調査によって高句麗などの朝鮮半島の礼服に符合することが確認された。特に、これとよく似た人物の服装は中国陝西省乾県にある章懐太子墓の弔問図に描かれた人物に共通するものがあることも判明した。

章懐太子墓の壁画は、唐代に朝鮮半島などの国々の使節たちが弔問のために長安を訪れたときの様子を描いたものである。

その中に描かれている人物の1人は羽冠をかぶり、赤い襟、広袖の白い袍服を着て、幅のある束帯をつけ、黄色い靴を履いている。その服装には台座から発見した人物像と共通するものがあった。台座の人物像が、もし高句麗の人物であるとすれば、日本に紙墨を伝え、金堂の壁画を描いたと伝える高句麗の曇徴《どんちょう》や、天寿国繡帳の下絵を描いた画師の高麗加西溢《こまのかせい》などの存在を思い浮かべずにはおれなかった。それらの流れをくむ画師たちが朝鮮半島にある母国への望郷の念を抱きながら、筆を走らせたのかもしれない。

そしてこの発見は私の生涯の中での最も大きな思い出の一つとなったことは言うまでもない。

この人物像は7世紀に描かれた人物絵画として高松塚古墳壁画とともに日本と朝鮮半島との深いつながりを示す第一級資料の発見となった。

そしてこの話題は韓国でも大きく取り上げられ、人びとの関心を集めたと聞く。

161

釈迦三尊像台座裏の文字が語るもの――なぞ秘める12文字

「昭和資財帳」編纂の調査もいよいよ佳境に入った。

そして金堂の釈迦三尊像とその台座の調査がはじまり、多くの新事実も判明した。

釈迦三尊像が座す上壇の台座の東面の内側から、12文字の墨書が発見されたのである。その文字の上部の左に鳥、下部の中央に魚が描かれており、この墨書と絵にはなぞめいた意味が込められているようにも感じられた。

その読み方についてはインド哲学者として名高い中村元さんや古代日本語学の稲岡耕二さん（東京大学教授）、文献学の鬼頭清明さん（東洋大学教授）などの専門家に検討していただいた。

そしてその時点では、つぎのように読むのがよいのではないか、という結論に達したのである。

「陵にねむる被葬者の魂を鎮めるためには、陵にお参りしなさい」（のちに、「陵」でなく「凌」と読むべきであろうとする見解が出ている）。

もし仮にこのように読むとすれば12文字が語っている陵は、どこの、誰を葬った陵なのか、という肝心の主語的な言葉が欠けていると私は感じた。

そしてその陵は、聖徳太子の陵墓（大阪府南河内郡太子町）ではないか、とする説も出された。

私もこの文字が解読されたころは、釈迦三尊像が太子等身の像であることから「太子の陵にお参りするように」と理解すべきであると考えたこともあった。ところがその意味を、かみしめればかみしめるほど、どうしても不自然なものを感じたのである。

もし、太子を葬った陵を指しているのならば、なぜ釈迦三尊像の光背の銘文の中に太子の陵へ参拝する文言を明記しなかったのだろうか。

しかもどうして、人目につかない台座の裏に密かに記す必要があったのか、という疑問はつのるばかりであった。

陵への参拝をうながすものであれば、あえて人目につかない台座の裏に記したことが不自然となる。むしろ公にできないような深い意味を含んでいるように思われるからである。

そのような推理によるならば、台座の裏に書かれている陵として、法隆寺の近くにあって13世紀からミササキと呼ばれていた藤ノ木古墳がクローズアップされてきた。

その藤ノ木古墳の被葬者2人の内、北側の人物は20才代の男性（年齢は流動的である）で「玉纏《たまき》太刀」「銅製大帯」「金銅製履《くつ》」「金銅製冠」など豪華な副葬品を携えているにもかかわらず、被葬者はきわめて不自然な埋葬状態であるといわれている。しかもその被葬者を非業の最後を遂げた崇峻天皇とする伝承もあった。

崇峻天皇は592年に蘇我馬子によって暗殺され、殯《もがり》もされずに即日葬った、と『日本書紀』は記している。

それと、藤ノ木古墳の被葬者の状況や釈迦三尊像の台座の墨書の意味が、不思議なほど符合していたのである。

そのことから釈迦三尊像の台座の墨書が語る陵は藤ノ木古墳ではないのか、と推論する意見も出された。

しかし、現在では12文字の読み方については異論が出されており、なぞにつつまれた墨書となっていることを特記しておきたい。

162 釈迦三尊像台座の材料——どの建物の転用材か

金堂の釈迦三尊像を安置する下段の台脚部裏から、墨絵の天部像と墨書が発見された。天部像は台脚部の裏側に墨で描かれており、それは台座の東面に描かれている天部像の下絵であった。

そして台脚部の部材からは「尻官《しろのつかさ》」や「書屋《ふみや》」「辛巳歳《かのとみのとし》」などの墨書が見つかったのである。

尻官や書屋は「上宮王家の内部組織」である田畑や書類を管理する施設を示す語義の一部であろう、とする見解もある。

しかも辛巳歳は、推古29（621）年であることも決定的となった。621年は太子が亡くなる前年にあたる。

「法隆寺昭和資財帳」の総合調査によって、釈迦三尊像が造顕された推古31年に台座も一具として造られたものとする意見が有力となっていた。

この台座が推古31年に造られたとすれば、さきに発見された12文字の墨書と絵画もそのころに書かれたものとなる。

しかも、この台座の台脚部の部材が何らかの建物の部材を転用していることが明らかとなったのである。

やがて奈良国立文化財研究所による精査によって、「宮殿か僧房のような住居の扉周りに匹敵する規模の建築部材である」との見解が出された。

もし建物の扉周りに匹敵する規模となれば、法隆寺の近郊に住んでいる「社会的地位の高い人物の住居」が浮かび上がってくる。

それは必然的に宮殿を意味する。

その地域性から見て太子の宮殿の可能性が高まり、

その台座が作られた623年の前年に太子が薨去《こうきょ》された飽浪蘆垣宮《あくなみあしがきのみや》の宮殿をほうふつとさせる。

私は、太子そのものである釈迦三尊像を安置する台座の用材に太子が亡くなった宮殿の部材を使用することによって、その釈迦三尊像が生身の太子そのものと考えたのではないか、と感じた。

そのような意識がひそんでいたからこそ「当に釋像の尺寸王の身なるを造るべし」という釈迦三尊像の光背銘になった、と私には思われてならない。

そのような理由からも、「宮殿の転用材説」を捨てがたいのである。捨てがたいというよりも、むしろ「それを信じたい」というのが偽らざる心境である。

その転用材から再現した建物の柱の直径は42センチあった。扉の幅は各60センチで幅1・2メートル、高さ約2メートルの実用的な出入り口であることも判明した。

昭和58（1983）年9月に平群町の西宮で発掘された7世紀はじめの建物遺構（脇殿的なものと見られている）に使用されていた柱根も、直径が42センチであったことが確認されている。そのことから、この転用材も西宮遺跡とほぼ同規模的な建物であった可能性をうかがわせたのである。

なお、奈良国立文化財研究所の指導によって、寺社建築の匠として活躍している瀧川昭雄さんに転用材から推測される扉まわりの部分を原寸大で再現してもらったことを記しておきたい。

163　阿弥陀像台座のなぞ——如意輪観音像のもの？

金堂内陣の西に、阿弥陀如来坐像（鎌倉時代）を安置している。「法隆寺昭和資財帳」の調査のときに、その台座の天板の中央に直径65－70センチの円形の痕跡が確認されたのである。それは台座を製作（7世紀中ごろ）したときに漆を塗り残したものらしく円形座の仏像を安置するための目的で台座を造ったことを示す有力な資料となった。

阿弥陀如来坐像台座の存在は『金堂日記』（平安時代）にも記載がない。しかも法隆寺には円座の仏像がないのである。そのことから他の寺院から金堂へ移された台座と考えることも可能となる。

もし、他の寺院から移納したものとすれば、阿弥陀如来坐像が造られた貞永元（1232）年より100年余り以前の11－12世紀のころに金堂に移納されたことが推測される。

かつてその台座を所蔵していた寺院は、橘寺や中宮寺など太子を通じて法隆寺と深いつながりがあり、しかも11－12世紀にかけて衰微をしていた寺院という可能性が出てくる。

そのような理由から、私は中宮寺の如意輪観音像を安置していたのではないかという仮説をいだいたのである。

それは、中宮寺が荒廃したときに法隆寺へ仏像や仏具が移納されたとする伝承にもとづくものである。『古今一陽集』（延享3〈1746〉年）には中宮寺が荒廃した時期に天蓋や古仏などの宝物が法隆寺へ移された、と記されている。

特に、12世紀には中宮寺から梵鐘が法隆寺へ移され、応保3（1163）年にその梵鐘を懸ける東院鐘楼を造立している。

これによって、中宮寺の荒廃にともなって仏像や仏具などが法隆寺に移した中に、台座も含まれていた可能性が高まる。そして、金堂の西に阿弥陀如来坐像台座が置かれていたことを伝える記録が登場する時期ともほぼ符合する。12世紀ごろに阿弥陀如来坐像の台座が中宮寺から法隆寺金堂に移納されていたが、その伝来が分らなくなりつつあったころに台座に安置する仏像を造ったと私は考えたい。

13世紀のはじめになって、太子信仰の高揚と法隆寺の復興の一環として、間人皇后《はしひと》のために造顕した阿弥陀如来坐像が承徳年間（1097－8）に盗難にあったとする伝説が作られた可能性がある。そして、その台座に東の薬師如来坐像と同じ大きさの阿弥陀如来坐像を新造して安置したのではないだろうか。

その結果、釈迦三尊像を中央に、東の薬師如来坐像と西の阿弥陀如来坐像の仏像自体のバランスは保っている。しかし、西の台座は中央や東の台座よりはるかに大きく、金堂内の空間のバランスを崩しているのが現状である。西の台座は本来的に金堂内に安置する計画のもとに製作されたものではなく、他の場所から移納された可能性が高くなる。

しかも阿弥陀如来坐像を造立した翌年の貞永元年に、東の薬師如来坐像の天蓋を新造していることはきわめて不可解でならない。そこに作為的なものを感じる。

しかし阿弥陀如来坐像の新造にともなって、承徳年間の盗難のことを史実とするために古くから西の阿弥陀如来坐像が存在していたことを強調する必要があったのかもしれない。そのために東壇の薬師如来坐像に付属する古い天蓋《てんがい》を意図的に西壇の阿弥陀如来坐像の頭上へ移した可能性も出てくる。

私は、西壇に古くから阿弥陀如来坐像が安置されていたことを裏付けるために、像が盗まれて虚しく台座だけが置かれていたとする光背の銘文を作ったと推測している。

なお、この台座に夢殿の救世観音像を安置していたのではないかとする見解があると聞く。しかし救世観音像と台座のバランス、金堂内の仏像の高さの比較などからも、私はその見解を机上の空論に感じる。

164
法隆寺人名辞典——ライフワークの前進をめざす

小僧のころから法隆寺の歴史に興味を抱いて資料を写し取る作業に没頭していたことはすでに述べた。特に歴代の寺僧たちの履歴を調べることに懸命となっていた。

法隆寺の変遷を調べるには寺僧の存在を知ることが重要であったことによる。そして見つけた新しい資料はカード状にして整理した。

年を重ねるごとに資料は増えた。しかしそれを年表にし、辞書にするために類する作業に熱中した。

やがてワープロやパソコンが流布しはじめた。はじめはワープロに原稿を打ち込んだ。

そしていよいよこれまで集めた資料をパソコンに入力する時代が到来し、平成元（１９８９）年にパソコンを購入したのである。

機械の操作が苦手な私は、奈良国立博物館学芸課の人びとや寺僧たちに教えを乞うこととなった。そして手始めに住所録を入力したのである。

やがて念願の資料の入力作業がはじまった。法隆寺年表と人名辞典を作成するためである。

そして時間が許すかぎりパソコンに入力をすることに専念した。しかしその作業は容易なことではなかった。

何度もデータが消えて入力を諦めかけたときもある。まさに悪戦苦闘の日々を懐かしく思い出す。

しかし、パソコンは便利だった。自然にアイウエオ順や年代順に並べてくれた。カードに整理していたころからすると雲泥の違いであり、大いに手間が省けた。年表は昭和39（1964）年ごろから作成しつづけていたものを継続していた。幸いそれまでにまとめていた資料も大いに役立った。

そして人名辞典には古文書や棟札に登場する寺僧や工匠たちの名前も入力した。特に室町時代ごろからの寺僧の得度年月日を記した『公文所補任記《くもんじょぶにんき》』や『現在《げんざい》僧名帳《そうめいちょう》』などの古文書は、大いに参考となった。

また元禄4（1691）年から記された『年会日次記《ねんえひなみき》』は貴重な資料を提供してくれた。それは法隆寺の公務を担当した寺僧が記した公式の日記である。そこには寺僧が住んでいる子院や僧階、年齢をはじめ、法隆寺に勤めていた人びとのこと、出来事が詳しく記されていたことによる。

この日次記は、幕末までほとんどが現存していた。その辞典に建物や仏像、法具などの記録も簡略に加えた。そして「法隆寺昭和資財帳」調査による新しいデータも入力したのである。

そのころプリントをするのには相当の時間を要した。プリンターの速度が遅かったからである。そしてようやく形を整えたのは平成4（1992）年のことであった。そのデータを製本して更に新しい記録を追加することに私は喜びを感じた。苦労をしながらもやりがいのある作業であった。その辞典と年表が私のライフワークのすべてとなっている。

165

ふたたび寺務を総括——寺僧たちからの要請受け

平成3（1991）年4月に法隆寺住職の交代が行われた。大野可圓師が引退して長老に、枡田秀山師が新しい住職に、そして私は副住職と法起寺住職、法隆寺昭和資財帳編纂《へんさん》所長を兼務した。そして種村大超師が執事長に就任した。

私にとってありがたい時代の到来である。寺務から離れて資財帳調査の促進と法隆寺教学の研究に専念をする時間を持つことができるからである。

20数年にわたった多忙な寺務からやっと開放されて、好きな研究に専念するチャンスが訪れたのである。そのようなときに友人の菅谷文則さん（後の奈良県立橿原考古学研究所所長）からひとつの助言をいただいた。

それは私のライフワークである『法隆寺子院の研究』の資料などを精査して、資料の補充を行ってはどうか、というものであった。

私も同じことを考えていたので、その研究に専心する体制をつくろうとしたときのことであった。すでに紹介したように、パリのギメ東洋美術館から法隆寺金堂の阿弥陀如来坐像の脇士らしい勢至菩薩像が見つかったとの朗報が入ったのである。

私は昭和資財帳編纂の提唱者として法隆寺から流失した宝物を探査していたこともあり、大いに興味を抱いたことはいうまでもない。

私は長年寺務に携わった自分へのごほうびとして私的にパリを訪れた。そして勢至菩薩像と対面したのである。そのときにぜひとも法隆寺への里帰りを実現したいと心に誓った。

ところがパリから帰国すると、住職の枡田秀山師から晋山式の準備とその総括をしてほしいとの強い要請を受けたのである。

この仕事は本来的に寺務を担当する寺僧が行うもので、一線を退いている副住職は関与をしないのが通例であった。しかしたっての依頼であり、むげに断ることもできず、その準備万端を引き受けたのである。

やっと寺務から離れられると喜んでいた矢先のことであったが、大野可圓師の晋山式のときに私が新しく印鎰《いんやく》の儀などを考案した経験を頼られたことでもあり、日時や記念品、披露会場の準備に至るまですべてを担当した。

そして私はそれを終えると、寺務一切から身を引いたのである。ところがその翌年の3月に住職から再び、ぜひとも法隆寺の寺務を総括してほしいとの強い要請が寄せられたのである。

それは法隆寺の寺務や百済観音堂建立に関する計画促進や勧進などが停滞して、立ち往生したままの状態であったことによる。しかし私はその要請に対してはいくどとなく辞退した。

ところが、寺僧たちをはじめとする関係者たちからも、ぜひとも法隆寺を総括してほしいとの強い要請もあった。私は苦慮に苦慮しながら、ついに寺務一切を総括する決断をすることとなった。

これは私の研究を断念するものであり、誠に辛い決断でもあった。そのとき私は百済観音堂の建立と昭和資財帳編纂を成就し、少しでも早く第一線から退こうとの決意のもとにその要請を受けたのである。


そして停滞していた寺務を処理しつつ、百済観音堂の建立計画や「法隆寺昭和資財帳」の完成記念の「国宝法隆寺展」を全国5カ所で開催して大きな反響を呼ぶこととなった。

166

世界文化遺産への推薦――日本初の登録に向けて

平成4（1992）年の7月27日のことである。奈良国立文化財研究所所長であった鈴木嘉吉さんから「文化庁では、法隆寺と法起寺を世界文化遺産に登録することを検討しているが、法隆寺はそれに同意するだろうか」という内談があった。

ところがそのころ法隆寺では世界文化遺産という言葉や条約の存在についてまったく知らなかったのである。一般的にも世界遺産という言葉が浸透していない時代であった。そのときに私は「文化庁の推薦によるものですから、反対するようなことはないでしょう」と答えたと記憶する。

「世界の文化及び自然遺産の保護に関する条約」とは、昭和47（1972）年11月に開かれた第17回ユネスコ総会において採択され、日本も平成4年6月に条約締結のための国会承認を受けていた。その条約の趣旨は「社会的、経済的状況などにより、衰亡・破壊の脅威にさらされている文化遺産及び自然遺産を締約国が集団で保護する」というものであった。

そして法隆寺は、姫路城とともに日本最初の世界文化遺産に推薦をされたのである。

このとき、文化庁や関係者たちから、日本最初の世界文化遺産へ登録される機会に世界遺産というものを多くの人びとに理解していただくためのアピールすることが望ましい、という話もよせられた。

しかし、私にとって百済観音堂の建立が第一義であり世界遺産にはまったく関心がなかったのである。

世界遺産登録を記念に法隆寺でも記念のセレモニーを行うべきか、どうか私は大いに迷った。そして、関係者たちにも意見を求めることとなった。

その結果、日本最初の遺産登録の意義を人びとに伝えるべきである、という意見が大勢を占めた。私はこの登録を契機に百済観音堂の建立に弾みをつけることを考えたのである。

やがてそれらの要望に応えて、私は姫路城を管理する姫路市とも協力しつつ文化庁の意向にも沿う形で記念事業を計画することとなった。姫路市では早くから世界文化遺産の登録に向けて準備が行われていたと聞く。法隆寺が大きく出遅れていたことは事実である。

平成5（1993）年8月13日に遺産登録を審査するユネスコの関連機関であるイコモス（記念物及び遺跡に関する国際会議）事務局の、史跡の評価・保護の専門家のジョアン・ドミッチェリさん（オーストラリア）と建造物の専門家のレヲ・ファン・ニスペンさん（オランダ）が法隆寺や法起寺を視察した。

そのとき私は案内をしつつ、世界文化遺産登録の意義深さが伝わってくるのを感じた。やがて私は姫路市へ、姫路市長の戸谷松司さんは法隆寺へ、と相互訪問をして交流が始まったのである。

そのころ姫路市では世界文化遺産を記念してポスターが作られようとしていた。そのとき市長さんから法隆寺でもポスターを作るのか、と聞かれたことがあった。

私はまったく作るつもりがないことを伝えると、一緒に作っておきましょう、との厚意あふれる話をいただいたのである。

そして法隆寺五重塔と姫路城をデザインしたポスターが完成した。私は、この戸谷さんのご厚意に改めて感謝したのである。

167 世界遺産登録決定——ファクスで登録通知

日本最初の世界文化遺産への登録がほぼ決定していたころである。奈良の寺院の中で法隆寺だけが世界遺産に登録されることを非難する声があるといううわさが聞こえてきた。それに対して私は、まったく不快には感じなかった。それはあくまでも、文化庁などの推挙によるものであり、法隆寺からは登録について何らの働きかけもしていないからである。

やがて法隆寺地域の仏教建造物（法起寺の三重塔を含む）は、我が国を代表する貴重な文化遺産として日本で始めて世界文化遺産に登録されることとなった。この条約を運営する世界遺産委員会は、平成5（1993）年の12月10日にコロンビアで開かれたユネスコの総会において姫路城と共に正式に承認されたのである。

そのとき奈良県文化財保存課からのファクスによって、法隆寺を世界文化遺産に登録したとの通知を受けた。

「コロンビアで12月6日から開催されています世界遺産委員会において、文化遺産である『法隆寺地域の仏教建造物』が現地時間平成5年12月9日午前10時30分日本時間平成5年12月10日午前0時30分に登録されたとの連絡がありました」

世界文化遺産に関する法隆寺への連絡は、ただそれだけである。

登録に向けてすでに準備していた境内の案内板の新設や、外国語（英・仏・中・韓）のパンフレットも完成していた。翌12月11日の早朝に「このたび法隆寺は日本ではじめて世界文化遺産条約に登録されました」と書いた看板を、南大門前や東大門前に立てた。そして五重塔と法起寺の三重塔の相輪には五色の吹き流しを飾り、太子に奉告する法要を聖霊院で執り行った。

この登録決定にあたって私はつぎのようなコメントを出した。

「―法隆寺が世界文化遺産に登録されて―

只今、法隆寺が日本ではじめて世界文化遺産に登録されたとのお知らせをいただきました。早速、聖霊院のご本尊のお扉を開いて聖徳太子さまに、その旨をご奉告いたし改めて世界の平和実現と法隆寺の護持を祈願いたしました。そして私たちは世界の遺産として国家的視野に立った太子信仰の高揚と伽藍や宝物の数々を『生きつづける信仰の文化財』としてしっかりとお守りすることを太子さまに誓願致した次第であります」

この登録を記念して15日から18日まで、聖徳会館内で宝物の特別展示や金堂と夢殿のご本尊のライトアップをはじめて実施した。そのとき金堂内は、今まで見たことのないようなお浄土の姿と化した。まことに崇高で美しかった。

寒い時期ではあったが8千人に及ぶ人びとが拝観に

訪れていただいたことに、私は感謝した。そして大晦日には西院伽藍をライトアップして、初めて午後10時から夜間の参拝を行ったのである。私はこのとき、置燈籠を新調して境内に設置した。夕刻からしばらく閉鎖していた南大門を開くと、置燈籠が並ぶ境内が美しく浮かび上がった。

　そして先着2千人の参拝者に、世界平和を祈って除夜の鐘をついてもらったのである。その中には斑鳩町を代表して町長の小城利重さんたちも参加し、大勢の人びとが境内にあふれていた。その様子はＮＨＫの「ゆく年くる年」でも放送された。そこにはユネスコの親善大使を勤める杉良太郎さんの顔もあった。そしてこの催しが終わったのは元旦の午前4時を過ぎていたころである。

　なお、この登録を記念して私は金堂、大講堂、夢殿のご本尊のお身拭いを実施した。それまで法隆寺ではお身拭いをする慣習がなかったのである。そして、平成6（1994）年から毎年12月8日に行うことが恒例となり、現在に至っている。

168
世界遺産登録秘話①——登録書知らなかった文化庁

「世界文化遺産」に登録される直前に、姫路市から私に一つの相談が寄せられた。それは世界文化遺産の登録書を、市長の戸谷さんと私がユネスコの総会（コロンビア開催）へ出席をして受け取ろうというものであった。

　登録書の受け取りについて文化庁に問い合わせたこともあったが、「そのような登録書はない」と素気ない返事であった。そのためにコロンビアへ受け取りに行くことを断念したのである。

　しかし私の耳には、登録書が存在するとの情報も入っていた。しばらくして中国の始皇帝陵には登録書があることが判明をしたのである。

　中国にあって日本にはないことに不審を抱いた私は、それを確認することとなる。平成6（1994）年9月15日に朝日新聞奈良支局の新築移転記念として、「世界遺産に登録されて」というフォーラムが橿原市の県橿原文化会館で開かれた。早坂暁さんの記念講演につづいて、世界文化遺産のシンポジウムが行われた。朝日新聞編集委員であった髙橋徹さんのコーディネートのもとに姫路市長の戸谷松司さん、屋久杉自然館長の日下田紀三さん、白神山地の保護運動をされている牧田肇さん、環境政策の木原啓吉さん、そして私が参加した。

その席上で私は世界遺産の登録書の存在について関係者たちに確かめたが、誰もご存じではなかったのである。

そのため、シンポジウムを主催していた朝日新聞社が調べてくれたのである。その結果、平成6年1月に来日していた世界遺産センター所長のフォン・ドロステさんから外務省文化第2課が登録書を受け取って保管していることが判明した。

それを聞いた私は、すぐさま知人を介して外務省へ問い合わせたのである。

しばらくして私に外務省から電話があり、登録書の写しを送ってもらうこととなった。そのときはじめて登録書の写しを目にしたのである。私はそれをコピーして奈良県などへも配布した。

そのように、文化庁でも世界遺産のすべての実状を把握していない時代でもあったのである。

まさに行政機関の縦割り社会の姿を露呈したものの、との声も聞かれた。やがてそのことが契機となって関係機関に登録書のレプリカが配布されるようになった。

そのころ姫路市では記念イベント「キャスティバル94」を1年間にわたって計画されていた。盛大なショーやコンサート、世界遺産シンポジウムなど、多彩な催しが計画されていたのである。それに私も招かれたこともある。そのころの姫路市は祝賀ムードに燃え上がっていた。

それに対して、法隆寺や法起寺のある斑鳩町は静かであった。斑鳩町当局が世界文化遺産に直接的に関係がなかったからである。

そのころ私は法隆寺の諸事業の推進と百済観音堂建立の勧進や、世界文化遺産に関する講演などに東奔西走する日々が続いていた。多忙ではあったが、最も充実した時代であったと追懐する。

169

世界遺産登録秘話②——登録の真相

法隆寺が日本で、はじめて世界文化遺産に登録されたことは、世界最古の木造の建造物であることが大きな理由となった。これによって法隆寺は、世界の木造建造物を代表する文化遺産として認知されたのである。

法隆寺が日本最初の世界文化遺産に登録された理由については、日本古建築研究の重鎮である伊藤延男さんが法隆寺文化講演会で行った「世界遺産法隆寺」の報告のレジュメに、次のようにある。

「法隆寺地域の建造物群は基準の①芸術的傑作、②建築等に大影響、④儀式、景観の見本、⑥出来事、伝統、思想、信仰等に該当するとされました。オーセンティシティ（真正性＋信頼性＝確かさ）も合格しました。特に難関と思われた材料については、修理で取り外した古材をよく保存していたことが評価されました。文化財保護法に加え、古都法や風致地区等の規制もあり、法的保護措置は万全と判断されました」

このような理由から、法隆寺は世界文化遺産に登録されたという。しかし、明治35（1902）年から昭和12（1937）年ごろまでに修理した建物から取り外した古材のほとんどが、法隆寺に残っていないのが現状である。

それは昭和13年にトラック34台分の古材を売却したからであった。やがて、そのことが問題となり、それ以後の古材は慎重に保存したというのが真相である。

また、法隆寺地域が風致地区に指定しようとしたときにも、一部の住民による反対運動が起きていた。

昭和42（1967）年8月に斑鳩町の公民館で行われた「斑鳩町都市計画委員会」に私が出席したときのことである。

会場は異常な雰囲気に包まれていた。鉢巻きをしたり、プラカードを持ったりして反対する人びとが押し寄せていたのである。

あまり広くもない会場には怒号が飛び交っていたと記憶する。そして「法隆寺があるから生活が脅かされようとしている。そのような住民の弊害になる法隆寺は斑鳩町から出て行け」といった暴言まで私の耳に入った。私はそれを聞いて、腹立たしさを感じたことはいうまでもない。

そのころ法隆寺の存在が、一部の住民たちからは邪魔者扱いにされていたのである。ところが最近の斑鳩町当局では、法隆寺を観光資源のシンボル化をしようとしているのが現状である。

まことに時代の変化と人びとの心の移ろいを見ているようで、苦笑せざるをえない。これまで法隆寺の事務の前線で、斑鳩町役場などといろいろ折衝する経験をしてきた私の目には、その変貌ぶりが滑稽にさえ見えるのである。

更に法起寺を「文化財保護法」により史跡に指定したのは、世界文化遺産に登録されるわずか10日前の平成5（1993）年11月30日のことであった。世界文化遺産に登録するためには、法起寺旧境内を史跡指定する必要があったのである。遺産への登録には史跡に指定していることをひとつの条件としていたことによる。そのために文化庁では条件を整えるために史跡への指定を急いでいたのである。

私はそのころ、法起寺の住職を兼務していたので、文化庁から再三にわたって、至急書類に捺印してほしいと連絡があったと記憶する。これはまさに駆け込みの、書類上の日付合わせ、つじつま合わせをしたものにすぎない。そんな役所の体質が露見したものでもあった。

170

世界遺産登録秘話③——姫路市長の思い出

姫路市では、夜を徹して市の幹部や職員をはじめとする約300人に及ぶ市民が、世界文化遺産登録の知らせを待っていた。その決定を受けると、歓声が響いた。そして広場に用意をしていた酒樽を割って祝杯をあげ、バンザイの大合唱があったと聞く。

姫路城は姫路市の管理であり、市を挙げて祝ったのである。すでにふれたように、斑鳩町と姫路市とは全く異なる立場にあった。

法隆寺の行政区域である斑鳩町は、世界文化遺産に対して何の関係もなかったというのが実状である。

文化庁や奈良教育委員会文化財保存課と法隆寺が直接に連絡をとりあっており、私の知るかぎり、斑鳩町はまったく蚊帳の外にあった。

特に法隆寺は宗教法人管理の布教施設でもあったため、奈良県や斑鳩町では何の記念イベントも計画されていなかったのである。

ところが、しばらくして斑鳩町によって面白い看板が数カ所に立てられた。それには「世界文化遺産の町斑鳩町」と書かれていた。

しかし、「世界文化遺産のある町　斑鳩町」が正しい表現であって、斑鳩町全体の姿そのものが世界文化遺産ではない。

私には、斑鳩町が世界文化遺産の町並みとして特徴ある風景には見えない。そのために私は斑鳩ホールなどでの講演会でも、看板の表現を改めることを何度となく提唱したこともあった。しかし、それにはまったく耳を貸そうとせず、ただ眠るかのように聞き流しているのが斑鳩町当局者の態度である。

それに対して姫路市長の戸谷さんは、世界文化遺産の登録に大変熱心であった。その戸谷さんがおっしゃった登録直後の言葉が今も思い出される。

「日本の世界文化遺産は法隆寺と姫路城だけでよろしい。これからも登録が増えると世界文化遺産の値打ちがなくなる」

それを聞いたときに私は少し驚いたが、しばらくしてそれを名言であったと感じるようになった。

今では世界遺産が増えすぎて登録は狭き門となっており、「登録延期」「不登録」なども続出している。改めて戸谷さんの言葉を思い浮かべる昨今でもある。

平成６（１９９４）年10月１日に東京の「虎ノ門ホール」で開かれた「木の国の文化を考える」のシンポジウムのときのことである。

建築家・安藤忠雄さんの記念講演に続いて、奈良国立文化財研究所所長の田中琢さん、エッセイストの阿川佐和子さん、同志社大学名誉教授のオーティス・ケーリさん、姫路市長の戸谷松司さん、東京大学助教授の藤森照信さん、そして私が参加してパネルディスカッションが行われた。

そのとき、阿川佐和子さんから「世界文化遺産に登録された法隆寺がどうして急に拝観料を値上げしたのですか」という質問を受けた。

たしかに法隆寺は、百済観音堂の建立や伽藍《がらん》を整備するために拝観料を値上げしていた。私がその説明をしたときに戸谷さんがおっしゃったのである。

「法隆寺は貧乏な寺ですよ。世界文化遺産のポスターも実は姫路市が作ったのです」。

このひと言で会場が和やかになったことを思い出す。私にとって思い出の多い市長さんであった。

171

梅原猛さんとの対談——紙幣への太子再登場を願う

梅原猛さんと言えば、昭和47（1972）年に発表された『隠された十字架・法隆寺論』という著書が強烈に思い出される。あれほどの大きなセンセーションを呼んだ書物も少ない。それをガイドブックとして法隆寺を参詣する人びとの姿がいかに多かったことか。「怨霊鎮魂の柱はどれか」「怨霊鎮魂の像はどこにあるのか」といった質問を受けることもしばしばあった。

その質問に応えるためにも、早速に購入して読む必要に迫られた。その文中には怨霊や鎮魂という言葉があふれていたように記憶する。

そのような言葉の続出に、少なからず不快感を抱いたことは否定できない。しかし、その反面、著書から学んだことも多かった。

それは私にとって「学問のススメ」でもあったからである。法隆寺の研究は明治期からはじまった法隆寺再建非再建論争によって論文や研究書は非常に多いことで知られている。しかし、そのほとんどは考古・建築・仏像彫刻・古文書・絵画などの各分野において論及したものであり、思想なども含めた各方面から総合的に論考した研究書は少なかった。

私は若いころから法隆寺の歴史に興味を抱いていたこともあり、この著書に大きな刺激と啓発を受けることとなる。

そのようなときに梅原さんと対談をする企画が寄せられたのである。それまで梅原さんの著書などを読むことはあっても直接に会う機会はなかった。そのときに「梅原さんとあなたが対談をしても水と油や」と言った人もいたが、とにかくお会いした。

対談がはじまったころは少し固い雰囲気であったが、しだいに話が興に入り、やがて聖徳太子や法隆寺の問題に及んだころには初対面とは思われないような和んだ空気が漂っているのを私は感じた。そこで私はつぎのようなことを梅原さんに問いかけたのである。

「梅原さんの研究方法には大いに刺激を受けました。しかし法隆寺は太子の怨霊鎮魂のために建立したとする見解や怨霊とか、鎮魂という言葉に対して強いアレルギーを感じています。法隆寺は太子を供養するために建立したもので、太子を供養したということに重点を置くことはできないでしょうか」

　それに対して梅原さんは供養ということでもよろしい、という言葉につづいて、太子の偉大さを切々と語られた。やがて「昨今は太子の姿が紙幣から消えてさびしい限りである。ぜひとも5万円札への再登場が実現するよう運動を展開しよう」と力説されたときの、あふれるような情熱に大いなる刺激を受けた。それからは機会があるたびに「聖徳太子を紙幣に」と訴えつづけている。

　特に私は、法隆寺が日本ではじめて世界文化遺産に登録されてから3年目を迎えたことを記念して平成8（1996）年の12月11日から3日間にわたって「法隆寺フォーラム」や「太子道サミット」を開催した。そのときに梅原さんは特別講師として、法隆寺の聖徳会館で太子の偉大な功績を讃えつつ「太子を紙幣に」と力説されたのであった。

　その中で、梅原さんは法隆寺の高田と対談をしたときに怨霊や鎮魂という言葉を使わずに法隆寺は太子を供養するために建立したとしてもらえば理解をすることができるといった、と披露されたのである。

「それに対して私は供養という字句でもよいが、太子を供養するために法隆寺を建立したということでは本は売れんわな、怨霊鎮魂という表現をしたので大変な話題となり、おかげてベストセラーになった」とユーモアを交えながら大いに聴衆を魅了された。

　そして梅原さんは、独特の太子論、法隆寺論を展開されたのである。

172　一人の作家との出会い——斜里町との交流はじまる

特徴のある語り口調の、個性の強い一人の作家がいた。それが立松和平という人である。

私がはじめて会ったのは平成4（1992）年のことである。ある船会社から、中国の上海から客船に乗って香港までの船上で、乗客を対象に講話することを委嘱されたときのことであった。

立松さんも講師として乗船しており、そのときが初対面であった。それが一つのご縁となって平成5年5月7日に山形の出羽三山で開かれた講演会で私が講演をすることとなる。

出羽三山を開かれた蜂子《はちこ》皇子（能除太子）が崇峻天皇の皇子であり、私が藤ノ木古墳の被葬者を崇峻天皇ではないか、と唱えていたことから、出羽三山開創1400年の記念講演会に招かれたのである。

そのとき私は、講師の1人に立松さんを推挙した。しかしその講演からはしばらくお会いすることはなかった。

ところが平成6年3月1日に東大寺の二月堂へ参拝をしたときのことである。偶然にも立松夫妻と出会った私は法隆寺を訪ねるように、と誘ったのであった。そして夫妻が自坊をお訪ねになり、食事をともにして楽しい時間を過ごした。そのとき私は立松さんに対して1年に1週間ほどはゆっくりと仕事から離れた時間を持つことを勧めたのである。

私は毎年正月8日から1週間法隆寺で行なわれる修正会という国家安穏、万民豊楽を祈願する金堂吉祥悔過の法要に、友人たちに参籠《さんろう》することを勧めていたことによる。

すでに昭和57（1982）年から、元奈良国立博物館の松浦正昭さん、のちの橿原考古学研究所所長の菅谷文則さん、京都大学教授の山岸常人さん、奈良芸術短期大学教授・前園実知雄さん、元小学館美術編集長・折橋俊英さんたちに参籠してもらっていた。その1週間はまことに楽しかった。

時間があれば集まってお茶を飲みながら歴史を語り、美術や考古、古建築の話に花が咲いた。本当に勉強になる貴い時間をいただいたのである。

そのとき参籠した人の役職名を、私は「承仕《じょうじ》」と呼ぶこととした。仏さまに灯りをともしたり、お供物などをお供えしたりする役であった。

そのことから立松さんにも参籠することを勧めたのである。そして翌7年の修正会から参籠することとなった。

その参籠中に、立松さんが私に話したことがある。北海道の斜里町へ、毘沙門堂を建立することを計画中であると。

そして、修正会が厳修される金堂の東側の入口の正面には日本で最も古い四天王像の多聞天（毘沙門天）があり、ご本尊釈迦三尊像の左右には平安時代の毘沙門天像と吉祥天像が安置されていること、そして法隆寺の近郊にある信貴山朝護孫子寺が毘沙門天の霊場であることなどに、立松さんは感動したようであった。

このとき私は知床に建立する毘沙門堂の落慶式に参詣をすることを約束したのである。

そのことから立松さんと私たちは、平成14（2002）年ごろまで毎年修正会の期間中に信貴山へ参詣することが慣例となった。

そして私は平成7年の夏にはじめて斜里町を訪れ、毘沙門堂の落慶式に参拝した。これが斜里町と法隆寺との交流のはじまりとなったのである。

173
美智子さまのご視察——清子さまとご一緒に

昭和62（1987）年4月6日に、当時皇太子妃の美智子さまと内親王の清子さまがご視察のために法隆寺へ御成《おなり》になった。そのときは住職の大野可圓師がご先導、そして執事長の私がご説明役を仰せつかる光栄に浴した。

南大門にご到着後、寺務所でご休息をいただき、最近行われた昭和資財帳調査で発見された宝物の主なものを興味深くご上覧になった。

それから伽藍をご視察されたのである。とくに金堂焼損壁画や飛鳥時代の飾金具などには、格別のご興味をお示しになっているように私は拝察した。そして夢殿のご視察を終えてお見送りしたのである。

その月の17日に大野可圓住職と赤坂の東宮御所へお礼に参上したときのことである。東宮侍従さんが「今日は両殿下がお会いになります」と、応接間へ案内されたのであった。そしてドアをノックするまでお話をするように、と告げられたのであった。応接間に入ると、そこには皇太子さまと美智子さまのおふたりがにこやかにお迎えくださったのであった。私たちは突然のことでもあり、非常に緊張したことはいうまでもない。恐縮しながら、おそるおそる拝顔の栄に浴したのであった。

両殿下からは、法隆寺を訪れたことに対する丁重なるお言葉をいただき、つづいて法隆寺のことなどについてもいろいろとご下問になった。

「大野さんや髙田さんはいつから法隆寺にいますか」とか、堂塔の調査や資財帳の宝物調査にも話題が及び、深いご関心をお示しいただいたのである。

そのとき私は、小学生であった昭和27（1952）年11月18日に皇太子さまが畝傍の御陵へ立太子のご報告にご参拝になったときのことを思い出した。そのとき近鉄奈良駅で日の丸の小旗を振ってお迎えをしたことなどを申し上げたのである。

すると皇太子さまは立太子のご奉告のために橿原の神武天皇陵へ参拝されたことを、懐かしげに思い出されたかのようにお話をいただいた。

この日の拝顔の栄に浴した思い出は、私たちの生涯を代表する出来事となったことはいうまでもない。そしてその感激を胸に秘めながら帰途についたのである。そして冥加につきる今日の出来事に興奮を憶えて、その夜は眠りにつくことがなかなかできなかった。

そして儀宮（常陸宮）さまが昭和37（1962）年に法隆寺へ御成になったときのことや、毎年南大門からスタートする高松宮杯聖徳太子駅伝に高松宮さまがご臨席になってお言葉を賜る機会が多かったことなどを思い出していた。

特に高松宮さまが昭和54（1979）年11月25日に御成になったときに、私は宮さまに「天皇皇后両陛下の行幸が直前でありますので、大変緊張をしております」と申し上げたことがあった。すると宮さまから「気を張らずに普通にお迎えをするように」といったお言葉を賜ったことを思い出す。

高松宮さまの思い出は尽きることはない。ある年のことであった。それは法隆寺ご出発の時間調整をするために、関係者から急に法輪寺や法起寺、そして金堂の焼損壁画や五重塔から発見していた壁画などをご案内してほしいと要請されたことがあった。まことにユーモアのある、明るい印象深い宮さまであった。

また昭和56年10月に福岡で行なわれた「西日本フォーラム」のときに三笠宮両殿下のご臨席のシンポジウムに参加したことや、おそば近くで談笑をしながらお食事をいただいたことなど、思い出はつきない。

174

皇太子ご夫妻のご視察——歴史にとてもお詳しく

平成6（1994）年4月22日に、現在の天皇ご夫妻である皇太子さまと妃の雅子さまが法隆寺へ御成になった。このときも住職の枡田秀山師がご先導、そして住職代行の私がご説明役を仰せつかる光栄に浴したのである。

両殿下を南大門でお出迎えして、ご休息をいただく寺務所へご案内したときのことである。皇太子さまが「以前に雅子がお世話になりました」とおっしゃったのである。私はとっさのことで驚いたが、かつて雅子さまに外務省の職員の研修会で、私が法隆寺についてお話をさせていだいたことがあったことを雅子さまが覚えていただいていたらしい。

そのことを皇太子さまにお話になっていたらしいのである。予期しなかった皇太子さまからのお言葉に私は恐縮と感激をしたことはいうまでもない。

その後、伽藍をご案内申し上げた。とりわけ皇太子さまは歴史がご専門でもあり、雅子さまにいろいろとご説明になっておられたお姿を思い出す。

私は聡明なおふたりのお姿にお側近くで接することができたことに感激した。そのとき私は皇太子さまに申し上げたのである。

ご幼少のころ法隆寺へ御成のときに金堂の壁画にご関心をお示しになり、再現壁画を描いた画伯たちの名前をよくご存知であったことなどをお話しした。すると皇太子さまは懐かしそうに「よく憶えています」とおっしゃったのである。特に金堂の薬師如来像の光背には、皇太子さまのことをお呼びするのと同じ、「東宮」という字句が彫られていることに話題が及んだ。すると雅子さまも大変ご関心をお示しいただいたように拝察した。

そして、焼損壁画を収めている収蔵庫から夢殿へ向かったときのことである。無言で随行するのもいかがなものか、と思ってとっさにつぎのようなことを申し上げたのである。

「本日は法隆寺にとりまして22日という意義深い日に両殿下の行啓を賜りましたことに感激を申し上げてお

ります。私たちは皇太子さまがご誕生になるときに、もう一日早くお生まれいただきたいと願っていたのでございます」

すると皇太子さまは即座に「22日は聖徳太子が薨去《こうきょ》された日ですね」とおっしゃった。そして私の誕生日が2月22日でもあることを申し上げたのであった。そのようなとっさの会話によって極めて和らいだ空気が漂ったように私は感じた。そして中宮寺へお入りになるお二方をお見送りした。

なお、この日に私は法隆寺の代表役員代務者に任命され、「法隆寺管主」に就任した。これから予定されている法隆寺の事業を促進するために枡田師をはじめとする寺僧たちが推挙したことにより任命書の交付が行われた。いずれにしても私にとって思い出深い日となったことは言うまでもない。

そして6月2日には、東京国立博物館で開催していた「国宝法隆寺展」を両殿下がご参観いただき、そのときもお声をおかけいただいたのである。まことにありがたいことであり、恐縮をしたことはいうまでもない。

その後も皇族方の御成が続いた。平成10（1998）年3月21日には高円宮ご夫妻の御成があり、このときも住職としてご案内の栄に浴した。その年の4月16日に秋篠宮ご夫妻の御成があり、ご案内の光栄に浴したのである。そのとき法隆寺の宝物調査で見つかっていた「ナマズを描いた絵馬」に格別のご関心をお寄せいただいたことを思い出す。

このように私が法隆寺に住まわせていただいている時期に行幸や御成があり、そのたびにお側近くに侍ることが許される光栄に浴したこともあり、ありがたいことであったと追懐している。

175 昭和資財帳完成を祝う——「国宝法隆寺展」に反響

昭和56（1981）年から始まった「法隆寺昭和資財帳」の調査もほぼ完成に近づきつつあった。すでに紹介したように宝物の新発見が続出していた。私が宝物の発見を操作しているのではないか、という陰口も聞こえてくることもあった。

しかし新発見は事実であり、編纂所の職員たちも新たに発見が続き、それに興奮する日々を送っていた。それほどに法隆寺では多くの宝物を秘蔵していたのである。

それらすべてを整理、調査して編纂《へんさん》した総目録が「法隆寺の至宝―昭和資財帳」である。それを写真で網羅して小学館から発行した。

そして編纂委員長の太田博太郎さんは成果をつぎのように記している。

「これほど多くの種類の宝物什器が、各分野ごとに古代から近代まで揃っているところはほかにまったくない。しかもそのうちには各時代の紀年銘を有するものが含まれているのであるから、これによってそれぞれの分野の正確な歴史が書ける。それは各分野における歴史の基本となるであろう。

今後、仏教美術史を書こうとする者は、それがどの分野のものであるにしても、この資財帳の成果を参照せざるをえない。このような意味で、法隆寺昭和資財帳は、決して法隆寺の資財目録にとどまるものではないといえよう」

やがて調査の目途が立ったところに、その成果と法隆寺を代表する宝物を可能な限り一堂に会して、多くの人びとにご披露することを計画した。

そのとき私は、資財帳調査の完成を祝う法隆寺最大の展覧会を開きたいと思ったからである。今までも、そしておそらくこれからもないような思い切った宝物類を展示することを決断したのである。

そして、玉虫厨子（飛鳥時代）▽橘夫人厨子（飛鳥時代）▽夢違観音（飛鳥時代）▽聖霊院聖徳太子及び眷属《けんぞく》像（平安時代）▽金堂阿弥陀如来三尊像（ギメ美術館所蔵の勢至菩薩像が特別出陳、百数十年ぶりに三尊像がそろった＝鎌倉時代）▽五重塔塑像（維摩居士坐像、文殊菩薩坐像、菩薩坐像羅漢坐像、羅漢像＝奈良時代）▽梵天立像▽帝釈天立像（奈良時代）▽毘沙門天像▽吉祥天像（平安時代）▽行信僧都像（奈良時代）▽聖僧坐《ざ》像（伝勧勒僧正坐像＝平安時代）▽地蔵菩薩像（平安時代）▽弘法大師像（南北朝時代）▽文殊菩薩騎獅像（室町時代）▽四騎獅子狩文錦（中国唐時代）▽扇面法華経冊子断簡（平安時代）▽蓮池図（鎌倉時代・中国南宋時代）▽五天竺図（鎌倉時代）――をはじめ、資財調査で発見した、飛鳥時代の善光寺如来御書箱▽花形飾金具▽幡（戊子年銘＝688年）▽飛鳥時代の幡▽馬甲（奈良－平安）――など、法隆寺を代表する宝物の多くを出陳したのである。

その内容は彫刻、工芸、絵画、書跡、百万塔、考古、建築に及んでおり、私の知る限りこれまでの最高最大の展示内容となった。

多くの人びとの協力によって平成6（1994）年2月28日から「国宝法隆寺展」を全国で開催することとなったのである。

そして奈良国立博物館で開会法要とオープニングセレモニーが行われた。予想をはるかに超える盛況ぶりで4月3日に閉幕した。期間中に18万6千人が訪れたのであった。

176 勢至菩薩像の里帰り実現——三尊そろい法要

「国宝法隆寺展」は奈良国立博物館での展示に続いて、4月25日からは東京国立博物館で開催。その期間中に46万2千人の来館があり、大混雑となる盛況ぶりであった。

福岡市博物館、名古屋市博物館、仙台市博物館と計5カ所で開催した。

それにともなう「法隆寺昭和資財帳」の調査と実状と成果についての講演会も、全国40数カ所で行った。私は資財帳調査の提唱者として、その成果と意義を「法隆寺世界文化遺産への道」「法隆寺昭和資財帳への道」というテーマでお話しさせていただいたのである。

特に平成2（1990）年にパリのギメ東洋美術館から、「かつて法隆寺金堂の阿弥陀如来坐像の脇士であったらしい勢至菩薩像が見つかった」との朗報が入ってきたことはすでに紹介した。

それは日本文化の最高の理解者であったベルナール・フランクさん（コレージュ・ド・フランス教授、フランス学士院会員、日本学士院客員）によって公表されたのである。

そして私は、4月24日に来日されていたギメ東洋美術館の館長に、勢至菩薩像のお身代わり像をお造りしたいことを打診したのである。

幸い館長から即座に許可をいただくこととなった。私は感激をした。そのときの興奮は収まるまで時間を要した。それにはベルナール・フランクさんや多くの関係者の助言があったことは言うまでもない。

すでに紹介したように、フランクさんが執筆された『流浪の菩薩、仏縁で里帰り』の中で次のように記されている。

「勢至菩薩像は長い旅路の末、昭和資財帳を完成された髙田良信先生の仕事を飾る国宝法隆寺展にピッタリと間に合うように、再び姿を現した」

特に平成6（1994）年6月22日に私の一つの悲願が実現したのである。それはフランスのギメ東洋美術館が所蔵している、法隆寺金堂阿弥陀三尊像脇侍の勢至菩薩像のお里帰りを実現化したいという私の夢が現実となった瞬間でもあった。

太子のご命日である22日を選んでお迎えする法要を厳修するとともに1週間にわたって三尊像がお揃いになった。やはり三尊がお揃いになったお姿はすばらしかった。そのことを聞かれた多くの人びとにもご参詣をいただいた。そのときの感激は、私の脳裏から離れることはない。

それからも「国宝法隆寺展」は順調に続いた。名古屋市博物館では予想をはるかに上回る13万6千人の入館者を記録した。とくに期間中にはそのころ人気を呼んでいた、きんさん、ぎんさんも会場を訪れ、私が案内したこともあった。

そしてご長寿のお2人から「身体に気をつけてがんばってくださいよ」と励ましていただいたのもうれしい思い出となっている。

最終開催地である仙台市立博物館では同館として前代未聞の入館者数となり、最終的に5カ所での入館者が100万人を超えたのである。

私は、この「法隆寺昭和資財帳」編纂の世紀の調査に対して、多くの人びとが関心と理解をしていただいたことに深謝したのであった。

177 西円堂奉納鏡の再興――薬師信仰の隆盛を祈る

三経院の左手を北に登って行くと、高い石段の上に八角の円堂が建っている。それを西円堂と呼ぶ。この西円堂は奈良時代の養老年間に光明皇后の母公、橘大夫人の発願によって行基が建立したという伝承がある。

ところが、永承元（１０４６）年に壊れたために、建長元（１２４９）年に再建されたのが現在の西円堂である。

本尊の国宝薬師如来坐像（脱活乾漆、漆箔、像高２４６・3センチ、8世紀後半）は、行基が七仏薬師を7カ寺に安置したうちの1体と伝わる、奈良時代を代表する丈六の乾漆像である。

この薬師如来に対する信仰はお堂が再建された鎌倉時代のころから大いに栄え、「峯の薬師」の霊験は、殊勝にして信心の篤《あつ》い人びとの病を悉《ことごと》く除く、という信仰として広まった。そのことから、西円堂には多くの武器・鏡などが奉納されている。武器類（刀・鎗・冑・鉄砲・弓）は男性の魂であり、鏡・櫛は女性の魂として、そのもっとも貴重とするものを薬師の宝前に捧げて祈願の切なることを表わしたのである。

古記にも「この本尊は霊験殊勝にして信心の者は諸病悉除す。諸国の道俗財物を捧げ武具・鏡・衣類など堂内に充満す。これによって朝廷にも帰依浅からず時々御代参御撫物その他御納物枚挙にいとまあらず」と記されている。

その西円堂の解体修理に昭和10（１９３５）年9月から着手するのに先立って、考古学者として名高い末永雅雄さんが刀剣、甲冑、槍、鉄砲、弓の武器をはじめ銅鏡などの奉納品の調査を行っていた。

ところが、太平洋戦争の開戦による国家の非常事態によって奈良県や軍部などの要請で金属製の仏具や鏡、刀剣などの供出を強要される時代を迎える。

そのとき末永さんのお手伝いをしていた杉本勝さんは、昭和16（１９４１）年から学徒出陣する18年末の3年間近く、末永さん指導のもとに法隆寺で刀剣や鏡の整理をしていたのである。そのとき末永さんが杉本さんに話された言葉が残っている。

「こうして戦争のためとは云え、この奉納品類が鋳潰されてしまえば、この世から永久に姿が消えてしまう。併しこうして、御寺に縁あって奉納された方々の、その夫々の思いと云うものが、この物に篭められている筈だ。だからせめて拓本に採って御寺に残すなり、報告書を製作して置く位のことは我々世代の者のせめてもの償ではかろうか」

これは平成6（１９９４）年10月8日に、私が西円堂へ鏡を奉納することを発願したときに、杉本さんから私へいただいたお便りの一節である。

そして資財帳調査の銅鏡の調査を担当した菅谷文則さんに選んでいただいた奉納鏡の中で最も古い和鏡と

される平安時代後期の「松喰鶴《まつくいづる》の図円鏡」の写しをつくり、その鏡を多くの人びとに奉納してもらったのである。

そしてその日は西円堂の北に隣接する薬師坊（重要文化財）を公開して私は鏡味を奉納していただいた人びとに厚くお礼を申し上げるとともに「西円堂の信仰」について講話を行い、その功徳をお伝えしたのであった。

そのときから、往時のように西円堂内の八角形の柱の各面に取り付けることになったのである。そして毎年、10月8日に「西円堂奉納鏡奉納大般若経転読」の法要が年中行事となり、現在に至っている。私は奉納鏡の再興発願者として毎年10月8日に鏡を1面ずつ奉納している。

178

勢至菩薩像のお身代わり像――私の念願が実現した

パリのギメ東洋美術館が所蔵している勢至菩薩像は、阿弥陀三尊像の脇侍として貞永元（1232）年に運慶の4男である康勝が造顕したものとする由来は、すでに紹介した。

法隆寺に現存する三尊像のうち、中尊の阿弥陀如来像と観音菩薩像は鎌倉時代に造顕されたものであるのに対して勢至菩薩像は夢違観音像よりも古い様式の飛鳥時代のものとなっており、古くから不信を抱く研究者も多かった。

しかも、その勢至菩薩像の像容は明らかに観音菩薩像そのものであり、阿弥陀如来像や観音菩薩像とは誰が見ても明らかに異質な像姿であった。

どうも盗難に遭ったときに、勢至菩薩像の大きさとよく似ている観音菩薩像を選んで勢至菩薩像の代りとして安置したと考えられる。しかし法隆寺には、勢至菩薩像が盗まれたという記録はない。

ギメ東洋美術館での発見によって、かつて法隆寺から盗難にあった勢至菩薩像を、明治9（1876）年の8月26日から同年11月初めにかけて日本を訪れた、ギメ美術館の創設者として名高いエミール・ギメ（1836－1918）が購入したという説が浮上していたのである。

私は「法隆寺昭和資財帳」編纂の提唱者として、法隆寺から流失をした宝物を探査していたこともあり、大いに関心を抱いていたことは言うまでもない。

そして平成４（１９９２）年5月に私的にパリを訪れ、ギメ東洋美術館の勢至菩薩像と対面したのである。

そのとき私は、ぜひとも勢至菩薩像に法隆寺へ里帰りいただきたいことと、お身代わり像をお造りすることを誓ったのであった。やがて私の念願は平成6年の「国宝法隆寺展」で実現した。

4月24日に来日していたギメ美術館のラジュール館長に東京で面談して、勢至菩薩像のお身代わり像を造りたいことを要請したのである。幸い館長から即座に許可をいただけた。

おそらく勢至菩薩像の発見者であるベルナール・フランクさんや、ＮＨＫなど多くの関係者の助言があったことは言うまでもない。

私は多くの方々のご芳情に感謝した。そしてすぐさま山岸鍍金工房の山岸伸一さんに依頼して作成に着手、そして12月はじめにお身代わり像が完成したのである。12月9日に金堂内に搬入され、阿弥陀如来像の側に安置したのであった。私の悲願の一つが実現をした瞬間である。

そのとき私は、金堂の諸尊がお喜びになって仏たちの音声《おんじょう》が聞こえてくるのを憶《おぼ》えた。

そこには、尽力をいただいた奈良国立博物館館長や東京国立博物館学芸部長、ＮＨＫ事業部副部長、山岸鍍金工房の関係者などが参列していた。

まさにこれも文化財の国際交流の画期的な成果であると感謝した。その日は法隆寺が世界文化遺産登録１周年であり、それを記念して勢至菩薩像の造立を急いだのである。

そして翌10日に改めて勢至菩薩像開眼法要を厳修した。翌11日から18日まで世界文化遺産登録１周年を記念して金堂と夢殿のライトアップを実施して、ともに祝ったのである。

179

焼損壁画の公開――法隆寺遺産を未来へ

平成5（1993）年ごろから、百済観音堂の建立や境内の整備など、多くの問題が私の背に覆い被さっていた。それは1寺院の事業ではなく、世の人びとのご協力を必要としていた。

特に、そのころの法隆寺の人材でそれに対応することは無理な状況であった。とくに法隆寺を復興するために、キャンペーンを全国的に展開すべき必要があったのである。

そのようなときに多くの人びとや電通の協力によって、復興が前進することとなった。幸い、朝日新聞社や朝日放送がその事業に対する協力を申し出てくれたのである。そして協議、検討した結果、「法隆寺　遺産を未来へ」のキャンペーンを実施することとなった。平成6年7月22日に、私は朝日新聞社と平成勧進事業について合意し、その「覚書」に署名したのである。

これによって法隆寺の勧進の推進と、文化財保護の気運を高めることに努力する運動を展開することとなった。

そのときキャンペーンのシンボルマークをつくることとなった。このマークの由来となったメビウスの帯の説明には、次のように記している。

「帯を一回ひねって、両端を張り合わせて得られる図形。ドイツの天文学・数学者メビウスの名に因んだものでー永遠の存在ーであることを示している」

このマークは止まることなく回り続ける「メビウス」をモチーフに、法隆寺が日本、そして世界の中で「永遠の存在」であることを表現したのである。

このキャンペーンの第一弾として実施したのが、金堂焼損壁画と食堂の特別公開である。これは法隆寺にとっても私にとっても、一大決断を要した。

すると、予想をはるかに超える大反響を呼び、1万人の定員に対して8万人に及ぶ応募があった。

特に10月31日は、食堂と焼損壁画特別公開の招待日とした。この夜には金堂焼損壁画を収納している収蔵庫から、小宮悦子キャスターとともにニュースステーションで放映した。

そして11月1日から11月23日まで公開を実施し、1日の入場者を500名に限定させていただいた。そして23日に無事終了したのである。その制約は焼損壁画の保存を考慮したことによる。

そのとき、朝日放送の道場洋三さんのラジオ番組にも出演をしてその公開について話したこともある。そのとき私は2枚の応募ハガキを出したが、いずれも落選したことを話した。すると放送から2日ほどして、私のもとに1枚の当選はがきが届いた。2枚当たりましたので1枚を差し上げます、と記されていた。わざわざ1枚を送っていただいたのである。私は、その手紙を何度も何度も読んで感謝した。

なお、この期間中の11月9日に、平山郁夫さんとともに大阪中の島ホールで「世界遺産・法隆寺を支えたものは何か」について講演したり、『法隆寺金堂壁画』（監修法隆寺・発行所朝日新聞社）を出版したりした。法隆寺の事業を前進するために奔走する日々が続いたのだった。

180

聖徳太子サミット――2月22日を太子の日に

法隆寺では、昭和60（1985）年の昭和大修理完成法要を機会に、兵庫の斑鳩寺や太子町との交流を深めていた。そして太子の墓所の叡福寺（大阪府太子町）とは古くから参拝する慣例があり、大阪の太子町とも交流を深めることは私の夢でもあった。

そのような発想をいだいていた私のもとへ、斑鳩町長の小城利重さんから相談が寄せられたこともあり、それが実現する日がやってきたのである。

平成6（1994）年11月23日に、「聖徳太子サミット」が斑鳩町中央公民館で開催されたのであった。大阪府太子町の吉村久平町長、兵庫県太子町の大村一郎町長、奈良県斑鳩町の小城町長が合意したのである。

特にそれは、古くから法隆寺と結びつきが深かった3町が、「法隆寺地域の仏教建造物群」が日本ではじめて世界文化遺産に日本ではじめて登録されたのを記念して開催したものである。

そのとき3町の町長をパネリストとしてディスカッションがあり、私はコメンテーターとして出席した。

そのとき、私は太子ゆかりの地域の人びとが集まって太子を顕彰していただいたことに感謝した。

すでに私は1千年間にわたって法隆寺の経済を支えた兵庫県の太子町と交流しており、太子の墓所である大阪府の太子町とも交流することも意義深と述べた。そして私は法隆寺が所在する斑鳩町と、かつて法隆寺を支えた財源であった兵庫県の太子町、太子信仰のメッカである大阪府の太子町の、3人の町長が一堂に会して「旧交」を温め、今後の交流について前進的な話し合いがなされることを歓迎した。私は、太子をキーワードとして町民交流を積極的に前進していただきたいと訴えた。

特に、「3町を結ぶ歴史街道の確立」「3町交流史」などの学習を提唱した。

そして太子のご命日とされる2月22日を3町交流の日とし、定期的に「太子サミット」を開いて2月22日を「太子の日」として積極的に全国へアピールする運動を展開していただきたい、と話した。

平成13（2001）年に行われる「聖徳太子1380年御遠忌」を一つのメドとして、「太子をキーワードとした3町共通の事業」の立ち上げをしていただき、近い将来に「3町の姉妹提携」の実現と3町を中心として「太子に関係深い地域との交流の促進」が図られることを提唱したのであった。

このとき3町の合意によって「太子サミット宣言文」を発表された。そして3町が「和」のネットワークを構築し、交流の輪を広げて行くことが提言されたのであった。

私はこれを受けて翌平成7年4月11日に太子町役場を訪れ、役場から太子像の輿《こし》を担いで太子の墓所へ参拝する行事を始めたのであった。太子町の吉村町長をはじめとする太子町の関係者と私たちが、太子の輿に随伴して叡福寺の墓所へ参詣したのである。

その慣習が現在に受け継がれている。なお私が提唱した「太子デー」が毎年2月22日には斑鳩町が主催して開催されていること、そしてついに3つの町の間で「太子ゆかりの地友好都市提携」が平成9年11月13日に実現して、私もそれに立ち会えたことに感謝した。

兵庫県太子町の大村町長と、近い将来には姉妹提携の日が訪れるであろうことを話し合ったことを思い出して、互いに喜び合った。これもささやかな私の夢の実現であった。

181

阪神淡路大震災――被災者のご冥福を祈る

平成7（1995）年1月17日未明に関西を未曾有の「大震災」が襲った。関西地方に戦後最大の災害をもたらしたのである。被害の範囲はみるみるうちに広がった。

法隆寺でも仏像が顚倒《てんとう》して破損し、境内の燈籠も顚倒した。そして諸堂のご本尊の光背も傾くといった被害があった。

私はすぐさま境内の災害調査にとりかかった。瓦の破損や白壁の剝落《はくらく》、仏像の破損状況などをことごとくチェックしたのである。

そして、可能なものから急いで修理に着手した。私は先例にならって、その年の2月3日に西円堂で行う鬼追式を急きょ中止することを決断した。

震災という多くの人びとの不幸をはばかって、喧噪《けんそう》な行事を中止したものである。これは江戸時代の記録などの先例による。

特に1月26日に恒例となっている「金堂焼損自粛法要」を厳修し、併せて「阪神淡路大震災物故者追悼法要」を厳修した。

なお阪神淡路大震災発生から「四十九日」にあたる3月6日には追悼法要を執り行い、同日正午を期して全日本仏教会の呼びかけもあって「追悼の鐘」をつき、多くの犠牲者に黙禱《もくとう》を捧げた。

そのころすでに「法隆寺　遺産を未来へ」のキャンペーンの第2回として、百済観音堂建立勧進のために、百済観音像への献茶と茶会、勧進薪能《たきぎのう》を計画していた。ところが、予期しないこの大震災によって、少し予定を変更せざるを得ないものもあったが、各界のご協力によって、ほぼ予定通りに執り行うことができた。大講堂前に重要文化財の木造舞楽台が設け、百済観音像をご本尊薬師如来坐像のお前立ちとして安置したのである。

これは百済観音像が虚空蔵菩薩とよばれていた江戸時代のご開帳のときに、金堂から大講堂へ遷《うつ》して安置していた慣例による。

4月3日に世界遺産条約登録を記念して、世界平和祈願の法要と阪神淡路大震災の物故者の追悼と復興を祈念する法要を執り行った。そして裏千家の千宗室宗匠（後の玄室大宗匠）による百済観音像への献茶式が厳かに行われたのである。

　それに続いて、南都楽所によって太子に縁深い舞楽「蘇莫者《そまくしゃ》」が演じられた。そして境内に設けられた茶席では参詣者たちがそれぞれにお茶を楽しみ、百済観音像のお姿を拝見しつつ、多くの物故者のご冥福を祈ったのである。

　そして、4月8日には恒例の仏生会を執り行い、併せて世界平和・阪神淡路大震災復興祈願・世界遺産条約登録祈願法要を厳修。翌9日には法隆寺で阪神大震災復興祈願・世界遺産条約記念シンポジウム「世界文化遺産と災害」を開催した。建築家の安藤忠雄さんの基調講演が行われ。そしてシンポジウムでは比叡山の執行《しぎょう》・小林隆彰師、作家の立松和平さん、国立民族学博物館助教授石森秀三さん、そして私がパネリストとなって文化財の公開のあり方、災害に対する今後の対策などを協議したのである。

　この4月の大きなキャンペーンが無事終えたことを報告するために、11日に太子の御廟《ごびょう》へ参詣した。その日叡福寺で厳修されていた、太子のご命日法要の大乗会に参拝したのである。

　そして私は、毎年4月11日に太子墓へ参拝することを年中行事として定着させることとした。なお4月11日は太子の命日である2月22日を新暦に換算した日であり、叡福寺では、それを採用されているのである。

182

法隆寺勧進薪能――永年の夢が実現した

　私が小僧の時代からいだいていた「薪能《たきぎのう》」の夢が実現した。それは朝日新聞社と朝日放送の協力により、狂言役者・茂山千之丞さんのプロデュースのもとに計画された。そして4月5日に西院伽藍前の特設舞台で勧進薪能が行われたのである。

　まず裏頭《かとう》の姿となった寺僧たちは惣社に参拝して、勧進薪能が無事厳修することを祈念した。それに続いて、舞台の中央で私が、法隆寺の修正会に伝わる「半夜の厳祈《ごんき》」の一節を奉読し、百済観音堂が無事建立されることを祈ったのである。そのころ見事なライトアップで大講堂の諸仏も、そして百済観音像も美しく浮かび上がっていた。

この薪能を祝うかのように、大講堂前の西側に植えられている桜は満開となり、風が吹くたびに花びらが舞った。

なお、その日のプログラムには梅原猛さんから「法隆寺と私」の一文を寄稿していただき、表紙には平山郁夫さんの「表紙絵」と題字「法隆寺勧進薪能」が掲載された。立派なプログラムができあがったのである。

そして午後6時から開演され、薪に火も入れられた。気候はずれの寒さであったが、輝いているように見える諸仏の顔や舞台をとりまくすばらしい演出に、私は興奮をおぼえた。

その日の演目は能「翁」(観世清和)、仕舞「高砂」(九郎右衛門)、狂言「二人袴」(茂山千之丞)、石橋(観世)であった。人びとは伽藍のたたずまいと見事なライトアップで仏像の美しく変貌《へんぼう》する姿や、堂内の荘厳、そしてすばらしい能を堪能した。

私はかつて能が法隆寺へ奉納されていた昔日に思いをはせ、時間がすぎさるのを忘れさせるような時空世界となった。

翌6日は雨天のために翌日に順延となったが、朝日放送による報道番組「ニュースステーション」だけは予定通りに放映された。それにはキャスターの小宮悦子さんと私が出演した。法隆寺と能のゆかりを伝えるためであった。そのとき、オカリナ奏者の宗次郎さんが大講堂でオカリナを奉納したのである。

残念ながら、オカリナの音も私たちの声も激しい雨音にかき消されるほどの大雨であった。

7日は幸い晴天に恵まれ、午後6時から無事に開演された。

その日の演目は舞囃子「夢殿」(友枝昭世)、狂言「靫猿《うつぼざる》」(茂山千作)、能「土蜘蛛」(金剛巌)であった。

桜も散り終えるのを待っているかのようで、薪の炎に揺れる姿は日本画の世界に入ったかのごとくに美しかった。とくに靫猿が演じられたとき、猿役が「月が」と指をさした方角に美しい月が輝いていたのが印象的であった。

人びとからも感嘆する声がもれた。このように私の悲願であった薪能も無事に執り行われたのである。またことにありがたい記念日となった。

このように遺産と災害のシンポジウムも「法隆寺

遺産を未来へ」のキャンペーンの一つとして実現したのである。

183　苦難の道への出発——寺僧たちに推挙されて

平成7（1995）年4月22日付で、管長の枡田秀山師が辞表を提出されていた。しかしこれまでに再三にわたって辞職願が提出されていた経緯もあり、そのつど慰留してきた。それが5月9日に開かれた法隆寺信徒総代会で、ついに「病気を理由として全員一致で、この辞職届を受け入れること」を確認したのである。

そして私に、後継者として管長に就任することが要請されたのであった。

これまでも寺務が滞ると私に協力依頼があり、「法隆寺住職代行」（平成5年6月1日）や「法隆寺管主（法隆寺代表役員代務者）」に就任して寺務を総覧していた。

私は、そのような状況で管長に就任したくなかったのである。私はなるべく寺務から離れ静寂の時間を持ちたいと思っていた。しばらく自分を見直す時間を持ちたかったのである。

そのために、管長の地位がしばらく空席となった。

そのような時期に、大野可圓師、大野玄妙師、古谷正覚師ら5名の連署で、私が法隆寺管長に就任することを促す嘆願書が提出されたのであった。

そこにはつぎのように記されていた。

「現在、百済観音堂建立をはじめ、様々な困難に直面している当寺の状況に鑑み、耐え難きを耐え、偲び難きを偲び、これも太子様の思し召し、天命として、法隆寺の将来の為に、大道に立って頂き、速やかに法隆寺住職に御就任戴きます様、伏して懇願する次第です。

我々有志は、髙田管主の心中は充分理解致しているつもりであります。ご就任戴きました暁には、我々一同一丸となって、微力ながら協力させて頂く所存であります」

これを受け取った私は考えた。歴代寺僧たちの悲願であった百済観音堂建立と、私が小僧のころから抱いていた念願の事業を実現することに燃え尽きよう、と。まさに捨身の気持ちで、その要請を受けることを決断したのである。

そしていかなることがあろうとも初志貫徹することを堅く誓ったのであった。「何があっても悲願の百済観音堂の完成の日こそが法隆寺に対する私の使命が終わる日である」との決意のもとに、晋山の儀式だけを平成7年7月1日に伝勧勤《かんろく》僧正像のご宝前で厳修したのである。

私が復興した、晋山式にあたる「印鎰《いんやく》の儀式」を執り行った。ありがたいことに長年にわたってご厚誼をいただいている南都楽所の笠置《かさぎ》侃一《りゅういち》さんをはじめとする皆さんが、奏楽してくださった。うれしかった。ありがたい祝意をくださったのである。

信徒総代や法隆寺縁の人びとの代表者たちもご参集いただいた。まことにささやかな披露ではあったが、満足する小宴であったと、私はいつも追懐している。

その日から、百済観音堂の建立と法隆寺の諸制度などの改正などにも着手することとなった。

そして私の念願であった用明天皇忌、崇峻天皇忌、推古天皇忌、太子忌、山背大兄王御忌藤ノ木古墳参拝、太子御廟参拝、斑鳩寺太子会式参拝、閼伽坊地蔵会、慧慈忌、行信忌、道詮忌、覚勝忌、定朝忌、定胤忌、良謙忌など、太子ゆかりの人びとや高僧の顕彰の年中法会を始め、その表白文を作成した。

幸いそのほとんどが現在に継承され、法隆寺の恒例行事に定着していることに感謝している。

184

法隆寺別当次第を改正——古文書を整理して

諸大寺の寺務を統轄する長官のことを別当という。『法隆寺別当記』によると、承和年中（834－847）の延鳳を初代の別当とし、天文22（1553）年に就任した兼深という興福寺僧を最後に廃止されたらしい。

それ以降は法隆寺の最上位の専寺僧（法隆寺所属の僧）である一臈法印《いちろうほういん》が別当に代って寺務を統轄することとなり、一臈法印寺務職と呼び、その慣習は明治初年ごろまで続いている。

一臈法印は法隆寺の代表者ではあったが、寺務の決定は学侶の全体会議で決議していた。いわゆる合議制である。

やがて明治9（1876）年からは、法隆寺でも一山を統括する主僧の総称として法隆寺住職という新しい役職を設け、その初代に就任したのが千早定朝師である。そして初代の別当から数えて、私の師匠の佐伯良謙さんで第104代とされていた。

たしか、昭和30年代のころであったと思う。師匠と歓談をしながらお茶をいただいていたときのことである。「法隆寺は1300年という古い歴史があるのに私で、第104代というのはおかしいなあ。ひょっとしたら途中で別当の名前が少し欠落しているのではないだろうか」ともらされたことがあった。

そのことがずっと私の脳裏に残っていたのである。その影響を受けて、昭和30年代後半から法隆寺の子院や寺僧の資料の収集をするかたわら、別当職や一臈法印のことを調べ始めたのである。

すると序々に、別当次第の中に欠落している別当がいたことがわかってきた。首座の寺僧についても、多くの欠落もあることが判明したのである。しかも別当としていた寺僧の中には、首座に就くことなく若くして遷化していた僧が含まれていることも明らかとなった。

特に私が不信に思ったのは、近代法隆寺の中興と言われている千早定朝師が第101代となっていることである。私には余りにもそれが作意的に感じた。しかも法隆寺の別当次第のベースになっている『法隆寺院主幷寺主譜略伝』は、定朝師が編纂《へんさん》されたものであることもわかった。

それを精査したところ、定朝師の住坊であった中院の住持を、別当職が廃止されてからの法隆寺の代表者に加えており、若くして遷化した中院の住持もその中に含まれていた。そのほとんどは、一臈法印に就任していない寺僧たちであった。

おそらく定朝師はそれまでの別当職と一臈法印を100人でまとめ、近代法隆寺の初代であるという意味から、自らを第101代としたように私は思われた。

そして、別当職の補任から遷化や退任の年代を精査したところ、別当職の中に7人の別当が欠落していたことが明らかになったのである。一臈法印についても、就任式である『一臈法印拝堂』の年時や一臈の遷化した年代と『法隆寺年会日次記』などの記録とを照合した。その結果、『法隆寺別当次第』は大きく改正する必要が生じた。

今までの一臈とは異なる寺僧たちが新たに加わるこ

ととなり、新たに20代の管主が増えたのである。

このように、師匠の一言から、法隆寺別当次第を改訂して公表したのは昭和47（1972）年のことであった。そのことから私が法隆寺管長に就任した平成7（1995）年に寺僧たちと相談し、改正した新しい次第を採用することを決断した。そして、私で第128代の住職を公称したのである。

そのような実状を知らない人びとには、なぜ20代も古くなったのか、という不信を抱かれたこともあったが、改正したものはそれまでのものよりははるかに史実に近づいたものであることだけは誤りがない。しかし今後、新しい資料の発見によってさらに改められることを期待したい。

185
法隆寺の寺紋を改める――金堂四天王多聞天の光背紋

古くから寺院の門幕や提灯にはそれぞれ紋がある。その紋は、寺ゆかりの家のものや菊の紋が多い。

法隆寺には、古い時代の寺紋は残っていない。江戸時代には、菊の紋や葵の紋がついたものがある。菊の紋は江戸への道中に荷札などにあり、元禄7（1694）年からは出開帳のときに、将軍家や桂昌院から下《か》賜《し》された葵の紋などがついている。

また、寺僧が住んでいる子院には、それぞれに独自の紋があり、法隆寺として統一した決まった寺紋らしいものを見ることはない。

ところが、明治維新によって新しい改革が行われた。寺紋も従来からの菊の紋を使おうとしたらしいが、菊の紋は皇室の紋であり、それを無断で使うことによっておしかりをうけるのではないか、と案じていた。

そのために、建野郷三・大阪府知事に対して伺《うかが》い書を提出している。それは明治18（1885）年3月のことであった。それにはつぎのように記されている。

「菊の御紋章の幕や提灯に使うことに関してお伺い申し上げます。法隆寺は用明天皇の勅願に依って推古天皇と聖徳太子が御創立になりました。そのために殿堂には古くから菊の紋を用いてまいりました。そのようなご縁から是非とも聖霊院をはじめとする殿堂に限っ

て菊のご紋章を幕と提灯に用いたいと思いますので、それについてお許しをいただきたくお伺いを申し上げます」（要旨）

法隆寺としては、明治11（1878）年の献納宝物のこともあり、許可されるものと期待していたが、許可されることはなかった。法隆寺は困惑したが、役所の意向に逆らうことはできなかった。

そのため、仏教の寺院の記号である「卍」を寺紋に使用した時代もあった。それ以外には寺紋らしいものは見つからない。

ところが大正10（1921）年に執り行った「聖徳太子1300年御忌」を期して、紋幕や提灯をはじめ、新調する仏具類に統一の寺紋を付ける必要性に迫られた。そのことから佐伯定胤師は正木直彦さんや黒板勝美さんなどと相談して、法隆寺献納宝物にある、平安時代の唐櫃《からびつ》の鳳凰《ほうおう》紋を採用したと想像する。

大正10年に聖徳太子1300年御忌の料として奉納された大講堂の「五色唐草立湧鳳凰紋緞子《どんす》幕」や門幕、提灯、紋菓、水引などにも採用され、そのころから鳳凰紋が法隆寺の寺紋となったと考えられるが、それを証明する資料はない。

たしか、昭和40年代のことである。東大門から夢殿の間で映画の撮影があったときのことである。17代中村勘三郎さんと三木のり平さんを案内して大講堂へ参拝したときのことだった。勘三郎さんが「東京の歌舞伎座の紋と法隆寺の紋が一緒である」と指摘したのである。

それから、私はずっと寺紋のことが気になっていた。ところが調べれば調べるほど、鳳凰紋が法隆寺の寺紋となった古い記録は見つからない。しかも東京の歌舞伎座の鳳凰紋は、大正時代の初期に採用されたと聞く。そのことから私は法隆寺の寺紋を見直すことを秘かに考えていたのである。

ある日、金堂へ入堂したときのことである。朝日の光がさして飛鳥時代の多聞天像を照らしていた。そのとき多聞天の光背にある紋が輝き美しく浮かび上がったのである。私はこれだと思った。「これをぜひとも寺紋にしたい」と。

平成7（1995）年に百済観音堂を建立する使命を受けて管長に就任したとき、多くの改革をした。その一つとして寺紋を改めたのである。

しかし私はこれを、絶対とは考えていない。後代の学僧たちによって資料が精査され、再改正されることに期待したい。なお、天文22（1553）年の古記録には太子の御紋は「サイワリビシ」であると記されており、元禄8（1695）年の金堂隅木先金具にその紋を採用しているが、それ以降は姿を消していることを付記しておく。

186　江戸出開帳の再現――東京の古刹との交流

私は近世（江戸時代から明治維新ごろ）の法隆寺の歴史に興味を抱いていた。そのことから資料の蒐集につとめたり、法隆寺年表でも近世ごろの事項を多く収録したりしていたのである。

それまで法隆寺の近世の史料にはほとんど公開されていなかった。とくに元禄7（1694）年の江戸出開帳や京都、大阪での出開帳に興味を持った。その資料類は公開されていないものであり、ほとんど私が探し出したものである。法隆寺昭和資財帳の成果や資料を整理して、平成7（1995）年10月に法隆寺の聖徳会館で『法隆寺元禄秘宝展』を開催した。

すると東京のサントリー美術館から、「ぜひとも展観したい」という要請が寄せられた。そして翌平成8年7月に開催することとなったのである。

その機会に私は、元禄7年に行なった出開帳のときにご交誼をいただいたことのある寺院をお訪ねしたのである。

それは江戸を代表する名刹ばかりであった。何の連絡もせずに突然おたずねしたが、いずれも温かくお迎えいただいた。

特に出開帳の会場となった両国の回向院《えこういん》は、その最たる古刹《こさつ》であった。その境内を歩みつつ、かつての寺僧たちも闊歩《かっぽ》したであろうことに思いをはせたのである。

宿所となった西徳寺や浅草寺、宝物をお預かりいただいた増上寺をはじめ、ご交誼をいただいた寛永寺、霊雲寺、護国寺、明王院、伝通寺、幡通院（萬随院、諸説あり）、弥勒寺、円福寺、真福寺、弘福寺、天徳寺、松源寺、済松寺、金勝寺、誓願寺などをお訪ねした。

まさに、300年という時空を越えた参拝となった。そして私は「南無仏舎利」を回向院と西徳寺へお移しして、門信徒の皆さまにもご参拝をいただいた。そのとき関係各位のご賛同のもとに『法隆寺元禄出開帳関係寺院懇話会』を開催したのである。まことにありがたい法縁を結ばせていただくことができた。そしてこの平成の出開帳は大成功裡《り》に幕を閉じたのである。

その期間中に、サントリー美術館で記念講演会を開催したときにも、あふれんばかりの聴衆にご参集いただいたのであった。

そして私は寺僧たちと一緒に、平川門から旧江戸城を訪れた。元禄7年に法隆寺の寺僧たちが登城を許されたときに出入り口が平川門であった。その奥には、将軍の生母、桂昌院が住んでいた三の丸御殿があったと聞く。

なお、このときに感じたことは、寺院のほとんどの寺紋が徳川家の「葵《あおい》」であった。そのことから、記念として江戸時代に法隆寺の甍《いらか》を飾っていた葵の瓦を各寺院にお納めいただいた。

一方、東京の古刹からも百済観音堂の落慶に参拝していただいたり、ご厚志をちょうだいしたりしたのである。

また天保13（1842）年にも出開帳が回向院で開かれ、そのとき寺僧たちにいろいろとアドバイスをした僧がいた。

その号を台草といい、本名は厳定という真宗髙田派の宗僧である。台草は書家であり諸国を訪ね歩いて法隆寺の実相院に滞在したことがあった。そのとき法隆寺の若い寺僧たちに書道を教えたり、江戸や諸国で見聞したことを語り聞かせたりしている。

その中には、廃仏毀釈《きしゃく》の嵐に立ち向かうこととなる、若い千早定朝の姿もあった。その台草が親鸞聖人作と伝える聖徳太子孝養像の由来書などを著して、天保の出開帳の準備に協力している。

その台草の寺院が浅草にある唯念寺という髙田派の寺院であった。なお台草は、その境内にある願寿寺の寺族と伝わっている。そのことから唯念寺をおたずねして、旧縁を温めたのである。

187

百済観音堂の建立はじまる——全国から浄財

百済観音像は、その優美なお姿と慈しみの眼差しをもって多くの人びとを魅了し、虚空蔵菩薩として篤い信仰を集めてきた。

記録に登場する江戸時代からは金堂内陣の北側に安置していたが、昭和16（1941）年に聖徳太子1320年御忌を期して開館した「大宝蔵殿北倉」の特別室に遷座していただいた。

しかし、それはあくまでも仮の安置施設であり、百済観音をご本尊とする本格的な殿堂を建立することが責務の一つであると、私は考えていた。

そのような時期の昭和62（1987）年に、管長の大野可圓師が、百済観音像を安置する殿堂を建立する思いを私に語られたことがあった。

そのとき執事長であった私も、率先して建立を成就するために浄財の勧進などに奔走することとなる。はじめは、大宝蔵院の東側にある空き地に百済観音像を安置する八角の円堂を建立する計画していたのである。

しかし法隆寺では、国宝や重要文化財の建造物の昭和大修理がほぼ達成された昭和56（1981）年から寺宝の調査、研究、修理、保存の目的で昭和資財帳調査を行っていた。そして新しく多くの成果が確認、整理され、それらを収納展示する施設を必要としていたのである。

特に、学士院会員の太田博太郎さんを委員長に就任していただいて「百済観音堂建設委員会」を組織し、坪井清足さん、浜田隆さん、西川杏太郎さん、鈴木嘉吉さん、山本信吉さん、樋口隆康さんを委員として、計画は大きく前進した。

法隆寺境内にふさわしい景観や利用計画を考慮しつつ、各方面の意見のもとに百済観音堂の姿が立案された。そして諸官庁や法隆寺文化財保存協議会などでも協議が重ねられた。

百済観音像を納める御堂を中心として、その左右に宝物館、入り口に中門を構えた一院を建立することとなる。やがて私はこの殿堂を「大宝蔵院百済観音堂」と名づけた。そして食堂・細殿の北側の空地に建立することとなったのである。

特に、建物の外観は境内環境や伽藍の景観を考慮して、奈良時代初期の建築様式を基準とするものとなった。そして私はひたすら「流浪のほとけ、百済観音さまに安住の地を」を訴えて全国行脚を行ない、多くの皆さまからお寄せをいただいた尊い浄財に感謝し、百済観音の殿堂にふさわしい平成の伽藍を建立することに邁進した。そして細部にわたって古建築の権威である鈴木嘉吉さんには、設計施工に全面的なご指導をいただいたのである。

文化庁、奈良県知事などの許可条項がすべて整った平成8（1996）年4月9日に百済観音堂起工式を挙行した。その日は旧暦の2月22日であり、太子のご命日にあたるお日柄によることからこの日に決定した。そして太子のご加護をいただき、一刻も早く成就することを願ったのである。

建設予定地である食堂の北側に舞台を設け、その北側に祭壇をしつらえ、その正面には百済観音画像を安置した。これは日本画家の後藤純夫さんに依頼したものである。

そして伽藍の堂塔の風鐸《ふうたく》には幡《ばん》がたなびき、庭幡《ていばん》が境内を荘厳した。起工式場へ向かう行列は金棒を先頭に伶人が楽を奏し、鎮壇具を入れた容器を輿《こし》に乗せて輿舁《こしかき》がそれを担いだ。容器の中には、私が蒐集《しゅうしゅう》していた漢代や唐代の銅鏡に関係者の名前を彫って壷に納め、寺僧たちが奉納した七宝や金貨・銀貨・金メダルなども納めていた。その輿に続いて寺僧が行道して会場へと向かったのである。

そして起工式がはじまり、唄《ばい》、散華に続いて百済観音堂建立起工式の表白文や祈願文の奉読があり、長老の大野可圓師と枡田秀山師による鎮壇具の納入が行われた。

188 世界文化遺産登録3周年——記念碑建立の真相

法隆寺と姫路城が日本で最初に世界文化遺産に登録されてから、平成8（1996）年の12月11日で3周年を迎えた。

かねてから私は、法隆寺が1300年の昔から領地であった地域や、法隆寺様式といわれる模様の瓦を使用していた古代寺院跡のある地域を訪れて、交流を深めたいと願っていた。

この記念事業に先立って全国に散在していた法隆寺の荘園のあった市町村をすべて訪ねる機会が訪れたのである。それは群馬県から大分県に至る広範囲に及んでいた。

この訪問は、法隆寺として初めてのことでもあった。旧荘園の推定地に立った私は、法隆寺を支えていただいた多くの人びとに感謝しつつ黙念合掌した。これも感動する出来事の一つであった。

私は、世界文化遺産登録3周年を記念して、石碑を造立することを計画していた。そしてその石材を兵庫県の太子町から提供していただきたいと考えていたのである。それは太子町の地域が、太子の時代から千年にわたって法隆寺の財源となっていた最も由緒深い地域であったことによる。

私は昭和50（1975）年ごろから、太子町にある斑鳩寺と交流を深めていた。斑鳩寺はかつての法隆寺の別院のような寺院であり、その法縁を大切にしたいと思ったことによる。そのことから太子町ご当局とも必然的にご交誼をいただくこととなった。そこで私は、太子町長であった大村一郎さんに思い切って石材の提供を依頼したのである。

やがて太子町から、石材を提供しようという吉報が寄せられた。その石材に、著名な日本画家であり、国際的な視野に立って文化財の保護にも取り組まれている平山郁夫さんに揮毫《きごう》を依頼することを思い立った。ちょうど平成8年6月8日に、中国・敦煌莫高窟の西大仏の宝前で、裏千家・千宗室宗匠（後の玄室大宗匠）の供茶式が厳修されることとなった。

私は、お家元に随伴して訪中したのである。すでに訪中されていた平山さんと北京飯店のロビーで合流した。私たちは人民大会堂で中国の要人との会見に赴くため、時間調整をしていた。そのわずかな時間に平山さんに記念碑の揮毫を依頼したのである。とっさのことではあったが、平山さんは快諾された。

帰国してから早々に、『日本最初の世界文化遺産・法隆寺・平山郁夫』と揮毫していただき、記念碑が完成したのである。

そして11月22日に、予定地である中門前の西側に安置することができたのである。

12月11日からは、世界文化遺産登録3周年を記念して平山郁夫さんや梅原猛さんの講演なども行った。

このような記念行事に先立って、記念碑の安置法要と除幕式を厳修した。それには平山さんをはじめ多くの関係者に参列をしていただき盛大に行うことができたのである。

189

法隆寺史の編纂を発願――専門家の叡智を集めて

法隆寺の通史を編纂《へんさん》することが、私の夢の一つであった。それは40数年前、法隆寺年表や法隆寺銘文集成を発行したときから、じっと温めていたものでもある。そして多くの人びとのご協力によって法隆寺宝物の総合調査である「法隆寺昭和資財帳」にほぼ目途をつけることもできた。

その調査に続いて法隆寺史を編纂する時期が到来したのである。ちょうど、百済観音堂の着工を期して編纂に着手しようと考えたのであった。

平成８（１９９６）年3月19日に、百済観音堂建設委員長を依頼している太田博太郎さんに、「法隆寺史」編纂をご相談したのである。百済観音堂の建立に着手することを報告したときのことであった。

太田さんからご賛同をいただき、総監修者に就任いただくことができた。そして「鈴木嘉吉さんを委員長として進めるように」というアドバイスをいただいたのである。

その後、鈴木さんのご指導のもとに、編纂にご協力をいただく機関へあいさつに訪れたのであった。

そして翌9年4月2日に待望の「法隆寺史編纂会議」を開催していただいた。それからも会議が開かれ、聖徳会館にある法隆寺昭和資財帳編纂所の近くに、法隆寺史編纂所を開設することになり、やがて専属の所員を置くことになった。

しかし、私は百済観音堂建立のため全国で講演会があり、席の温まることがなかった。特にパリのルーブル美術館での「百済観音展」の開催など、直面する仕事に没頭せざるを得なかったのである。それでも、法隆寺史の編纂をすることを提唱し、皆さんの協力で序々にその体制が整えられつつあることに感謝した。

かつて法隆寺史は、大正10（１９２１）年に厳修された聖徳太子１３００年御忌を記念して編纂されたこともあった。

法隆寺史編纂所を設置して、法隆寺から委嘱を受けた大屋徳城さんが『法隆寺志』を編纂していたのである。大正10年にはその一部分を抜粋して『法隆寺小志』として公刊している。

その「はしがき」には
「今年本願太子1300年の忌景を迎ふるに当たり、之れが記念として寺史編纂希望弥々切なり。研鑽茲に多年、功已に脱せり（中略）。法隆寺編纂所に於いて編纂の法隆寺小志を刊行し、聊か希望の一端を示すと云尓。大正10年4月・法隆寺管主佐伯定胤」

と記している。

その後も大屋さんは『法隆寺志』の推考を重ねられ、昭和3（1928）年に脱稿されたが、遺憾ながら未刊のままになって現在に至ったのである。『法隆寺志』を刊行することも考えたが、すでに80年が経過していることもあり、昭和大修理や資財帳の調査にともなう多くの新知見もあるために、現代の研究者たちに執筆を依頼すべきであろうと考えたのであった。

私も法隆寺の歴史に関心を持っているものの、それは法隆寺内部の立場から見た歴史となる傾向が強くなることを恐れていた。

そのことから専門の研究者による編纂がもっともふさわしいと考えていた。それが私の基本方針である。

多くの研究者たちの尽力によって、法隆寺史の編纂が行なわれている。そして私は法隆寺の寺僧としての立場から、法隆寺学の確立のために歩むこととなった。

190 法隆寺フォーラムを開く——歴史を支えた旧跡

平成8（1996）年12月に、世界文化遺産登録3周年を記念して「法隆寺・世界文化遺産への道のフォーラム」や「太子道サミット」などを開催した。

法隆寺にゆかり深い土地については、天平19（747）年の『法隆寺伽藍縁起流記資財帳』（『法隆寺資財帳』という）の中に、法隆寺が所有・管理していた水田・薗地・山林・岳・嶋・海渚・池・庄・庄倉・屋・食封（天皇から法隆寺の収入源として給した封戸）などが、克明に記されている。

また、天平宝字5（761）年の『法隆寺東院仏経并資財條』や、嘉禎4（1238）年撰述の『法隆寺東院仏経并資財條』や『聖徳太子伝私記』などをはじめとする中世や近世文書などにも、法隆寺の領地の記載がある。

その中には所在する郷名を記しているが、具体的な所在地がわからないものも多い。しかし興味深いことには、郷名のある近くからは、法隆寺様式の形態と似ている瓦や寺院跡が発掘されている例もある。

たとえば、庄倉などの所在を記す備後国（岡山県）について、「備後国壱処　在深津郡」とあるだけで具体的な場所や庄倉や屋の数も記していない。しかし、備後国内には法隆寺様式の蓮弁に形態が似ている軒瓦が出土する寺院跡として、三次郡に「寺町廃寺」がある。（ところが庄倉のあった福山市とは距離があり両者を関連づけることは難しいとも言われている）

平成8年12月11日には、これらの関係府県市町村・関係機関・関係寺社の参集を頂いて、法隆寺の聖徳会館において「法隆寺フォーラム」を開催した。

その後の報道によると、斑鳩町が小田原市と法隆寺の食封が取り持つ縁で斑鳩町と友好関係にあると伝えている。

交流の輪がひろがるのは好ましいものの、小田原市よりも、もっと歴史的に関係が深い地域との友好提携を進めることもさらに期待したい。

例えば、私が考えている斑鳩町と最も関係の深い地域は兵庫県の太子町と奈良県の広陵町である。この地域は永年にわたって法隆寺を支えた代表的な地域である。

広陵町の周辺は、豊臣時代から明治期まで法隆寺の代表的な領地であった。しかも法隆寺に最も近い領地でもあり、法隆寺近くの村落の人々ともつながりが深いと聞く。

その意味からも、広陵町は兵庫の太子町と大阪の太子町に続いて、斑鳩町が交流を促進することが望ましい地域の一つに挙げたい。

当然の事ながら、友好関係を結ぶためには、相互の深い理解を必要とする。双方ともにそのような時期が到来すれば、ぜひとも実現をしていただきたいものである。一町民として、近い将来にそのような時期が訪れることを心から待ち望んでいる。

なお、法隆寺とゆかり深い地域については、平成8年に世界文化遺産登録3周年を記念して、帝塚山大学名誉教授であった森郁夫さんと共に、『法隆寺文化のひろがり』を上梓した。そこには、全国に散在している法隆寺ゆかりの地域や、法隆寺様式の瓦などの分布状況を掲載しているので、参照していただければ幸いである。

191

太子道サミットを開く――歴史ある道の保存を提唱する

平成8（1996）年12月12日に「太子道サミット」を開催した。

太子道とは太子が愛馬黒駒にまたがって斑鳩宮から飛鳥の小墾田宮《おはりだのみや》へ通われたと伝わる道のことである。その道は大和盆地の条里制によって南北に整然と区画された条里を斜めに走っている。

そのために、「須知迦部路《すじかいみち》」（筋違道）とも呼ばれている。おそらく飛鳥と平群方面を結ぶ最短距離の道であったのであろう。太子は宮殿や法隆寺を建立するための土地を求めて平群近くの里を訪れたことがあった。その周辺に寺院を建立したいと考えていた太子が竜田老人の指南によって法隆寺を建立した、とする伝承がある。

太子は飽浪《あくなみ》の村にはじめて仮の宮を造り、宮の四方に蘆垣《あしがき》を造ったという。それが飽波蘆垣宮である。はじめは離宮的なものとして静養のために利用された施設かもしれない。

やがて太子は本格的な斑鳩宮の正殿を現在の夢殿近くに造ることを決断する。そして推古13（605）年10月に、太子の率いる上宮王家の人びとは造営した斑鳩宮へと遷《うつ》ることとなった。

それからの太子は、早朝に愛馬の黒駒で小墾田宮へ向かわれて政務にあたられ、夕刻には斑鳩宮へお帰りになった、と伝わっている。おそらくこの伝承は、太子信仰の一つとして生まれたのであろう。

やがてその道を人びとは「太子道（路）」と呼ぶようになった。この道の中ほどにある三宅町の「屏風《びょうぶ》」という地は、「太子がこの地で昼食をとられたときに村人たちが屏風で囲ってご接待したことに由来する」と伝わる。白山神社には「太子の腰掛石」という石がある。

私は昭和50年代からぜひともこの太子道を保存したいと願っていた。

世界文化遺産登録3周年記念として、この「太子道サミット」を開催する運びとなった。このときに10の市町村と関係寺院3寺を訪れて代表者の賛同を求めた。ありがたいことに、いずれも協力していただいて開催することができた。

そのとき、翌年の2月22日からは、まず飛鳥から磯長に至る「太子道を訪ねる集い」を実施して歩いたり、バスに乗ったりして訪れ、毎年2月22日（飛鳥から斑鳩）と11月22日（斑鳩から磯長）に歩くことを提唱した。

そして平成28（２０１６）年で20年（40回）を迎えた。報道によると、同年の7月7日に「太子道」にゆかりのある市町村や寺院など14の団体が集まって、「太子道日本遺産認定推進協議会」が発足されたとのことである。

私が20年前に提唱した「太子道」が太子ゆかりの文化財として日本遺産の認定をめざしたことには感慨ひとしおのものがある。

しかし、それが実現すれば、私が世界遺産登録3周年に合わすために急いで決めた「太子道」のままで、後世に誤った伝承を残すのではないか、と危惧している。それはあくまでも法隆寺を中心基点として飛鳥と磯長とを結んだものであり、なるべく歩きやすい近距離の道筋を選んだものであった。そのために距離的なこともあり平群町や三郷町などは入っていない。

協議会のような公的機関で決定する場合には、更なる調査検討をしてほしいものである。そして改めて太子ゆかりの旧蹟がある地域の平群町や三郷町を太子道に加えていただくことを検討されるよう、特記しておきたい。

192　百済観音像をフランスへ――文化庁からの要請に応え

百済観音堂を建立するために全国的に浄財勧進の行脚を行い、観音堂建立の工事も大いに前進しつつあったころのことである。

平成8（１９９６）年12月24日に、文化庁の監査官であった三輪嘉六さんから、一つの依頼が法隆寺へ寄せられた。

それは、ぜひともパリのルーブル美術館へ百済観音像を出陳してもらいたい、という非公式な依頼であった。

この予期しなかった要請は、平成8年の11月に来日したフランスのシラク大統領と橋本龍太郎総理との日仏首脳会談において、両国の協力強化のため「21世紀に向けての日仏協力20の処置」が合意されたことによる。

そのときに両国を代表する宝物の相互交換の展覧会を開催することが決定し、百済観音像が選ばれたのであった。

平成9年4月には、日仏国宝美術品交換展「百済観音―日本の古代彫刻」（フランス文科省、文化庁など主催）を、翌平成10年4月からの日本におけるフランス年では、ドラクロア作の「民衆を率いる自由の女神」が〝来日〟することとなった。

昭和39（1964）年に「ミロのヴィーナス」が日本で公開されたときには、フランスのポンピドー首相側から「いつの日か百済観音像をルーブル美術館へ迎えたい」と、百済観音を名指しで希望したことがあったと聞く。

しかし、それまで百済観音像を国外へ出陳することはなかった。私はこの要請に対して、しばらく検討したいと返答した。百済観音像という日本を代表する仏像を海外へ移動することに対する問題、百済観音堂を建立中であり、それが落成すれば外国でご開帳する機会がなくなり、これがラストチャンスであること、などいろいろと思いをめぐらした。そしてついに決断した。

日本の代表的な彫刻としてルーブル美術館へ出陳をするのではなく、この機会にフランスの人びとに日本の仏教文化の奥深さを知っていただきたいと考えたのである。その後、三輪さんとも協議をかさねた。

そして私は、信仰の対象としてその尊厳を大切にしていただくことを条件に了解したのである。

特に、裏千家のお家元千宗室宗匠（後の玄室大宗匠）に、ルーブル美術館における百済観音像へのお献茶をお願いし、法隆寺ゆかりの寺院や法隆寺の僧侶による法要を厳修すること、文化庁から今泉今右衛門さんの香炉を百済観音像のために奉納されること、なども決まった。

やがて出陳の決定にともなって、百済観音像はフランスへの長旅のために京都の国宝修理事務所で入念な手当を行って出発を待つこととなる。

そのとき私は、一つのことを思い立った。この展観の記念として散華《さんげ》を作ろうと。そしてすでに法隆寺へ納めていただいていた平山郁夫さんの作品の裏に、総理の橋本龍太郎さんに「日仏文化交流　橋本龍太郎」と揮毫していただくことを提案した。

それに対して総理からの快諾をいただき、私が総理官邸にうかがって揮毫された色紙を受け取ったのである。このときしばらく総理と歓談する時間があり、シラク大統領が非常に日本通であること、総理と大統領がきわめて友好的な間柄であること、聖徳太子を再び紙幣に再登場いただきたいこと、現在は百済観音堂を建立中であること――などを話したことを思い出す。

そのとき総理からも百済観音堂への浄財をちょうだいしたのである。ルーブル美術館で大統領にお会いしたときに散華を大統領にお渡しして、橋本総理の揮毫によることを伝えたところ、大統領は「リュウ（龍太郎総理）は私の友人であり、これを大切にする」といってポケットに入れられたのが印象的であった。

193
ルーブルの百済観音――シラク大統領の拝観

ついに、百済観音像がパリへ旅立たれる日が訪れた。文化庁の三輪嘉六さんと私も同乗して、パリへと向かった。そして百済観音像は、ルーブル美術館のナポレオン3世時代の宮殿ホール中央のケースの中に安置されたのである。

私は、木造の仏像と石造の建物がマッチするかどうか、いささか心配していた。しかし百済観音像は凜《りん》としており、その容姿は建物に受け入れられたのである。私は安堵した。やはり優れたものはどのような環境でもその尊厳を損なわないことを感じた瞬間である。

その展観は平成9（1997）年の9月10日から10月13日まで開催された。それに先立つ9月9日に行われた「百済観音展」のオープニング式典には、シラク大統領やトロトマン文化相なども臨席された。物々しい警備のもとに、ルーブル美術館は静まりかえっていた。

大統領が到着される寸前には、大きな警備犬が私たちの控え室に入ってきた。とくに僧侶に近づいてかぎ回ったのである。法衣についているお香の臭いが気になるらしい。

それほどにフランスではテロが多いようだった。改めて平穏な日本社会に感謝した。ちょっと恐ろしく感じた時間帯でもあったが、まもなく大統領や文化相などが到着されて、千宗室宗匠ご夫妻と私がお出迎えし、ごあいさつをしたのである。

いよいよ大統領が、拝観されることとなった。大統領は、ゆっくりと時間をかけて拝観された。予定の20分を大きくオーバーしていた。そして大統領は私に質問されたのである。

「日本で造られた仏像をどうして百済観音というのですか」

私は「百済の影響を受けた仏師が造った仏像で、日本の仏教は百済から伝わったという伝承があることによるのではないでしょうか」と答えたと記憶する。さすが日本通の大統領の鋭い質問であった。

やがて法要に先だって宗匠によるお献茶があり、いよいよ法要がはじまった。そのときに私が奉読した表白文の一部を紹介しておきたい。

「この法会に台臨されたるシラク大統領閣下をはじめとする参集の善男善女人と共に一心の誠を抽んでて本尊百済観音大菩薩の御宝前を荘厳し、一香一花を供して、至心に恭敬して、世界の恒久平和を祈り奉らんとす。（中略）両国の交流退転することなく、遠く末代に至るまで隆昌せんことを乞い祈る。日仏交流愈栄え友好を讃える月の光はセーヌの河にその影を映し、観音の大慈悲は巴里の都を照さん」

ここに日本の仏教文化が、ルーブル美術館で花開いたのである。日本仏教美術の粋である百済観音像が持つ美しさとその精神性は、単に東洋の神秘と云うにとどまらず、国境や宗教の違いを越えた世界人類の共通認識となり得ることを証明したのである。

この展観はフランスの人びとにも大きな感銘を与えた。フランスの新聞には「日本から美しい女神がやって来た」と報道されていた。

そして百済観音の姿が切手の図柄にも採用されたことは画期的な出来事である、と聞いた。その図柄は、パリに建てられた日本文化会館を背景に法隆寺の百済観音像を配置している。

そしてこの日本文化会館で、私は「なぞの秘仏百済観音」をテーマとした講演をさせていただいた。これも思い出深い一つとなった。このようなパリでの日程を終えて私はロンドンとベルリンを訪ねる旅へと出発したのである。

194 ロンドン・ベルリンへの旅——お身代わり像を訪ねる

百済観音のお身代わり像（模像）が東京国立博物館とイギリスの大英博物館に所蔵されていることは、よく知られている。

しかし、記録に残る最も古い模像は、パリ万博に出陳しようとした縮像であるという。明治32（１９３０）年に東京の飯島成渓という彫刻家が、パリで開催する万国博覧会へ百済観音の縮像を出陳したという記録もあるが、その正否のほどはわからない。

私はパリを訪れる機会に文化庁にお願いして、パリ万博出陳の縮像などのお身代わりの像があるか、どうかを調べてもらった。

イギリス・大英博物館の像は、昭和５（１９３０）年に、在日英国大使館のジョン・テイリー大使から法隆寺住職に要請があり、新納忠之介さんが造ったものであることは知られている。

模像の作業は法隆寺の上御堂で行なわれ、約６カ月を要した。この像は、その年の11月30日に完成し、しばらく金堂内に安置してからイギリスへ送られたものである。

文化庁の調べで、ドイツ・ベルリンダーレム博物館にも、百済観音像が現存していることがわかった。それは明治38（１９０５）年に奈良帝室博物館からの紹介で、京都の仏師田中文弥が模造したものである。

私は文化庁の紹介により、大英博物館とベルリンのダーレム博物館を訪問して、百済観音のお身代わり像に対面することとなった。

大英博物館では、同館の日本部長ヴィクター・ハリスさんの案内で、昭和５年に新納忠之介さんが造った百済観音に参拝した。

その説明板には、「模造」として紹介していたのである。私は「これはただの模造ではない、この像が完成したときには丁重に開眼法要も厳修し、しばらくは金堂に安置していた。その由来から『分身』という表現が好ましいのでは」と提案したのである。するとハリスさんは早速、「分身」と表示された。

さらに大英博物館では、それまで地下の倉庫に安置されていたが、これを機会に5階のジャパニーズギャラリーに移して、多くの人びとが参拝できるようになったと聞く。

ベルリンのお身代わり像は、市南西部のダーレム博物館内の民俗博物館にあった。同民俗博物館館長のクラウディウス・ミュラーさんの案内で、2階の収蔵庫に安置されているお身代わり像と対面した。

この像は大変破損していた。これは第2次大戦末期に、戦禍を逃れて収蔵品が各地へ疎開されたためであるという。すでに光背や水瓶なども失われていた。

しかし、この像は百済観音が大掛かりな修理を受ける明治38年直前に造られたものであり、資料的にも大変貴重なものである。当然のことながら、宝冠が発見される以前に彫られたものであるから宝冠は付けていない。

同館の収蔵リストによると明治38年に同館へ収蔵されていることも判明しており、お身代わり像は造られてすぐ渡欧していたのである。

このように、パリでの百済観音展観を契機としてロンドンとベルリンに収蔵された分身像に参拝するありがたい機会を得ることができたのであった。

しかし残念ながら、パリの縮像の存在はわからない。将来その像がこつぜんとして現れることを願うばかりである。

195 全国で百済観音展開く——文化財指定制度の100周年記念

パリ滞在中に、またまた文化庁の三輪嘉六さんから難題が寄せられた。それは明治30(1897)年に「古社寺保存法」が制定され、国宝指定が始まって平成9(1997)年が100周年にあたることから、ぜひとも文化財保護の啓蒙のために「百済観音展」を開催したいということであった。

そのとき、文化庁から法隆寺宛に提出された書類には次のように記されている。

「平成9年は明治30年に『古社寺保存法』が制定されてから100周年にあたり、百済観音はこの年に国宝指定を受けていることなど、本年は白済　観音にとりまして記念する年にあたっております。さらに、百済観音は、その重要性や保存状況からほとんど寺外に出陳されたことはなく、海外に　に出陳されましたのも今回が初めてのことであります。

　このような意義深い年にあたり、東京だけでなく、広く国民の皆様にも百済観音の素晴らしさを鑑賞していただく機会を設けるため、帰国展に引き続いてさらに全国数カ所での巡回展を開催致したくお願い申し上げる次第です」

　これに対して法隆寺では、文化庁の申し出を受けて展覧会を実現させた。そして、帰国展は11月26日から12月21日まで東京国立博物館で開くこととなり、帰国後の主催は文化庁と開催館とに決定した。

　その後、百済観音像は翌年から名古屋市博物館、石川市県立美術館、福岡市美術館などの各地で披露され、最後に奈良国立博物館で展覧会が開催されることになった。そして10月22日の百済観音堂の落慶日までには、法隆寺へ帰られることとなっていたのである。

　ところが5月25日に予期せぬ出来事が起こった。文化庁から法隆寺に対して百済観音の水瓶の付近に亀裂が入った、とする電話連絡が入ったのである。私にはその日の午後4時ごろに講演先へ伝えられた。私はしばらくこの予期せぬ出来事に呆然として、その知らせに半信半疑の状態で聞いた。しばらくは何も言葉にはならなかった。

　私たちは文化財の管理監督官庁である文化庁から、国宝指定百年を記念して文化財保護の啓蒙のために百済観音展を開催したいという強い要望があり、やむを得ず同意したものである。

　特に百済観音のお帰りをお待ちする百済観音堂が、多くの人びとのご協力によってすでに完成し、今秋にはその落成を迎えるばかりとなっているのである。そのような時期に、百済観音堂の建立の責任者として、大きなショックを受けたことはいうまでもない。しかし、文化庁はそれに対する対応を速やかに行わなかったのである。私は憤慨した。

「これが文化財を管理する監督官庁の態度であるのか」と。私は文化庁に対して、強く抗議した。

　すぐさま亀裂に修理が施された。展覧会の裏側ではこのような事態も起こっていることを、ぜひとも多くの人々に知っていただきたいのである。

いくら技術が発達しても移動中に仏像などが破損することもあり、決して移動して状態が良くなることはないのである。

役所の多くは管理者の責任を追及するものの自らの責任追及には甘い、と感じるのは私だけであろうか。

今後も行われるだろう展覧会では、表に出ない事件が起こらないことを願うばかりである。

そのような事情から私は未だ文化庁などの寺宝を扱う態度には疑念を抱いており、その思いは今なお消えることはない。

196
百済観音のデジタル復元——百済観音堂の紋様

百済観音像が帰国してまもなく、東京国立博物館の「百済観音展」開催までの短期間に百済観音像のコンピューターによる復元が行われた。１３００年前の飛鳥時代の製作期の姿によみがえらせる作業である。

これは、歴史文化遺産をデジタル技術によって活用するデジタル・アーカイブ構想を推進するために行われたものであった。

この構想に協力していただいた平山郁夫さん、東海大情報技術センターの坂田俊文さん、東京芸術大文化財保存学日本画研究室の田淵俊夫さん、宮廻正明さんらによって、百済観音像は制作時の飛鳥の色によみがえったのである。飛鳥の色に復元された百済観音像は、特別展観「百済観音」の会場でも一般公開された。

また、この研究の成果は進行中であった百済観音堂でも大いに役だった。百済観音の頭上を飾る天蓋に応用されたのである。

それは、百済観音像の光背の中葉にある蓮の蓮弁を再現したものであった。その製作に、彫刻は長澤市郎さん、彩色は田淵さんと宮廻さんにお願いした。

復元された天蓋は、ただ無言のままに百済観音の頭上を覆っており、それに気づく人は少ない。

また、観音堂の周辺には、知床斜里町の皆さんから「一位の木」（オンコの木）をご恵与いただいた。

これは私が、小説家の故立松和平さんの紹介で知床の毘沙門堂へ参拝するようになり、やがて私の発意で太子堂が知床に建立されたことなどのご縁が強く結ばれたことによって実現したものである。特に立松さんの畏友である斜里町の佐野博さんたちが、いろいろと尽力された。

やがて、私が百済観音堂の建立に尽力をしていることを伝え聞かれた知床の皆さんから、「一位の木」を寄進する旨の申し出をいただいたのである。

申し出の献木を拝見した時に、その中でも私の眼に止まった一木があった。それは樹齢100年を超す老木で、平岡さんという方が大切にされていた銘木と聞く。私はそれを拝見するなり、百済観音堂へ人々を導く参道の正面にぜひともその木を植えたいと思ったのである。

ところが、平岡さんが多年にわたって大切にされていたもので、手放すことを大いに戸惑われた。それを地元の人々が説得されたのである。

そしてついに、寄進を決心されたのであった。平成10(1998)年5月19日にそれらの木は知床を出発して法隆寺へ向かうこととなった。

私は知床を訪れて、知床役場前で行われた出発式に参列した。そして道中の無事を祈ってトラックに向けて般若心経一巻を読誦し、そして参列をいただいた人々にお礼を申し述べた。それに先立つ300本はすでに16日に到着していた。

そして最終の献木は無事に法隆寺へ到着した。このようにして「一位の木」は百済観音堂の周辺に植樹されたのである。

この百済観音堂建立について、一つ念願があった。それは甍《いらか》に、斑鳩宮推定地から出土していた「単弁6弁軒丸瓦」と「忍冬唐草紋軒平瓦」や、若草伽藍《がらん》跡近くから出土していた、飛鳥時代の「単弁8弁蓮華文」を複数配した鬼瓦で百済観音堂を飾りたい、というものだった。それは委員の皆さんからもご賛同いただいた。

しかし、百済観音堂の前庭の広場に敷き詰める磚《せん》瓦の模様の決定が難航した。やがて私は思いついた。それは橘夫人厨子の蓮池を復元する案であった。

そして堂前の磚瓦の模様は、蓮池の磚瓦と決定したのである。百済観音堂を取り巻く細部は、時間的制約のある中、最終決定したのであった。

197 百済観音堂の落慶まで――記念すべき平成10年

平成10（1998）年1月26日は、法隆寺にとって忘れることができない日であった。

50年前の昭和24（1949）年1月26日に、金堂罹《り》災《さい》という大惨事が起こった日である。痛恨の壁画焼損である。現在では、当日の悲惨を知る寺僧はすでにいなかった。

私はこの日の惨事を、多くの皆さんとともに回顧し後世に伝えたいと考えていた。そのために「法隆寺金堂罹災50周年」を回顧する法要を厳修することとなった。

毎年の法要は、金堂内陣と焼損壁画を収納する収蔵庫で行っていたが、私はその年に限って金堂前の礼拝石に坐《ざ》して法要をしたのである。そしてぜひとも金堂の前扉を開いて礼拝石から追懐の表白文を読みたかったのである。

幸い多くの人々の参拝をいただき、私の思いは現実のものとなった。私の知るかぎり、礼拝石に坐って法要をした記録はない。

そしてこの不幸な出来事から50年という大きな節目の年と当たる事と、ここ一両年が「古社寺保存法100年」「文化保護法50年」という意義深い年に当たる事を記念して、『回顧・金堂罹災』を上梓した。

これには明治17（1884）年からの金堂壁画関係の文献記録や壁画模写、壁画焼損・再現壁画などの写真、法隆寺災害年表などを収録している。

またこの年は、明治維新という苦難の時代を乗り越えた功績が大きく、私が尊敬している高僧のひとりである千早定朝師の百回忌をむかえる年でもあった。

定朝師は法隆寺を苦難から立ち上がらせた功績があり、現在の法隆寺の礎を築いた高僧である。私はぜひとも千早師の百回忌を厳修したかった。

千早師は京都・清水寺や奈良・興福寺の住職を兼務して、明治32（1899）年3月17日に遷化した。そのとき葬儀の導師を西大寺長老の佐伯弘澄師にお願いしていたこともあり、百回忌の導師を西大寺長老の谷口光明師にお願いした。そして興福寺の多川俊映師と清水寺の森清範師をはじめとする関係者にも参列していただき、私の永年の千早師への想いを成就した（会場は食堂とした）。そして私は、これまで執筆していた『近代法隆寺の祖千早定朝の生涯』を上梓して霊前に供した。

なお、百済観音堂落慶の準備は整いつつあったものの、細部についてもう少し決めることがあった。まず取り急いで百済観音堂と大宝蔵院の額のことであった。私は百済観音に最もご縁のある方にお願いをしたいもの、と考えていた。

幸い、裏千家家元の千宗室さん（のちの玄室大宗匠）には、百済観音堂の発願から落成までのすべてを見守っていただき、いろいろとご芳情をちょうだいした。そのことからお家元にご依頼して、『百済観音が居ますところ」という意味から『補陀落《ふだらく》』と揮毫《きごう》していただくこととなった。

百済観音堂を取り巻くように建てられた大宝蔵院の中門の額の決定には、少し時間を要していた。

ある日、書家の榊莫山《さかきばくざん》さんが百済観音を愛しておられることについて、朝日新聞に次のように掲載されていることを知った。

「百済観音は、この秋、旅に出た。旅先はフランス。宿はルーブル美術館。百済観音をみて、パリの人々はどういうだろう。『これぞ、ゆゆしき東洋の美の極致』と、いうかも。いや、だまったまま、手を合わせる人がいるかもしれぬ。わたしにとっては、夢みる夢の観世音。ただひたすらに、心のとろけてしまいそうな、仏さまなのである」

私は、この文を読んで心に決めた。榊さんにご依頼して『大宝蔵』と揮毫していただこうと。こうして二つの額は決定した。

おふたりとも、百済観音へのご縁が深く好ましいと確信した。こうして額の揮毫は決定したのである。

198

百済観音堂落慶前夜——中門の額を除幕する

落慶の日を待つばかりとなったが、大宝蔵院の中門の額はそれよりも早く除幕しておく必要があった。それは、法要の準備のために人々が出入りする必要があったことによる。
私は、落慶前日の10月21日に除幕することを決めた。ともに百済観音堂の建立を願っていた長老の大野可圓師が体調を崩しておられたので、私が車椅子を押して除幕に臨んだ。揮毫《きごう》していただいた榊莫山さん、建立にご尽力いただいた鈴木嘉吉さんをはじめ、長老の枡田秀山師をはじめとする法隆寺の寺僧たちが参列した。

中門の開門を終えて、大宝蔵院内を一覧した。これで大野さんとの約束が果たせたのである。

いよいよ平成10（1998）年10月22日に、待望の百済観音堂が落成する準備が整った。そして明日から5日間にわたる法要が無事に行われることを祈って、古式による「蜂起之儀《ほうきのぎ》」を執行したのである。

蜂起とは、多くの人びとが蜂の飛び立つように何かを訴える目的で立ち上がること、をいう。古くは、寺院で何かに抗議するために行動することを意味するものらしい。蜂起之儀のときに参集する衆徒たちは裹頭《かとう》（頭を袈裟《けさ》で包む姿）で太刀をはいていることから、本来は堂方の行人《ぎょうにん》の役であった可能性が高い。

行人とは本来はもっぱら修行を行い、法隆寺では主として西円堂の堂司役や綱維《こうい》の役を勤める僧のことで、修験の行者的色彩が強い。古くから行人が行っていた当行とは修験道的色彩の強い行法である。

4月12日から7月13日まで、法隆寺の裏山にある蔵王堂の滝で閼伽水《あかみず》をくみ上げて供花懺法《くげせんぽう》を行い、不動石、ケサカケ石などの行場を中心に修行していた。

いずれにしても、古くはこの行人たちが蜂起之儀の役を勤めたことをうかがわせている。

そして蜂起之儀は、10月21日から5日間にわたって行う「百済観音堂落慶供養会」が無事に執り行われることを祈願したのである。午後6時に打ち鳴らす初夜の鐘を合図に白丁の持つ松明《たいまつ》に導かれた衆徒たちが大湯屋前に集会した。

綱維（古くは堂方の役であったが、このときは法隆寺住職が勤めている）は、衆徒を引率して大湯屋の北にある三経院池の堤の南東へ向かう。なお衆徒は黒の重衣を着し、白の五条袈裟を以て頭を裹《つつ》み、腰に一刀を帯び、素足に黒塗りの下駄を履《は》いている。ここで綱維が惣社に向って「僉議《せんぎ》之辞」を奉読した。

「方に今旧儀を尋ねて先縦に准じて本月吉辰より5日間を期して百済観音堂落慶供養大会を修す。然ればすなわち天神地祇、丹心を照察され、擁護を廻らし、慈眼を以て十魔諸障を消除して、法会無事、四海静謐、万民豊楽、善願旨趣の他なし。神明は必ず祐助を垂れたまわんことを」

その後、衆徒は蜂起して仁王門前に巡行して、廻廊巽隅《たつみのすみ》にて法螺《ほら》一調、次いで東大門、東院、南大門、西大門にて各一調して退散した。

明日からはじまる大法会が魔事なく修行することが出来るよう天地神明の祐助を乞い、その加護を願ったのである。

衆徒が吹き鳴らす法螺の音は魔障を降伏することを意味する。ここに蜂起の儀は畢《おわ》った。寺僧や関係者たちはそれぞれに法会の準備を行い、最終確認を終えていた。そして落慶供養会の日を迎えることとなる。

幸い降り続いていた小雨はすでに止み、西空は斑鳩の秋空に見られる美しい空模様が漂っていたのである。そして百済観音の慈悲の光が、斑鳩の空を覆いはじめることとなった。まさに百済観音が安住の地を得たことに微笑まれているかのように、私は感じた。

199
百済観音堂落慶——5日間の大法会

待ちに待った、平成10（1998）年10月22日を迎えた。晴天で、早朝から多くの関係者が参集してきた。そして会場の三経院を進発した出仕僧たちは、大宝蔵院百済観音堂へと行道した。境内には庭幡《ばん》がたなびき、堂塔の風鐸《ふうたく》には小幡が風に揺られていた。

私はこの法会を、聖霊会《しょうりょうえ》を模した法会としたいと考えていた。そのために聖皇御輿《しょうこうみこし》（太子像）と舎利輿（南無仏舎利）が列に加わり、南都楽所による奏楽があり、聖徳太子ゆかりの寺院の僧侶たちがそれに続いた。

そして読師の枡田秀山師の乗った轅《えん》、式師が乗った四方輿が続いた。やがて式師と読師は百済観音堂への参道で輿を下りて、列を整えてから百済観音堂の前にしつらえた舞台に向かった。

まず建設委員長の太田博太郎さんと揮毫《きごう》をいただいた裏千家の千玄室大宗匠、そして私が額の除幕を行った。いよいよ法要がはじまったのである。

法隆寺では、このような大会でお献茶が行われるのは記録上初めてのことであった。そして開白法要では、慶讃文を東大寺別当の守屋弘斎大僧正に奉読していただいた。

やがて法要は終わり、参拝者たちはそれぞれに百済観音堂を拝観。その後、聖徳会館で祝宴が開かれ、関係各位にお礼を申し述べた。

それぞれにゆかりの人々の集まりであり、しばし歓談をされた。そして境内各所で記念茶会が催され、参詣者たちはそれぞれにお茶を楽しまれたのである。

2日目の23日は、興福寺貫首多川俊映師をはじめ、寺僧たちの出仕のもとに唯識《ゆいしき》講を厳修。慶讃文は臨済宗東福寺派管長・福嶋慶道老大師に奉読していただいた。小雨のため法会は中門内で執り行ったが、幸い大降りにはいたらず、帰路は晴れた。

3日目の24日は、京都清水寺管長・森清範師をはじめ、寺僧たちの出仕のもとに観音講を厳修。慶讃文は、臨済宗相国派管長・有馬頼底老大師に奉読していただいた。

4日目の25日は、一源派による舎利講を厳修した。慶讃文は、真言律宗西大寺長老・谷口光明大僧正に奉読していただいた。

5日目の26日は、聖徳宗関係寺院による結願法要を厳修した。その日は裏千家若宗匠（のちの千宗室宗匠）によるお献茶があり、聖皇御輿や舎利御輿の還御《かんぎょ》もあり、無事に百済観音堂の落慶はその幕を閉じた。そして初日と同じく境内の各所では茶席が設けられ、参拝者はそれぞれに記念茶会を楽しまれていた。

この5日間にご出仕をいただいた興福寺、清水寺、一源派は法隆寺の法類として深い関係があることから、ご依頼したのである。

なお、この期間中に行われたもので特記したいのは、10月24日に兵庫県太子町の伝統行事の奉納があったことだ。「お幡入れ《はたい》・法伝哉《ほうでんや》」である。

法隆寺の旧庄園であった斑鳩庄に伝わる行事で、「お幡入れ」とは聖徳太子が仏敵物部守屋を討伐したときに戦勝の歓びを表したもの。「法伝哉」とは仏法の流伝興隆を表したもの、との伝承をもつ伝統行事である。

斑鳩寺でその行事を拝見した私は斑鳩庄にふさわしい行事であり、ぜひとも百済観音堂落慶のご法楽として法隆寺へ奉納していただきたいと懇請した。それが実現したものであった。

私は、その日（24日）に世界文化遺産登録5周年を記念する「第2回法隆寺フォーラム（3周年記念に第1回を開催）」を開き、その一つの行事としたのであった。

とくに私が交流を深めさせていただいた、東京や京都などの諸大寺の諸徳たちをはじめ、各界の皆さんの参列をいただいたことに感謝した。

　百済観音堂の落慶に至る永い道のりは、私にとって寺僧として結願への道筋でもあり、法隆寺への感謝の証しとなる、すがすがしい日となった。

百済観音堂の姿を望みながら、改めて感激がこみ上げてきた。そして本願聖皇をはじめ、諸仏諸菩薩にも厚く厚くお礼を申し述べた。

　私は無事に落慶した庇護《ひご》に感謝しつつ、百済観音堂の屋根に輝く宝珠を仰いで袖を濡らした。

200

法隆寺住職を勇退——住職の任期5年を提唱

平成10（1998）年10月26日にすべてが終了した。関係者にお礼を申し述べ、私が念願をすべてなし終えた瞬間である。

　5年前から、この日の来るのを待ちに待っていた。平成5（1993）年6月1日に法隆寺住職代行に就任することを要請されてからこの日まで、ひたすら百済観音堂の落慶を目標とした。法隆寺住職に就任してからは、平成10年10月22日を心秘かに私の終焉《しゅうえん》である、と目指したのである。

　平成10年は世界文化遺産登録5周年、10月22日は大野可圓師、枡田秀山師の「晋山式の日」としてきた。そのために私も、平成10年10月22日を百済観音堂の落慶披露日、その日を私の晋山披露と心に秘め、それをもって勇退することを決めてきたのである。

　それを目標として邁進《まいしん》した。苦しい道のりであったが、ひたすら耐える日々であった。

　そして10月26日に法要が滞りなく終了し、法隆寺の寺僧たちに感謝のあいさつをし、法隆寺住職隠退届を提出した。そして私はかねてからの予定通りに法隆寺住職を勇退することを表明したのであった。

「おかげさまで去る10月22日に寺務局局員一同の協力と努力のもとに百済観音堂が落慶をいたしました。まことに感慨一入《ひとしお》のものがございます。まことにありがたいことと感謝を致しております。

このように百済観音堂の落慶によって、わたしに課せられました至上の使命は達成されましたので、この機会に人心を一新する意味からも法隆寺の護持を後進に委ねたいと思います。

とくに平成5年に桝田管長の強い要請による異例の法隆寺住職代行に就任して百済観音堂の建立実現のために寺務を総覧してから、ちょうど今年で5年目を迎えることにもなりました。

わたくしは捨身の思いで法隆寺の住職に就任した日から百済観音堂の落慶供養会が私の隠退の日であるとの固い決意のもとに全力投球をしてまいりました。

そのような事情から、来る11月末日を期してわたくしは法隆寺住職を隠退することと致します。

そして、この機会に寺僧たちは僧階の順位に従い5年を任期として順次、法隆寺住職に就任し、一山の一致団結のもとに法隆寺の護持に勤められることの提案を致したいと存じます」

それは、私の肩の荷がおりた一瞬でもあった。しばらくは講演会や日中韓仏教交流会などによる訪中などの事務処理もあり、1カ月後の11月末日をもって隠退することを申し出たのである。

そして私の次席者を後継とすることを寺僧たちに要請し、これからは法臈《ほうろう》にしたがって5年を任期として寺僧たちが順次、住職に就任して寺門を運営してもらうことを提案したのであった。寺僧一人ひとりに法隆寺の護持に対する強い念をもってほしいというのが、私の強い願いでもあったからである。そしてすべての寺僧たちに夢と希望を与えることが法隆寺の興隆につながる、というのが私の信念でもあった。

その後は、かねてからの予定通り、昭和資財帳の成果をふまえつつ、法隆寺で展開された聖徳太子の伝記の研鑽や教学・信仰・行事・歴史をはじめ、法隆寺に伝わっている堂塔の建築・仏像(彫刻)・絵画・工芸・書籍・考古などに関するすべてを包括した学問体系を、「法隆寺学」として確立することに努める日々を過ごすこととなる。そして寺僧として、いくつもの大きな事業を達成させていただいたことに対して、改めてそれが幼少のころから「人間一生勉強や」との師匠の叱咤激励と声なき声に支えられつつ、今日まで来られたことに感謝している。

そして私が住職を勇退してから早やくも19年が過ぎようとしている。ここに改めて私は法隆寺の興隆と寺僧たちの融和を祈る昨今である。

あとがき

長老様、17年間と云う長い年月200回にわたりご執筆を続けてこられた貴重な資料の御出版おめでとうございます。

長老様の印象を一言で表現申し上げるには、わたくしはその言葉を知りません。奥深いお人柄でいらっしゃいました。

仏様に合掌される長老様のお姿、にこやかに語られる中にかもし出されるなごやかな空気、学僧として説を述べられる凛とした張りつめた清々しさ、全て長老様のお姿なのです。

長老様を尊敬されておられました、瓦、地鎮・鎮檀研究の第一人者としてお名前のあった恩師・森郁夫博士のご縁で、私は長老様にお目もじ申しました。歳多くして大学院に入り、森郁夫門下として研究をさせて頂き始めた頃だったと記憶いたしております。一学生の私にまで歯切れの良いお声で、ご丁寧にお言葉を交わして下さいました。

聖徳太子様を篤く篤く尊んでおられたことは、たわいないお話の端々にも、学術的な話題を楽しそうに語られる時などにも、私どもに深く感じ入るものがございました。このことは法隆寺の長老様だからと云うだけではなく、一人の御方、高僧、学僧とどのお立場から思慮される時にも垣間見られることでした。きっと、長老様を知る多くの皆様が同じことを感じておられたのではないでしょうか。

平成19年度、『法隆寺若草伽藍跡発掘調査報告書』（奈良文化財研究学報　第七十六冊　２００７年3月）が出版されました。調査から40年経っておりました。その調査では、森郁夫博士が奈良国立文化財研究所の技官として、若草伽藍の発掘調査に汗を流しておられました。長老様は発掘調査にも、瓦にもご造詣が深く、発掘調査の現場によくお出ましになられたと恩師から聞き及んでおりました。

『法隆寺若草伽藍跡発掘調査報告書』に貴重な1枚の写真が納められています。それは、現場に掘られたトレンチに、墨染の衣をたくしあげ、頭を突っ込むようにして覗きこまれている若かりし頃の長老様のお姿です。当時の全てを物語るようでございます。

長老様と森郁夫先生のご親交が長く、深く、お互いをよく理解しておられたからこそ出来ることだと傍からお見受けすることも多くありました。

２０１０年、長老様ご自身の貴重なコレクションの数々を帝塚山大学考古学研究所・附属博物館にご寄贈下さいました。博物館では、第12回特別展示「新収の文化財　法隆寺長老高田良信師寄贈資料」と題し、特別展示が開催されました。1枚の瓦を真中にして、長老様と考古学研究所所長の森郁夫先生が昔を懐古し、お二人語りつくせない昔に想いを馳せておられる光景は一枚の絵になるようでございました。森先生は「お上、お上……」と長老様を大切に思われ、尊敬しておられました。また、長老様も「森先生……」と肩を寄せられて実に楽しそうに語りかけておられました。

そのような何十年に及ぶお親しい仲ではありますが、そのお二方の御交流は門下の私どもからいつ拝見しても「親しき仲にも礼儀あり」を感じさせるものがありました。

長老様のご誠実な性格とたたずまいは、最初のお目もじからお姿をお隠しになるその時まで、いつも変わられることはございませんでした。長老様がお心を聖徳太子様、法隆寺の御仏様お一方、お一方に捧げられる姿勢がご著書となりました。蓮のうてなに抱かれた長老様のお心そのものの想いが、再びここにご著書として生き続けます。ご出版おめでとうございます。

ご生前に奈良新聞社様の紙面に17年間、ご執筆してこられた思いを実相院で伺い、ご出版の時にはご補助申し上げるよう申し付かっておりました。この度、ご著書が世に出ることとなりました。僭越ながら「あとがき」をしたためさせて頂く事となり、長老様と森郁夫先生のご笑談のお声が聞こえるようでございます。

帝塚山大学考古学研究所　特別研究員　甲斐弓子

髙田良信長老猊下、そして読者の皆様へ

この本の元となった奈良新聞の連載「私の法隆寺物語」について、髙田長老は生前すでに、200回分の原稿をまとめ終えていました。愛用のパソコンには全回の原稿が掲載順に残され、そこには、最終回に添える関係者への謝辞もありました。きちょうめんな長老さんらしいお仕事だと思います。

長老が遷化なさってからしばらくして、「書籍にしたいので、編集を手伝ってもらえないか」と登久子夫人からご相談があり、喜んでお引き受けしました。長老の最晩年に「髙田長老の法隆寺いま昔」という聞き書き企画を担当させていただいたご縁がありましたので、これほどうれしいお話はありません。

作業にあたっては、パソコンに残る初稿を奈良新聞で掲載された記事と突き合わせ、長老や編集担当者の校正・校閲を正しく反映することにつとめました。

その中で、難解な漢字や宗教・文化財用語などは、なるべくわかりやすいものに置き換えました。また、連載されていた17年の間のさまざまな変化で読みにくくなったと思われるところは、文意を変えないように気をつけつつ、違う表現を模索しています。

一部にあった同じエピソードの重複はそのままにしました。長老がその当時、原稿に込められた思いを最大限尊重したいと考えたためです。

また、連載の半ばまで使われていた漢数字表記は表記を統一するため、慣用句など一部を除いて、原則洋数字に改めました。

お読みいただけばわかるように、前半は１回１６００字前後ですが、途中から１２００～１０００字程度の短い原稿になっています。これは、高齢読者への配慮などから次第に新聞の活字が大きくなり、収容文字数が減ったことによります。中ほどの回から人物に敬称がつくのも、連載時のままにしました。

いろいろな制約の中、長老のご遺志を余すことなく反映できたかどうか、今も忸怩《じくじ》たる思いがあります。とにかく、２００回の大河連載をひとつにまとめて残したかったのです。長老様、読者の皆様、どうかお許しください。

なお、小生が手がけた聞き書きは『高田長老の法隆寺いま昔』（朝日選書）にまとめました。採り上げた話題や内容はかなりの部分で本書と重なりますが、長老の時々の思い出話や感想などには微妙な違いもあるようです。併せてお読みいただければ幸いです。

２０１９年秋

朝日新聞編集委員　小滝ちひろ

高田良信（たかだ・りょうしん）

1941年奈良県生まれ。1953年佐伯良謙・法隆寺管主の徒弟となる。龍谷大学大学院修了。法隆寺執事、執事長などを経て、1995年に法隆寺第128世住職・聖徳宗第５代管長に。1998年百済観音堂の完成を機に退任し、法隆寺長老となる。前法隆寺実相院住職。

法隆寺昭和資財帳と法隆寺史の編纂を提唱し、法隆寺学をライフワークとして執筆・講演を続けた。『法隆寺のなぞ』（主婦の友社）、『法隆寺日記を開く』『私の法隆寺案内』（ともに日本放送出版協会）、『法隆寺の謎を解く』『法隆寺の秘話』（ともに小学館）、『法隆寺国宝散歩』（講談社）、『法隆寺1400年』（新潮社）、『法隆寺辞典 法隆寺年表』（柳原出版）、『髙田長老の法隆寺いま昔』（朝日選書）など著書多数。

2017年４月26日、老衰のため死去。

私の法隆寺物語

2020年３月26日　初版第１刷発行

著　者……………………… 髙田良信
発行者……………………… 稲川博久
発行所……………………… 東方出版㈱
〒543-0062 大阪市天王寺区逢阪2-3-2
Tel. 06-6779-9571　Fax. 06-6779-9573
印刷所……………………… モリモト印刷㈱
装丁　濱崎実幸

ISBN978-4-86249-387-3

大安寺歴史講座 1
大安寺伽藍縁起并流記資財帳を読む
菅谷文則　南都大安寺編
1500円＋税

大安寺歴史講座 2
大安寺の歴史を探る
森下惠介　南都大安寺編
1400円＋税